Deutsche Dichter 4

Deutsche Dichter

Leben und Werk deutschsprachiger Autoren

Herausgegeben von
Gunter E. Grimm und Frank Rainer Max

Deutsche Dichter

Band 4

Sturm und Drang,
Klassik

Philipp Reclam jun. Stuttgart

Universal-Bibliothek Nr. 8614[6]
Alle Rechte vorbehalten
© 1989 Philipp Reclam jun. GmbH & Co., Stuttgart
Gesamtherstellung: Reclam, Ditzingen. Printed in Germany 1989
RECLAM und UNIVERSAL-BIBLIOTHEK sind eingetragene
Warenzeichen der Philipp Reclam jun. GmbH & Co., Stuttgart
ISBN 3-15-008614-0

Inhalt

JOHANN GEORG HAMANN

Von Oswald Bayer

> Was ersetzt bey Homer die Unwissenheit der
> Kunstregeln, die ein Aristoteles nach ihm erdacht,
> und was bey einem Shakespear die Unwissenheit
> oder Uebertretung jener kritischen Gesetze? Das
> Genie ist die einmüthige Antwort.

Indem Hamann, wie hier in seiner Erstlingsschrift *Sokratische Denkwürdigkeiten* (1759),[1] gegen die eiserne Geltung
eines apriorischen Regelwerkes für die Freiheit des »Genies«
eintritt, kann er durchaus als Wegbereiter des Sturm und
Drang und der Romantik gelten. Doch redet er keiner
ungebundenen Subjektivität das Wort. Denn die Freiheit des
»Genies« ist ihm eine geschaffene und also keine chaotische,
sondern eine strukturierte Freiheit: zu hören und zu reden,
zu lesen und zu schreiben und darin zu urteilen. »Genie« ist
antwortendes Schöpfertum. Hamann selbst ist ein »Original«, wie Hegel[2] ihn nennt, nur im Umgang mit dem Zitat;
seine besondere Zitations- und Notentechnik (vgl. Hoffmann, S. 119–128) ist kein Ornament oder äußerlicher Ausweis der Gelehrsamkeit, sondern Zeichen einer elementaren
und unaufhebbaren Abhängigkeit.

Hamanns Geniebegriff hat theologische Voraussetzungen
und Implikate. Gott selbst ist in seinem sprechenden Werk
und wirksamen Sprechen »Autor«, »Poet« : »Gott ein Schriftsteller!« (SW I,5). Es wurde »einem großen Genie so sauer«,
die Welt zu erschaffen (B I,452); dem Nachfolger seiner
Demut teilt sich »die Thorheit des Genies« (SW II,107)

mit. »Das wahre Genie kennt nur seine Abhänglichkeit und Schwäche« (SW II,260).

Nicht nur die für Hamanns Schriftstellerei konstitutive Abhängigkeit von der Sprache der Bibel unterscheidet ihn von der Romantik, die sich auf ihn berief, sondern auch die erst neuerdings wirklich beachtete Prägung durch die Tradition der Rhetorik.[3] Hamann lebte noch in der alten Respublica litteraria, verschaffte sich also keineswegs in einer freischwebenden Subjektivität Ausdruck. Die Freiheit des »Genies« von »Kunstregeln« und »kritischen Gesetzen« besteht vielmehr gerade darin, sich auf den faktischen Sprachgebrauch einzulassen, der die Wahrheit auch verstellt, als herrschende Sprachregelung ein »Tyrann« ist und zugleich ein »Sophist«, der nicht nur das Denken verführt. Im Konflikt mit der Regel, dem sich das »Genie« und mit ihm jeder frei antwortende Mensch nicht entziehen kann und nicht entziehen will, geschieht Lernen durch Leiden.[4] »Genie ist eine Dornenkrone und der Geschmack ein Purpurmantel, der einen zerfleischten Rücken deckt« (B II, 168).

Hamann wurde am 27. August 1730 in Königsberg als Sohn des Baders und Wundarztes Johann Christoph Hamann geboren. Sein Großvater war Pfarrer in der Lausitz, sein Onkel Johann Georg Hamann Literat; die Mutter stammte aus Lübeck.

Hamanns Jugend in der Hafen-, Regierungs- und Universitätsstadt spielt in einer Atmosphäre, in der sich Pietismus und Aufklärung ohne große Konflikte ineinander verweben. 1746 beginnt Hamann in Königsberg mit dem Theologie- und Philosophiestudium, wechselt zur Rechtswissenschaft und Volkswirtschaft, studiert jedoch vor allem Literatur, Philologie und Rhetorik, aber auch Mathematik und Naturwissenschaften. Er verläßt die Universität ohne Abschluß und lebt dann, polyhistorischer Gelehrsamkeit und zugleich mikrologischer Detailuntersuchung hingegeben,

Johann Georg Hamann
1730–1788

längere Zeit als »Hofmeister« (Hauslehrer) auf baltischen Gütern.

Der gelehrte Hofmeister wird Kaufmann und geht 1757 nach London. Dort verliert er alle Orientierung; er scheitert beruflich wie persönlich. Doch sein Leben erfährt eine Wende (1758). Von den vielen Büchern findet er zu dem e i n e n Buch, aus der Zerstreutheit zur Konzentration, aus unerträglicher Unruhe zu der Gewißheit, im Autor der Bibel den Autor seiner Lebensgeschichte durch »die Höllenfahrt der Selbsterkänntnis« (SW II,164) hindurch als Freund gefunden zu haben, der ihn auslegt und versteht. Der Leser vieler Bücher macht, zum Leser des e i n e n Buches geworden, die Erfahrung, daß er im Lesen gelesen, daß er im Verstehen verstanden wird.

Nach seiner Rückkehr aus London bleibt Hamann jahrelang ein »Liebhaber der langen Weile«, der Muße zum Lesen; er pflegt seinen kranken Vater, kümmert sich um seinen schwachsinnig werdenden Bruder, ergreift aber keinen bürgerlich angesehenen Beruf. Seine »Gewissensehe« mit der Magd seines Vaters, Anna Regina Schumacher, der Mutter seiner vier Kinder, hat er nie legalisieren lassen. 1767 erhält er durch Kants Vermittlung die Stelle eines Übersetzers bei der von den französischen Beratern Friedrichs II. geleiteten Zollverwaltung und wird 1777 zum »Packhofverwalter« befördert; er bleibt in untergeordneter Stellung mit kärglichem Einkommen, um das er gegen die »Arithmétique politique«, die ökonomisch-politische Rechenkunst des Staates, kämpfen muß. 1787 wird sein Gesuch um Urlaub zum lange geplanten Besuch des Freundeskreises um die Fürstin Gallitzin in Münster mit seiner Entlassung und schmaler Pension beschieden. Am 21. Juni 1788 stirbt Hamann in Münster. Kurz vor seinem Tod hat er sein Leben und Werk in einen knappen Stammbucheintrag konzentriert, in das *Letzte Blatt*.[5]

Die Zeugenschaft, zu der Hamann mit seiner Lebenswende in London berufen war, hat ihn, der zeitlebens stotterte, nicht in ein öffentliches kirchliches Amt geführt. Minister verbi divini, Diener des göttlichen Wortes, war er als Schriftsteller – darin, wie in vielem anderen, Kierkegaard vergleichbar. Die Schriftstellerei ist ein Predigtamt eigener Art. So bewegt sich Hamanns Sprache nicht in den üblichen Formen reformatorischer Predigttradition. Die bildkräftige Sprache der Lutherbibel verflicht sich vielmehr in die Lebensgeschichte des Autors, in konkrete Gesprächssituationen, Begegnungen, publizistische Konstellationen, Rezensionen, Repliken, in die Antikritik und Metakritik. Hamann geht auf den Gegner ironisch und spottend, parodierend und persiflierend, scheltend und schmeichelnd ein – sich in alledem rhetorischer Mittel bedienend.

Seit seiner Mitarbeit an der Wochenschrift *Daphne* während seiner Studentenzeit Publizist, in der späteren Zeit (1764–79) Schriftleiter und Verfasser zahlreicher Rezensionen für die *Königsbergschen Gelehrten und Politischen Zeitungen*, war Hamann aus der Wurzel seiner Existenz heraus auf Kommunikation bedacht, die er kritisch-politisch wahrnahm. Höhepunkt seines Lebens und Schreibens ist eine *Metakritik* der Kritik Kants und zugleich des politischen Systems Friedrichs des Großen, auf dessen Absolutismus er in eben der Sprache antwortete, die der König der deutschen vorzog. Zeitgenosse beider war Hamann nicht nur in chronologischem Sinn. An dem, was sie repräsentieren, nimmt er im Innersten teil. Kants *Beantwortung der Frage: Was ist Aufklärung?* (1784), besonders seine Laudatio des Zeitalters Friedrichs, trifft ihn »bis in die Seele«: Kant rede von der selbstverschuldeten Unmündigkeit statt von der selbstverschuldeten Vormundschaft.

Hamanns Schriften sind kleine Gelegenheitsschriften, »Fliegende Blätter« (B IV, 400), Flugschriften eigenwilligen Charakters, »voll Persönlichkeit und Örtlichkeit, voll Beziehung auf gleichzeitige Erscheinungen und Erfahrungen, zugleich aber voll Anspielungen auf die Bücherwelt, in der er lebte«.[6] In diesen »Autorhandlungen«, wie er sie nannte, setzte sich Hamann zum Leser in ein zwiespältiges Verhältnis; er zieht ihn an und stößt ihn ab, um ihn zu eigenem Urteil zu nötigen (vgl. 2. Sam. 12,5 und 7).[7] Wenn Hamann, bis ins Innerste Zeitgenosse, seinem philosophischen und moralischen Jahrhundert Skandal gibt (vgl. B III,128), sucht er in gezieltem Widerspruch die Verständigung.

Sachverhalt und Sprachgestalt der Schriften Hamanns zeigen sich unauflöslich verbunden in der literarischen Form. Die Formen der Hamannschen Autorschaft scheinen in den Titeln auf. Nach Hamanns Verständnis blickt aus ihnen und den Motti die ganze Schrift; ihr Titel ist ihr Gesicht, ihre »Physiognomie«.

Mit den *Sokratischen Denkwürdigkeiten* läßt sich Hamann auf die Sprache des von der Figur des Sokrates begeisterten 18. Jahrhunderts ein. Den Titel der *Brocken* nahm Hamann nach Ausweis des Mottos und der »Erklärung des Titels« (SW I,298 f.) aus Joh. 6,12; Kierkegaards Titel der *Philosophischen Brocken* ahmt dies nach. »Wir leben hier von Brocken. Unsere Gedanken sind nichts als Fragmente. Ja unser Wissen ist Stückwerk« (SW I,299). Allgemeinen »Wahrheiten, Grundsätzen, Systems bin ich nicht gewachsen. Brocken, Fragmente, Grillen, Einfälle« (B I,431). Entsprechend tragen die Schriften Titel wie: *Chimärische Einfälle* (1761), *Philologische Einfälle und Zweifel* (1772), *Zweifel und Einfälle* (1776). Fast alle Schriften Hamanns verraten schon in ihrem Titel, daß sie Antworten, Nachahmungen, freie Anknüpfungen sind. Die *Aesthetica in nuce* (1762) entlehnt ihren Titel dem Buch eines Zeitgenossen. *Au Salomon de Prusse* spielt auf den Schluß der Ode Voltaires zum Regierungsantritt Friedrichs (1740) an (»Der Salomon des Nordens bringt das Licht«). Die geplanten *Freymüthigen Briefe, die natürliche Religion betreffend* kehren die 1780 anonym erschienenen *Freymüthigen Betrachtungen über das*

Christenthum des Freimaurers und Professors, Hofpredigers und Beichtvaters Hamanns, Johann August Starck, um und beziehen sich zugleich auf Hamanns Übersetzung von Humes *Dialogues concerning Natural Religion* (1779), in denen er eine entscheidende Hilfe bei seinem Kampf gegen die Vertreter der »natürlichen Religion« sieht.

Einen besonders sprechenden Titel trägt die Schrift *Golgatha und Scheblimini! Von einem Prediger in der Wüsten*, 1784 als Antwort auf Moses Mendelssohns *Jerusalem oder über religiöse Macht und Judenthum* (1783) in der »Wüste«, im rationalistischen Berlin, erschienen. Sie bewegt sich, wie alle Schriften Hamanns, im Stil eines »Cento«, eines Flickteppichs; sie ist »musivisch«, ein Mosaik (eine Sammlung seiner französischen Schriften hatte Hamann 1762 unter dem Titel *Essais à la Mosaïque* veröffentlicht).

> Diese kleine musivische Schrift ist aus lauter Stellen des Mendelssohnschen Jerusalems zusammengesetzt, und den Wolfianischen Spitzfindigkeiten entgegengesetzt, womit er seine Unwissenheit des Judentums und seine Feindschaft gegen das Christentum, welche er religiöse Macht nennt, zu bemänteln gesucht.
>
> (SW III,319)

Mit dem Alten Testament (Ps. 110,1: »Scheblimini« – ›Setze dich zu meiner Rechten!‹) tritt Hamann gegen das aufgeklärte Judentum für das Christentum ein. Dessen Mitte liegt in der Verschränkung von »Golgatha« und »Scheblimini«, im Geschehen der Kreuzigung und Auferweckung Jesu Christi, in »der irrdischen Dornen- und himmlischen Sternenkrone und dem kreutzweis ausgemittelten Verhältnis der tiefsten Erniedrigung und erhabensten Erhöhung beyder entgegengesetzten Naturen« (SW III,405/407). Diese im Titel der Schrift figurierte Mitte bestimmte Hamanns Leben, Lesen und Schreiben bis in die feinsten Verästelungen hinein. Die wechselseitige Teilhabe der Besonderheiten der göttlichen und menschlichen Natur der Person Christi, die »communicatio göttlicher und menschlicher idiomatum«, »ist ein Grundgesetz und der Hauptschlüssel aller unsrer Erkenntniß und der ganzen sichtbaren Haushaltung«, heißt es 1772 in *Des Ritters von Rosencreuz letzte Willensmeynung über den göttlichen und menschlichen Ursprung der Sprache* (SW III,27).

»Golgatha und Scheblimini« ist »der wahre Innhalt meiner ganzen Autorschaft, die nichts als ein evangelisches Lutherthum in petto hat« (B VI,466). Die unvollendet gebliebene Schrift *Entkleidung und Verklärung. Ein Fliegender Brief an Niemand, den Kundbaren* (1785–87) dient der »Entkleidung meiner kleinen Schriftstellerey und Verklärung ihres Zwecks, das verkante Christentum und Luthertum zu erneuern und die demselben entgegengesetzte Mißverständniße aus dem Wege zu räumen« (B VII,43 f.). Sie schließt mit dem Bekenntnis, es sei das »Christentum« im Sinne des »Luthertums«, das »meine geheime Autorschaft über ein Vierteljahrhundert im Schilde geführt« (SW III,407). In seinem »Schmack und Kraft allein dem Pabst- und Türkenmord jedes Aeons gewachsen« ist vor allem Luthers *Kleiner Katechismus*, der nach Hamanns Selbstzeugnis im Innern des »alcibiadischen Gehäuses« seiner spröden Schriften – wie das Götterbild im Silenschrein – steckt, in dieser Verpuppung aus einem religiösen Ghetto heraus in die Öffentlichkeit geschmuggelt wird »zum gerechten Aergernis unserer Lügen- Schau- und Maulpropheten« (B III,67). Über die kraftvolle Sprache der Lutherbibel hinaus wiederholt Hamann inmitten »unseres philosophischen, aufgeklärten Jahrhunderts« Luthers grobe Sprachgebärden, geht es ihm doch um keine literarische Spiegelfechterei, sondern um den Ernst der Überführung falscher Prophetie und um den Kampf gegen Götzendienst. »Denn was ist die hochgelobte Vernunft mit ihrer Allgemeinheit, Unfehlbarkeit, Überschwenglichkeit, Gewißheit und Evidenz? Ein Ens rationis, ein Ölgötze, dem ein schreyender Aberglaube der Unvernunft göttliche Attri-

bute andichtet« (*Konxompax. Fragmente einer apokry-
phischen Sibylle über apokalyptische Mysterien*, 1779;
SW III,225).

Die auf Allgemeinheit und Notwendigkeit, auf Reinheit
von allem Zufälligen und Besonderen drängende Vernunft
diagnostiziert Hamann als gewalttätig. Er parallelisiert die
Aufklärung mit dem römischen Katholizismus unter dem
Gesichtspunkt des Strebens nach Allgemeinheit, der damit
verbundenen Methode der Abstraktion und des dabei er-
wirkten Despotismus des Systems. Er kämpft gegen die
Herrschaft der instrumentellen Vernunft, die den neuzeitlichen Umgang des Menschen mit den Mitgeschöpfen prägt –
in der »zusammenhängenden und systematischen Bündig-
keit des römisch- und metaphysischkatholischen Despotismus, dessen transcendenteller Verstand seine Gesetze der
Natur selbst vorschreibt« (SW III,297).

Hamanns Kampf gegen solchen »Despotismus« findet
seinen Höhepunkt in der Metakritik der *Kritik der reinen
Vernunft* Kants. Der springende Punkt liegt in der »Reinheit«, wie schon der Titel figuriert: *Metakritik über den
Purismum der Vernunft* (1784). Die von Kant vorausgesetzte Reinheit verdankt sich einer Abstraktion – ebenso wie
seine Annahme einer Güte des Willens. Über Kants *Grundlegung zur Metaphysik der Sitten* (1785) urteilt Hamann im
Vergleich mit der *Kritik der reinen Vernunft*: »Statt der
reinen Vernunft ist hier von einem andern Hirnge-
spinst und Idol die Rede, dem guten Willen« (B V,418).
»Reine Vernunft und guter Wille sind noch immer
Wörter für mich, deren Begriff ich mit meinen Sinnen zu
erreichen nicht imstande bin, und für die Philosophie habe
ich keine fidem implicitam« (B V,434); von der Vernunft
hat Hamann »ohne Erfahrung und Überlieferung keinen
Begriff« (B V,448). Die in Hamanns *Metakritik* konzen-
trierte Revolution philosophischer Orientierungen wendet
sich unter der Devise »Vernunft ist Sprache«[8] gegen die
Sprachvergessenheit transzendentaler Vernunftkritik; sie be-

trifft vor allem die philosophische Gotteslehre, die Logik, Ontologie und Hermeneutik. Was sich in der *Metakritik* bekundet, ist in seinem thematischen Zusammenhang mit der in *Golgatha und Scheblimini* entwickelten Rechtsphilosophie in dem programmatischen Satz der *Zwey Scherflein* annonciert: »Ohne S p r a c h e hätten wir keine Vernunft, ohne Vernunft keine R e l i g i o n , und ohne diese drey wesentliche Bestandtheile unserer Natur weder Geist noch Band der Gesellschaft« (SW III,231).

Hamanns Verständnis der Sprache und Vernunft läßt sich als ontologische Hermeneutik oder hermeneutische Ontologie bezeichnen. Die Frage nach dem S e i n sucht er mit einer Theologie und Philosophie der als Handlung im Übersetzen wirksamen S p r a c h e zu beantworten. »Was in Deiner Sprache das S e y n ist«, schreibt er an Friedrich Heinrich Jacobi, »möchte ich lieber das W o r t nennen« (B VII,175).

Hamann ist radikaler Aufklärer, insofern er das ›Andere‹ der Vernunft, die Sinnlichkeit, zusammen mit der Vernunft im treffenden Wort beieinander hält. Im treffenden Wort nehmen die Klarheit der Ideen und die Stärke der Empfindungen aneinander teil; sie tauschen sich wechselseitig aus. Deshalb meint Hamanns Ästhetikprogramm keinen Irrationalismus. Es befördert durchaus eine Präzision. Sie richtet sich freilich nicht nach dem cartesischen Methodenideal, sondern ist eine Präzision eigener Art, mit der die Logik keineswegs aus der Ästhetik ausgeschlossen ist, jedoch in ihrem konstitutiven Zusammenhang mit ihr und der Poetik wahrgenommen wird. Nicht zuletzt auf diese Weise verhindert Hamann, daß die Frage nach der Methode sich von der nach der Wahrheit isoliert.

Dem entspricht Hamanns Wissenschaftsbegriff, den er im Anschluß an Francis Bacon vertritt.[9] Er sorgt dafür, daß die Philosophie weder von der Geschichte noch von der Poesie getrennt wird. Alle drei Dimensionen gehören zusammen, dürfen sich nicht voneinander isolieren und damit absolut setzen. Sonst verkommen alle drei: die Poeten samt den

Rednern, die Historiker und die Philosophen. »Aus Rednern wurden Schwätzer; aus Geschichtskundigen Polyhistores; aus Philosophen Sophisten; aus Poeten witzige Köpfe« (SW II,176).

Wie Hamann gelesen und was er geschrieben hat, erfuhr in der Geistesgeschichte mannigfache Brechungen. Das Werk Herders und Goethes, der Sturm und Drang und die Romantik sind ohne Hamann nicht zu denken. Kierkegaard empfing von ihm entscheidende Anstöße; in einer Spiegelung dieser Rezeption wurde er in diesem Jahrhundert als ›Existentialist‹ wahrgenommen. Auch die Lebensphilosophie nahm ihn in Anspruch. Heute liegt die Frage nahe, ob Hamanns Werk nicht als Postmoderne im 18. Jahrhundert anzusprechen sei. Dazu könnte man auf Hamanns Lust an der Maske und der Pseudonymität, auf seinen Cento-Stil, seine Kunst des Zitierens und des Anmerkens, seine Collagetechnik also verweisen, die sich mit bewußt hergestellter Verfremdung verbindet; Hamann sorgt dafür, daß Tradition und Gegenwart, Autor und Leser nicht miteinander verschmelzen, sondern daß zwischen ihnen Distanz bleibt. Vor allem aber wäre dazu auf Hamanns Kritik an der cartesischen Methode des Erklärens und der Demonstration zu verweisen, auf seine Kritik an der Konstruktion einer Einheit des Selbstbewußtseins, auf seine Verabschiedung des Prinzipiellen und der Rede vom Ganzen oder von einer Einheit der Wirklichkeit – auch der Rede von Gott als der »Einheit der Wirklichkeit« –, auf sein Geltendmachen des ›Andern‹ der Vernunft: der Sinnlichkeit, auf seine Arbeit am Mythos, seine Betonung der Leiblichkeit des Menschen, seiner Sinnlichkeit, seines elementaren Verbundenseins mit allen Mitgeschöpfen, von denen sich der Mensch durch seine instrumentelle Vernunft nicht scheiden darf. Doch ist Hamanns Metakritik der Neuzeit, deren Nachprüfung, nicht nur postmodern, sondern zugleich prämodern – in jenem Sinne, der sich aus dem Schluß der *Aesthetica in nuce* ergibt (SW II,217):

Laßt uns jetzt die Hauptsumme seiner neusten Äs-
thetick, welche die älteste ist, hören: Fürchtet GOtt
und gebt Ihm die Ehre, denn die Zeit Seines Gerichts
ist kommen, und betet an Den, der gemacht hat
Himmel und Erden und Meer und die Wasser-
brunnen!

Anmerkungen

1 SW II,75. – Vgl. B. Gajek, »Unwissenheit – Selbsterkenntnis –
Genie. Hamanns Sokratesdeutung«, in: *Insel-Almanach*, S. 31–38.
2 Hegel, »Hamann's Schriften«, in: G. W. F. H., *Werke*, Bd. 11,
Frankfurt a. M. 1970, S. 280.　　3 Vgl. bes. S.-A. Jørgensen, »Zu
Hamanns Stil«, in: *Hamann*, S. 372–390, und Hoffmann.　　4 Vgl.
bes. SW III,234; dazu: Bayer/Knudsen, S. 113 f.　　5 Vgl. Bayer/
Knudsen.　　6 F. Roth, »Vorbericht«, in: *Hamann's Schriften*,
hrsg. von F. R., Tl. 1, Berlin 1821, S. VIII.　　7 Vgl. B V,290; dazu
Bayer, 1981, S. 76 f.　　8 B V,177. – Vgl. O. Bayer, »Vernunft ist
Sprache«, in: Bayer, 1988, S. 179–192.　　9 Für die Nachweise vgl.
Bayer, 1988, S. 267, Anm. 48–52.

Bibliographische Hinweise

Sämtliche Werke. 6 Bde. Hist.-krit. Ausg. von J. Nadler. Wien
　　1949–57. [Zit. als: SW.]
Briefwechsel. 7 Bde. Hrsg. von W. Ziesemer und A. Henkel. Wies-
　　baden / Frankfurt a. M. 1955–79. [Zit. als: B.]
Schriften zur Sprache. Einl. und Anm. von J. Simon. Frankfurt
　　a. M. 1967.
Johann Georg Hamann. Eine Auswahl aus seinen Schriften. Entklei-
　　dung und Verklärung. Hrsg. von M. Seils. 2., überarb. und erw.
　　Aufl. Wuppertal 1987.
Sokratische Denkwürdigkeiten. Aesthetica in nuce. Mit einem
　　Komm. hrsg. von S.-A. Jørgensen. Stuttgart 1968 [u. ö.].

Johann Georg Hamanns Hauptschriften erklärt. Bd. 1 ff. Hrsg. von F. Blanke, L. Schreiner und K. Gründer. Gütersloh 1956 ff.

Johann Georg Hamann. Hrsg. von R. Wild. Darmstadt 1978. (Wege der Forschung. 511.) [Zit. als: Hamann.]

Johann Georg Hamann. Insel-Almanach auf das Jahr 1988. Hrsg. von O. Bayer, B. Gajek und J. Simon. Frankfurt a. M. 1987. [Zit. als: Insel-Almanach.]

Bayer, O.: Selbstverschuldete Vormundschaft. Hamanns Kontroverse mit Kant um wahre Aufklärung. In: O. B.: Umstrittene Freiheit. Theologisch-philosophische Kontroversen. Tübingen 1981. S. 66–96.

– Johann Georg Hamann (1730–1788). In: Theologische Realenzyklopädie. Hrsg. von G. Krause und G. Müller. Bd. 14. Berlin 1985. S. 395–403. [Mit Bibliographie.]

– Zeitgenosse im Widerspruch. Johann Georg Hamann als radikaler Aufklärer. München 1988.

Bayer, O. / Knudsen, Ch.: Kreuz und Kritik. Johann Georg Hamanns Letztes Blatt. Text und Interpretation. Tübingen 1983.

Büchsel, E.: Geschärfte Aufmerksamkeit. Hamannliteratur seit 1972. In: Deutsche Vierteljahrsschrift für Literaturwissenschaft und Geistesgeschichte 60 (1986) S. 375–425.

– Biblisches Zeugnis und Sprachgestalt bei Johann Georg Hamann. Untersuchungen zur Struktur von Hamanns Schriften auf dem Hintergrund der Bibel. Gießen 1988.

Hoffmann, V.: Johann Georg Hamanns Philologie. Hamanns Philologie zwischen enzyklopädischer Mikrologie und Hermeneutik. Stuttgart 1972.

Jørgensen, S.-A.: Johann Georg Hamann. Stuttgart 1976. (Sammlung Metzler. 143.)

HEINRICH WILHELM VON GERSTENBERG

Von Ulrich Karthaus

Heinrich Wilhelm von Gerstenberg wurde am 3. Januar 1737 in Tondern als Sohn eines dänischen Offiziers geboren. Nach dem Schulbesuch in Husum und Altona bezog er 1757 die Universität Jena, um Jura zu studieren. Er wurde Mitglied der Deutschen Gesellschaft und schloß Bekanntschaft mit Gellert und Christian Felix Weiße. 1759 kehrte er nach Holstein zurück und trat 1760 in die dänische Armee ein. Er nahm 1762 als Leutnant am Feldzug gegen Rußland teil, veröffentlichte auch ein militärwissenschaftliches Handbuch, wurde zum Rittmeister befördert und heiratete 1765 Sophie Trochmann. Im selben Jahr zog er nach Kopenhagen. Er lebte dort im Kreis um den Minister von Bernstorff, wo er Umgang mit Klopstock, Helfrich Peter Sturz, Matthias Claudius und Johann Andreas Cramer hatte. Er korrespondierte mit Lessing, Herder, Friedrich Heinrich Jacobi, Nicolai, Gleim und Boie. 1771 trat er in den Zivildienst über, 1775 zog er nach Lübeck, wo er das Amt eines dänischen Gesandten übernahm, das er 1783 wegen drückender Schulden verkaufte. Er zog nach Eutin, doch seine Versuche, ein neues Amt zu erlangen, scheiterten ebenso wie andere Pläne an seinem phlegmatischen Charakter. 1785 starb seine Frau. Schließlich gelang es Freunden, ihm 1789 den Posten eines Justizdirektors beim Lotto in Altona zu verschaffen, den er bis zu seiner Pensionierung 1812 versah. In den letzten Lebensjahren, die er in unproduktiver Lethargie verbrachte, soll er sich mit der Philosophie Kants beschäftigt haben. Er starb am 1. November 1823 in Altona.

Heinrich Wilhelm von Gerstenberg
1737–1823

Bei seinem Tode war er, der von 1759 bis zum Beginn der siebziger Jahre zu den wichtigsten Persönlichkeiten des deutschen literarischen Lebens gehört hatte, nahezu vergessen.

Gerstenbergs literaturgeschichtliche Bedeutung liegt in seinem dramatischen, lyrischen und literaturkritisch-theoretischen Werk. 1768 erschien die Tragödie *Ugolino*, deren Handlung auf dem 32. und 33. Gesang von Dantes *Inferno* fußt: Graf Ugolino, der nach der Alleinherrschaft in Pisa strebt, wird von seinem Gegner, dem Erzbischof Ruggiero, gestürzt, mit seinen drei Söhnen Francesco, Anselmo und Gaddo in einen Turm gefangengesetzt und dem Hungertod preisgegeben. Das Geschehen ist auf »eine stürmische Nacht«, die Szene auf »ein schwach erleuchtetes Zimmer im Turm« beschränkt, folgt also der traditionellen Regel der drei Einheiten. In der Tat aber konzentriert sich das Stück auf die Darstellung der Leiden und der Leidenschaften seiner vier Personen, wobei Gerstenberg sich an Shakespeare orientiert. Obwohl durch einen Brief und durch einen Ausbruchsversuch des zwanzigjährigen Francesco Ansätze einer dramatischen Handlung in das Drama gelangen, obwohl im 3. Aufzug zwei Särge mit dem noch lebenden Francesco und der Leiche von Ugolinos vergifteter Gattin auf die Bühne getragen werden, fehlt die im herkömmlichen Sinn dramatische Auseinandersetzung mit einem Antagonisten. Die Tragödie handelt vielmehr von Vaterliebe, von Trauer über den Tod der Gattin, über den bevorstehenden Tod der Söhne, von Hunger und Verzweiflung; ihr Ziel ist die »Versinnlichung des inneren Zustandes« (Siegrist, in: Ugolino, S. 147). Ursprünglich wollte Gerstenberg das Stück auf dem Gipfel der Verzweiflung enden lassen, in der Buchausgabe führte er seinen Helden jedoch – im Sinne der Aufklärung – zu christlicher Ergebung. In der Ausgabe von 1815 läßt er ihn durch eigene Hand den Tod finden, der eigenen »Marter« und der des Zuschauers »auf die kürzeste die beste Art ein

Ende« setzend, wie Lessing schon in seinem Brief vom 25. Februar 1768 dem Verfasser vorgeschlagen hatte.

Eine andere kritische Bemerkung Lessings im selben Brief deutet an, in welcher Weise *Ugolino* sich vom klassischen Drama des 18. Jahrhunderts entfernt: das Leiden der Personen steht in keinem einsichtigen Verhältnis zu ihrer Schuld. Indem Gerstenberg auf eine tragische Motivation verzichtet und die Handlung auf die Affekte konzentriert, markiert sein Drama den Beginn einer neuen literarhistorischen Epoche. Es geht ihm nicht um die Begründung, sondern um die realistische Darstellung mit »naturalistischen Zügen« (Gerth, 1977, S. 406) von Ugolinos Leiden. Der Dichter folgt seiner an Shakespeare gewonnenen Einsicht, daß Dramen »nicht aus dem Gesichtspunkt der Tragödie, sondern als Abbildungen der sittlichen Natur zu beurteilen sind« (*Ugolino*, S. 96), womit er nicht ethische Überzeugungen, sondern soziale Bedingungen im weitesten Sinn meint.

Trotz der erfolgreichen Berliner Aufführung durch Doebbelin 1769 blieb *Ugolino* ein Lesedrama, das zwar einerseits Bodmer zu einer Parodie, andererseits aber Herder zu einem emphatischen Lob veranlaßte: er nannte Gerstenberg einen »Dichter der ersten Größe, von wilder und weiter Imagination, von tiefer menschlicher Empfindung und einem innern unnennbaren Sinne [...], der unsrer Nation in der Folge was Außerordentliches zusagt« (*Ugolino*, S. 75).

Die Prognose erfüllte sich nicht. Das zweite Drama Gerstenbergs *Minona oder die Angelsachsen. Ein Melodrama* erschien erst 1785. Die Gattungsbezeichnung deutet die Ambition an, eine neue dramatische Gattung zu schaffen, die zwischen Oper und Schauspiel angesiedelt sein soll. Vom 2. der 5 Akte an wird die Handlung von Gesang und Orchestermusik begleitet, deren Instrumentierung gelegentlich in Szenenanmerkungen vorgeschrieben ist. Dargestellt wird die Entstehung des englischen Nationalstaates, die in das 5. Jahrhundert verlegt wird. In der Handlung geht es um die Überwindung ritueller Menschenopfer, um die Vertreibung der Römer, um die Zukunft in einer aufgeklärten, visionär vorausgeschauten nationalen Blüte Englands. Das Stück ist von *Ossian* und der im 18. Jahrhundert beginnenden Suche nach nationaler Identität beeinflußt. Es ist dem Verfasser auch hier, wie er eine Figur sagen läßt, »weniger um die Wahrheit der Erscheinung zu thun, als um die Wahrheit der Empfindung«. Obwohl Gerstenberg *Minona* für sein wichtigstes Werk hielt, war es ein Mißerfolg, nicht nur wegen der »merklich redundanten Geschwätzigkeit«, die man dem Stück attestiert hat (Gerth, 1977, S. 408). Ein dramatisches Frühwerk, *Turnus*, in Alexandrinern verfaßt, hat Gerstenberg selbst vernichtet, da es von Weiße abgelehnt wurde.

Bereits 1759 war Gerstenberg mit seinen *Tändeleyen* als Lyriker bekannt geworden. Es handelte sich um einen Band mit Vers- und Versprosadichtungen, »längere mythologische Erzählungen im beliebten, vor allem in der Schäfer- und Episteldichtung gebräuchlichen genre mêlé« (Anger, in: *Tändeleyen*, S. 8*), der außerdem Lieder, Epigramme und Oden enthielt und den Gerstenberg mehrfach überarbeitete, wobei er Kritiken und Ratschläge berücksichtigte. So kam es zu einer breiten Wirkung, die sich auf unterschiedliche Beurteiler wie Lessing und Herder erstreckte und die anakreontische Lyrik des jungen Goethe beeinflußte. Der zweiundzwanzigjährige Student führte sich mit diesem Band zunächst als Anakreontiker in der Tradition Gleims, Uzens und als Idylliendichter in der Nachfolge Gessners in die deutsche Literatur ein. Er ist diesem literarischen Anfang lange treu geblieben; sein Biograph Wagner behauptet: »Gerstenberg ist in Wahrheit bis über den Höhepunkt seiner produktiven Zeit hinaus ein Stück Anakreontiker gewesen« (II, 198).

Ebenfalls 1759 erschien in Altona ein Band *Prosaische Gedichte*, eine Nachahmung Gessners. Ein dritter Band mit lyrischen Gedichten sind die *Kriegslieder eines Königlich Dänischen Grenadiers bey Eröffnung des Feldzuges 1762*, drei eng an die *Preußischen Kriegslieder* von Gleim angelehnte Gedichte voller Rhetorik von »stiller Größe«, »goldnem Frieden«, aber auch »Waffensturm« und »Sparta's Geist«. Nur erwähnt werden soll die Kantate *Ariadne auf Naxos*, eine empfindsam-gefühlvolle Dialogdichtung (1765).

Entschieden größeres Gewicht darf indes *Der Skalde* (1766) beanspruchen: die 5 Gesänge, Cramer gewidmet und mit einer *Erläuterung der Eddasprache der Skalden* versehen, inspirierten Klopstocks nordisch-mythologische Dichtungen, obschon sie nicht viel an ursprünglich nordischen Elementen enthalten.

Neben der Wirkung des Lyrikers auf die Zeitgenossen, neben der Wirkung des *Ugolino*-Dichters auf die Geschichte des deutschen Dramas, die bereits im 19. Jahrhundert gewürdigt wurden, hat erst Klaus Gerth die ganze Bedeutung Gerstenbergs als Literaturtheoretikers und Shakespeare-Entdeckers gewürdigt.

Gerstenbergs theoretische und kritische Reflexionen finden ihren ersten Niederschlag in dem unveröffentlichten Tagebuch aus der Altonaer Schulzeit 1751–57, das seine Rezeption der Literatur und Kritik seiner Zeit belegt. Von 1759 an war er sodann Mitarbeiter der 1757 von Nicolai gegründeten und seit 1759 von Weiße redigierten *Bibliothek der schönen Wissenschaften und freyen Künste*, wo er u. a. Zeitgenossen wie Cramer, Rosenbaum, Johann Elias Schlegel und Lessings *Philotas* rezensierte. 1762 veröffentlichte er in der von J. F. Schmidt herausgegebenen Moralischen Wochenschrift *Der Hypochondrist* 11 von insgesamt 25 Beiträgen. Hier wies er zum ersten Mal öffentlich auf Shakespeare hin.

Die *Briefe über Merkwürdigkeiten der Litteratur*, die 1766–67 mit einer Fortsetzung 1770 erschienen, sind die wichtigste Quelle für seine poetologischen Ansichten, mit denen er in die literaturtheoretische Diskussion der Zeit eingriff. In der Form lehnen sich die Abhandlungen an die im 18. Jahrhundert beliebte Gattung des Briefes an, wie sie auch Lessing in seinen *Briefen, die neueste Literatur betreffend* benutzt hatte. Auf dem Titelblatt findet sich ein Sokrates-Kopf, nach Gerth ein Hinweis auf sokratisches Nicht-Wissen als »Ablehnung des rationalistischen Wissens«.

Endlich sind 105 literarische Kritiken zu nennen, die Gerstenberg 1767 bis 1771 in der *Hamburgischen Neuen Zeitung* veröffentlichte und die, im Unterschied zu den *Merkwürdigkeiten*, hauptsächlich Autoren der Zeit behandeln. Namentlich der 14. bis 18. Brief der *Merkwürdigkeiten* diskutieren Shakespeare, und dadurch vor allem ist die Schrift wirksam geworden. Zunächst bemerkt Gerstenberg, daß Shakespeare nicht nach den Prinzipien des griechischen Dramas beurteilt werden dürfe, da es ihm nicht um die »Erregung der Leidenschaften« gegangen, sondern seine Absicht gewesen sei, »Charakterstücke« zu schreiben; niemand habe menschliche Leidenschaften »tiefer überdacht und frappanter gemalt«. Sein »Genie« habe ihn »Abbildungen der sittlichen Natur« schaffen lassen. Um dies zu erkennen, bedürfe es aber einer Veränderung des herrschenden Geschmacks: Wielands Übersetzung sei Shakespeare unangemessen, da der Engländer »von unserem heutigen französierten Geschmacke unendlich abweicht«.

Wenn Gerstenberg so der Shakespeare-Rezeption Goethes und der Stürmer und Dränger den Weg bereitete, so hat er darüber hinaus durch seine Hinweise auf Homer, Spenser, Ariost, Tasso, Boccaccio und Cervantes Goethes Begriff der Weltliteratur mit angeregt. Einen Beweis für die Sicherheit seines eigenen Geschmacks lieferte er im 8. Brief, indem er die soeben (1762 englisch und 1764 deutsch) erschienenen Gesänge Ossians als Fälschung ihres vorgeblichen Herausgebers Macpherson denunzierte. Am folgenreichsten für die ästhetische Diskussion der Epoche war indes seine Erörterung des Geniebegriffs im 20. Brief. Er grenzt ihn zunächst vom ›bel esprit‹ ab und vom ›ingenium‹ im Sinne von Talent, erläutert dann am Beispiel eines Feldherrn, daß zum Genie Witz, Einbildungskraft und ein unerschrockenes Herz gehörten, weist darauf hin, daß ein Genie sich durchzusetzen vermöge und sogar die »Illusion des gegenwärtigen

Gottes« schaffe, so daß man Genie nicht erwerben könne, und gelangt endlich zu der Definition: »Wo Genie ist, da ist Erfindung, da ist Neuheit, da ist das Original«, womit er wesentliche Momente des Begriffs erstmals bündig formulierte.

Wenn sein Geniebegriff auch noch nicht die Präzision der späteren und umfassenderen Bestimmung von Kant in der *Kritik der Urteilskraft* von 1790 erreichte, so war doch der Hinweis auf die produktionsästhetische Bedeutung des Begriffs wegweisend für die Werke des Sturm und Drang und zeitige weitreichende Folgen für die Rezeptionsästhetik, mit der vor allem Herder und Goethe die Volksliedforschung betrieben und die Werke Homers und Shakespeares der deutschen Kultur erschlossen. Gerstenbergs Literaturtheorie war eine ähnliche Rolle beschieden wie seinem *Ugolino* und Teilen seiner Lyrik: Er wirkte als Anreger. Sein Drama, seine Gedichte und seine ästhetischen Reflexionen können als Grundlage gesehen werden, auf der wenig später die Stürmer und Dränger fußten. Man darf ihn neben Hamann und Herder als Vorläufer und Wegbereiter der Literaturrevolution um 1770 sehen, der durch seinen *Ugolino* das Drama und durch seine *Merkwürdigkeiten* wichtige literaturtheoretische Begriffe neu definierte.

Bibliographische Hinweise

Vermischte Schriften von ihm selbst gesammelt und mit Verbesserungen und Zusätzen herausgegeben. 3 Bde. Frankfurt a. M. 1971. (Nachdr. der Ausg. Altona 1815–16.)

Tändeleyen. Faks.-Dr. nach der 3. Aufl. von 1765 mit den Lesarten der Erstausg. von 1759. Nachw. von A. Anger. Stuttgart 1966.

Briefe über Merkwürdigkeiten der Litteratur. Hildesheim / New York 1971. (Nachdr. der Ausg. Leipzig 1766–67, Hamburg/ Bremen 1770.)

Rezensionen in der Hamburgischen Neuen Zeitung 1767–1771. Hrsg. von O. Fischer. Berlin 1904.

Ugolino. Eine Tragödie in fünf Aufzügen. Mit einem Anh. und einer Ausw. aus den theoretischen und kritischen Schriften. Hrsg. von Ch. Siegrist. Stuttgart 1966 [u. ö.].

Blinn, H.: Shakespeare-Rezeption. Die Diskussion um Shakespeare in Deutschland. Bd. 1: Ausgewählte Texte von 1741 bis 1788. Berlin 1982. S. 75–90.

Bohnen, K.: Heinrich Wilhelm von Gerstenberg und das Problem der Sinnlichkeit im 18. Jahrhundert. In: Deutsch-dänische Literaturbeziehungen im 18. Jahrhundert. Hrsg. von K. B., S.-A. Jørgensen und F. Schmöe. München 1979. S. 150–169.

Gerth, K.: Studien zu Gerstenbergs Poetik. Ein Beitrag zur Umschichtung der ästhetischen und poetischen Grundbegriffe im 18. Jahrhundert. Göttingen 1960. [Mit ausführlicher Bibliographie.]

– Heinrich Wilhelm von Gerstenberg. In: Deutsche Dichter des 18. Jahrhunderts. Ihr Leben und Werk. Hrsg. von B. v. Wiese. Berlin 1977. S. 393–411.

Grappin, P.: Gerstenbergs Critique d'Homère et de Shakespeare. In: Études Germaniques 6 (1951) S. 81–92.

Guthke, K. S.: Gerstenberg und die Shakespearedeutung der deutschen Klassik und Romantik. In: Journal of English and German Philology 58 (1959) S. 91–108.

Jacobs, M.: Gerstenbergs »Ugolino«, ein Vorläufer der Geniedramatik. Berlin 1898.

Schmidt, H. J.: The language of confinement. Gerstenbergs »Ugolino« and Klingers »Sturm und Drang«. In: Lessing Yearbook 11 (1979) S. 165–197.

Wagner, A. M.: Heinrich Wilhelm von Gerstenberg und der Sturm und Drang. 2 Bde. Heidelberg 1920–24.

Johann Gottfried Herder

Von Martin Bollacher

»Was in einem solchen Geiste für eine Bewegung, was in
einer solchen Natur für eine Gärung müsse gewesen sein,
läßt sich weder fassen noch darstellen. Groß aber war gewiß
das eingehüllte Streben, wie man leicht eingestehen wird,
wenn man bedenkt, wie viele Jahre nachher, und was er alles
gewirkt und geleistet hat.« Die Charakterisierung, mit der
Goethe in *Dichtung und Wahrheit* (II,10) sich das »Herder-
sche Verhältnis«[1] acht Jahre nach dem Tod des Weimarer
Freundes zu vergegenwärtigen sucht, macht die Schwierigkeiten sichtbar, denen sich der Herder-Biograph wie der
Geschichtsschreiber seines Werks und seiner Wirkung aus-
gesetzt sieht. Denn nicht dem Ideal der bruchlosen Systema-
tik und dem Identitätsprinzip der diskursiven Logik ist
Herder verpflichtet; sein Denken orientiert sich vielmehr an
der Dynamik einer aufs Individuelle dringenden Libido
sciendi, an der (palin)genetischen Wandlungs- und Wir-
kungskraft und der Erscheinungsvielfalt ihrer natürlichen
und geschichtlichen Formen sowie an der Methodik einer
ganzheitlich-universalistischen Betrachtungsweise, die die
Besonderheit der Einzelphänomene mit dem Kompendium
des zeitgenössischen Wissens zu vermitteln trachtet. Herder
begreift Natur und Geist, Ich und Welt als Manifestation des
All-Einen, des Hen kai pan, er hat – wie Jung-Stilling in
seiner Lebensgeschichte staunend vermerkt – »nur einen
Gedanken, und dieser ist eine ganze Welt«.[2] Daß das ›Eine‹
sich nur in der Vielfalt der endlichen Erscheinungen offen-
bare und im Individuellen die allgemeine Gesetzmäßigkeit

der umgreifenden Natur zur Anschauung komme, hatte
Herder Spinozas *Ethik* entnommen, und die Spinozische
Gleichsetzung von ›Gott‹ und ›Natur‹, die in seinem Denken sich mit Leibnizens Lehre von der kontinuierlichen
Gradation und von den Monaden als energetischen Kraft-
punkten« verband, wies ihm als säkulare Losung den Weg in
die Mannigfaltigkeit von Natur, Geschichte, Kultur. Die
argumentative Verbindlichkeit eines hierarchisch strukturierten Werkgebäudes ist dem Nebeneinander gleichberech-
tigter Teile gewichen, und jeder Versuch einer Klassifikation
dieser Einzelsegmente im Sinne eines standardisierten Wis-
senschaftsbegriffs läuft Gefahr, den für Herders Schreib-
intention wesentlichen Gedanken des Zusammenhangs der
Teile zu versäumen. Seine Leidenschaft zum ›Sammeln‹,
aber auch zum ›Zerstreuen‹ seines weitverzweigten Wissens
rührt daher, und so ist jede Schrift zugleich ein Spiegel
und ein perspektivischer Entwurf des Gesamtwerks. Zwar
hat Herder einige Hauptschriften verfaßt, aber auch diese
Hauptschriften sind unvollendete, gleichsam vorläufige
›Summen‹, die wie alle fragmentarischen Texte über sich
hinausweisen, bilden sie doch – nach Goethes auf die *Aelteste Urkunde* gemünztem Wort – ein »weitstrahlsinniges
Ganze« (an G. F. E. Schönborn, 1. Juni – 4. Juli 1774), das
mehr als vor sich selber darstellt.

In der einzigartigen Pluralität und Polarität seines Werkes, das die epochalen Gegensätze von Einheit und Mannigfaltigkeit[3], intuitivem und spekulativem Denken, Erkennen
und Empfinden, Rationalität und Irrationalität, Vernunft
und Geschichte, Philosophie und Religion, Ethik und
Ästhetik, Naturwissenschaft und Anthropologie im Gedanken einer pantheistischen Coincidentia oppositorum aufheben möchte, liegt der unverjährte Wert einer wissenschafts-
geschichtlichen Leistung, die nach Goethes Worten sich im
ganzen »weder fassen noch darstellen« läßt, die aber in der
Folge tiefgründig und vielfältig gewirkt hat.

[3] Herders Anschauungen über den Ursprung der Sprache

Johann Gottfried Herder
1744–1803

und der Poesie, über Religion und Mythologie, über den Zusammenhang von Natur, Volk und Kultur, seine Lehre vom dunkelschöpferischen ›fundus animae‹ und vom Originalgenie, sein im 18. Jahrhundert revolutionärer geschichtlicher Sinn und seine das Aufbruchspathos der Moderne mit den aufklärerischen und idealistischen Bildungskonzepten verbindende Humanitätsphilosophie sind im Sturm und Drang und in der Klassik, in der Romantik und im Historismus des 19. Jahrhunderts bald zum allgemeinen, freilich zumeist anonymen Gut geworden, und nur wenige Einzelwerke seines umfassenden Œuvres sind im Bewußtsein der Nachwelt lebendig geblieben. Allzu bedenkenlos hat man aber auch deshalb Herder schon früh auf die Rolle des genialen Vermittlers und Anregers festgelegt, des Fragmentaristen und Rhapsodisten, der, selbst unfähig zur Gestaltung, sich in seinen hochfliegenden »Planen des Ehrgeizes« (an Caroline Flachsland, 22. September 1770), seinen zahlreichen Entwürfen, Skizzen und Brouillons zerstreut habe. Ein solches Urteil wird indessen Herders Bedeutung nicht gerecht, ignoriert es doch das Proprium seines Denkens und Wirkens, nämlich die von Goethe erkannte Idee der geschichtlichen Bewegung. Als eine »Palingenesie« (SW XXIV,581) bezeichnet Herder selbst das Werden seiner Schriften, als fortgehende Bewegung und Erneuerung eines in und mit der Geschichte sich erzeugenden Textensembles.

Zur geschichtlich-prozeßhaften Dynamik seiner Werke fügt sich ein eminent dialogischer Charakter: fast alle Herderschen Schriften verdanken sich einem bestimmten Anlaß, greifen in die zeitgenössische Gelehrtenkontroverse ein, sind als Replik auf aktuelle oder überlieferte Thesen und Theorien konzipiert. Sein Plädoyer für die Unmittelbarkeit und Originalität von Sprache, Dichtung und Lebensform bedeutet deshalb keine Diskreditierung der Tradition, sondern zielt im Gegenteil auf die schöpferische, palingenetische Anverwandlung und Umwandlung der fortwirkenden Überlieferung. In einem Lehrgedicht mit dem Titel *Das Ich*

sinnt Herder den Entwicklungsstufen des Menschen von der
Kindheit bis zum Alter und der Wechselwirkung von Tradition und Erneuerung, Fremdem und Eigenem in der
Lebensgeschichte des Individuums nach und läßt das Ich
sich selbst als einem Du in dialogischer Rede gegenübertre-
ten (SW XXIX,135):

> Was ist von Deinen zehen tausenden
> Gedanken Dein? Das Reich der Genien,
> Ein großer untheilbarer Ocean,
> Als Strom und Tropfe floß er auch in dich
> Und bildete Dein Eigenstes [...]
> [...] daß
> In Deinem Leim Du neu es formen sollst
> Fürs große, gute, ja fürs beßre All.

Wie die zeitgenössischen Genien Immanuel Kant und
Johann Georg Hamann entstammt auch Johann Gottfried
Herder dem nordöstlichsten Teil Deutschlands, und in Ost-
preußen hat er die prägenden Jahre seiner Kindheit und
Jugend verbracht. Geboren wurde er am 25. August 1744 –
zur Mitternachtsstunde – in dem etwas mehr als 1000 Ein-
wohner zählenden Städtchen Mohrungen, einer im preußischen Oberland zwischen Elbing und Allenstein gelegenen
Gründung des Deutschen Ritterordens. Herders Mutter,
Anna Elisabeth geb. Peltz, war die Tochter eines Schuhma-
chermeisters, und auch der Vater kam aus einer alteingeses-
senen Handwerkerfamilie: ursprünglich Tuchmacher, war
Gottfried Herder damals als Glöckner, Mädchenschulleh-
rer, Küster an der evangelischen Kirche und Kantor der
polnischen Gemeinde tätig.

Johann Gottfried Herder, nach zwei Schwestern der erste
Sohn der Familie, wuchs in bescheidenen Verhältnissen und
in einer protestantisch kargen Atmosphäre auf. Bibel und
Gesangbuch gehörten zu seiner täglichen Lektüre, die alten
Sprachen erlernte er unter dem pedantischen Regiment des
Stadtschulrektors Grimm, und auch der Aufenthalt im

Hause des Diakons Trescho verlief für den einzelgängeri-
schen, empfindsamen und seit dem 5. Lebensjahr an einer
chronischen Tränenfistel laborierenden Herder unbefriedi-
gend: seiner Lesewut konnte der Sechzehnjährige zwar in
der umfangreichen Bibliothek Treschos frönen, aber durch
Kopistendienste fühlte er sich ausgenutzt. Ein deutscher
Wundarzt des in Mohrungen stationierten russischen Regi-
ments nahm Herder nach dem Friedensschluß zwischen
Rußland und Preußen nach Königsberg mit, wo er ihn zum
Chirurgen ausbilden lassen wollte. Herder, der 1762 in
seiner ersten – anonymen – Veröffentlichung, dem *Gesang
an den Cyrus*, den Zaren Peter III. als den Friedensbringer
gefeiert hatte, war froh, der Enge Mohrungens zu entkom-
men. Im Sommer 1762 verließ er seine Heimatstadt, die
»kleinste im dürren Lande« (an Hamann, Ende April 1775)
für immer. Auch seine Eltern hat er nie wieder gesehen.

Nur etwas über zwei Jahre verbrachte Herder in Königsberg, wo er, zum Medizinstudium ungeeignet, sich in der
theologischen Fakultät immatrikulierte, nebenher aber noch
als Inspizient am Collegium Fridericianum und als Elemen-
tarschullehrer wirkte. Die entscheidenden Anregungen empfing er aber von Kant, der den begeisterten Adepten zum
Selbstdenken aufmunterte und ihn alle seine Vorlesungen
über Logik, Metaphysik, Moral, Mathematik, physische
Geographie und Astronomie unentgeltlich besuchen ließ,
sowie von Johann Georg Hamann, dem antirationalistisch-
sibyllinischen ›Magus im Norden‹. Auch die Welt Rousseaus und Shakespeares erschloß sich dem lernbegierigen
Studenten. Als er durch Vermittlung Hamanns im Spätjahr
1764 als Kollaborator an die Domschule in Riga berufen
wurde, verließ er dennoch leichten Herzens »sein verjochtes
Vaterland« (*Als ich von Liefland aus zu Schiffe ging*), wo ihn
ständig die Zwangsrekrutierung bedroht hatte, und voller
Hoffnung blickte er auf die althanseatische, freiere Stadtre-
publik, in der – unter russischer Oberhoheit – neben der
lettischen Bevölkerung auch ein deutsches Handelsbürger-

tum lebte. Viereinhalb Jahre weilte Herder in Riga, wo er bleibende Freundschaft mit dem Verleger Johann Friedrich Hartknoch schloß und seine ersten bahnbrechenden Werke – die *Fragmente. Ueber die neuere Deutsche Litteratur* (1766–67) und die *Kritischen Wälder* (1769) – verfaßte, in denen er den Grund zu einer sensualistischen Ästhetik und zu einer geschichtlichen Betrachtung von Sprache, Literatur und Kultur legte. Durch sein volkspädagogisches, einer »Menschlichen Philosophie« (an Kant, November 1768) verpflichtetes Wirken auf Kanzel und Katheder erwarb er sich hohe Anerkennung, weckte aber auch den Neid der Rigaer Geistlichkeit. Im Sommer 1769 löste sich der Fünfundzwanzigjährige, der zwar die Bücher, aber nicht die Menschen und ihre Welt kannte, überraschend aus seinem Dienstverhältnis und trat eine Seereise nach Frankreich an.

Herders Reiseerlebnis und seine Reaktion auf den französischen »Geist der Zeit« (an Hartknoch, Ende Oktober 1769) bestimmen das in Nantes entstandene *Journal meiner Reise im Jahr 1769*, das als Selbstdarstellung des Autors zugleich den Keim seines gesamten späteren Schaffens enthält. Von Paris aus wandte er sich Ende des Jahres nach Brüssel, von dort nach Amsterdam und Hamburg, wo er mit Lessing und Claudius zusammentraf. Nach einem kurzen Zwischenspiel als Reisebegleiter des Erbprinzen von Holstein-Gottorp begab er sich im August 1770 zur Behandlung seines Augenleidens nach Straßburg. Zuvor hatte er in Darmstadt Caroline Flachsland kennengelernt, die er im März 1773 heiratete.

In Straßburg kam es zur folgenreichen Begegnung mit Goethe, dem Herder ein neues, tieferes Verständnis der Dichtkunst vermittelte, dem er die Volkspoesie, Homer, Ossian und Shakespeare erschloß und mit dem er die literarische Revolution des Sturm und Drang initiierte (vgl. *Von Deutscher Art und Kunst. Einige fliegende Blätter*, 1773). Auch die *Abhandlung über den Ursprung der Sprache* (1772) entstand in dieser Zeit. Anfang 1771 folgte Herder einem

Ruf des Grafen Wilhelm von Schaumburg-Lippe auf die
Stelle eines Hofpredigers und Konsistorialrats in Bückeburg. Ungeachtet der beengenden Verhältnisse – manchmal
fühlte er sich in der Zwergresidenz wie »Prometheus am
Felsen« (an Gleim, 9. August 1772) – standen die Bückeburger Jahre im Zeichen eines regen literarischen Schaffens,
lassen in religiöser Hinsicht aber auch eine Rückwendung des
freisinnigen Theologen zum Christentum erkennen. Haupt-
zeugnis dieser mystisch geprägten Frömmigkeit, in der sich
Herder durch die Freundschaft mit der herrnhutischen Gräfin Maria und den Gedankenaustausch mit Claudius,
Hamann und Lavater bestärkt sah, ist die Fragment gebliebene *Aelteste Urkunde des Menschengeschlechts* (1774–76),
eine vom Gefühl der Offenbarung getragene Auslegung des
biblischen Schöpfungsberichts. In der mehrfach umgearbei-
teten Abhandlung *Vom Erkennen und Empfinden der
menschlichen Seele* (1778) plädierte er für eine ganzheitliche
Erkenntnislehre, und das Programm seiner Geschichtsphilosophie entwarf er in der antirationalistischen Streitschrift
*Auch eine Philosophie der Geschichte zur Bildung der
Menschheit* (1774). Aus der immer drückender werdenden
Bückeburger Diaspora erlöste ihn ein Ruf nach Weimar, wo
er im Oktober 1776 die Stelle eines Oberhofpredigers, Generalsuperintendenten und Pastor primarius antrat.

Beinahe drei Jahrzehnte wirkte Herder in Weimar, wo er
trotz vielfältiger, oftmals verdrießlicher Amtsgeschäfte im
herzoglichen Kirchen- und Schulregiment seiner Berufung
zur Autorschaft und zur wissenschaftlichen Arbeit treu
blieb. So erschienen 1778–79, als Frucht langjähriger theore-
tischer Bemühungen und intensiver Sammeltätigkeit, die
Volkslieder (späterer Titel *Stimmen der Völker in Liedern*,
1807), in denen bereits der Ton der romantischen Natur-
und Volkspoesie zu vernehmen ist, sowie mehrere Preis-
schriften zur bildenden Funktion der Künste und Wissenschaften und zur Wechselwirkung zwischen Literatur und
Gesellschaft. Unter den theologischen Schriften der frühen

Weimarer Jahre ragen die *Briefe, das Studium der Theologie betreffend* (1780–81) hervor, die der hermeneutischen Regel einer menschlichen – also nicht am Inspirationsanspruch orientierten – Lektüre der Bibel verpflichtet sind. Der großangelegte Plan, eine Geschichte der hebräischen Dichtkunst zu schreiben, mündet 1782/83 in die in 2 Teilen veröffentlichte Abhandlung *Vom Geist der Ebräischen Poesie*.

Das mittlere Weimarer Jahrzehnt war von der erneuerten Freundschaft mit Goethe geprägt und führte zur ideellen Zusammenarbeit auf dem Gebiet von Natur- und Geisteswissenschaft, Morphologie und Geschichtsphilosophie. Herders Hauptwerk, die freilich auch unvollendet gebliebenen *Ideen zur Philosophie der Geschichte der Menschheit*, entstanden unter reger Anteilnahme Goethes in den Jahren 1784 bis 1791, und auch das Bekenntnis zur Lehre Spinozas (*Gott*, 1787) spiegelt gemeinsame Grundüberzeugungen der Weimarer Freunde wider. Die in die 6 Sammlungen der *Zerstreuten Blätter* (1785–97) eingegangenen kleineren Beiträge zeigen einen Querschnitt durch die unterschiedlichsten Bereiche des Herderschen Schaffens. Als Antwort auf die Ereignisse der Französischen Revolution und als geistiges Vermächtnis an die Epoche erschienen in den neunziger Jahren die *Briefe zu Beförderung der Humanität* (1793–97).

Herders letzte Jahre waren durch Krankheit, Unzufriedenheit mit der Weimarer Situation und Vereinsamung gekennzeichnet. Die Italien-Reise von 1788/89 weckte keinen neuen Lebensmut, das Verhältnis zu Schiller, Goethe, den Romantikern und Kant trübte sich. Mit *Verstand und Erfahrung. Eine Metakritik zur Kritik der reinen Vernunft* (1799) und mit seiner Ästhetik *Kalligone* (1800) trat er Kants Transzendentalphilosophie entgegen, und von der Weimarer Klassik distanzierte er sich in seiner am Geist der Frühaufklärung orientierten Zeitschrift *Adrastea* (1801–03).

Im Bewußtsein, sein Lebenswerk noch nicht vollendet zu haben, starb Herder, nicht einmal sechzig Jahre alt, am 18. Dezember 1803 in Weimar.

Herders Werk ist in der Vielfalt seiner Verästelungen und
Tendenzen, in seiner stofflichen, thematischen und formalen
Komplexität und im undogmatischen Gestus einer innovati-
ven, die traditionellen Denk- und Verfahrensnormen igno-
rierenden Wissenschaftlichkeit nur schwer überschaubar.
Als Gelehrter und Schriftsteller repräsentiert Herder einerseits den alten Typus des barock-aufklärerischen Polyhi-
stors, der noch einmal das Gesamtwissen seiner Zeit zu
beherrschen sucht, andrerseits verkörpert er den genuin
neuzeitlichen, ›prometheischen‹ Selbstdenker, der den um-
zirkten Bereich scholastischer Konvention sprengt und mit
einem »Ich habs gewagt!« (SW XVI,279) – der Devise des
humanistischen Reformators Ulrich von Hutten – in unbekannte und unentdeckte Bereiche menschlichen Wissens
vordringt. Obwohl er sich dem Zeitgesetz des Spezialisten-
tums verweigert, erweisen ihn doch seine profunden Forschungen auf dem Gebiet der Ästhetik und literarischen
Kritik, der Religionswissenschaft und Theologie, der Philosophie, Psychologie, Ethik und Anthropologie, der Ar-
chäologie und der Geschichte – trotz mancher Irrtümer
und ›unhaltbarer‹ Hypothesen – als Fachgelehrten von
Rang. Seiner Ausbildung zum Theologen und Schulmann
steht ein lebenslanges autodidaktisches Bemühen zur Seite,
ein rastloses Streben nach ganzheitlicher Bildung, und wie
der aus der beengenden Bürgerwelt aufbrechende Wilhelm
Meister könnte auch Herder von sich bekennen: »mich
selbst, ganz wie ich da bin, auszubilden, das war dunkel von
Jugend auf mein Wunsch und meine Absicht« (*Wilhelm
Meisters Lehrjahre* V,3).

Schon aus der Mohrunger Zeit sind eigene Dichtungen
überliefert, und von dem frühen höfischen Panegyrikus auf
den russischen Zaren bis zu den späten Gedichten – etwa
den *Neger-Idyllen* in den Humanitätsbriefen – spannt sich
ein weiter motivlich-formaler Bogen, der vom Gelegenheits-
gedicht bis zum Volkslied, von der christlichen Hymne bis
zum Naturgedicht, vom Epigramm und Lehrgedicht bis zur

Fabel, Legende und Kantate reicht und die verschiedensten Arten und Gattungen umfaßt. Hinzu kommt eine Fülle von Übersetzungen und Nachdichtungen aus dem Bereich der morgenländischen und antiken sowie der neueren europäischen Poesie. Herders eigene Versuche – und insbesondere seine *Lyrica* – erreichen jedoch selten den Rang großer Poesie: mehr Bekenntnis als Form und uneinheitlich in ihrer Mischung von Sentiment und Reflexion, bieten sie Verbosität statt Bedeutungsverdichtung – zumeist in der hohen Stillage der affektiven und pathetischen Rede. Aber auch den schlichten Ton des Volkslieds trifft Herder nur gelegentlich, und seine Nachdichtung des Liedes vom Heidenröslein (*Die Blüthe*, 1771) erscheint – vergleicht man sie mit Goethes Fassung – als kaum geglückte Version. Einzelne Beispiele aus dem Kreis der volksliedhaften Gedichte haben jedoch Eingang in den Kanon der deutschen Lyrik gefunden: so die hochdeutsche Umdichtung des von Simon Dach im ostpreußischen Platt geschriebenen *Annchen von Tharau* (*Volkslieder*, 1778) oder die von Goethe geschätzte schottische Ballade *Edward* (*Auszug aus einem Briefwechsel über Oßian und die Lieder alter Völker*, 1772), die dann von Carl Loewe, Schubert und Tschaikowski vertont wurde. Unter den gelehrten Nachdichtungen ragen noch besonders die kommentierte Übersetzung des Hohenliedes (*Lieder der Liebe*, 1778), die *Blumen aus der griechischen Anthologie* (1785–86) und die Übertragung der *Cid*-Romanzen (1803 bis 1805) in trochäischen Versen hervor.

Die bleibenden Leistungen Herders liegen auf dem Gebiet der Ästhetik und Poetik, der Sprach- und Erkenntnistheorie und Geschichtsphilosophie. Hier hat er den Umfang des tradierten Wissens sowie die Methodik einer normativen Schulphilosophie entscheidend erweitert und verändert und einem neuen Wissenschaftsparadigma zum Durchbruch verholfen. Aufgewachsen im Jahrhundert des Rationalismus, das auch im Bereich der Ästhetik, der Poetik und der literarischen Kritik dem regelgebenden Verstand und den

›oberen‹ Erkenntniskräften verpflichtet war, gelangt er aus der Erfahrung einer ganzheitlichen, sinnlich-unmittelbaren Seinsgewißheit, die allen verstandeslogischen Beweisen vorhergeht,[4] zur Einsicht in die Ursprünglichkeit und Unmittelbarkeit der ›unteren‹ Seelenkräfte und zur Konzeption einer Logik der individuellen Empfindung. Indem Herder die bei Leibniz, Wolff und Baumgarten vorhandenen Ansätze zu einer Würdigung der ›cognitio confusa‹ weitertreibt und die rationalistische Erkenntnishierarchie umkehrt, legt er das Fundament zu einer eigenständigen Ästhetik, in der die Verstandeslogik durch die neuen Kräfte der Sinnlichkeit und des Gefühls, des Erlebnisses und der Anschauung ersetzt werden. Mit der Aufwertung des dunklen Grundes der Seele zum anthropologischen Hauptdatum rückt er den g a n z e n Menschen ins Blickfeld und gewinnt der Poesie ein ihr eigentümliches Terrain, das sie als Medium der Selbst- und Welterfahrung und als eine aus dem Ursprung wirkende, lebendige Kraft ausweist. Auch für Herder ist die Poesie – nach Hamanns Wort – »die Muttersprache des menschlichen Geschlechts«[5], und der individuellen wie kollektiven Genese dieser originalen Poesie spürt er in seinen Abhandlungen zur Geschichte der lyrischen Dichtkunst und zur Ode, zur morgenländischen und antiken Literatur, zu Shakespeare, Ossian und den Liedern alter Völker nach.

Künder und Mittler dieses sinnstiftenden Schöpfertums ist das Genie, das, »mit Götterkraft begabt« (SW V, 218), die Totalität der Menschen- und Naturwelt im mikrokosmischen Bild zur Anschauung bringt. Zum Inbegriff des selbstwirkenden, vom aristotelischen Mimesis-Gebot befreiten Originalgenies wird für den frühen Herder aber Shakespeare, der als »Dollmetscher der Natur in all' ihren Zungen« (SW V, 219) doch ein Ganzes schafft – in Analogie zur mütterlichen Gott-Natur, die der Vielzahl ihrer individuellen Gestalten das e i n e Gesetz organischer Bildung einprägt. Der Organismus-Gedanke verbindet das spinozisti-

sche All-Einheitsprinzip der Natura naturans mit der Naturhaftigkeit des sich als »Diener der Natur« (SW V,222) be-
greifenden Genies. Herders Fermenta cognitionis zu einer
naturanalogen Geniekonzeption, von deren irrationalisti-
schem Einschlag er sich später distanzierte, haben in der
Sturm-und-Drang-Bewegung, bei Goethe und den Romantikern vielfältig gewirkt.

Der schöpferischen Ursprünglichkeit des genialen Individuums entsprechen phylogenetisch die primitiven Anfänge
des Menschengeschlechts und der Völker, die für Herder die
Reinheit der Frühe, unverfälschte Naturhaftigkeit und bildkräftige Sinnlichkeit dokumentieren. In soziologischer Hinsicht orientiert sich Herder dabei – gleichsam als Poeta
doctus gegen die Gelehrtenpoesie sich wendend – an der
Literatur des Volkes, gibt sie doch Zeugnis dafür, »daß die
Dichtkunst überhaupt eine Welt- und Völkergabe sei, nicht
ein Privaterbteil einiger feinen, gebildeten Männer (Goethe,
Dichtung und Wahrheit II,10). Kein Widerspruch besteht
deshalb zwischen Herders »Enthusiasmus für die Wilden«
(SW V,168) – seinen Respekt vor den primitiven Kulturen
belegen noch die Humanitätsbriefe –, seiner Hinwendung
zu den Liedern des Volks – des deutschen wie des lettischen
oder peruanischen – und seiner Ossian-Begeisterung, und
auch sein Irrtum über die ›Originalität‹ der Macpherson-
schen Nachdichtungen vermag die Bedeutung seines anthropologisch fundierten Poesiebegriffs nicht zu verdunkeln.

Wo die Genialität des Individuellen als Voraussetzung der
Poesie, das Wesen der Poesie aber – wie Herder gegenüber
Lessings Gesetzgebung im *Laokoon* (*Kritische Wälder* I)
betont – als Kraft, »Wirkung auf unsre Seele, Energie«
(SW III,157) erscheint und das Besondere und Einmalige
Vorrang vor dem kanonischen Musterhaften besitzt, rückt
die G e s c h i c h t e des Menschen in den Mittelpunkt.
Geschichte als »das Reich der gestaltlichen B e s o n d e r u n -
g e n«[6] gibt Aufschluß über den eigentümlichen Rang
menschlicher Kulturleistungen, so wie alle großen Kunst-

werke die Signatur ihrer Zeit an sich tragen. Entstammt auch das moderne Drama Shakespeares einer anderen Lebenswelt als das antike des Sophokles, ist es doch ebenso unvergleichlich: denn seine Unvergleichlichkeit besteht darin, »daß aus dem Boden der Zeit eben die andre Pflanze erwuchs« (SW V,218). Wie die Vegetationsmetaphorik zeigt, verbindet sich in Herders Betrachtung der Literatur aller Zeiten und Völker das Prinzip der Geschichtlichkeit menschlicher Dinge mit dem genetisch-organischen Denkmodell. Alles hat seine Zeit, das Wachsen, das Blühen und das Vergehen. Herder bleibt dabei nicht nur rousseauistisch auf den Ursprung und die lebendige Frühe fixiert; der Devise ›ad fontes‹ wird durch die Anerkennung der Jetztzeit und ihrer Anforderung die Waage gehalten: »werde ein Prediger der Tugend deines Zeitalters!« (SW IV,364), so lautet das volkspädagogische Programm des Reisejournals, und trotz seiner Kritik an der vernünftelnden, wortgelehrten Aufklärung bekennt sich Herder rückhaltlos zu seiner Zeitgenossenschaft.

Mit den aus dieser Zeitgenossenschaft resultierenden Aufgaben befaßt sich Herder in allen seinen programmatischen Schriften. Insbesondere verbindet sich die Reflexion auf den eigenen geschichtlichen Augenblick mit dem Nachdenken über Ursprung und Wesen der Sprache und ihren Zusammenhang mit der Literatur und dem Geist einer Nation. In den *Fragmenten. Ueber die neuere Deutsche Litteratur* bestimmt der Autor aus der Geschichtlichkeit der Sprache, die wie Mensch und Natur ihre Lebensalter hat, die Gegenwart als einen Mittelzustand zwischen der poetischen und der philosophischen Sprache, als das Zeitalter der ›schönen Prose‹. Diese »mittlere Größe, die schöne Prose, ist unstrittig der beste Plaz, weil man von da aus auf beide Seiten auslenken kann« (SW I,155). Die moderne Literatur findet also ihre Bestimmung zwischen den Extremen der poetischen Schönheit – der Sinnlichkeit, Ausdruckskraft und Bilderfülle – und der philosophischen Vollkommenheit – der

Richtigkeit, Funktionalität und Abstraktheit. Die Poesie der Jetztzeit ist damit nicht mehr Natur, sondern Kunst, mit der die Sprache des prosaischen Zeitalters poetisch verschönert wird. Aus dem Vergleich der modernen mit den antiken Sprachen gewinnt Herder eine Fülle von Kennzeichen des poetisch-reichen Idioms (von den Synonymen und Inversionen bis zum neuen Gebrauch der Mythologie), ruft aber auch eindringlich zur Pflege und Förderung der deutschen Muttersprache auf. Da in der Poesie Gedanke und Ausdruck eine dynamisch-energetische Einheit bilden, ist wahre Dichtkunst nur aus dem Quellgrund der Muttersprache möglich, nur die Muttersprache verbürgt die Unmittelbarkeit im Empfinden und Erkennen des lebendig wirkenden Worts.

Der »wahrhaftig Philosophischen Frage« (an Hartknoch, Ende Oktober 1769) nach dem genetischen Zusammenhang von Sprache und Denken und damit nach dem kulturschöpferischen Vermögen des Menschen sucht Herder in der preisgekrönten *Abhandlung über den Ursprung der Sprache* auf den Grund zu kommen. Diese Schrift ging – nach Goethes Urteil in *Dichtung und Wahrheit* (II,10) – »darauf hinaus, zu zeigen, wie der Mensch als Mensch wohl aus eigenen Kräften zu einer Sprache gelangen könne und müsse«. Philosophische und anthropologische, psychologische, sprach- und kulturwissenschaftliche, theologische und historische Aspekte vereinigen sich aufs engste in dieser die Selbstbestimmung des Menschen berührenden Frage, deren Lösung nicht nur Ästhetik und Dichtung der klassisch-romantischen Periode, sondern auch die Sprachwissenschaft des folgenden Jahrhunderts beeinflußt hat. Herder nimmt auch hier – historisch gesehen – eine Mittelposition zwischen den extremen Hypothesen eines göttlichen und eines tierischen Sprachursprungs ein, da er im Gegensatz zu den verschiedenen Theorien theologischer, rationalistischer und sensualistischer Prägung die Entstehung der Sprache aus der Gesamtheit der geistig-seelischen Kräfte des Menschen

erklärt. Nicht tierische Nachahmung und »Geschrei der
Empfindungen« (SW V,17), nicht die Unterweisung durch
den göttlichen Lehrmeister oder »willkührliche Convention
der Gesellschaft« (SW V,38) führen zur Genese der Sprache.
Nach Herder hat der im Unterschied zum Tier nicht mehr
instinktgebundene Mensch sich die Sprache selbst in freier
Reflexionstätigkeit erfunden, durch seine Besonnen-
heit, die als Ensemble seiner inneren Kräfte ihn zur ›Aner-
kenntnis‹ der sinnlich erfaßten Welt und zur Bildung
distinkter Merkmale befähigt: »Dies Erste Merkmal der
Besinnung war Wort der Seele! Mit ihm ist die Menschliche
Sprache erfunden!« (SW V,35). Herders anthropologische
Erklärung der Spracherfindung gibt der Perfektibilität des
Menschen Raum, betont aber auch seine gesellschaftliche
Existenz im Zusammenhang der jeweiligen Sprachgemein-
schaft.

Der alle Teilbereiche des Herderschen Werks ergreifende
Strom des geschichtlichen Denkens, dem auch die Theorie
der Sprache und des Sprachursprungs gehorcht, kommt in
den großen Entwürfen zur Geschichtsphilosophie – vor
allem im Opus magnum der *Ideen zur Philosophie der
Geschichte der Menschheit* – gleichsam zum Bewußtsein
seiner selbst. Den kühnen Plan zu einer »Universalgeschichte der Bildung der Welt« (SW IV,353) skizzierte schon
der Verfasser des Reisejournals, und Keime zu einer
»Menschlichen Philosophie« (an Kant, November 1768), in
der sich die säkulare Hinwendung des Menschen zu sich
selbst mit der Einsicht in die Geschichtlichkeit von Mensch
und Natur verbindet, sind überall in seinen Schriften verstreut. In seiner Intention, das unendliche Feld geschichtlicher Ereignisse dem menschlichen Verstehen zugänglich zu
machen und das Studium der Geschichte der Menschheit in
den Rang einer Wissenschaft und Philosophie zu erheben,
kann Herder an die Bemühungen Vicos, Montesquieus und
Voltaires anknüpfen, dessen *Philosophie de l'histoire* als
Einleitung zum *Essai sur les mœurs et l'esprit des nations*

erschienen war. Dennoch geht Herder inhaltlich und methodisch einen eigenständigen, neuen Weg. Sowohl in der Bückeburger Geschichtsschrift *Auch eine Philosophie der Geschichte zur Bildung der Menschheit* als auch in den *Ideen* erteilt er dem rationalistischen Dogma einer durchgängigen geschichtlichen Aufwärtsbewegung und dem allgemeinen, also normativen Charakterisieren geschichtlicher Epochen eine vehemente Absage, hat doch jede Nation »ihren M i t t e l p u n k t der Glückseligkeit in sich, wie jede Kugel ihren Schwerpunkt« (SW V,509). Bei aller Anerkennung der individuellen Eigenart der geschichtlichen Welt redet Herder aber keinem historischen Relativismus das Wort. Das in der Geschichte wirksame »dialektische Verhältnis von Musterhaftigkeit und Unwiederholbarkeit«,[7] das auch für die Jetztzeit Gültigkeit besitzt, bleibt in Herders Konzeption dann doch wieder einem übergreifenden Sinn verpflichtet, der als »Gang Gottes über die Nationen« (SW V,565), in den *Ideen* als Aufklärung, Universalvernunft, Humanität evoziert wird.

Entsprechend der pantheistisch begründeten Korrelation von Natur und Geschichte entwickelt Herder in den *Ideen* diesen geschichtlichen Sinn aus dem doppelten Kursus seiner Darstellung von Natur- und Menschenwelt. Als Mittelwesen im genetisch-organischen Zusammenhang der Natur erscheint der Mensch zugleich als ihr »zweiter Schöpfer« (SW XIII,114), den sein aufrechter Gang zur Herrschaft über die Schöpfung, zu Freiheit und Vernünftigkeit disponiert. Das universale, anorganische und organische Natur im Höherstreben vereinende Bildungsgesetz gelangt im menschlichen Selbstsein zum Ziel einer individuellen, d. h. den natürlich-historischen Lebensbedingungen angemessenen Glückseligkeit, verweist aber auch auf die allgemeine, philosophische Bestimmung des Menschen, eben seine Humanität: »Humanität ist der Zweck der Mensch-Natur und Gott hat unserm Geschlecht mit diesem Zweck sein eigenes Schicksal in die Hände gegeben« (SW XIV,207).

Mag man auch Herders Grundvertrauen in die Güte und
Vernunftgemäßheit des Schöpfungsganzen und seinem auf
der Vergleichbarkeit von Natur- und Menschenreich basie-
renden spekulativen, ja visionären Denken nicht immer
folgen wollen – Kant kritisierte gerade Herders »in Auffin-
dung von Analogien fertige Sagazität« -,[8] so verwirklichen
die *Ideen* doch den Plan einer pragmatisch-humanen Ge-
schichtsschreibung, in der die Mannigfaltigkeit geschichtlichen Geschehens von den mythischen Ursprüngen über die
Frühreiche Asiens bis in die Neuzeit nach seiner individuellen Eigenart wie nach seinem Beitrag für den Fortgang des
Menschengeschlechts beurteilt wird. So verdient der ›Wilde‹
denselben Respekt wie der ›Zivilisierte‹, und scharf trennt
Herder die Geschichte der Machthaber und Unterdrücker
von der Geschichte der sich entfaltenden Humanität. Mit
dem Ausblick in das eigene Zeitalter bricht die Darstellung
ab, wird aber in verwandelter Form in den Humanitätsbriefen wieder aufgenommen (SW XVII,138):

> Humanität ist der Schatz und die Ausbeute aller
> menschlichen Bemühungen, gleichsam die K u n s t
> u n s r e s G e s c h l e c h t e s. Die Bildung zu ihr ist ein
> Werk, das unablässig fortgesetzt werden muß, oder
> wir sinken, höhere und niedere Stände, zur rohen
> Tierheit, zur Brutalität zurück.

Herders Einsicht in die Gebrechlichkeit der menschlichen
Verhältnisse bindet sein Perfektibilitäts- und Humanitäts-
credo an die Wirklichkeit zurück und sichert seinem viel-
artigen Werk eine anhaltende Aktualität. Manche Impulse
seines Schaffens sind in der Folgezeit aufgegriffen und wei-
tergeführt worden – in der Geschichts- und Sprachwissenschaft, in Ästhetik, Poetik und Literaturgeschichtsschreibung, in Psychologie und Anthropologie, Theologie und
Philosophie –, und auch sein bilderreich-affektiver, »halb-
sombrer Styl« (SW V,439) und seine an der »Analogie der
Natur« (SW XIII,9) orientierte Argumentationsweise haben

Nachahmer und Nacheiferer gefunden. Herder gilt als Vater des Sturm und Drang, als Erwecker der deutschen National-literatur und Begründer des Historismus. Auch gegen irra-tionalistische, nationalistische und zuletzt faschistische Ver-einnahmung war sein Werk nicht gefeit. Dies mag in einer selektiven, den Ganzheits-Anspruch seines Wirkens ignorie-renden Rezeption begründet sein, die schon Jean Paul in seiner *Vorschule der Ästhetik* beklagt, sei doch Herder »überhaupt wenig, nur im einzelnen anstatt im ganzen gewogen und erwogen«[9] worden. An dieses – vom Leser immer wieder auszulotende – Spannungsverhältnis von Teil und Ganzem in Herders Werk erinnert auch Ernst Meister in einer anspielungsreichen *Variation zu Herder*:[10]

> O vagina hominum,
> Herz, das in sich
> kein Ende hat!
> Auf dem Vorgebirg
> der Hoffnung
> lebt,
> was auf ihm
> leben kann:
> ein kleiner Bruch nur
> des Ganzen.

Anmerkungen

1 Tagebuchnotiz, zit. nach: *Goethes Werke. Hamburger Ausgabe*, Bd. 9, Hamburg 1955 [u. ö.], S. 735. **2** J. H. Jung-Stilling, *Lebensgeschichte*, vollst. Ausg. mit Anm. hrsg. von G. A. Benrath, Darmstadt 1976, S. 271. **3** »Einheit fordert zwar die Vernunft, die Natur aber Mannigfaltigkeit, und von beiden Legislationen wird der Mensch in Anspruch genommen« (F. Schiller, *Über die ästhetische Erziehung des Menschen. In einer Reihe von Briefen*, mit einem Nachw. von K. Hamburger, Stuttgart 1965 [u. ö.], S. 12. **4** Vgl. Herders frühen, aus der Beschäftigung mit Kants Philosophie erwachsenen Aufsatz *Versuch über das Sein.*   **5** J. G. Hamann, *Sokratische Denkwürdigkeiten. Aesthetica in nuce*, mit einem Komm. hrsg. von S.-A. Jørgensen, Stuttgart 1968 [u. ö.], S. 81. **6** Th. Litt, in: G. W. F. Hegel, *Vorlesungen über die Philosophie der Geschichte*, mit einer Einf. von Th. L., Stuttgart 1961 [u. ö.], S. 7.   **7** H.-G. Gadamer, *Wahrheit und Methode. Grundzüge einer philosophischen Hermeneutik*, 3., erw. Aufl. Tübingen 1972, S. 188.   **8** Rezension zu Herders *Ideen*, in: I. Kant, *Werke*, hrsg. von W. Weischedel, Bd. 10, Darmstadt 1970, S. 781.   **9** Jean Paul, *Werke*, Bd. 5, München 1963, S. 454.   **10** Zit. nach: *Akzente* 23 (1976) H. 4, S. 293.

Bibliographische Hinweise

Sämmtliche Werke. 33 Bde. Hrsg. von B. Suphan. Hildesheim 1967–68. (Nachdr. der Ausg. Berlin 1877–1913.) [Zit. als: SW.]

Werke. 5 Bde. Ausgew. und eingel. von R. Otto. Berlin/Weimar 1978. ⁶1982.

Werke. 3 Einzelbde. Hrsg. von W. Proß. München/Wien 1984 ff.

Werke. Bd. 1 ff. Frankfurt a. M. 1985 ff.

Briefe. Gesamtausgabe 1763–1803. 8 Bde. Hrsg. von den Nationalen Forschungs- und Gedenkstätten der klassischen deutschen Literatur in Weimar. Weimar 1977–84.

Journal meiner Reise im Jahr 1769. Hist.-krit. Ausg. Hrsg. von K. Mommsen. Stuttgart 1983.

Abhandlung über den Ursprung der Sprache. Hrsg. von H. D. Irmscher. Stuttgart 1981.

Abhandlung über den Ursprung der Sprache. Text, Materialien, Kommentar. Hrsg. von W. Proß. München [o. J.].

Von deutscher Art und Kunst. Einige fliegende Blätter. Hrsg. von H. D. Irmscher. Stuttgart 1977 [u. ö.].

»Stimmen der Völker in Liedern«. Volkslieder. Hrsg. von H. Rölleke. Stuttgart 1975 [u. ö.].

Auch eine Philosophie der Geschichte zur Bildung der Menschheit. Nachw. von H.-G. Gadamer. Frankfurt a. M. 1967.

Ideen zur Philosophie der Geschichte der Menschheit. 2 Bde. Hrsg. von H. Stolpe. Berlin/Weimar 1965.

Herder-Studien. Hrsg. von W. Wiora. Würzburg 1960.

Bückeburger Gespräche über Johann Gottfried Herder 1971. Hrsg. von J. G. Maltusch. Bückeburg 1973.

Bückeburger Gespräche über Johann Gottfried Herder 1975. Hrsg. von J. G. Maltusch. Rinteln 1976.

Johann Gottfried von Herder's Lebensbild. 3 Bde. Hrsg. von E. G. v. Herder. Hildesheim 1977. (Nachdr. der Ausg. Erlangen 1846.)

Bückeburger Gespräche über Johann Gottfried Herder 1983. Hrsg. von B. Poschmann. Rinteln 1984.

Herder-Bibliographie. Hrsg. von G. Günther, A. A. Volgina und S. Seifert. Berlin/Weimar 1978.

Der handschriftliche Nachlaß Johann Gottfried Herders. Katalog. Bearb. von H. D. Irmscher und E. Adler. Wiesbaden 1979.

Johann Gottfried Herder: Innovator through the Ages. Hrsg. von W. Koepke. Bonn 1982.

Johann Gottfried Herder 1744–1803. Hrsg. von G. Sauder. Hamburg 1987.

Adler, E.: Herder und die deutsche Aufklärung. Wien / Frankfurt a. M. / Zürich 1968.

Arnold, G.: Johann Gottfried Herder. Leipzig 1979.

Barnard, F. M.: Herder's Social and Political Thought: From Enlightenment to Nationalism. Oxford 1965.

Berlin, I.: Vico and Herder. Two Studies in the History of Ideas. London 1976.

Clark, R. T.: Herder. His Life and Thought. Berkeley / Los Angeles 1955.

Dobbek, W.: Johann Gottfried Herders Humanitätsidee als Ausdruck seines Weltbilds und seiner Persönlichkeit. Braunschweig 1949.

– Johann Gottfried Herders Jugendzeit in Mohrungen und Königsberg 1744–1767. Würzburg 1961.

– Karoline Herder. Ein Frauenleben in klassischer Zeit. Weimar 1963.

Dreike, B. M.: Herders Naturauffassung in ihrer Beeinflussung durch Leibniz' Philosophie. Wiesbaden 1973.

Faust, U.: Mythologie und Religion des Ostens bei Johann Gottfried Herder. Münster 1977.

Grawe, Ch.: Herders Kulturanthropologie. Die Philosophie der Geschichte der Menschheit im Lichte der modernen Kulturanthropologie. Bonn 1967.

Haym, R.: Herder nach seinem Leben und seinem Werk dargestellt. 2 Bde. Berlin 1880–85. – Neuausg. u. d. T.: Herder. 2 Bde. Mit einer Einl. von W. Harich. Berlin [Ost] 1954.

Kantzenbach, F. W.: Johann Gottfried Herder in Selbstzeugnissen und Bilddokumenten. Reinbek bei Hamburg 1970.

Koepke, W.: Johann Gottfried Herder. Boston (Mass.) 1987.

Litt, Th.: Kant und Herder als Denker der geistigen Welt. Leipzig 1930. – 2., verb. Aufl. Heidelberg 1949.

– Die Befreiung des geschichtlichen Bewußtseins durch Johann Gottfried Herder. Leipzig [1943].

Meinecke, F.: Die Entstehung des Historismus. München [4]1965.

Nisbet, H. B.: Herder and the Philosophy and History of Science. Cambridge 1970.

Reisiger, H.: Johann Gottfried Herder. Sein Leben in Selbstzeugnissen, Briefen und Berichten. Berlin 1942.

Rouché, M.: La philosophie de l'histoire de Herder. Paris 1940.

Schmidt, J.: Die Geschichte des Genie-Gedankens in der deutschen Literatur, Philosophie und Politik 1750–1945. Bd. 1: Von der Aufklärung bis zum Idealismus. Darmstadt 1985.

Stolpe, H.: Die Auffassung des jungen Herder vom Mittelalter. Ein Beitrag zur Geschichte der Aufklärung. Weimar 1955.

Unterreitmer, H.: Sprache als Zugang zur Geschichte. Untersuchungen zu Herders geschichtsphilosophischer Methode. Bonn 1971.

WILHELM HEINSE

Von Max L. Baeumer

Das dichterische Werk Wilhelm Heinses liegt in seiner Gesamtheit erst seit 1925 mit der von Carl Schüddekopf und Albert Leitzmann veranstalteten Ausgabe vor. Heinses Schriften, seine Briefe und der größte Teil seiner Tagebücher wurden somit erst 122 Jahre nach seinem Tod genauer bekannt. Alle vorhergehenden Arbeiten über den Dichter und sein Werk, zu denen nicht der gesamte handschriftliche Nachlaß herangezogen wurde, sind unzulänglich. Unmittelbar nach dem Erscheinen der Schüddekopfschen Gesamtausgabe setzt die neuere und eigentliche Forschungsliteratur über Heinse ein. Jetzt wird ein überraschend neues Bild des bisher nur als erotisch-lasziven Sturm-und-Drang-Vertreters bekannten oder verschrienen Dichters sichtbar: Heinse, Entdecker und begeisterter Schilderer der italienischen Renaissance, Verkündiger und Darsteller eines neuen, sinnenfreudigen Lebensgefühls in Malerei, Musik und dionysischer Griechenverehrung, Teilnehmer und Kritiker am Zeitgeschehen der Französischen Revolution sowie Vorbild und verehrter »Meister« Hölderlins.

Johann Jakob Wilhelm Heinse wurde am 15. Februar 1746 (nicht am 16. Februar 1749!) als Sohn eines Stadtschreibers, Organisten und späteren Bürgermeisters in Langewiesen bei Ilmenau in Thüringen geboren. Als Student der Rechte und der Philosophie in Jena und Erfurt wurde er von seinen Professoren Friedrich Justus Riedel und Wieland, anschließend von Gleim finanziell unterstützt und in seinen literarischen Bestrebungen gefördert. Als junger Dichter ist er weniger von Wieland beeinflußt, wie man bisher annahm, als vielmehr von Riedels materialistisch-sensualistischer *Theorie der schönen Künste und Wissenschaften* und ebenso vom französischen Materialismus Julien de Lamettries und Claude Adrien Helvétius'.[1] Diese Einflüsse, gepaart mit scharfer Polemik gegen »Pfaffen«-Religion und mit Streben nach seligem »Genuß der Lust« im Schoß der Natur (SW I,5 f.), bestimmen schon die frühen Rokoko-Gedichte der Erfurter Zeit (bis 1771) sowie seine Pamphlete und jugendhaft-kritischen Beiträge zur *Bibliothek der elenden Scribenten* (1769) und zu der von ihm und Johann Georg Caspar Gleichmann 1770 herausgegebenen Wochenschrift *Thüringischer Zuschauer*.

Die erst 1805 nach seinem Tod veröffentlichten *Musikalischen Dialogen*, in ihrer Form Wielands philosophisch-satirischen Streitgesprächen lukianischer Prägung folgend, handeln *Vom musikalischen Genie*, von Rousseau, Jomelli, Metastasio sowie *Ueber musikalische Bildung* (SW I,227 bis 320) und verbinden dieselben materialistisch-religionsfeindlichen Ideen mit leidenschaftlich entgrenztem Schönheitsgenuß im Graziengewand. Moralische Satire und ungehemmter Sinnengenuß kennzeichnen auch die 1771 von Gleim in Halberstadt veröffentlichten *Sinngedichte* Heinses.

Durch Vermittlung Gleims wird Heinse, der vorübergehend den Dichternamen »Rost« annimmt, 1772 Hauslehrer in der Familie der künstlerisch gebildeten und ihm bald befreundeten Elisabeth von Massow in Halberstadt. Auf Veranlassung Gleims kommen hier im nächsten Jahr *Die Kirschen*, Heinses freie Übersetzung von Claude Joseph Dorats Verserzählung *Les Cérises*, heraus. Unmittelbar vor den schlüpfrigen *Kirschen* erscheint im gleichen Jahr Heinses aufsehenerregende Petronius-Übersetzung anonym unter dem Titel *Begebenheiten des Enkolp: Aus dem Satyrikon des Petron übersetzt*. Wie ein revolutionärer Aufruf wirkt seine immer wieder zitierte Vorrede (SW II,11):

Wilhelm Heinse
1746–1803

Die Dichter, Mahler und Romanschreiber haben ihre
eigne Moral. Es wäre eine sehr unbillige Forderung,
wenn man von ihnen verlangte, sie sollten lauter
Grandisonen, Madonnen und Crucifixe und Meßia-
den zur Welt bringen. Die Moral der schönen Künste
und Wissenschaften zeigt die Menschen, wie sie sind
und zu allen Zeiten waren.

Heinses *Begebenheiten des Enkolp* stellen die erste deutsche
Übersetzung des erst 1650 wiederentdeckten *Satyrikon* dar.
Äußerst geschickt hat Heinse Teile der vorhergehenden
französischen Bearbeitungen in seine Übertragung des
Petronius-Fragments aufgenommen. Bis in unsere Tage ist
sie das anerkannte Muster aller weiteren deutschen Bearbeitungen dieses beliebten Stoffes geblieben. Sogar die Filmver-
sion Fellinis (1969) beruht weitgehend auf Heinses *Begebenheiten des Enkolp*.

Alle bisher geschilderten weltanschaulichen Tendenzen
hat Heinse in seinem ersten größeren Werk zusammengefaßt, in seinem Roman *Laidion oder die Eleusinischen Geheimnisse* von 1774 (2., leicht veränderte Aufl. 1799). In
einer fingierten Niederschrift schildert die »göttliche Buhle-
rin« Lais-Laidion nach ihrem Tod, in der zeitgenössischen
Form aufgeklärt-satirischer Totengespräche, ihrem noch
lebenden Geliebten, dem Philosophen Aristipp, die sinnlichen Freuden Elysiums und ihres eigenen Erdenlebens als
gefeierte Hetäre und geistreiche Freundin großer Philosophen. Im Gewand anakreontischer Graziendichtung ist die
Laidion zugleich ein kritisch-polemischer Roman von aufge-
klärt-materialistischer Denkweise. Die christliche Moral, die
platonische Philosophie (vor allem Platos *Staat*) und alles
spekulative Denken sind leere Schwärmereien, da sie das
sinnliche Leben und die Empfindung der Natur verachten.

Um welche Art von »Empfindung« es Heinse geht,
demonstriert er in 56, dem *Laidion*-Roman angeschlossenen
italienischen Stanzen über den wollüstigen Liebesgenuß einer antiken Badeszene:

Empfindung muß von angeschwollnen Sinnen,
Wie Regen aus zerblitzten Wolken rinnen.

Nach Wieland können Heinses Stanzen »nur von Hurenwir-
ten und Bordellnymphen mit Beifall gelesen [...] werden«
(Leitzmann, S. 2). Goethe dagegen meinte: »Es ist so vieles
darinn, das nicht anders ist, als ob ich's selbst geschrieben
hätte – Ein andrer verhurt seine Säfte, ihr habt Stanzen
daraus gemacht« (SW IX,228). Friedrich Heinrich Jacobi,
Boie und Merck äußerten sich ebenfalls positiv und sahen
die Petronius-Übersetzung, die *Laidion* und die Stanzen als
Muster einer neuen sinnlich-leidenschaftlichen Dichtung
(vgl. Baeumer, 1984, S. 136 f.). Ebenfalls 1774 erschien
Heinses Übersetzung der *Mémoires de Pétrarque des Jacques Paul Alphonse de Sade* unter dem Titel *Nachrichten
zu dem Leben des Franz Petrarca aus seinen Werken und
den gleichzeitigen Schriftstellern*. Hier breitet Heinse zum
erstenmal sein Interesse für die italienische Renaissance vor
der Öffentlichkeit aus. Von 1774 bis 1780 lebt Heinse als
Mitherausgeber von Johann Georg Jacobis Damenzeitschrift
Iris im Kreis der Brüder Jacobi in Düsseldorf. Im Pempel-
forter Kreis trifft er im Juli 1774 mit dem drei Jahre jüngeren
Goethe zusammen.

Die Forschung hat bisher völlig übersehen, daß Heinses
intensive Beschäftigung mit der italienischen Renaissance
nicht erst mit seinem Italien-Aufenthalt und dem *Ardinghello*-Roman begann. Von seinen 23 Beiträgen zur *Iris* und
zum *Teutschen Merkur* in den Jahren 1774 bis 1777 befassen
sich allein 13 Abhandlungen mit Künstlern und Werken der
italienischen Renaissance. Tasso sind zwei freie Übertragungen aus dessen *Gerusalemme liberata* und drei Essays über
sein Werk gewidmet. Von Ariost übersetzt Heinse die *Erste*
und *Zweyte Satyre* und veröffentlicht drei kleine Aufsätze
zu dessen *Rolando furioso*. *Briefe über das italienische
Gedicht* und *Ricciardetto, an Herrn H. J.* sind zwei weitere
Essays zur italienischen Renaissance betitelt. Aus diesem
gegen Ariost gerichteten Epos *Ricciardetto* des Niccolò For-

teguerri läßt Heinse eine längere und eine kürzere Übertragung folgen. Im 3. Band der *Sämmtlichen Werke* hat Schüddekopf einige Übersetzungen und Aufsätze Heinses zur italienischen Renaissance gesammelt herausgebracht.

In seiner zweibändigen Anthologie *Erzählungen für junge Damen und Dichter* von 1775 kommentiert Heinse komisch-satirische Rokoko-Erzählungen von Zeitgenossen und mißt sie, besonders gegen Wieland gerichtet (vgl. Baeumer, 1984, S. 140 f.), am Muster Ariosts und am Vorbild Boccaccios und Alessandro Tassonis. Heinses Kunstbriefe *Ueber einige Gemälde der düsseldorfer Galerie* (1775–76 im *Teutschen Merkur* veröffentlicht) geben ungemein plastischanschauliche Beschreibungen von Gemälden Michelangelos, Guido Renis und vor allem Raffaels und Rubens'. Heinses ekstatische Apotheose von Rubens als größtem Maler der Renaissance (SW IX,361–363) stellt den Höhepunkt seiner Düsseldorfer Gemälde-Briefe dar. Mit der Schrift *Theorie des Paradoxen* von 1778, einer Übersetzung der Schrift André Morellets von 1775, findet die erste Hälfte von Heinses schriftstellerischem Werk gewissermaßen ihren Abschluß.

Am 6. Juni 1780 bricht Heinse mit finanzieller Unterstützung Gleims und Friedrich Heinrich Jacobis zu seiner dreijährigen Reise nach Italien auf, die er größtenteils zu Fuß zurücklegt. Diese Italien-Reise bedeutet für ihn nicht nur die Verwirklichung seiner Jugendträume, sondern in noch größerem Maß Höhepunkt und Vollendung seiner dichterischen Selbstaneignung der italienischen Renaissance. In Italien beendet er unter großen Entbehrungen seine bisherigen Arbeiten. Von November 1780 bis Mai 1781 stellt er in Venedig seine vierbändige Prosa-Übersetzung *Das befreyte Jerusalem von Torquato Tasso* fertig und studiert die Geschichte der Dogenherrschaft. 1783 vollendet er in Rom seine vierbändige Prosa-Übertragung *Roland der Wüthende. Ein Heldengedicht von Ludwig Ariost dem Göttlichen.* In Rom begeistert er sich für die Bauwerke der »Antiken« und macht zusammen mit Friedrich (»Maler«) Müller Pläne für eine Zeitschrift über Kunst und Kultur Italiens. In Florenz sammelt er Aufzeichnungen über die Medici. Die eigentlichen Früchte seiner bisherigen Arbeiten, seines Italien-Aufenthaltes und seiner Forschungen in italienischen Bibliotheken und Archiven zeigen sich, sorgfältig gesammelt in den Notizheften seines Nachlasses, in Heinses weiteren Schriften, besonders in drei nun folgenden Werken: in seinem Kunst- und Philosophieroman *Ardinghello*, im ›Musikroman‹ *Hildegard von Hohenthal* und in seinen letzten Werk, dem ›Schachroman‹ *Anastasia*.

1787 kommt der in Briefform aufgebaute *Ardinghello* als *Eine Italiänische Geschichte aus dem sechszehnten Jahrhundert* heraus: die erste dichterische Darstellung des italienischen Renaissance-Menschen in seiner erregenden Gleichzeitigkeit von Geist und Mut, Tatkraft und Künstlertum, Philosophie und grenzenloser Leidenschaft, verkörpert in einem jungen Florentiner Adligen und Maler, seinen Freunden und emanzipierten Geliebten, die, außerhalb jeder gesellschaftlichen Moral, in Liebes- und Seeräuberabenteuern, Hofintrigen und Staatsreformen, das große Leben des ›uomo universale‹ führen.[2] Ausgedehnte Kunstbeschreibungen und -gespräche, im Anschluß an Plinius, Vasari, Michelangelo, Raffael, Lessing und Winckelmann, sind im 1. Band die integrierenden Bestandteile des Romans, der bewußt Antike, Renaissance und 18. Jahrhundert in einer neuen, lustvollen Ästhetik vereinigt. Gespräche über *Michelangelo*, *Raffael und die Antiken* enden in einem rauschenden Künstlerbacchanal. Im 2. Band entwickelt Heinse aus der Metaphysik und Physik des Aristoteles, aus kosmischen Ideen Spinozas und Leibnizens und aus dem von Friedrich Heinrich Jacobi ausgelösten sogenannten Pantheismus-Streit eine rauschhafte Philosophie der All-Einheit mit der vergöttlichten Natur. (In Jacobis Düsseldorfer Haus entstand zur selben Zeit der größte Teil des *Ardinghello*.) Heinses pantheistische Naturphilosophie will ebenfalls Antike, Renais-

sance und das aufgeklärte Naturgenie des 18. Jahrhunderts
miteinander zu einer Einheit verbinden. Sie hat nachweislich
Hölderlin stark beeinflußt.[3] Die enthusiastische Kunst- und
Naturanschauung des Romans findet am Ende ihre utopische Verwirklichung in der Gründung einer »Republik« der
auserlesenen italienischen und griechischen Freunde und
Geliebten Ardinghellos auf den »glückseeligen Inseln«
Naxos und Paros in Freiheit, Naturverehrung und Schönheitsgenuß.

Die zum größten Teil seit 1925 im Druck vorliegenden
Notizhefte und Tagebücher enthalten eine Vielzahl von
Materialien, philosophischen, historischen und kunstge-
schichtlichen Werkauszügen, Kunstbeschreibungen und
eigenen kritischen Notizen. Heinse hat diese Aufzeichnungen, zum Teil sorgfältig überarbeitet, zum Teil unverändert,
in seinen Roman übernommen. Er überträgt jedoch nicht
einfach die Kunsttheorien des 18. Jahrhunderts ins 16., sondern weist dieselbe Thematik in den Ansichten und Werken
der italienischen Renaissance nach. Im *Ardinghello* diskutieren die Kunstrichter und das Naturgenie des 18. Jahrhunderts die Ansichten Rousseaus, Diderots, Leibnizens, Spinozas, Winckelmanns und Lessings, dargestellt am Staats-
wesen der Medici und an den Kunstwerken Michelangelos
und Raffaels und ausgerichtet nach den Schriften und einem
neuen lustvoll-sinnlichen Bild der klassischen Antike. Mit
dem *Ardinghello* hat Heinse, mit Hilfe des sorgfältig studierten Milieus und Menschenbildes der Renaissance und
ihrer Kunst, für die Zukunft eine naturromantische, ›dionysische‹ Anschauung von der Antike begründet, wie die
Rezeption seines Romans im 19. und 20. Jahrhundert eingehend bestätigt.

Zu Lebzeiten Heinses wurde der *Ardinghello*-Roman
zweimal (1792 und 1794) neu aufgelegt. Schiller und Goethe
haben mit ihren negativen, relativ späten Aussagen für lange
Zeit das Urteil der nachfolgenden Generationen von Litera-
turhistorikern einseitig bestimmt. Schiller bestätigt unmit-

telbar nach dem Erscheinen des *Ardinghello*, daß er »ganz erstaunlich in Circle geraten« sei (an Ludwig Ferdinand Huber, 26. Oktober 1787), rechnet ihn aber 1795 zu den gemeinen und niedrigen Produkten der Begierde »ohne Wahrheit und ohne ästhetische Würde« (*Über naive und sentimentalische Dichtung*). Goethe erinnert sich 1817, daß nach seiner Rückkehr aus Italien Heinses *Ardinghello* und Schillers *Räuber* »in großem Ansehen, von ausgebreiteter Wirkung« waren, ihn selbst aber »äußerst anwiderten«. Der *Ardinghello* sei ihm »verhaßt, weil er Sinnlichkeit und abstruse Denkweisen durch bildende Kunst zu veredeln und aufzustutzen unternahm« (*Erste Bekanntschaft mit Schiller*). Worin bestand aber die erstaunliche und ausgebreitete Wirkung auf die unmittelbaren Zeitgenossen, die Schiller und Goethe, bei aller Ablehnung, dem Werk Heinses bestätigen mußten?

Die Zeugnisse der unmittelbaren Wirkungsgeschichte lassen bei den Zeitgenossen eine betonte Zwiespältigkeit von sinnlicher Begeisterung und moralischer Entrüstung, mit gleichzeitiger Scheu oder Ablehnung gegenüber einem gewissen Neuen und Fremdartigen – nämlich dem Renaissance-Charakter des Werkes – erkennen, das zugleich anzieht und beunruhigt.

Eine weitere Besonderheit der literarischen Wirkung des *Ardinghello*, wie sie die ersten Rezensionen widerspiegeln, ist die als Neuheit hervorgehobene »Fülle der Sprache«, »die lebendige Darstellung«, »die meisterhaften Schilderungen«, mit »Geist und Feuer« geschrieben, die »Lebenswärme« der Sprache, die täuschende Charakterisierung des Individuellen, »die kraftvolle üppige Diktion«, oder auch Kritik an der »schwülstigen« Sprache der Leidenschaften. Auch die übrigen Schriften Heinses wirkten, wie wir gesehen haben, zuerst und vor allem auf die Zeitgenossen durch ihre sinnlich und anschaulich fühlbare Sprache. Den direkten Einfluß des *Ardinghello* auf das Romanschaffen Tiecks (*Sternbald, William Lovell, Vittoria Accorombona*), Friedrich Schlegels

(*Lucinde*), Brentanos (*Godwi*) und Hölderlins (*Hyperion*)
hat die Forschung im einzelnen dargestellt.[4]

Ein Jahr vor dem Erscheinen des *Ardinghello* wird der
Protestant und Religionsverächter Heinse[5] als Vorleser an
den Hof des aufgeklärten Kurfürsten und Erzbischofs Friedrich Karl Joseph von Erthal nach Mainz berufen und 1788
zum Hofrat und Bibliothekar der kurfürstlichen Privatbi-
bliothek befördert. 1792 flieht er vor der französischen Besetzung von Mainz nach Düsseldorf. 1794 kehrt er zurück
und siedelt mit der kurfürstlichen Bibliothek ins Schloß
Aschaffenburg über. 1796 flieht er wieder vor der französischen Revolutionsarmee und zusammen mit Susette Gontard und Hölderlin nach Bad Driburg in Westfalen. Seit
seiner Rückkehr im selben Jahr lebt er als Bibliothekar in
Aschaffenburg, wo er am 22. Juni 1803 einem zweiten
Schlaganfall erliegt.

»Mitten unter dem Kriegsgetümmel« der Mainzer und
Aschaffenburger Jahre, so schreibt Heinse am 2. Juni 1796
an Gleim, hat er sein zweites ›italienisches‹ Werk vollendet,
den ›Musikroman‹ *Hildegard von Hohenthal*, der in 3 Bänden zwischen Oktober 1795 und Sommer 1796 herauskam.
Der Roman ist die einzige deutsche Darstellung der damals
schon aussterbenden italienischen Volksoper mit ihrer
hohen Arienkunst, wie sie Heinse in Italien, vor allem in
Venedig, selbst erlebt und studiert hatte. Noch mehr als der
Ardinghello besteht der *Hildegard*-Roman aus Aufzeichnungen aus Heinses italienischen Notizheften. Im besonderen sind es Partituren der selten gewordenen Opern Jomel-
lis, Traettas, Majos und Glucks, den Heinse als den Vollen-
der der italienischen Opernmusik des Spätbarock ansieht.
Noch weniger als im *Ardinghello* ist die Rahmenerzäh-
lung der handelnden Hauptpersonen, der gesangsbegabten
Schönheit Hildegard von Hohenthal und des genialen Komponisten und Kapellmeisters Lockmann mit ihren Liebes-
abenteuern, von Bedeutung. Die Handlung beginnt am Hof
eines kleinen, musikliebenden Fürsten am Rhein, setzt sich

mit Opernaufführungen und Liebesspielen in Italien fort
und endet in glücklichen Standesheiraten aller beteiligten
Adels- und bürgerlichen Personen. Dieser lose Rahmen
verbindet lange technische Ausführungen über den Aufbau
von Opern und Arien mit anschaulichen und leidenschaftlichen Schilderungen musikalischer Impressionen. Insbesondere feiert Heinse den Triumph der »göttlichen Menschen-
stimme«. Sie »ist eigentlich«, so sagt er am Anfang des
Romans, »was in den bildenden Künsten das Nackende
ist« (SW V,13). Sie »ist das sinnlichste, was der Mensch
vom Leben erfassen kann« (an Friedrich Heinrich Jacobi,
22. November 1780).

Heinses letztes Werk, sein drittes ›italienisches‹, erscheint
1803 in 2 Bänden: *Anastasia und das Schachspiel. Briefe aus
Italien, vom Verfasser des Ardinghello*. Die bisher übliche
Bezeichnung dieses kleinen Werkes als ›Roman‹ ist völlig
unberechtigt. Heinse selbst umschreibt es in einem Brief an
seinen Kurfürsten Karl Theodor von Dalberg als »zwei
Bändchen freundschaftlicher Briefe [...] über das Schachspiel der Italiäner, worin ich die ganze Theorie dieses sinn-
reichen Spiels entwickelt habe, zusammen mit dessen
Geschichte«.[6] Man kann hier auch nicht mehr von einer
Rahmenhandlung sprechen. Anastasia ist lediglich ein
schachkundiges junges Mädchen und nicht einmal eine
Hauptperson der »Schachfreunde«, welche die beschriebe-
nen Schachpartien durchspielen und am Ende gar nicht mehr
erwähnt werden. In seinem letzten Brief an den Kurfürsten
lüftet Heinse das Geheimnis seiner fiktiven »Briefe«, ohne
daß die Forschung dies bisher genauer zur Kenntnis genommen hätte: Der häufig auftretende unbekannte italienische
»Gelehrte« und dessen »Buch über das Schachspiel«, das der
fiktive Briefschreiber (Heinse) »verschiednemal mußt'
durchgehn« (SW VI,224), sind der venezianische Theatiner-
pater Contin und dessen Buch über die Vorzüge des italienischen Schachspiels gegenüber dem französischen. In einem
Brief vom 18. Mai 1781 aus Venedig an Jacobi schildert

Heinse seine Bekanntschaft und seine Schachpartien mit
Pater Contin. Im ›Schachbuch‹ *Anastasia* behandelt Heinse
Ideen und Einzelheiten des Continschen Werkes über das
italienische Schachspiel, zusammen mit anderen Übertragungen aus seinen eigenen italienischen Notizheften.

Weder der lehrhafte ›Musikroman‹ *Hildegard von Hohenthal* noch die *Anastasia und das Schachspiel* sind bisher
von der Forschung näher auf ihren musiktheoretischen bzw.
schachhistorischen Inhalt untersucht worden. Beide Werke
sind, noch viel mehr als der *Ardinghello*, ›Romane‹ nur in
der älteren Tradition des ausgehenden 17. und beginnenden
18. Jahrhunderts, sind Gefäße für gelehrte Studien und
Beobachtungen. Heinse spricht von »der Hildegard« nie als
Roman, nur als einem »Werk« mit »profunden wissenschaftlichen Stellen« (SW X,275). Von der *Anastasia* bemerkt er: »Die Materie ist nicht für Jedermann und folglich
kein anlockender Handelsartikel; doch bezahlt mir Varrentrupp in lauter baarem Gelde« (SW X,338). Um den *Hildegard*-Roman entspann sich, unter Federführung von Johann
Friedrich Reichardt, eine scharfe Auseinandersetzung. Der
Roman selbst wurde 1804 und 1838 neu aufgelegt. Ebenso
erschien *Anastasia und das Schachspiel* 1815 und 1831 erneut
im Druck. Jedoch nach den dreißiger Jahren gerieten beide
Werke in Vergessenheit.

Noch zu Beginn der sechziger Jahre des 20. Jahrhunderts
glaubte man, daß, abgesehen von den beiden letztgenannten
Werken, Heinses Produktivität in seinen letzten Jahren in
Aschaffenburg erlahmt sei. Neuere Untersuchungen der
1925 allerdings noch unvollständig veröffentlichten Nachlaßhefte und der ungefähr 900 Seiten noch nicht erfaßter
Nachlaßnotizen haben ergeben, daß Heinse noch bedeutende schriftstellerische Arbeit geleistet hat.[7] Abschließend
seien hier einige dieser Aufsätze erwähnt, über die er im
März 1803 an Dalberg schrieb, daß er »den nächsten Sommer [...] etliche Bändchen vermischte Schriften [...] in
Ordnung zu bringen und herauszugeben« gedenke (SW X,

340). Von diesen Arbeiten befinden sich im Nachlaß von Heinse selbst angelegte, sorgfältig ausgefeilte Abschriften und von der Hand eines Schreibers angefertigte Reinschriften.

Heinses wechselnde Stellung gegenüber der von ihm selbst miterlebten Französischen Revolution tritt in seinen zum Teil chiffrierten Brief- und Tagebuchbemerkungen, seinen Besprechungen von Gavotys *De l'état naturel des peuples*, von Schlözers *Allgemeines Statsrecht und Statsverfassungslere*, von Herrenschwands *De l'économie politique moderne* und vor allem in seinem Aufsatz *Ueber einige Grundsätze der Französischen Drakonen* (SW III,578–598) zutage.

Heinses Beitrag nach Lavoisier zum Hauptsatz der Hirn- und Nervenlehre seines Freundes, des Anatomen Samuel Thomas von Sömmerring, »in dessen Schrift zur Tabula baseos encephali« (SW III,613–622), seine Ausarbeitung *Ueber Wesen und deren Formen* nach der Physik des Aristoteles (SW VIII,3,180–189) sowie seine All-Einheitslehre im 2. Teil des *Ardinghello* – reinschriftliche Ausarbeitungen, die Heinse bewußt miteinander verbindet – stellen den großartigen naturromantischen Versuch dar, unter Berufung auf Aristoteles und die neuere Chemie die vier Grundelemente Erde, Wasser, Feuer und Luft als dieselben göttlichen Wesenheiten und Wirkkräfte im großen Menschen wie im göttlichen Ganzen der Welt erscheinen zu lassen.[8] (Heinse bestimmte, daß nach seinem Tod sein Gehirn dem Freund Sömmerring zur chemischen Untersuchung überlassen werde.)

Seine hylozoistische Naturphilosophie von der belebten Materie und dem in Lebens- und Liebesgenuß schwelgenden göttlichen Weltall setzt Heinse zwischen 1795 und 1802 in einem Diskurs *Idealisten-Kantianer*, *Dogmatiker-Fichte* fort. Sein Angriff auf beide endet in dem Abschnitt *Die strengen Moralisten*, die das menschliche Leben jeglicher »Lust und Freyheit« berauben. Das Idealbild des freien, großen Menschen entwickelt er in einer Ausarbeitung *Erklärungen und eigne Gedanken bei den wichtigsten Stellen in der Ethik des Aristoteles. Im Januar 1796.* Sie gipfelt in einem besonders ausgefeilten Text *Megalopsychos. Ein Mann von großer Seele.*[9] Heinse beschreibt seinen »Megalopsychos« in Anlehnung an Aristoteles in fast denselben Formulierungen, mit denen Nietzsche hundert Jahre später seinen Zarathustra mit Kaiser Friedrich II. vergleicht.[10] Eine abschließende größere Arbeit[11] faßt unter dem Titel *Pro und Contra findet sich zuweilen neben einander, zu weiterm Gebrauch für künftige poetische Werke* in konzentrierter, beinahe aphoristischer Form noch einmal die weltanschauliche Thematik der genannten Aufsätze der Aschaffenburger Nachlaßhefte zusammen: von den Beziehungen zwischen dem großartigen Einzelmenschen und der Gesellschaft in »Liebe, Freundschaft und Gerechtigkeit« bis zum enthusiastischen Bekenntnis von Heinses Naturreligion. »Die ewige Dauer der Grundsubstanzen, der Elemente« ist »das große und unermeßliche des Lebens in der menschlichen Welt« (SW VIII,3,269).

1965 wurde in der Schloßbibliothek Aschaffenburg noch eine weitere unveröffentlichte Arbeit entdeckt. Es handelt sich um seine bis dahin unbekannte Schrift *Zur Erfindung der Buchdruckerkunst in Mainz.* An Hand von 4 kostbaren Erstdrucken der Kurfürstlichen Bibliothek und in kritischer Auseinandersetzung mit den Fachgelehrten seiner Zeit stützt Heinse die bisherigen Beweisgründe, daß Gutenberg und seine Mitarbeiter den Buchdruck erfunden haben, mit eigenen text- und druckkritischen Untersuchungen.[12] Die lebendig geschriebene Streitschrift erweist den Dichter Heinse auch als bedeutenden Bibliothekswissenschaftler seiner Zeit.[13]

Offensichtlich hat Heinse nicht nur während seiner Zeit als Bibliothekar, sondern schon Jahre vorher die Themen, den Stoff und die meisten Einzelheiten seiner Romane und Essays aus Bibliotheken und Archiven geschöpft und seine lustvolle Natur- und Lebensanschauung umfassend aus philosophischen Büchern der Antike, der Renaissance und seines eigenen Jahrhunderts begründet. War nun der enthusiastische Verkünder des großen Renaissance-Menschen und begeisterte Schilderer eines neuen, romantisch-entgrenzten Lebensgefühls nur ein Bücherwurm und ›poeta doctus‹? Nicht so im Urteil der Dichter und Künstler! Heinrich Heine sah ihn als »einen jener Dämonen, die einst den Olymp stürmen werden«, wenn er, Heine, »und die anderen Gleichzeitigen lange mit verdrießlich abgemühtem Herzen ins Grab gestiegen« seien (an Johann Hermann Detmold, 15. Februar 1828.) Und Ludwig I. von Bayern, der kunstbegeisterte Romantiker auf dem Thron, ließ in der Walhalla der großen Deutschen Heinses Büste aus carrarischem Marmor aufstellen; dem klassischen italienischen Marmor, den Ardinghello seitenlang (S. 246–248) rühmt als den unvergleichlichen Werkstoff höchster Schönheit in der antiken Statue des Apollo vom Belvedere.

Anmerkungen

1 Vgl. Terras, 1972, S. 22–44; Dick, S. 17–122; Baeumer, 1984.
2 Zu der hier gegebenen Charakterisierung des Romans vgl. die Interpretation des *Ardinghello* von M. L. Baeumer in: *Lexikon der Weltliteratur*, hrsg. von G. v. Wilpert, Bd. 2: *Hauptwerke*, Stuttgart ²1980, S. 63.   3 Vgl. dazu Baeumer, 1966, S. 49–91.   4 Zur Wirkung des *Ardinghello* s. die von Baeumer (1966) zusammengestellte Bibliographie sowie die Hinweise im Nachwort zu *Ardinghello*, S. 648 f.   5 Vgl. Baeumer, »Heinses angebliche Konversion und seine religiöse Anschauung«, in: Baeumer, 1966, S. 10–35.
6 SW X,340. – Ähnlich gibt Heine Inhalt und Titel des Werkes in einem Brief an den Arzt Pauli vom 12. März 1803 an: »Es heißt: Freundschaftliche Briefe über die Stärke der Italiäner im Schachspiel; in welchen [zwei Bändchen] Hauptfehler in Philodors *Analyse des Echecs* deutlich gezeigt und verbessert werden« (SW X,338).
7 Vgl. hier und zum folgenden Baeumer, 1967.   8 Vgl. Baeumer, 1967, S. 412–429.   9 Ebd., S. 421–429, zu Heinses Diskurs über

»Kantianer-Fichte« und den »Megalopsychos« der *Ethik* des Aristoteles. 10 M. L. Baeumer, *Das Dionysische in den Werken Wilhelm Heinses*, Bonn 1964, S. 59–60, und »Heinse und Nietzsche. Anfang und Vollendung der dionysischen Ästhetik«, in: Baeumer, 1966, S. 92–124. 11 Nachlaßheft 58; das Original in: SW VIII,3,244–271. 12 »Wilhelm Heinses unveröffentlichte Schrift zur Erfindung der Buchdruckerkunst in Mainz. Einführung, Text und Kommentar«, in: Baeumer, 1966, S. 125–193. 13 Vgl. E. Hock, »Wilhelm Heinse als Bibliothekar«, in: *Aschaffenburger Geschichtsblätter* 32 (1940) Nr. 4, Sp. 1–4; M. L. Baeumer, »›Der Strom des Lichts ging aus von Mainz.‹ Wilhelm Heinse als Bibliothekar und streitbarer Verteidiger Gutenbergs«, in: *Gutenberg-Jahrbuch* 60 (1985) S. 341–348.

Bibliographische Hinweise

Sämmtliche Werke. 10 Bde. Hrsg. von C. Schüddekopf und A. Leitzmann. Leipzig 1902–25. [Zit. als SW.]

Hübner, W.: Die Petronübersetzung Wilhelm Heinses. Quellenkritisch bearb. Nachdr. der Erstausg. [1773] mit textkritisch-exegetischem Komm. 2 Bde. Frankfurt a. M. / Bern / New York 1987.

Ardinghello und die glückseligen Inseln. Krit. Studienausg. Mit 32 Bildtaf., Textvarianten, Dokumenten zur Wirkungsgeschichte, Anm. und einem Nachw. hrsg. von M. L. Baeumer. Stuttgart 1975 [u. ö.]. [Mit Forschungsbericht.]

Aus Briefen, Werken, Tagebüchern. Hrsg. von R. Benz. Stuttgart 1958 [u. ö.]. [Mit Biographie.]

Baeumer, M. L.: Heinse-Studien. Mit einer bisher unveröffentlichten Schrift Heinses zur Erfindung der Buchdruckerkunst in Mainz. Stuttgart 1966. [Mit Bibliographie.]

– Wilhelm Heinses literarische Tätigkeit in Aschaffenburg. In: Jahrbuch der Deutschen Schillergesellschaft 11 (1967) S. 404–434.

– »Mehr als Wieland seyn!« Wilhelm Heinses Rezeption und Kritik des Wielandschen Werkes. In: Christoph Martin Wieland. Nordamerikanische Forschungsbeiträge zur 250. Wiederkehr seines Geburtstages. Hrsg. von H. Schelle. Tübingen 1984. S. 115–148.

Brecht, W.: Heinse und der ästhetische Immoralismus. Zur Geschichte der italienischen Renaissance in Deutschland. Nebst Mitteilungen aus Heinses Nachlaß. Berlin 1911.

Dick, M.: Der junge Heinse in seiner Zeit. Zum Verhältnis von Aufklärung und Religion im 18. Jahrhundert. München 1980.

Grappin, P.: Ardinghello et Hyperion. In: Études Germaniques 10 (1955) S. 200–213. – Dt. u. d. T.: Ardinghello und Hyperion. In: Weimarer Beiträge 2 (1956) S. 165–181.

Hock, E.: Dort drüben in Westfalen [...] Hölderlins Reise nach Bad Driburg mit Wilhelm Heinse und Diotima. Münster 1949.

– Wilhelm Heinse und der Mainzer Kurstaat. In: Aschaffenburger Jahrbuch (1952) S. 160–187.

Jolivet, A.: Wilhelm Heinse. Sa vie et son œuvre jusqu'en 1787. Paris 1922.

Keller, O.: Wilhelm Heinses Entwicklung zur Humanität. Zum Stilwandel des deutschen Romans im 18. Jahrhundert. Bern/München 1972.

Leitzmann, A.: Wilhelm Heinse in Zeugnissen seiner Zeitgenossen. Jena 1938.

Magris, C.: Wilhelm Heinse. Udine 1968.

Menck, H.: Der Musiker im Roman. Ein Beitrag zur Geschichte der vorromantischen Erzählungsliteratur. Heidelberg 1931.

Mohr, H. F.: Wilhelm Heinse. Das erotisch-religiöse Weltbild und seine naturphilosophischen Grundlagen. München 1971.

Moore, E. M.: Die Tagebücher Wilhelm Heinses. München 1967.

Rehm, W.: Das Werden des Renaissancebildes in der deutschen Dichtung. München 1924.

Schramke, J.: Wilhelm Heinse und die Französische Revolution. Tübingen 1986.

Sprengel, H. R.: Naturanschauung und malerisches Empfinden bei Heinse. Frankfurt a. M. 1930.

Terras, R.: Wilhelm Heinses Ästhetik. München 1972.

Wiese, B. v.: Heinses Lebensanschauung im »Ardinghello«. In: Zeitschrift für Deutschkunde 34 (1931) S. 42–52.

Zeller, H.: Wilhelm Heinses Italienreise. In: Deutsche Vierteljahrsschrift für Literaturwissenschaft und Geistesgeschichte 42 (1968) S. 23–54.

Zippel, A.: Wilhelm Heinse und Italien. Jena 1930.

Heinrich Leopold Wagner

Von Helmut Scheuer

»Er hieß Wagner, erst ein Glied der Straßburger, dann der Frankfurter Gesellschaft; nicht ohne Geist, Talent und Unterricht. Er zeigte sich als ein Strebender, und so war er willkommen.« So urteilte Goethe in *Dichtung und Wahrheit* (III,15) über seinen Jugendbekannten, den er während seines Straßburger Studienaufenthaltes 1770/71 kennengelernt hatte. Wagner, geboren am 19. Februar 1747 in Straßburg, war Elsässer, Sohn eines unter prekären finanziellen Verhältnissen lebenden Kaufmanns, der seinem Sohn zwar die Aufnahme des Studiums – zunächst ab 1764 in Halle Theologie, dann ab 1767 in Straßburg Jura – ermöglichen, aber dessen Abschluß nicht mehr finanzieren konnte. So gab Wagner 1771 das Studium auf und mußte sich 1773 als Hofmeister nach Saarbrücken beim dortigen Präsidenten Günderode verdingen. Als dieser 1774 in Zwist mit seinem Fürsten geriet und Wagner Partei ergriff, wurde er des Landes verwiesen. In Gießen und Frankfurt fand er Zuflucht und versuchte über den Goetheschen Bekanntenkreis eine Existenz aufzubauen. Die erbärmlichen Lebensumstände zwangen ihn jedoch zum Abschluß seines Jurastudiums in Straßburg, wo er 1776 promovierte. Das Amt eines Advokaten in Frankfurt und die Heirat mit einer achtzehn Jahre älteren Witwe sollten ihm die Lebensgrundlage schaffen. Doch seine Frau starb bereits 1778; ein Jahr später, am 4. März 1779, starb auch Wagner – wahrscheinlich an der Schwindsucht – im Alter von nur 32 Jahren in Frankfurt a. M.

Heinrich Leopold Wagner
1747–1779

Wenn Goethe so distanziert-herablassend über Wagner urteilt, so spricht daraus einmal die nachwirkende Entfremdung gegenüber einem Schriftsteller, dessen ›Streben‹ Goethe nicht immer gutheißen konnte und der ihn einige Male verärgert hatte. Aber es werden auch die unterschiedlichen biographischen Bedingungen von Schriftsteller-Existenzen im 18. Jahrhundert deutlich. Im Gegensatz zu Goethe gehörte Wagner zu jenen Kleinbürgersöhnen, die mit der Schriftstellerei keine Existenzsicherung erreichen konnten, deshalb auf die Hilfe anderer angewiesen waren und sich in einen ›Brotberuf‹ gedrängt sahen. Wagners literarische Karriere hat nicht zuletzt durch diese Rahmenbedingungen so wenig Kontinuität, da er sich – um Erfolg bemüht – in recht unterschiedlichen literarischen Genres versuchte, bis er endlich im Drama reüssierte.

Zunächst erprobte Wagner sein Talent als Lyriker und kam dabei nicht über epigonale Gedichte im anakreontischen Stil (*An Chloe*) oder Gelegenheitsgedichte für die Saarbrücker Gesellschaft hinaus, die sich an Wielands poetischen Mustern ausrichteten. Nicht viel besser gerieten ihm seine Versuche in der Epik: Da sind die *Confiskablen Erzählungen* (1774), die sich erotisch freizügig und antiklerikal gaben und schon im Titel auf ein lüsternes Publikum spekulierten. Doch wirkten diese anekdotischen Verserzählungen eher antiquiert; jedenfalls waren sie nicht geeignet, einem jungen Schriftsteller die Erfolgsbahn zu ebnen. Auch mit seinem Roman *Leben und Tod Sebastian Silligs* (1776) versuchte Wagner Anschluß an das erfolgreiche Genre des komisch-satirischen Romans zu finden, aber in seiner ausschweifenden Darstellung blieb das Werk weit hinter den Vorbildern Fielding und Sterne zurück. Mit literarischen Brotarbeiten bemühte sich Wagner um eine ökonomische Absicherung: er verfaßte viele Rezensionen, übersetzte Werke aus dem Französischen und Englischen und war zeitweilig als Dramaturg für die Seylersche Theatergruppe tätig.

Als Elsässer war Wagner geradezu prädestiniert zum Brückenschlag zwischen französischer und deutscher Kultur. Er übersetzte schon 1770 Montesquieus Roman *Temple de Gnide* (1725) ins Deutsche (*Der Tempel zu Gnidus*), ließ 1775 Louis-Sébastien Merciers *La brouette de vinaigrier* (*Der Schubkarn des Eßighändlers*) und 1776 dessen *Du théâtre ou Nouvel essai sur l'art dramatique* folgen (*Neuer Versuch über die Schauspielkunst. Mit einem Anhang aus Goethes Brieftasche*). 1779 erschien dann noch eine Übertragung von Shakespeares *Macbeth*. Mit solchen Übersetzungsarbeiten geriet Wagner ins Zentrum der jungen literarischen Bewegung des Sturm und Drang, der das Drama am Herzen lag. Es ist vor allem Merciers *Essai*, der die noch unklaren Vorstellungen der Stürmer und Dränger konturierte: er unterstützte ihre Shakespeare-Begeisterung, verstärkte ihr Plädoyer für Gefühl und Mitleid und lenkte die Aufmerksamkeit auf die bürgerliche Privatsphäre. Wenn es im *Essai* heißt, hier sei der »feine Betrüger« zu beobachten, der »den guten Alten zu prellen oder seine Tochter zu verführen« versuche, dann ist die Linie zu Lenz' *Soldaten* und zu Wagners *Kindermörderinn* (beide 1776) leicht auszumachen.

Wagner begann seine dramatische Produktion mit einem Einakter, der 1775 anonym erschien: *Prometheus Deukalion und seine Recensenten*. Hier werden die Kritiker des *Werther* aufs Korn genommen und karikiert. Goethe hat sich über diese Schützenhilfe wenig gefreut, da er selbst in den Verdacht geriet, sich über seine Rezensenten mokiert zu haben. Wagner hat sich nochmals in diesem Genre der Literatursatire versucht, das z. B. Goethe und Lenz ebenfalls benutzten, und 1778 einen Einakter *Voltaire am Abend seiner Apotheose* herausgegeben. Hier wird der Franzose als »Vielschreiber« und »Vielwisser« verspottet und ihm zur Last gelegt, er habe sich an Shakespeare »ganz erbärmlich versündigt«. Aber nicht diese zeitgebundenen Satiren, die für das Selbstverständnis dieser Dichtergeneration sehr aufschlußreich sind, machen Wagners literarischen Ruhm aus, sondern seine beiden sozialkritischen Dramen *Die Reue nach der That* und *Die Kindermörderinn*.

Vorausgegangen war diesen großen Dramen der rührselige Einakter *Der wohlthätige Unbekannte* (1775), der sich als »eine Familien Scene« vorstellte. Auch die beiden großen Dramen stellen die Familie ins Zentrum und versuchen, das Tragische ins bürgerliche Privatleben zu verlagern. In beiden Dramen soll die Tragik durch die Standesproblematik erzeugt werden, wobei in dem »Schauspiel« *Die Reue nach der That* (1775), das in Wien spielt, das bürgerliche Milieu vorherrscht. Die durch »Eigennutz, Stolz, Neid« (5. Akt) gekennzeichnete Justizrätin Langen hintertreibt die Heiratspläne ihres Sohnes mit dem »Kutschermädchen« Fridericke. Allerdings werden doch mehr Charaktereigenschaften als die soziale Situation kritisiert. Zwar gibt es die neuen Herztöne des Sturm und Drang, wenn der liebende »Engel« gegenüber dem polternden Vater, einem kaiserlichen Kutscher, auf freier Wahl des Mannes besteht, aber sonst fehlt noch viel Typisches dieser Epoche. Auch wenn die Zahl von 6 Akten, der Verzicht auf Einzelszenen innerhalb der Akte und die zum Teil emphatische Sprachführung das formal Neue signalisieren, so bleibt doch noch vieles stereotyp und blaß. Statt der von Mercier geforderten Adelskritik steht hier noch das komisch wirkende wiederholte Lob der »Wohlthätigkeit und Großmuth unseres guten Kaisers« (2. Akt). Allenfalls ist etwas von der durch Mercier angeregten Apologie des Bürgertums zu spüren.

Schärfere politische und sozialkritische Aspekte arbeitet dann die ebenfalls sechsaktige »Tragödie« *Die Kindermörderinn* heraus, die Wagner im heimatlichen Straßburg spielen läßt. Er erreicht damit eine für die Zeit ungewöhnliche Realistik, die sich im überzeugenden Lokalkolorit, in der Verwendung des Dialekts und in differenzierten Charakteren manifestiert. Aufgegriffen wurde damit eine Thematik, die Goethe durch seine *Faust*-Pläne an Wagner vermittelt glaubte, die aber durchaus ein zeittypisches Phänomen darstellt, da sich die Rolle der ledigen Mutter im 18. Jahrhundert überaus prekär gestaltete und als Motiv der ›verführten Unschuld‹ vielfache literarische Behandlung fand. Wagner hat dieses Thema in beinahe naturalistischer Direktheit gestaltet, indem er an den Anfang des Dramas die Vergewaltigung der Metzgerstochter Evchen Humbrecht durch einen adligen Leutnant stellt. Die Verzweiflung führt Evchen schließlich zum Kindesmord, der auf offener Bühne dargestellt wird. Schuld an dieser Tat ist nicht zuletzt auch das bürgerliche Elternhaus, wo eine eitle Mutter und ein bürgerstolzer Vater – Vorläufer der vielen kleinbürgerlichen und kleinkarierten Väter, die ihre Töchter mit Autorität und Liebe in Abhängigkeit halten – die Tochter bedrängen. In einem weiten Figurenensemble entwirft Wagner das soziale Spektrum einer Stadt und erzeugt so eine überzeugende Spannung zwischen öffentlicher und privater Sphäre. Dieses zunächst anonym erschienene Drama schien nur durch Überarbeitung für die Bühne geeignet zu sein: so entschärfte schon 1776 Karl Lessing das Stück durch erhebliche Umformungen; 1777 schrieb dann auch Wagner eine neue Fassung mit einem glücklich-sentimentalen Ausgang, damit »in unsern delikaten tugendlallenden Zeiten auf unsrer sogenannten gereinigten Bühne« eine Aufführung möglich sei (Vorwort). Das »Schauspiel in fünf Akten« erschien 1779 unter dem didaktisch-fingerzeigenden Titel: *Evchen Humbrecht oder Ihr Mütter merkts Euch!*

Bibliographische Hinweise

Sturm und Drang. Dramatische Schriften. Bd. 2. Plan und Ausw. von E. Loewenthal und L. Schneider. Heidelberg 1960. [3]1972.

Die Kindermörderin. Ein Trauerspiel. Im Anh.: Auszüge aus der Bearbeitung von K. G. Lessing (1777) und der Umarbeitung von H. L. Wagner (1779) sowie Dokumente zur Wirkungsgeschichte. Hrsg. von J.-U. Fechner. Stuttgart 1969 [u. ö.]. [Mit Nachwort und Bibliographie.]

Genton, E.: La Vie et les Opinions de Heinrich Leopold Wagner (1747–1779). Frankfurt a. M. / Bern / Cirencester 1981.

Haffner, H.: Heinrich Leopold Wagner, Peter Hacks: Die Kindermörderin. Original und Bearbeitung im Vergleich. Paderborn/Wien/Zürich 1982.

Haupt, J.: »Die Kindermörderin«. Ein bürgerliches Trauerspiel vom 18. Jahrhundert bis zur Gegenwart. In: Orbis Litterarum 32 (1977) S. 285–301.

Hinck, W.: Produktive Rezeption heute: Am Beispiel der sozialen Dramatik von Jakob Michael Reinhold Lenz und Heinrich Leopold Wagner. In: Sturm und Drang. Ein literaturwissenschaftliches Studienbuch. Hrsg. von W. H. Kronberg i. T. 1978. S. 257 bis 269.

Huyssen, A.: Heinrich Leopold Wagner: Die Kindermörderin. In: A. H.: Drama des Sturm und Drang. Kommentare zu einer Epoche. München 1980. S. 173–188.

Mayer, D.: Heinrich Leopold Wagners Trauerspiel »Die Kindermörderin« und die Dramentheorie des Louis Sébastien Marcier. In: Literatur für Leser 2 (1981) S. 79–92.

Schmidt, E.: Heinrich Leopold Wagner. Goethes Jugendgenosse. 2., völlig umgearb. Aufl. Jena 1879.

Sørensen, B. A.: Heinrich Leopold Wagner. In: B. A. S.: Herrschaft und Zärtlichkeit. Der Patriarchalismus und das Drama im 18. Jahrhundert. München 1984. S. 130–142.

Weber, H.-D.: Kindesmord als tragische Handlung. In: Der Deutschunterricht 2 (1976) S. 75–97.

Werner, J.: Gesellschaft in literarischer Form. Heinrich Leopold Wagners »Kindermörderin« als Epochen- und Methodenparadigma. Stuttgart 1977.

GOTTFRIED AUGUST BÜRGER

Von Günter Häntzschel

Eines der bekanntesten Abenteuer des Freiherrn von Münchhausen, seine Rettung aus einem Morast, die ihm gelingt, indem er sich auf wunderbare Weise an seinem eigenen Haarschopf herauszieht, gehört zu den Geschichten, die Bürger von sich aus der englischen Vorlage von Rudolf Erich Raspe (*Baron Munchhausen's narrative of his marvellous travels and campaigns in Russia*, 1785) hinzufügte. Sie kann als Wunschtraum der Selbstbefreiung des Verfassers gelten, denn gerade 1786, als die erste Ausgabe des *Münchhausen* anonym erschien, war Bürger ganz besonders tief in einen Morast unsäglichen Elends geraten. Nach nur kurzem Glück hatte er seine über alles geliebte Molly verloren, die er während der zehn unglücklichen Ehejahre mit ihrer Schwester, Dorette Leonhart, sehnlichst begehrt hatte. Überblickt man Bürgers Leben, so offenbart sich, daß er zu jeder Zeit in einem Morast erbärmlicher Verhältnisse und ausweglose Situationen steckte, aus denen er sich gerne selbst herausgeholfen hätte nach dem Vorbild des Freiherrn von Münchhausen, des Übermenschen, der immer Glück hat und die schwierigsten Situationen meistert. Aus seinen Briefen lernen wir Bürger als einen überaus unsicheren, labilen Menschen kennen, schnell triumphierend, aber auch schnell resignierend, voll genialer Ideen, aber oft nicht in der Lage, sie in die Tat umzusetzen. In beinahe allen veröffentlichten Schriften dagegen kompensiert er seine Schwäche und Ohnmacht durch Kraft und Stärke, durch forcierte Forschheit und gewagte Flucht nach vorn.

Im Hause seiner Eltern in Molmerswende, einem abgelege-
nen Dorf am Ostharz, wo Bürger am 31. Dezember 1747
geboren wurde, hatte er keine Möglichkeit zu geistigem
Fortkommen, denn sein Vater, Pfarrer des Orts, selbstge-
nügsam und bequem, kümmerte sich wenig um die Ausbildung seines Sohns. Auf Initiative des Großvaters Jakob
Philipp Bauer kam Bürger 1760–63 in das Pädagogium in
Halle und anschließend für drei Jahre auf die dortige Universität zum Studium der Theologie. Im Umgang mit Christian Adolph Klotz erwachte bei ihm das Interesse an klassischen Studien und poetischen Versuchen. Diesen Neigungen
blieb er auch während seines Jurastudiums in Göttingen (seit
1768) treu, wo er Heinrich Christian Boie, seinen langjährigen Freund und poetischen Berater, kennenlernte, auf Heinrich Christoph Hölty, Johann Anton Leisewitz, Johann
Heinrich Voß – etwas später –, auf die Brüder Stolberg und
andere Mitglieder des 1772 gegründeten Göttinger Hain
stieß. Begeisterte Lektüre Shakespeares und der englischen
Volksdichtung, von Klopstock und Homer prägt ihn und
hinterläßt Spuren in seiner Dichtung.

Als Bürger 1772 als Amtmann die Gerichtshalterstelle
zu Alten-Gleichen mit Sitz in Gelliehausen bei Göttingen
bekommt, die der Familie von Uslar gehörte, welche ihrer-
seits der großbritannischen Regierung in Hannover unter-
stand, kann er nicht darüber froh werden: Die Gerichtsbarkeit befand sich in desolatem Zustand, Bürger wurde das
Opfer der in sich zerstrittenen und intrigierenden Familie
von Uslar, die Stelle brachte finanziell weniger als erwartet
ein und raubte ihm die für seine dichterische und philologische Tätigkeit erforderliche Muße. Seine sämtlichen poetischen Leistungen, präludiert durch die ihn sogleich berühmt
machende *Lenore*, sind den drückenden Amtspflichten abgerungen.

Ständige Versuche, sich aus dem Sumpf der Lasten, der
ihn zermürbenden Sorgen und der Monotonie des abgelege-
nen Gerichtsortes zu befreien – sei es durch Lotteriespiel

Gottfried August Bürger
1747–1794

oder durch die Gründung einer Verlagsanstalt mit seinem
Freund Goeckingk, durch Auswanderungspläne oder durch
die Pacht eines Landgutes – mißlingen. Ebenso zerschlagen
sich Hoffnungen auf andere Stellen, zumal er bei der Han-
noverschen Regierung als Amtmann in keinem guten Ruf
steht. Mehrfach ist sein Renommee als ›Schöngeist‹ der
Übernahme eines Amtes im Wege. Poesie und bürgerlicher
Beruf beeinträchtigen sich gegenseitig. Das ist die Situation
vieler Autoren im 18. Jahrhundert auf dem Wege zum
›freien‹ Schriftsteller; bei Bürger kommt – wie schon
erwähnt – der persönliche Schicksalsschlag, die unglückliche
Doppelliebe mit dem Tode beider Frauen, hinzu.

Der erniedrigenden Behandlung im Amt überdrüssig,
gelingt es Bürger durch Förderung von Christian Gottlob
Heyne, Abraham Gotthelf Kästner und Georg Christoph
Lichtenberg 1784 Privatdozent an der Universität Göttingen
zu werden, wo er bis zu seinem Tod Vorlesungen und
praktische Übungen über Ästhetik, Stilistik, deutsche Sprache und Philosophie hält. Obwohl 1787 zum außerordentlichen Professor ernannt, führt Bürger weiterhin ein kummer-
volles Leben: Ohne feste Anstellung muß er »gratis und
frustra« lesen, d. h., er ist auch hier gezwungen, sich anzupassen und unterzuordnen. Und schließlich, als seine Schulden wachsen und er immer kränker wird, bleibt ihm nur
noch der Weg zu demütigen Bittschriften an die Hannover-
sche Regierung. Doch vergebens: seine Bitte um Gehalt
wird ihm abgeschlagen; sein unakademisches und oft undi-
plomatisches Verhalten nimmt man ihm, zumal er ohne
Magisterexamen und lateinische Disputation auftrat, in der
von Gelehrtendünkel und Hochmut nicht freien Universität
übel. Seine dritte Frau, das ›Schwabenmädchen‹ Elise Hahn,
die ihm öffentlich eine poetische Liebeserklärung gemacht
hatte, läßt ihn, als er noch einmal auf Lebensglück und Mut
hofft, durch ihr ehebrecherisches Verhalten zur Zielscheibe
des Spotts in der Göttinger Gesellschaft werden. In ausge-
setzter Lage, fast ohne Freunde, von Schulden belastet,

immer kränker werdend, von Elise geschieden, siecht Bürger dahin. Am 8. Juni 1794 stirbt er im Alter von 46 Jahren.

In Göttingen verachtet, war Bürger in der geistig-literarischen Welt schon längst kein Unbekannter mehr. Schon zu Beginn der siebziger Jahre war er mit Proben einer jambischen *Ilias*-Übersetzung in bekannten Zeitschriften aufgetreten. Seine öffentliche Anfrage im *Deutschen Museum* 1776, ob das deutsche Publikum an einer Homer-Übersetzung ernsthaft interessiert sei, brachte ihm im Namen Goethes eine öffentliche Antwort ein, in der ihn die ersten Größen begeistert um Vollendung der *Ilias*-Übersetzung baten und ein ansehnliches Honorar bereitstellten. Trotz solchen Lobes zögert Bürger mit der Einlösung seines Versprechens: Die Amtspflichten verhindern ein Unternehmen dieses Ausmaßes, gleichzeitig wird er durch die Erfolge der hexametrischen Homer-Übersetzungen von Stolberg und Voß unsicher, verwirft endlich seine einst verteidigte Jambeneindeutschung als »erste Jugendidee« und veröffentlicht 4 Gesänge der *Ilias* jetzt ebenfalls in Hexametern, ohne jedoch die Energie aufzubringen, sie zu vollenden. Die Weimaraner reagieren befremdet, Goethe nimmt eine distanzierte Haltung ein. Als er auch andere Unternehmen liegenläßt, heißt es lapidar: »Eure Stärke bestand von jeher aus Ankündigungen« (F.L.W. Meyer an Bürger, 1. Mai 1790). Tatsächlich wird von vielen Projekten nur wenig ausgeführt: Von mehreren erwogenen Shakespeare-Übersetzungen erscheint nur *Macbeth* (1783); ein großes volkstümliches Nationalepos wird nicht in Angriff genommen, Erzählungen und ein Roman bleiben Idee, von den geplanten ausführlichen Arbeiten über Volkspoesie erscheinen nur Bruchstücke, die Neubearbeitung von *Tausend und einer Nacht* scheint – obwohl lautstark angekündigt – nie begonnen worden zu sein, Pläne zu Dramen und Trauerspielen im Wetteifer mit Lenz und Wagner scheitern. Wer jedoch das Nichtzustandekommen dieser und anderer Arbeiten allein

Bürgers Phlegma und seiner Unstetigkeit zuschreibt, wird dem Autor nicht gerecht. Die eigentliche Ursache ist seine Isoliertheit, Mangel an Erfahrung und geistigem Austausch. »Ich strebe, was Größeres zu umfassen. Wenn ich nur aus diesem isolierten Winkel herauswäre und auf dem vollen Markt des menschlichen Lebens besser mich umsehen könnte« (an Boie, 15. September 1776). In seinem ganzen Leben hat er gerade ein halbes Dutzend Theateraufführungen zu sehen bekommen. »Was wollte ich nicht drum geben, wenn ich noch einmal in meinem Leben so glücklich würde, in einer Stadt zu wohnen, wo nur unterweilen Schauspiele wären. Das würde vielleicht den dramatischen Samen, wenn welcher in mir liegt, befruchten« (an Boie, 4. Februar 1777).

Daß Bürger trotz dieser Hemmnisse über die engen Grenzen hinaus so bekannt wurde, verdankt er seinen lyrischen Gedichten und Balladen, die er ab 1771 im Göttinger *Musenalmanach*, dessen Redaktion er 1778 bis 1794 innehat, veröffentlicht und die er 1778 und 1789 in eigenen Gedichtausgaben zusammenstellt. Eine erste Gruppe bilden Gedichte, noch in überlieferten Formen und Topoi verfaßt, die wohl von der Geschicklichkeit Bürgers im Nachahmen zeugen, seinen eigenen Ton jedoch vorerst nur ansatzweise erkennen lassen. Das *Hummellied*, die *Stutzertändelei, An ein Maienlüftchen, Lust am Liebchen*, verschiedene Minnelieder u. a. gehören zum lyrischen Gemeingut der Zeit. Gleims und Ramlers anakreontische Gedichte sind Bürgers Leitbilder, Klotz ist sein poetischer Maßstab, nicht selten adaptiert er englische und französische Modepoeten des 18. Jahrhunderts. Gefälligkeit und Witz, rokokohafte Szenerie, tradierte Personenkonstellationen herrschen vor, befriedigen aber den jungen Verfasser nur kurze Zeit und werden später seltener. Schon 1772 bekennt er: »Meine bisherige wollüstige und tändelnde Dichtungsart fängt mir an durchaus zu mißfallen« (an Boie, 2. November 1772).

Im Anschluß an Herders *Auszug aus einem Briefwechsel über Ossian und die Lieder alter Völker* und an seinen

Shakespear-Aufsatz entstehen Bürgers Balladen – eine zweite Gruppe seiner Gedichte –, eröffnet von der *Lenore* 1773 und so bekannte Stücke wie *Der wilde Jäger, Des Pfarrers Tochter von Taubenhain, Des armen Suschens Traum, Der Raubgraf* u. a. umfassend, die bei aller Verschiedenheit und unterschiedlichen Qualität unter Bürgers poetischem Glaubensbekenntnis der ›Popularität‹ als Einheit zusammengefaßt werden können. Die bisher ganz unbekannte Darstellungsweise der Unmittelbarkeit und Lebendigkeit, der Leidenschaft und Stärke – die *Lenore* bedeutet für die Gattung Ballade, was *Götz von Berlichingen* für diejenige des Dramas ist – darf jedoch nicht als Ergebnis spontanen Dichtens mißverstanden werden. Bürgers Briefwechsel zeigt vielmehr, daß der Autor zwar gegen die bisher dominierende gelehrte Poesie mit ihren festen Regeln und Konventionen ankämpft, in der Praxis aber mit eben der Akribie arbeitet wie seine Vorgänger, jedoch mit umgekehrtem Vorzeichen: es geht ihm darum, den E i n d r u c k von Spontaneität und Volkstümlichkeit zu erzielen, ein Konzept, das seinerseits ganz unbedingt Kalkül und Kunstmäßigkeit voraussetzt, ohne poetologische Taktik und Raffinesse gar nicht denkbar wäre. Bezeichnenderweise sollte später August Wilhelm Schlegel »Popularität und Korrektheit« als die beiden leitenden Begriffe Bürgerschen Schaffens bezeichnen (SW 1350).

Wenn Bürger Elemente der Volksdichtung aufnimmt, auf den »Natur-Katechismus« rekurriert und Ursprünglichkeit anstrebt, darf er dennoch nicht in dem Sinne als ›Volksdichter‹ angesehen werden, daß er die unteren sozialen Schichten als Rezipienten ansprechen will. Dieses verbreitete Mißverständnis konnte durch einige Formulierungen Bürgers entstehen, die er später differenziert. Im *Herzensausguß über Volks-Poesie* (1776) verspricht er dem Dichter, der das Buch der Natur und das Volk im ganzen kennt, »daß sein Gesang den verfeinerten Weisen ebensosehr als dem rohen Bewohner des Waldes, die Dame am Putztisch wie die Tochter der

Natur hinter dem Spinnrocken und auf der Bleiche entzükken werde« (SW 689). In der Vorrede zu seiner Gedichtausgabe von 1778 trägt er noch denselben Gedanken vor: »Erreicht habe ich mein Ziel [...], wenn meine Lieblingskinder den mehrsten aus allen Klassen anschaulich und behaglich sind«, differenziert aber bereits, unter »Volk« »mitnichten den Pöbel allein« zu verstehen (SW 717). Eine Korrektur seiner Ansicht von 1778 bringt er dann mit vollem Nachdruck in der Vorrede zu seiner endgültigen Gedichtausgabe von 1789: Auch hier gilt seine Maxime: »Popularität eines poetischen Werkes ist das Siegel seiner Vollkommenheit.« Aber unter »Popularität« versteht er Anschaulichkeit und Leben »für unser ganzes gebildetes Volk! – Volk nicht Pöbel!« Und: »In den Begriff des Volkes aber müssen nur diejenigen Merkmale aufgenommen werden, worin ungefähr alle, oder doch die ansehnlichsten Klassen übereinkommen« (SW 14).

Deutlich ist also zu sehen, daß für Bürger »Popularität« in erster Linie ein Stil- und Ausdrucksmittel ist, mit dem er die erstarrte, regelverhaftete rationalistische Dichtung überwinden will. Er möchte Poesie neu mit Leben, Gefühl und Leidenschaft, auch subjektiver Leidenschaft, füllen. Daß er dabei inhaltlich häufig die Rechte der Unterdrückten gegenüber den Regenten und der Obrigkeit vertritt, sich zum Anwalt des ›Volkes‹ macht, ist zu betonen, sollte aber nicht zu einer naiven Bezeichnung Bürgers als ›Volksdichter‹ verleiten. Daß Bürger die unteren sozialen Schichten weder direkt ansprach noch erreichen konnte, versteht sich schon aus den sozialgeschichtlichen Verhältnissen des 18. Jahrhunderts: Die geringe Lesefähigkeit der Bevölkerung, die Höhe der Buchpreise, die mangelnde Gelegenheit für die Angehörigen der unteren sozialen Schichten, überhaupt mit Büchern in Berührung zu kommen, zumal auf dem Lande, machten einen solchen direkten Kontakt zwischen Autor und Rezipienten unmöglich. Im Falle Bürgers kann man aufgrund der Subskriptionsverzeichnisse seiner Gedichtausgaben und aufgrund des Briefwechsels konkret erkennen, daß die Verbreitung seiner Gedichte in erster Linie durch Schriftsteller, Studenten, Akademiker und Buchhändler erfolgte, die ein Publikum gewannen, das sich weitgehend aus deren Bildungsschicht rekrutierte.

Die Dichtungsart der Ballade »scheint beinah vorzüglich mein beschieden Los zu sein. Sie drängt sich mir überall, auch wo ich sie nicht rufe, entgegen; alle meine poetischen Ideen verromanzieren oder verballadieren sich wider meinen Willen« (an Boie, 17. Oktober 1776). Diese Selbsteinschätzung charakterisiert eine dritte Gruppe von Gedichten, solche, die persönliches Leid und persönliche Erfahrungen aussprechen, allen voran die sinnlich-erotischen Lieder an Molly, aber auch Texte, die von Bürgers Krankheiten, seiner Verlassenheit, von seinen Sehnsüchten und Wünschen handeln. Häufig sind sie in einer den Balladen vergleichbaren Intensität, Drastik und Direktheit subjektiven Empfindens gestaltet. Daß auch hier Spontaneität bewußter Formung nicht entgegensteht, zeigt sich besonders augenfällig an der von ihm wieder erneuerten Kunstform des Sonetts. Man sollte Bürger nicht nur auf den Sturm-und-Drang-Dichter festlegen.

Neben vielen Gelegenheitsgedichten, teilweise bei seiner Redaktionstätigkeit als Lückenfüller für den *Musenalmanach* entstanden, kristallisiert sich eine vierte Gruppe aus den politischen und kritischen Texten. Seit dem bekannten provokativen Gedicht *Der Bauer. An seinen Durchlauchtigen Tyrannen* von 1773 bis zu den sich häufenden Stellungnahmen zur Französischen Revolution im *Musenalmanach* auf 1793 bildet die politische Dichtung eine Konstante in Bürgers Schaffen, ergänzt durch manche Polemik gegen persönliche Gegner und den Literaturbetrieb. Besonders die barsche Kritik Schillers animierte Bürger zu bissigen Erwiderungen.

Es gehört zu den Schicksalsschlägen Bürgers, daß die vielen positiven Stimmen zu seiner Lyrik von Wieland, Voß,

Stolberg, weiteren Mitgliedern des Göttinger Hain, vom jungen Goethe, von August Wilhelm Schlegel oder Friedrich von Hardenberg übertönt wurden durch die für Bürger verhängnisvolle Kritik Schillers an seinen Gedichten. Nicht uneigennützig und von einem Bürger inadäquaten Maßstab ausgehend, sein eigenes klassisches Konzept präludierend, trat Schiller gegen Bürger auf und bemängelte fehlende Idealisierung, Veredelung und Harmonie, kritisierte die Distanzlosigkeit des Dichters zu seinen Gegenständen und warf ihm vor, sich der »Fassungskraft des großen Haufens« angepaßt statt um den »Beifall der gebildeten Klasse« gerungen zu haben (SW 1143). Schiller tadelte genau das, was Bürgers Stärke ausmachte. Mehr noch, die Zentren der Bürgerschen Dichtung, die Balladen und zeitkritischen Gedichte, blieben von Schiller unerwähnt, dennoch war seine Rezension in ihrer Apodiktik so angelegt, daß sie Bürgers ganze Leistung angriff.

Die Autorität Schillers hat Bürger in Verruf und Vergessenheit gebracht. Schon bald wandte sich Friedrich von Hardenberg von ihm ab, das Urteil August Wilhelm Schlegels wurde distanzierter. Die Leistungen der Klassiker und Romantiker traten maßstabsetzend in den Vordergrund. Bürger wurde degradiert und blieb allenfalls auf einem Nebenweg, dem der Volksaufklärung, populär – so war er einer der Hauptvertreter in dem spätaufklärerischen *Mildheimischen Liederbuch* von Rudolph Zacharias Becker –, geriet aber aus dem Diskurs der tonangebenden literarischen Geister. Erst später sollte Arthur Schopenhauer Bürger als »echtes Dichtergenie« bezeichnen, »dem vielleicht die erste Stelle nach Goethen unter den deutschen Dichtern gebührt«.[1] Heinrich Heine revidiert in der *Romantischen Schule* Schlegels eher abfällige Äußerungen über Bürgers Balladen und kommt zu dem bekannten Satz: »Der Name ›Bürger‹ ist im Deutschen gleichbedeutend mit dem Worte citoyen.«[2] Kurz zuvor, in einem Brief an Karl Friedrich Zelter vom 6. November 1830, scheint Goethe auf seiten

Bürgers und gegen Schiller gerückt zu sein, wenn er, obwohl
er auch hier mit Kritik an Bürger nicht spart, äußert: »Schiller hielt ihm freilich den ideellgeschliffenen Spiegel schroff
entgegen, und in diesem Sinne kann man sich Bürgers
annehmen«; er fügt aber hinzu: »Bürgers Talent anzuerkennen kostete mich nichts, es war immer zu seiner Zeit bedeutend; auch hier gilt das Echte, Wahre daran noch immer und
wird in der Geschichte der deutschen Literatur mit Ehren
genannt werden.«

Anmerkungen

1 A. Schopenhauer, *Sämtliche Werke*, textkrit. bearb. und hrsg.
von W. v. Löhneysen, Bd. 2, Frankfurt a. M. 1961, S. 670.   2 H.
Heine, *Sämtliche Schriften*, hrsg. von K. Briegleb, Bd. 3, München
1971, S. 413.

Bibliographische Hinweise

Sämtliche Werke. Hrsg. von G. und H. Häntzschel. München 1987.
[Mit Bibliographie. – Zit. als: SW.]

Gedichte. Hrsg. von A. E. Berger. Krit. durchges. und erl. Ausg.
Leipzig/Wien [1891].

Gedichte. 2 Tle. Volks-Ausg. Hrsg. von E. Consentius. Berlin
[u. a.] 1920.

Briefe von und an Gottfried August Bürger. Ein Beitrag zur Literaturgeschichte seiner Zeit. 4 Bde. Hrsg. von A. Strodtmann. Bern
1970. (Nachdr. der Ausg. Berlin 1874.)

Aus dem Briefwechsel zwischen Bürger und Goeckingk. Hrsg. von
A. Sauer. In: Vierteljahrsschrift für Litteraturgeschichte 3 (1890)
S. 62–113, 416–476.

Mein scharmantes Geldmännchen. Gottfried August Bügers Briefwechsel mit seinem Verleger Dieterich. Hrsg. von U. Joost.
Göttingen 1988.

Häntzschel, G.: Gottfried August Bürger. München 1988. (Auto-
renbücher.)

Kaim-Kloock, L.: Gottfried August Bürger. Zum Problem der
Volkstümlichkeit in der Lyrik. Berlin 1963.

Kluge, G.: Gottfried August Bürger. In: Deutsche Dichter des
18. Jahrhunderts. Ihr Leben und Werk. Hrsg. von B. v. Wiese.
Berlin 1977. S. 594–618.

Little, W. A.: Gottfried August Bürger. New York 1974.

Schöne, A.: Säkularisation als sprachbildende Kraft. Studien zur
Dichtung deutscher Pfarrersöhne. Göttingen 1958. [2]1968. S. 181
bis 224.

Wurzbach, W. v.: Gottfried August Bürger. Sein Leben und seine
Werke. Leipzig 1900.

Ludwig Christoph Heinrich Hölty

Von Alfred Kelletat

Hölty ist einer der reinsten Lyriker in deutscher Sprache, das ist ohne Übertreibung zu sagen, und seine unprätentiöse Gestalt gehört in den Kreis der Meister. Schon die Zeitgenossen spürten es, wenn sie den Stillsten in der bunten, um die Wette dichtenden und bramarbasierenden Schar der Göttinger Jünglinge heraushoben: er sei »ein herrlicher Liederdichter«, schrieb sein Arzt Zimmermann an Lavater, und ein Rezensent der *Frankfurter gelehrten Anzeigen* (es war wohl Merck), bescheinigte schon 1772 »Herr Hölty« habe »unter den neuern Klopstockischen Nachahmern vielleicht am meisten Sprache und Rhythmus in seiner Gewalt«; und der gegen »das ewige Rauschen im Hain, das Silbergewölk und die Eiche« allergische Lichtenberg nannte ihn 1775 »ein wahres Dichtergenie«. Doch auch er selbst stellte an sich diese höchste Forderung (SW II,199):

> Ich will alle meine Kräfte aufbieten. Ich will kein Dichter sein, wenn ich kein großer Dichter werden kann. Wenn ich nichts hervorbringen kann, was die Unsterblichkeit an der Stirne trägt, was mit den Werken meiner Freunde in gleichem Paare geht, so soll keine Silbe von mir gedruckt werden. Ein mittelmäßiger Dichter ist ein Unding!

So schrieb er und hat diesen Anspruch erfüllt. Auch wecken die Strophen des Frühvollendeten mit ihrem »sanft melancholischen Anklang« – so Goethe – seit zweihundert Jahren bei vielen Lyrikern ein verwandtes Echo; am meisten aber haben Komponisten, von Mozart und Beethoven, Schubert und Brahms bis in unsre Tage, diese Klänge vollends in Musik verwandelt.

Höltys kurzer Lebenslauf ist äußerlich ereignisarm. Die naturnahe Kindheit des am 21. Dezember 1748 in Mariensee, einem Dörfchen an der Leine unterhalb von Hannover, geborenen Pfarrerssohns verschattete der frühe Tod der Mutter, die ihm den Keim der Todeskrankheit vererbte. Eine schwere Blatternerkrankung bedrohte das Kind mit Blindheit und hinterließ ein von Narben entstelltes Gesicht; »in dem allerhäßlichsten Körper die schönste Engelseele«, wird später eine Freundin (Charlotte von Einem) sagen. Nach drei Jahren Lateinschule in Celle studierte er 1769–72 Theologie, aber mehr noch Philologie in Göttingen. Eine unbändige geistige Regsamkeit und Eroberung zeichnete diese Lehrjahre aus. Sieben Sprachen erlernte Hölty, neben den klassischen waren es Spanisch, Italienisch, Englisch und Französisch, und las unersättlich ihre Literaturen. Sich in Göttingen notdürftig durchzubringen, half ihm neben Stipendien, Freitischen und seiner »gelehrten Sorglosigkeit« viel privater Sprachunterricht und fleißiges Übersetzen. Für einen Leipziger Verlag übertrug er in seinen beiden letzten Lebensjahren über 2000 Druckseiten aus dem Englischen (Shaftesburys philosophische Werke, Hurds *Moral and Political Dialogues*, Sammelbände aus Wochenschriften). Über alldem rückte die Dichtung immer mehr ins Zentrum, und ein Hauptgrund, die Universitätsstadt nicht zu verlassen, war darum der anregende Freundeskreis, der sich dort zusammengefunden hatte.

Unter ihrem Bundesnamen »Göttinger Hain« wurde diese jugendliche Dichtergruppe bekannt, die sich durch Temperament und kluge Regie bald einen beachtlichen Rang auf der literarischen Szene erstritt. Ihr Gründer und Motor war Heinrich Christian Boie, der von ihm edierte erste deutsche *Musenalmanach auf das Jahr 1770* wurde ihr erfolgreiches

Ludwig Christoph Heinrich Hölty
1748–1776

Forum. An einem Vollmondabend im September 1772
schlossen sie in einem Eichengrund vor der Stadt einen
förmlichen Bund und schwuren bei den Sternen ewige
Freundschaft. Voß wurde durch das Los zum Ältesten
bestimmt. Hinter viel exaltiertem Barden-Gebaren stand der
ernste Wille, sich gegenseitig zu strenger Kunstübung anzu-
halten und auf dem Wege zum Parnaß zu fördern. Zu Boie,
Hölty und Voß fanden sich Miller aus Ulm, der später den
Siegwart schrieb, der Pfälzer Hahn, Cramer, später die
beiden Grafen Stolberg und weitere Nebenfiguren. Wö-
chentlich traf man sich auf einer Studentenbude, die neusten
Gedichte wurde vorgelesen und gemeinsam beurteilt. Jede
Sitzung wurde im Bundesjournal protokolliert, die geneh-
migten Texte eigenhändig in das größere Bundesbuch einge-
schrieben. Die von Voß bewahrten Bände besitzt heute die
Göttinger Bibliothek; sie sind leider bisher nicht ediert.
Klopstock war der Leitstern des Bundes, ihm wollten die
poetischen Adepten blindlings nachstreben – nicht nur sei-
ner hohen Odenkunst, sondern auch der teutonischen Bar-
den-Mode und schroffen Vaterlandsbegeisterung, die er in
Kopenhagen ausgebildet hatte. Ihm zu gefallen dünkte
Hölty schon der »Vorhof des Tempels der Unsterbligkeit«
(SW II,126). Und der früh alternde *Messias*-Sänger ließ sich
den Überschwang gern bieten. In seiner altertümelnden
Deutschen Gelehrtenrepublik (1774) figurieren zwölf edle
Jünglinge als letzte »heilige Kohorte« – eine Ehre, die die
Gefeierten taumeln ließ!

Als Antipode und wahrer Unstern der Gegenwartsliteratur galt ihnen, neben Voltaire, Wieland in Weimar. Die
Tugendwächter schwangen wortreich die Geißel über den
verweichlichenden »Wollustsänger«, den Verführer des
»deutschen Mädchens« mit den blauen Augen. Dem weinse-
ligen Vivat auf Klopstock, Hermann, Luther, Goethe, Herder u. a. folgte rituell ein wutschnaubendes Pereat auf Wieland. Die Fidibusse, mit denen sie ihre Pfeifen anzündeten,
lieferte ihnen Wielands holde *Idris*, und zuletzt verbrannten

sie Buch und Bild des Französlings und »Buhlsängers«. Ob man in diesem literarischen Unmutsakt schon die Gefahr künftiger schrecklicherer Brände erkennen muß, stehe dahin. Der Betroffene nahm den Lärm des »Göttinger Hornussen Nests« gelassener, erinnerte sich eignen jugendlichen Tugendeifers und verwies auf reifere Lebenserfahrung.

Der »ewige Bund« zerstob sehr bald; der Almanach auf 1774 mit der aktiven Teilnahme von Klopstock, Bürger, Claudius, Goethe, Herder u. a. war der Gipfel. 1773 schon zogen die Grafen Stolberg weiter, im Frühjahr 1775 ging Voß nach Wandsbek und nahm den Almanach mit, Hölty kehrte todkrank ins Elternhaus heim, Boie verließ als letzter 1776 die Stadt. Die Beiträge der Getrennten zur deutschen Literatur nahmen sehr unterschiedliche Richtungen und verzweigten sich weit.

Für Hölty, den seine notbedrängte Existenz auf den engsten Umriß verwies, bedeutete dieser poetische Freundeskreis neben der Universität den wichtigsten Lebensbezug, so wenig er an dem ungebärdigen Treiben teilnahm. Gering war die Möglichkeit äußerer Welterfahrung: mit Miller eine Reise zum Verleger nach Leipzig, ins Klein-Paris; gemeinsam mit Voß die Liebelei mit dem »kleinen Entzücken«, der Tochter des Rektors von Einem in Münden, die er den »armen Poetenkasten« nicht zu vergessen bat; ein Besuch in Hamburg und Wandsbek bei Klopstock und Claudius war ein Höhepunkt. Am 1. September 1776 stirbt Hölty kaum achtundzwanzigjährig in Hannover.

Ausgreifender waren die geistigen und künstlerischen Bestrebungen. Von der Antike über italienische, spanische, englische Autoren bis zur Gegenwart reichten seine Kenntnisse, Übersetzungsproben aus dem Anakreon oder dem Froschmäusekrieg, aus den Idyllen des Bion und Moschus, aus Petrarca, Tasso und Ariost und viel Englisches beweisen seine Interessen. »Ich habe meine Jahre unter Büchern zugebracht«, bekannte er, klagend (SW II,198). Doch dieses

Bücherleben, das dem eignen Schaffen auch hätte gefährlich
sein können, brachte ihm großen Gewinn. Das lag einmal an
den Wandlungen der Lyrik in jenen Jahrzehnten, einer
Übergangszeit, vom Aufklärungsklassizismus (Ramler gehörte zu den Lehrmeistern der Göttinger) zur Friederiken-
Lyrik und Hymnik des jungen Goethe und zu Herders
neuer Theorie der Natur- und Volkspoesie. Elemente von
Rokoko und Anakreontik, Empfindsamkeit und Barden-
Mode, Erneuerung antiker Formen und schließlich des Minnesangs mischen sich auch in Höltys kurzem Schaffen
erstaunlich. Das schmale Werk eines Jahrsiebents zeigt den
rastlosen Experimentator in Formen und Themen. Dabei
besaß er eine glückliche Gabe der offnen Aneignung, die
seine Versuche schnell über die Nachahmung hinaus und
zum fruchtbaren, zukunftgerichteten Ausdruck führte und
ihnen die Farbe und Kraft eines eignen Tons gaben.

Überschaut man die knapp 150 Gedichte, so findet man
beieinander Elegien und Epicedien, Idyllen, Romanzen oder
Balladen, Lieder, Oden, Lehrgedichte und Parodien, viele
von ihnen in Mischformen.[1] So ist Höltys Anteil an der
Kunstballade ein interessantes, vieldiskutiertes Beispiel. Von
Gleims *Marianne* (1756) ausgehend, versuchte er zunächst,
antike Stoffe travestierend, komische Romanzen, schrieb
dann aber, schon mit Percys *Reliques* vertraut, das leidenschaftlich ernste Erzählgedicht *Adelstan und Röschen*
(1771–73), in dem die verführte Schäferin den Ritter in den
Tod nachzieht, später *Die Nonne* (1773–75) in greller Groteske. Vor der poetischen Gewalttat des Nachbarn Gottfried August Bürger aber, der gleichzeitigen *Lenore*, über-
ließ Hölty dem Stärkeren das Feld und folgte lieber seinem »größten Hang [...] zur ländlichen Poesie, und zu
süßen melancholischen Schwärmereien« (SW II, 199). Dieser
Grundzug prägt und tönt viele seiner lyrischen Formen. Vor
allem natürlich die Meisterstücke der threnetischen Elegien.
Neben einigen echten Epicedien auf den Tod bestimmter
Personen, wie des eignen Vaters (1775), stehen so reizvolle

Gebilde wie die *Elegie auf eine Nachtigall* und *Elegie auf eine Rose*, beide gereimt, vor allem aber die berühmte *Elegie auf einen Dorfkirchhof* (1771–72), die Thomas Grays verbreiteter *Elegy written in a country churchyard* von 1751 den Anstoß verdankt, bei völliger Selbständigkeit des eignen Trauertons. In der gleichzeitigen *Elegie auf einen Stadtkirchhof* grüßt am Ende der Dichter, der »Hainenwandler«, das eigne Grab. Doch auch viele andre Gedichte überzieht der gleiche Wehmutschleier, wenn sie – oft im Gegensatz zum verderbten Städter – die schäferliche Natur preisen, wie jenes Vergil huldigende *Landleben*: »Wunderseliger Mann, welcher der Stadt entfloh!« Dabei bot die Kenntnis der antiken Autoren eine feste Stütze gegen das Zerfließen der Formen und Töne. – Der Versuch einer Wiedererwekkung des Minnesangs durch die Göttinger blieb eine kurze Mode. Wahre Volkstümlichkeit haben Hölty drei späte Gedichte eingetragen, welche in geglückter Einfachheit aufgeklärt vernünftige Lebenslehren besingen: *Der alte Landmann an seinen Sohn* (»Üb immer Treu und Redlichkeit«, später auf eine Melodie aus Mozarts *Zauberflöte* gesungen), die *Lebenspflichten*: »Rosen auf den Weg gestreut, / Und des Harms vergessen«, und die *Aufmunterung zur Freude*.

Das höchste Streben der Göttinger aber galt der antiken Ode, und Hölty gelangen auf diesem Felde vollkommene Muster. Zwischen Klopstocks hochgespannter Eroberung und Hölderlins selbstverständlicher Meisterschaft steht seine »elegische Ode« (wie Viëtor sie genannt hat), die seine Stimmungsschwingungen mühelos dem metrischen Kanevas einzugießen vermag – wie in der von Brahms vertonten asklepiadeischen *Mainacht*:

> Wenn der silberne Mond durch die Gesträuche blickt,
>   Und sein schlummerndes Licht über den Rasen geußt,
>   Und die Nachtigall flötet,
>   Wandl ich traurig von Busch zu Busch.

Vollkommen sind einige zweistrophige Gebilde, wie sie
später in Hölderlins epigrammatischen Oden auf höhrer
Stufe wiederkehren werden – das schönste unter ihnen das
rührende Epitaph »Ihr Freunde, hänget, wann ich gestorben
bin, / Die kleine Harfe hinter dem Altar auf«, das Voß dann
unter dem Titel *Auftrag* um eine 3. Strophe erweiterte.
Diese reinsten Klänge, die zugleich seine existentiellen
Hauptthemen von Liebe und Tod, die ewig vergebliche
Liebe des »Traumbilderdichters« und die immerwache To-
desahnung, vereinigen, bezeichnen Höltys höchsten Rang in
der deutschen Lyrik.

Diesen Rang haben im Widerhall ihrer Stimmen spätere
Dichter immer wieder bekundet. Mehrere Anklänge bei
Hölderlin zeigen seine Schätzung. Als Schüler in Hannover
deklamierte Moritz-Reiser *Lenore* und *Adelstan* und genoß
den Beifall der Hörer, wagte aber nicht, dem Dichter zu
begegnen, den er »fast unter die Wesen höherer Art zählte«.
Des Novalis schöne Strophe auf »den holden Sänger«, Rük-
kerts Distichon und Lenaus sapphische Ode *Am Grabe
Höltys*, am schönsten aber Mörike, der ihn von frühauf
liebte, in der kleinen Elegie *An eine Lieblingsbuche meines
Gartens, in deren Stamm ich Höltys Namen schnitt.* Zuletzt
hat Johannes Bobrowski am 23. Mai 1965 seine Wertschätzung in einem Gedicht *An Hölty* ausgedrückt. Es endet:
»War deine Stimme. / Mailied, / unter der Erde.« Und ist
der jüngste Kranz auf dem Kenotaph des Sängers.

Anmerkung

1 Dazu müssen Andeutungen genügen. Näheres vgl. in: *Der Göttinger Hain*, S. 421–446: »Zur Poetik des Göttinger Hains«; speziell
und ausführlicher für Hölty s. Elschenbroich.

Bibliographische Hinweise

Sämtliche Werke. 2 Bde. Krit. und chronolog. hrsg. von W. Michael. Hildesheim 1969. (Nachdr. der Ausg. Weimar 1914 bis 1918.) [Zit. als: SW.]

Gedichte. Besorgt durch seine Freunde L. Graf zu Stolberg und J. H. Voß. Hamburg 1783 [u. ö.]. [Mit Biographie von J. H. Voß.]

Göttinger Musenalmanach auf das Jahr 1774. Faks.-Nachdr. mit einem Nachw. von A. Schöne. Göttingen 1962. – Nachdr. Darmstadt 1978. [Ohne Nachwort.]

Der Göttinger Hain. Hrsg. von A. Kelletat. Stuttgart 1967 [u. ö.]. S. 5–131, 381–385. [Mit Bibliographie.]

Ludwig Christoph Heinrich Hölty. Leben und Werk. Hrsg. von E. Müller. Hannover 1986.

Elschenbroich, A.: Ludwig Christoph Heinrich Hölty. In: Deutsche Dichter des 18. Jahrhunderts. Ihr Leben und Werk. Hrsg. von B. v. Wiese. Berlin 1977. S. 619–640.

Kelletat, A.: Höltys Ode »Ihr Freunde, hänget, wann ich gestorben bin«. In: Göttinger Jahrbuch 20 (1972) S. 121–132.

Schrader, H.-J.: Mit Feuer, Schwert und schlechtem Gewissen. Zum Kreuzzug der Hainbündler gegen Wieland. In: Euphorion 78 (1984) S. 325–367.

FRIEDRICH MÜLLER
(genannt MALER MÜLLER)

Von Ulrike Leuschner

Für den jungen Friedrich Müller war es schwer, einer seiner beiden Begabungen den Vorzug zu geben. Entdeckt und gefördert als Maler, erfaßten ihn schon bald Lust und Interesse an der Literatur. In der Zeitschrift *Die Schreibtafel* des Verlegers Schwan versicherte er 1775: »Ich bin jetzt ein Poet. – Bei Tage mahle ich; und des Nachts mach' ich mich auf einem Bogen Papier lustig« (*Almanach 1983*, S. 31). Das Geniezeitalter kam ihm entgegen. Ein erstes Gedicht *Lied eines bluttrunknen Wodanadlers* erschien 1774; wie zwei der Idyllenbändchen des folgenden Jahres trug es die anonyme Autorangabe »Von einem jungen Mahler«. In den bis zur Abreise nach Rom 1778 in rascher Folge erscheinenden weiteren Dichtungen nannte der Autor sich dann selbst »Mahler Müller«. Es scheint, daß zu diesem Zeitpunkt seine beiden Begabungen sich weniger behinderten als vielmehr wechselseitig steigerten und ergänzten. Als »Schwestern« bezeichnete er die beiden Künste in der Schlußstrophe eines langen Gedichtes mit dem Titel *Poesie und Mahlerey*:

> der Schwestern sind zwey
> die alles beleben
> mit Schönheit umweben
> Poesie und Mahlerey.[1]

Von den Gedanken und Passionen, den Begegnungen und Freundschaften dieser produktiven Jahre zwischen 1766 und 1778 zehrte Maler Müller sein Leben lang. Hier beschäftigte

Friedrich Müller
1749–1825

er sich erstmals mit den literarischen Stoffen Genovefa und Faust, hier wandte er sich, bestärkt durch den neugewonnenen Freund Lessing, den Idealen der Antike zu. Hier gelang ihm vor allem, was ihm einen festen Platz in der Literaturgeschichte sicherte: die Begründung der realistischen Prosa-Idylle.

Er verbrachte den Rest seines Lebens in Rom. Von dort aus korrespondierte er mit bedeutenden Personen seiner Zeit. Der Briefwechsel bewahrt eine Fülle von Informationen zur deutschen Italien-Sehnsucht, zur Kulturpolitik deutscher Fürsten, zur Praxis deutscher Verlage und Zeitschriftenredaktionen wie auch zur Entwicklung neuer Kunststile oder zur Veränderung der Literaturszene in jener schnellebigen Zeit zwischen Revolution, Romantik und Restauration.

Am 13. Januar 1749 wurde Johannes Friedrich Müller als ältester Sohn einer Bäckersfamilie in Bad Kreuznach geboren. Von der mütterlichen Seite her war er mit dem Anakreontiker Nikolaus Götz, wahrscheinlich auch mit dem Tier- und Landschaftsmaler Johann Heinrich Roos (1631–85) verwandt. Eine gründliche Schulbildung vereitelte der frühe Tod des Vaters. Mit wachen Sinnen nahm der junge Müller Landschaft und Leben seiner Umgebung auf. Jahre des Herumtreibens als Hirte im Nahetal, unsystematische Lektüre von Volksbüchern und Reiseberichten lieferten ihm den Stoff seiner frühen Arbeiten in Literatur und Kunst: Nach dem großen Erfolg, den die Zeichnung von einer Bettlerfamilie ihm eintrug, gab die Mutter ihn zu Daniel Hien nach Zweibrücken in die Malerausbildung. Die wohlwollende Aufnahme am Hof Herzog Christians IV. und die Förderung seiner jugendlichen Produktionen erweckten in ihm allzu leicht das Gefühl eines gnädigen Geschickes, ein Gefühl, das ersten Rückschlägen und späterer ernsthafter Kritik wenig entgegenzusetzen hatte und der Verbitterung wich.

Kopieren, Nachahmen, Lernen waren die ersten Aufgaben des jungen Talents. In der bildenden Kunst nahm er sich neben Roos die Niederländer zum Vorbild. Wie schon den frühen Radierungen von Hirtenszenen, Kühen, Schweinen und Schafen eine Urwüchsigkeit anhaftete, die aus eigenem Beobachten und Erleben kam, so fand er auch in der Dichtung seinen Stil. Schon in seinem ersten Gedichtzyklus *Kleine Gedichte zugeeignet dem H. Canonicus Gleim* (entst. 1773, bisher unveröffentlicht) erfüllte Müller über die spielerische Nachahmung hinaus die anakreontischen Muster mit einer neuartigen »Radikalisierung des Gefühls«.[2] Hier zeigt sich erstmals, was in Müllers früher Lyrik als Zwiespalt zwischen Anakreontik und Sturm und Drang beobachtet worden ist.

Gleichzeitig mit diesen anakreontischen Fingerübungen entstand das *Lied eines bluttrunknen Wodanadlers*, das Müller über Nacht bekannt machte; Klopstock hatte es nach einer leichten Überarbeitung der Veröffentlichung im *Göttinger Musenalmanach auf das Jahr 1774* für wert befunden. Naturgewalten, hochgesteigerte Emotion, Besinnung auf die nationale Thematik machen das Gedicht zu einem typischen Vertreter der Sturm-und-Drang-Lyrik. Auch mit seinen Balladen und Volksdichtungen traf Müller den Ton der Zeit. Sein vierzehnmal vertontes Lied *Soldaten Abschied* (1776) war so populär, daß Therese Huber, Briefpartnerin und Lektorin des alten Müller, noch nach mehr als vierzig Jahren den Anfang »Heut scheid ich, heut wandre ich, / keiner, Liebchen, weint um mich« fast richtig zu zitieren wußte.[3] Müller handhabe mit erstaunlicher Virtuosität eine Vielfalt von Formen und Stilen: Bardenlyrik, Oden, Gesänge, Balladen, empfindsame Gedichte, Zeit-, Gelegenheits- und Huldigungsgedichte, ›katholische‹ Gedichte, Epigramme, Fabeln und Lehrgedichte.[4] Eine Gesamtausgabe dieser teils erstklassigen Lyrik steht noch aus.

Die genialste Innovation vorgefundener Formen aber gelang Müller in seinen Idyllen. Den standardisierten Typen der amönen Idylle im Stile Gessners setzte er kernige bäuerliche Individuen entgegen, die sich denn auch nicht länger gefälliger Hexameter, sondern kräftiger Prosa bedienen. Müller öffnete die Idylle der gesellschaftlichen Wirklichkeit, seine Bauern entstammen nicht dem Rokoko-Schäferspiel, sondern sind hart arbeitende Menschen. Mit dieser Wendung zum Realismus sicherte er das Weiterleben der Gattung. Er arbeitete gleichzeitig an Idyllen aus verschiedenen Themenkreisen; denn auch die in der Werkausgabe von 1811 erstmals veröffentlichten Stücke entstanden im wesentlichen in den fruchtbaren Zweibrücker und Mannheimer Jahren. Zu den pfälzischen Idyllen gehören neben den beiden typischsten *Die Schaaf-Schur* (1775) und *Das Nußkernen* (1811) auch die nach einem volkstümlichen mittelalterlichen Sagenstoff gestaltete, von den Romantikern deshalb besonders geschätzte Idylle *Ulrich von Coßheim* (1811) und *Der Christabend* (Erstveröffentlichung in *Idyllen*, 1914). Die antiken Idyllen *Der Satyr Mopsus, Der Faun, Bacchidon und Milon* (alle 1775) sind Sonderformen der pfälzischen Idyllen mit antikem Personal *(Idyllen*, 1977, S. 45):

> es hat dem Herrn Verfasser, ungeachtet er ein Mahler ist, gefallen, das Costüm mit Fleiß zu verletzen, und seinen Satyr sowohl als den Schäfer, in Mützen rheinländischer Bauren aufzuführen.

Die biblische Idylle *Adams erstes Erwachen und erste seelige Nächte* (1778), die in der Nachfolge der Adam-Dichtungen Miltons, Klopstocks, Gessners und Gleims steht, schlägt in der Sprachgestaltung völlig neue Wege ein und zeigt Verwandtschaft mit den Hymnen *Creutznach* (1778) und *Das Heidelberger Schloß* (1776): in der lyrischen Erzählhaltung voll hochgespannter Emotionen, in der Sympathie mit dem Gegenstand, in der Freude des Malers an der Schilderung von Landschaft, Natur und Raum. Um unmittelbar das Gefühl sprechen zu lassen, experimentiert Müller auf modern anmutende Weise mit der Sprache. Er dynamisiert die Syntax durch freie Stellung des Verbs, häuft Verbformen, substantiviert sie (*Idyllen*, 1977, S. 159 f.):

> Der Strohm gescht, springt über mir hin in die Tiefe,
> zerreißt die Klippe des Thals; fürchterlich hastu seinen Pfad in Wildnis geboten – Durchbrecher eigner Bahn – er reißt sich die hallende Tiefe hinunter, und Felsen stürzen ihm nach – Er höhnend Bäume anfaßt an ihrer Wurzel, und wirft auf ein ander Gestade – über seinen Sturz hervorstoßen junge Tannen, in sein Gebraus' niederrauscht die geschlagene Fichte – an seinen Füßen Reyger klatschen, um sein Haupt Raubvögel planen mit ihren Jungen –

Durch kühnen Umgang mit der Sprache machte Müller Erinnerungen und Vorstellungen sinnlich evozierbar. Im Medium Sprache bewahrte er das verlorene Paradies und die Heimat nicht als abstrakte Ideen, sondern als Gefühle, als leidenschaftliche Expeditionen in die Erfahrungswelt der Seele.

Ihrem Ursprung nach gehören Müllers Faust-Stücke und -Pläne in dieselbe Zeit. Nach einem unglücklichen Liebesverhältnis und der kränkenden Verbannung vom Zweibrükker Hof 1775 blieb Müller in Mannheim, wo er längst viele Freunde gefunden hatte. Unter dem Kurfürsten Karl Theodor erlebte Mannheim eine kulturelle Blüte, die zahlreiche Besucher anlockte. Müller, betraut mit zwei Gutachten über die Errichtung eines Nationaltheaters, lernte bei Schwan Goethe und Friedrich Heinrich Jacobi kennen. Er traf Klopstock, Wieland, Lenz, Schubart, Heinse, Merck, Wagner, Klinger. Der junge Müller war, ganz im Zuge des empfindsamen Freundschaftskultes, schnell zu gewinnen. Christoph Kaufmann, der Schweizer Genieapostel, erwarb seine Zuneigung, die nach einer Enttäuschung in Verachtung umschlug. Als falscher Philanthrop »Gottesspürhund« bzw. »Spürhund« erscheint Kaufmann in Müllers *Faust*-Stücken.

Wichtigste Begegnung war zweifellos die mit Lessing im Januar / Februar 1777. Er bestärkte Müller in den Ideen der Aufklärung, fand wahrscheinlich in ihm einen Logenbruder und tauschte mit ihm *Faust*-Pläne aus. Mit seinem *17. Literaturbrief* hatte Lessing den Faust-Stoff aus den Niederungen der Jahrmarktsbelustigung herausgehoben und sozusagen salonfähig gemacht. Den Stürmern und Drängern wurde Faust zum Paradigma des Genies schlechthin (vgl. *Fausts Leben*, S. 7). Lessing und Müller stimmten bei ihrer Mannheimer Begegnung überein, wie der »Gegenstand zu behandeln« sei.[5] Als erster der jungen Dichter kam Müller mit seinem *Faust* 1776 mit der Szene *Situation aus Fausts Leben*, 1778 mit dem 1. Teil von *Fausts Leben*, Fragmenten eines größeren *Faust*-Planes, den er in Rom, zwei Jahre vor seinem Tod, nun in Versform gebracht, beendete. Diesem metrischen *Faust* liegt ein Traum-Modell zugrunde: Im Schlaf erlebt Faust Teufelspakt und Höllenfahrt. Der geträumte Faust verstrickt sich immer tiefer in Sünde und Verbrechen. Eine ›katholische‹ Lösung des Konflikts, wie man sie wegen Müllers Konversion während schwerer Krankheit im Winter 1779/80 konstruiert hat, findet nicht statt. Die Lösung entstammt vielmehr dem Geist der Aufklärung. Den mit allen Zeichen schwerer geistiger und seelischer Zerrüttung erwachten Faust bringen seine drei Freunde zur Besinnung und nehmen ihn in ihren Freimaurerbund auf.[6]

Müller schuf hier ein episches Welttheater mit lyrisch-romantischen Szenen, mit Schwänken, Parodien, zeitkritischen Satiren, mit einer Fülle von Nebenhandlungen und -figuren, die das Faust-Thema variieren, mutieren, kommentieren, und mit einem grandiosen Verfremdungseffekt am Ende. Nichts bleibt, was es war. Es ist gleichsam ein chemisches Experiment: Nach vielen Läuterungsprozessen, nach Revolution, Befreiungskriegen und Restauration, nach der Begegnung mit Philanthropen und Nazarenern, Huren und Heiligen entsteht am Ende wieder der aufgeklärte Mensch. Die längst überfällige Edition dieses Stückes wird eine weiße Stelle auch in der literarischen Faust-Tradition schließen.

Müllers bedeutendstes zu Lebzeiten veröffentlichtes Drama ist *Golo und Genovefa*, begonnen in Mannheim, vollendet 1781, im Rahmen der von Ludwig Tieck initiierten Werkausgabe nach verschiedenen Eingriffen und Korrekturen 1811 erschienen. Den Legendenstoff von der unschuldig leidenden Pfalzgräfin veränderte Müller in einem entscheidenden Punkt: Den Hauptstrang der Handlung widmete er der Psychopathogenese des vom Sturm und Drang favorisierten ›wilden Kerls‹, Golos Wandlung vom idealisch liebenden Jüngling zum gewalttätigen Verbrecher. Wie im Schlußteil des *Faust* beeindruckt auch hier die intensive Gestaltung der seelischen Erfahrungen.

Der frühe Erfolg hatte Müller festgelegt. Unzufriedenheit mit dem eigenen Werk deutete sich schon 1776 an, als er Manuskripte verbrannte. Der Übergang nach Italien mit dem Stipendium des Mannheimer Hofes war schwierig. Er verlegte sich auf die Historienmalerei, eiferte ohne Erfolg Michelangelo und Raffael nach. Das literarische Bemühen um klassische Themen umspannte sein Leben: 1778 veröffentlichte er *Niobe*, ein analytisches Drama mit opernhaften Zügen, 1825, in seinem Todesjahr – er starb am 23. April –, erschien seine Oper in 3 Teilen *Adonis*. Auch auf literarischem Gebiet blieb ihm letztlich Anerkennung versagt, wenn auch die Werkausgabe auf Resonanz, vor allem bei den Romantikern, stieß.

Epigonalität lehnte Müller aus historischer Einsicht ab (Hering, S. 216):

> der Geschmack von einem Zeitalter [ist] die Summe von dem gemeinsamen Leben sowohl in phisischer und moralischer Hinsicht, und wie laßen sich Phänomene, die aus so vielseitigen Ursachen ihr Wesen ziehen durch ein Streben noch bloß von einer Seite her, erreichen?

– dies hielt er den Nazarenern entgegen. Als Cicerone, als
Kunstantiquar und Kunstkritiker, mit spärlichen Pensions-
zuwendungen des Münchner Hofes – er war seit 1806
bayerischer Hofmaler –, um die er ständig Bettelbriefe
schreiben mußte, hielt er sich über Wasser. Die satirischen
römischen Dramen *Die Winde* und *Das Kunstantiquariat*,
die diese Zeit spiegeln, sind wie so vieles von Müllers spätem
Werk noch unveröffentlicht.

»Das Eigentümliche genialisch auf zu faßen und nach den
Forderungen der Kunst zu erhöhen« (an Eckstein, Sommer
1812) war Müllers Anspruch an sein Schaffen. Erst die
Edition des Gesamtwerks kann zeigen, wie weit ihm dies
geglückt ist, und ihm die Stellung in der Literaturgeschichte
verschaffen, die ihm gebührt.[7]

Anmerkungen

1 Erstmals gedruckt in : *Poesie und Mahlerey. Gedichte vom Mah-
ler Müller*, hrsg. von R. Paulus, Saarbrücken 1988, S. 23–39, hier:
S. 39.   2 G. Sauder, »Maler Müllers ›Kleine Gedichte zugeeignet
dem H. Canonicus Gleim‹«, in: *Almanach 1987*, S. 48.   3 An
Müller, 20. Juli 1820; Autograph im Deutschen Literaturarchiv,
Marbach. – Zum Vergleich der Abdruck des *Soldaten-Abschied* nach
dem Erstdruck der *Balladen* 1776 im *Almanach 1987*, S. 14 f.   4 R.
Paulus, »Die Lyrik Maler Müllers. Kurze Gesamtdarstellung und
Dokumentation«, in: *Almanach 1987*, S. 17–39.   5 Müller an The-
rese Huber, 14. September 1820; abgedr. im *Frankfurter Konversa-
tionsblatt* Nr. 56 vom 6. März 1849, S. 227.   6 Handschriften
FDH 9178–9191 (2081 Seiten), Handschrift des 7. Aufzugs 35857/
Hauff-Kölle/M (100 Seiten) im Deutschen Literaturarchiv, Mar-
bach.   7 Das Projekt Maler-Müller-Ausgabe wird durch die
Arbeitsstelle Maler Müller bei der Heimatstelle Pfalz in Kaisers-
lautern und an der Universität Saarbrücken betreut. Als 1. Teil wird der
Briefwechsel erscheinen.

Bibliographische Hinweise

Werke. 3 Bde. Hrsg. von A. G. Batt, J. P. Le Pique [und L. Tieck]. Heidelberg 1811. – Nachdr. mit einem Nachw. hrsg. von G. vom Hofe. Heidelberg 1982.

Dichtungen. 2 Tle. Mit Einl. hrsg. von H. Hettner. Bern 1968. (Nachdr. der Ausg. Leipzig 1868.)

Idyllen. 3 Bde. Vollst. Ausg. unter Benutzung des handschr. Nachlasses. Hrsg. und eingel. von O. Heuer. Leipzig 1914.

Idyllen. Nach den Erstdr. rev. Text. Hrsg. von P.-E. Neuser. Stuttgart 1977.

Fausts Leben. Nach Handschr. und Erstdr. hrsg. von J. Mahr. Stuttgart 1979.

Maler-Müller-Almanach 1980. Landau (Pfalz) 1980.

Maler-Müller-Almanach 1983. Landau (Pfalz) 1983. [Zit. als Almanach 1983.]

Maler-Müller-Almanach 1987. Bad Kreuznach 1987. [Zit. als: Almanach 1987.]

Maler-Müller-Almanach 1988. Bad Kreuznach 1988.

Böschenstein, R.: Maler Müller. In: Deutsche Dichter des 18. Jahrhunderts. Ihr Leben und Werk. Hrsg. von B. v. Wiese. Berlin 1977. S. 641–657.

Hering, R.: Aus Maler Müllers Briefen. In: Jahrbuch des Freien Deutschen Hochstifts. 1913. S. 204–249.

Meyer, F.: Maler Müller – Bibliographie. Hildesheim / New York 1974. (Nachdr. der Ausg. Leipzig 1912.)

Sattel Bernardini, I. / Schlegel, W.: Friedrich Müller 1749–1825. Der Maler. Landau (Pfalz) 1986. [Œuvrekatalog mit umfangreichem biographischen Material.]

Schmidt, F.-A.: Maler Müllers dramatisches Schaffen unter besonderer Berücksichtigung seiner Faustdichtungen. Diss. Göttingen 1936.

Seuffert, B.: Maler Müller. Im Anh. Mitteilungen aus Müllers Nachlaß. Berlin 1877.

Johann Wolfgang Goethe

Von Victor Lange

Wenn Goethe als offensichtlicher Mittelpunkt, ja als Schöpfer einer selbstbewußten modernen deutschen Literatur gilt, so wird damit nicht nur über seinen Genius, sondern die historische Konstellation seines Schaffens etwas ausgesagt, was oft genug als selbstverständlich vorausgesetzt und in undeutlichen Definitionen unzureichend eingeschätzt wird. Goethes Leistung, das müßte der sachliche Ansatz einer ersten Betrachtung sein, ist allein in ihrem Umfang erstaunlich: samt seinen Tagebüchern und einem Teil seines Briefwechsels sind seine Schriften seit ihrer ersten Zusammenfassung in der sogenannten *Weimarer Ausgabe* in nahezu 150 Bänden verfügbar; Umfang und Vielfalt dieses Materials vermittelt die Gesinnung und Sicht eines Geistes von heute kaum noch vorstellbarer Fülle und Intensität des Erlebens, der Reflexion und der Gestaltung.

Daß weite Bereiche dieser geistigen und schriftstellerischen Topographie ihre Geltung und Wirkung mit selbstverständlichen Modifikationen bis heute behauptet haben, liegt vor allem daran, daß sie, kritisch gegenüber wesentlichen Überzeugungen der vorangegangenen Generationen, sich aus einem durchaus weltlich-dinglichen, nicht etwa traditionell religiösen oder spekulativen Interesse an der organischen Struktur der natürlichen Welt und ihrer Phänomene ableiten lassen. Von diesem ›phänomenalen‹ Ordnungsprinzip ausgehend, entwickelt Goethe analoge Gesetzlichkeiten sozialer, philosophischer und ästhetischer Denkstrukturen und konkretisiert diese Einsichten in einem Kanon von

Johann Wolfgang Goethe
1749–1832

lyrischen, epischen und dramatischen Paraphrasen, die seinem literarischen Werk gegenüber den naturwissenschaftlichen Schriften nicht immer zu Recht das Schwergewicht seiner Existenz zugeschrieben haben.

Goethes Herkunft aus dem Rheinfränkischen – er wurde am 28. August 1749 in der freien Reichsstadt Frankfurt a. M. geboren – verlieh ihm einen wachen Sinn für das Pragmatische und einen oft bezeugten Widerwillen gegen jede unkongeniale politische Bindung. Seine Ahnen waren Handwerker, der Vater Johann Caspar Goethe (1710–82) rückte, durch die Heirat mit Katharina Elisabeth (1731–1808), der ältesten Tochter des Schultheißen Textor, in die Reihe der Patrizierfamilien. Goethes Mutter, eine bewundernswerte, lebenstüchtige und in jedem Sinne liebenswürdige Person, von der er selbst in der *Aristeia der Mutter* ein unvergeßliches Bild zeichnete, mußte oft genug den Eigensinn, den Jähzorn und die Unzufriedenheit des Vaters ausgleichen. Der peinlich genaue Vater, umfassend belesen und über Jahrzehnte pedantisch damit beschäftigt, die Erinnerungen an seine frühe Italien-Reise in makellosem Italienisch aufzuzeichnen, verfügte über eine mehr als durchschnittliche Kenntnis der europäischen Literatur von Homer bis Fénélon und Diderot, Pope und Voltaire, ließ den Sohn in Pierre Bayles *Dictionnaire* und Buffons *Histoire Naturelle* das Wissen der Zeit erfahren und betrieb schon früh mit ihm juristische Studien. Trotz Goethes Wunsch, in Göttingen mit klassischer Philologie und Poetik eine akademische Laufbahn vorzubereiten, bestand der Vater auf einem Jurastudium in Leipzig. Im September 1765 kam Johann Wolfgang in der lebendig modischen Stadt an, nahm bei Adam Friedrich Oeser (1717–99) Zeichenunterricht – »Sein Unterricht wird auf mein ganzes Leben Folgen haben. Er lehrte mich, das Ideal der Schönheit sei Einfalt und Stille, und daraus folgt, daß kein Jüngling Meister werden könne« (an Philipp Erasmus Reich, 20. Februar 1770) –, spiegelte in lyrischen Rokokobildern sich und seine Umwelt, übte sich im Kupferstechen, empfing betroffen die Nachricht von der Ermordung Winckelmanns und stellte in einem bitteren Stück, *Die Mitschuldigen* (die 1. Fassung entstand 1769), Leipziger Typen gegeneinander.

Als Kranker kam er nach Hause mit einer schweren Drüseninfektion zurück, schloß sich pietistischen Kreisen an, las in pansophisch-alchemistischen Schriften und begann ein Heft von Exzerpten und Notizen (*Ephemerides*) anzulegen, das die Vielfalt seiner klassischen und modernen Lektüre andeutet.

Im Sommer 1770 ging Goethe als Student nach Straßburg, einer Stadt, in der sich aus allen Teilen Deutschlands begabte junge Menschen der verschiedensten Klassen zusammenfanden, die an den Symptomen der aufklärerischen Emanzipation teilhaben wollten, ohne sich freilich aus den bürgerlichen Lebensformen lösen zu können. Was sich hier als ›Sturm und Drang‹-Parole anbot, weckte bei vielen emotionelle Widerstände gegen Konventionen, gesellschaftliche Mißbräuche und die willkürliche Staatsführung, gegen Mißstände, die durch revolutionäres Handeln zu verändern kaum Bereitschaft bestand.

Die Gestalt, deren schöpferische Energien aus historischen und religiösen Impulsen neue kritische Perspektiven aufzeigte und die auf Goethes zukünftiges Denken den bedeutendsten Einfluß ausübte, war der sechsundzwanzigjährige ostpreußische Theologe Johann Gottfried Herder, dem sich Goethe freundschaftlich anschloß. Die Landschaft des Elsaß und ein neues Verständnis des menschlichen Verhaltens zu ihr, Geschichte und Kunst, die Vorstellung, daß Poesie die Muttersprache der Menschheit sei, Dichtung als Welt- und Völkergabe, das ›Originalgenie‹, alle diese Einsichten und schnell aufgegriffenen Herderschen Formeln boten Goethe und seinen Freunden ein Netzwerk von ins Bewußtsein gehobenen Gefühlen an. Nicht mehr geoffenbarte Religion oder aufgeklärter Deismus, sondern göttliche

Allgegenwart in der Natur, die Ossianischen Gesänge, die universale Größe Homers und Shakespeares oder die Genialität (vermeintlich »deutscher«) gotischer Architektur des Münsters bieten die dynamischen Direktiven des neuen Lebenskonzeptes: In Goethes Rede *Zum Shakespeares-Tag* (1771) und der Schrift *Von deutscher Baukunst* (ersch. 1773 im zusammen mit Herder, Frisi und Möser herausgegebenen Werk *Von deutscher Art und Kunst*) spüren wir die Lebensglut, den neuen Glauben an den Geist als eine höchste Chiffre für ein begriffenes und erfülltes Leben. Er faßte eine tiefe Neigung zu Friederike Brion (1752–1813), der Tochter des Pfarrers im nahen Sesenheim, und erlebte mit ihr Land und Menschen des Elsaß: »Wir trugen alle Freude, wie ein Gemeingut, zusammen und wußten sie durch Geist und Liebe zu steigern« (*Dichtung und Wahrheit* III,11). Seine Freude am Dichten wurde durch Friederike belebt. Herders anregendes Interesse an alten Volksliedern verdrängt in Goethes eigener Lyrik Beschreibung und Didaktik zugunsten liedhafter, unmittelbarer Dichtungen in Klängen und Rhythmen wie *Kleine Blumen, kleine Blätter* (später u. d. T. *Mit einem gemalten Band*), *Es schlug mein Herz, geschwind zu Pferde* (später *Willkommen und Abschied*), das strahlende *Maifest* oder *Heidenröslein*. Dithyrambische Prosa, von Johann Georg Hamann vorgebildet, kraftvolle, sinnlich starke Worte schaffen expressive Hymnen und Oden.

Die Straßburger Erfahrungen, Schlagworte und Themen bleiben weiterhin produktiv: die 1. Fassung der *Geschichte Gottfriedens von Berlichingen mit der eisernen Hand*, dramatisiert entsteht 1771, anonym als Schauspiel erweitert zwei Jahre später. Was als Folge episch erzählter Szenen dramaturgisch mühsam integriert wurde, veranlaßte Herder, kritisch anzumerken, Shakespeare habe Goethe ganz verdorben. Nicht die Größe des Götzschen Schicksals, sondern die Integrität seiner Person, nicht seine Einsicht, sondern seine Beharrlichkeit verleihen ihm beispielhafte Kraft. Höfe und Städte, Vertreter einer banalen Aufklärungsgesinnung, werden mit der erliegenden Reichsritterschaft in der Gestalt des edlen patriarchalischen einzelnen konfrontiert: der Elan des Sturm und Drang hatte hier, anders als etwa in Lenz' unzweideutigem *Hofmeister*, Schärfe und politische Konsequenz verloren.

Die alle formale Routine überwältigende ekstatische Gestik der in den nächsten zwei Jahren entstehenden Hymnen sind leidenschaftliche Ansätze für eine mythisierende Darstellung der genialischen Ungeduld eines neuen dichterischen Selbstbewußtseins, sprachliche und gegenständliche Mitteilungsformen zu finden: *Wanderers Sturmlied, Mahomets Gesang, Prometheus, Ganymed* und *An Schwager Kronos* (»Halbunsinn«, wie Goethe später ironisch meinte) sind von einer Glut und Spannung, wie er sie an Klangmaß und Stimmung nie wieder erreichte.

Dokumentation nicht nur von Goethes geistig-seelischer Labilität, sondern vor allem seines Kunstverstandes ist der unvergleichlich erregende und zeitsymptomatische Briefroman *Die Leiden des jungen Werthers*, der nach Goethes Berufung an das Reichskammergericht in Wetzlar innerhalb weniger Wochen von Februar bis April 1774 entstand und zu einem der größten literarischen Erfolge aller Zeiten wurde. Hier wird die Problematik eines sensiblen Menschen zum öffentlichen Anliegen und die Formen der Vermittlung einer existentiellen Krise zu einer bisher nicht erprobten dichterischen Aufgabe. Das Angebot einer absoluten, authentischen Leidenschaft wird von den Konventionen der Klasse, der Werther selbst angehört, zurückgewiesen. Der Anspruch der Kreatur bleibt unbeantwortet; die Unbedingtheit des Gefühls sprengt alle Empfindsamkeit.

Im *Werther*, in brieflichen Äußerungen an Freunde und noch dringender in einigen theologisch motivierten Schriften erinnert Goethe an ein Thema, das ihn über den 1. Teil des *Faust* hinaus sowohl als individuell-gesellschaftliches Problem der Verständigung überhaupt, als auch im Bereich der dichterischen Mitteilung zutiefst beunruhigte: das Thema

der Vieldeutigkeit der Sprache, der Grenzen, innerhalb
derer es möglich ist, das Ineffabile im Wort zu fixieren.
Durch die kontinuierliche Lektüre Spinozas und Sweden-
borgs seit 1773 wurde der Glaube an eine ›natürliche‹
Begründung des religiösen Verhaltens und damit der Dar-
stellbarkeit einer sinnvollen Ordnung ohne Rückgriff auf
transzendente Voraussetzungen immer entschiedener zu jenen Grundvorstellungen, die die Werke der kommenden
Jahre als symbolische Systeme rechtfertigen sollten. Spinoza
und dessen kirchenfeindliche Gläubigkeit sollten auf lange
hin Goethes Denken prägen: zehn Jahre später diktierte er
Charlotte von Stein die naturphilosophische *Studie nach
Spinoza*, die mit dem Satz beginnt: »Der Begriff vom Dasein
und der Vollkommenheit ist ein und eben derselbe«. Der
berühmte Brief an seinen Freund Friedrich Heinrich Jacobi
vom 9. Juni 1785 läßt keinen Zweifel an den Voraussetzungen seiner Religiosität:

> Du erkennst die höchste Realität an, welche der
> Grund des ganzen Spinozismus ist, worauf alles übri-
> ge ruht, woraus alles übrige fließt. Er beweist nicht
> das Dasein Gottes, das Dasein ist Gott. Und wenn
> ihn andre deshalb a t h e u m schelten, so möchte
> ich ihn t h e i s s i m u m, ja christianissimum nennen
> und preisen [...]. Hier bin ich auf und unter Ber-
> gen, suche das Göttliche i n h e r b i s e t l a p i d i-
> b u s [...]. Vergib mir, daß ich so gerne schweige,
> wenn von einem göttlichen Wesen die Rede ist, das
> ich nur in und aus den r e b u s s i n g u l a r i b u s er-
> kenne, zu deren nähern und tiefern Betrachtung nie-
> mand mehr aufmuntern kann als Spinoza selbst, ob-
> gleich vor seinem Blicke alle einzelnen Dinge zu ver-
> schwinden scheinen.

1774 lernte Goethe den Schweizer Theologen Johann Kaspar
Lavater kennen, der ihn zur Mitarbeit an seinen *Physiognomischen Fragmenten zur Beförderung der Menschenkenntnis*

und Menschenliebe (1775–78) gewann, gerechtfertigt durch seine eigene Art der Naturbetrachtung, insbesondere seine neuerliche Beschäftigung mit der Knochen- und Schädellehre. Lavaters Pietismus schien Goethe in der Folgezeit unvereinbar mit einem vorurteilsfreien Blick auf die kreatürliche Welt: die Freunde entfernten sich mehr und mehr voneinander.

Wie zielbewußt Goethe schon damals über diese philosophisch-meditativen Beschäftigungen hinaus konstruktive dramaturgische Aufgaben zu lösen versuchte, läßt sich an den zwei Dramen erkennen, die 1774 und 1775 entstanden: *Clavigo* und *Stella, ein Schauspiel für Liebende*, in der die Einschränkung des Gefühls durch das Leben, die Diskrepanz, ja Ausweglosigkeit zwischen kaum vereinbaren Formen der Liebe gestaltet wird. In Frankfurt hätte sich eine dauernde Bindung an die wohl bedeutendste und souveränste Frau, der Goethe je begegnete, an Lili Schönemann, ergeben können, wenn er sich ihr nicht instinktiv entzogen hätte. Eine erste Schweizer Reise von Mai bis Juli 1775 entfernt ihn von der Geliebten; *Auf dem See* wird zu einem der bewegendsten Dokumente der Spiegelung von lyrischen Stimmungen, von Gegenwart, Erinnerung und Bewußtsein des Reifens. In dem Gedicht *Herbstgefühl* gestaltet er noch einmal »die ewig belebende Liebe«, deren Tränen das Laub am Rebengeländer betauen und zu neuem Leben drängen.

Ein Zufall brachte in Frankfurt am 22. September 1775 die Begegnung mit dem Erbprinzen, dem späteren Herzog Karl August von Sachsen-Weimar-Eisenach, der auf der Durchreise nach Karlsruhe zu seiner Hochzeit mit Luise von Hessen war. Goethe nahm dessen wiederholte Einladung an, ihm nach Weimar zu folgen. Nach allerlei Verzögerungen, während er an einem neuen Drama, dem *Egmont*, arbeitete und sich, auf Anraten des allem höfischen Wesen gegenüber skeptischen Vaters, schon auf eine Reise nach Italien einrichtete, holte ihn der Hofmarschall von Kalb ein und brachte ihn nach Weimar, wo er am frühen Morgen des 7. November eintraf.

Goethes Entschluß, sich im Dienste des herzoglichen Hofes zu bewähren, sollte Denken und Lebensformen bis zu seinem Tode bestimmen. »Ich bin nun eingeschifft«, schreibt er am 6. März 1776 an Lavater, noch ganz im Tonfall des Sturm und Drang, »auf der Woge der Welt – voll entschlossen: zu entdecken, gewinnen, streiten, scheitern, oder mich mit aller Ladung in die Luft zu sprengen.« Gewiß lag ihm daran, im Vorfeld bedeutsamer Veränderungen der bürgerlichen Gesellschaft, Einblick in die politischen Realitäten zu gewinnen und als Beamter ideologische Parteinahme zu vermeiden. Sein Respekt für den jungen Herzog, seine Sympathie für dessen spontanes, oft genug ungezügeltes Wesen waren am Hof und unter seinen Freunden nicht immer verständlich. Schon von Anfang an war er Legationsrat mit Sitz und Stimme im Staatsrat, später Minister. 1782 wurde ihm auf Drängen des Herzogs von Kaiser Joseph II. der Adelstitel verliehen.

Der in jeder Hinsicht beschränkte Ort Weimar mit seiner wenig interessanten Gesellschaft konnte ihn, dessen Ruhm hier kaum wahrgenommen wurde, nur veranlassen, im kleinen Kreise Anregung und, trotz mancher Widerstände, tätige Mitarbeit zu bieten. Die Impulsivität der Straßburger und Wetzlarer Jahre fand in Weimar ihre selbstverständlichen Grenzen: Jakob Michael Reinhold Lenz, Freund der Straßburger Zeit, der 1776 mit den Unmanieren der Stürmer und Dränger am Hofe Unruhe stiftete, wurde kurzerhand ausgewiesen.

Sein inneres Leben schien Goethe im Bereich der privaten Empfindungen und Beobachtungen zu behüten. In einem Tagebucheintrag vom März 1780 heißt es:

Ich muß den Zirkel, der sich in mir umdreht von guten und bösen Tagen, näher bemerken, Leidenschaften, Anhänglichkeit, Trieb, dies oder jenes zu tun. Erfindung, Ausführung, Ordnung, alles wechselt und hält einen regelmäßigen Kreis. Heiterkeit, Trübe, Stärke, Elastizität, Schwäche, Gelassenheit, Begier ebenso. Da ich sehr diät lebe, wird der Gang nicht gestört, und ich muß noch herauskriegen, in welcher Zeit und Ordnung ich mich um mich selbst bewege [...].

Allein der seelisch-geistige Austausch mit einer höchst sensiblen Frau, Charlotte (1742–1827), der dreiunddreißigjährigen Gattin des Oberstallmeisters Freiherr von Stein, belebte und vertiefte in diesen zerrissenen Jahren sein inneres und äußeres Verhältnis zur Welt. Zugleich pietistisch empfindsam und gesellschaftlich gewandt, war sie der einzige Mensch seiner unmittelbaren Umgebung, der in aller Diskretion bereit war, auf sein komplexes und reiches Wesen einzugehen. Goethes Briefe geben uns Auskunft über Stimmungen und gesellschaftliche Verhältnisse, über seine exuberante Bereitschaft zur Beobachtung, Reflexion und Mitteilung. Mit Charlotte las er Homer und Shakespeare, ihr Einfluß bestimmte die leidenschaftlich schwebenden Fragen, die Formen und das oft melancholisch schimmernde Aderwerk seiner Lyrik. Gedichte wie *Harzreise im Winter*, *An den Mond* (beide 1777), *Der Fischer* (1778), *Über allen Gipfeln ist Ruh* (1780), *Zueignung* (1784), *Grenzen der Menschheit* (1781), vor allem aber (schon 1776) das fragende Bekenntnis in dem großen Gedicht *Warum gabst du uns die tiefen Blicke* bieten die resonanten Markierungen der Beziehung zu Charlotte.

Mit der ruhigen Stimme des teilnehmenden Beobachters führt er seit 1777 den Roman *Wilhelm Meisters theatralische Sendung* bis zum 6. Buch, 1779 unterbrochen von der Arbeit an der ersten Prosa-*Iphigenie*, die am 6. April auf der bescheidenen Bühne im nahen Ettersburg mit Goethe als Orest aufgeführt wurde. Zwei weitere Fassungen ergaben schließlich die endgültige Gestalt, die der hellen und sprachlich wie rhythmisch kunstbewußten Atmosphäre Italiens ihre Transparenz verdankte. Sie alle spiegeln jene seelische Reinheit, die er in Charlotte verehrte. Der klar konstruierte Bogen der Handlung reicht vom Monolog der in die Fremde entrückten Jungfrau über die Werbung des tief berührten Barbarenkönigs bis zur Begegnung mit dem furiengehetzten Bruder, den die Schwester opfern soll, dem Fluchtversuch bis zur Lösung aller Konflikte aus der lauteren Menschlichkeit Iphigeniens. Hier übernimmt der Mensch die Verantwortung für das sittliche Gesetz: es bietet den Schlüssel zu dem, was im Vokabular der deutschen Kulturgeschichte des 19. Jahrhunderts den vieldeutigen und schwer zu fassenden Begriff der ›Humanität‹ vermitteln will. Die Metapher der ›Reinheit‹ ist eine der Formeln, mit denen Goethe auch weiterhin, sei es in der *Natürlichen Tochter* oder den *Divan*-Gedichten, sein an sich untragisches Weltverständnis zu umschreiben und zu rechtfertigen sucht.

Aus den bis dahin ausgearbeiteten Teilen des frühen *Faust* las er 1780 in Weimar vor. Seine Neigung zum Schauspielerisch-Theatralischen wurde durch die Eröffnung des neuen Redouten- und Comödienhauses und die Anstellung der Schauspielergesellschaft des Giuseppe Bellomo verstärkt, der bis zur Übernahme des Hoftheaters durch Goethe 1791 die große Zeit der Weimarer Bühne vorbereitete. Goethe selbst trug durch Singspiele, Maskenspiele und literarische Satiren zum Spielplan bei, studierte systematisch dramaturgische Schriften, las zum ersten Mal den gesamten Sophokles, beschäftigte sich mit Euripides und begann 1780 die Ausarbeitung einer Prosafassung des *Torquato Tasso*.

Was aber mit nahezu ausschließlicher Anteilnahme den Mittelpunkt seiner Aufmerksamkeit bildete, war das stetig erweiterte und sachlich schematisierte Interesse an naturwissenschaftlichen Phänomenen. Hier ergaben seine unermüdlichen Beobachtungen die Voraussetzungen und die Bestätigung seines konkreten Denkens, nicht zuletzt seines ästhetischen Verfahrens. Zunächst führten mineralogische Beobachtungen zur Anlage einer beachtlichen Sammlung von Gesteinen; er plant ein naturwissenschaftliches Lehrgedicht über die Geschichte der Erde, hört in Jena anatomische Vorlesungen und beschäftigt sich 1785 mit Linnés *Philosophia Botanica*. Die Idee der Metamorphose taucht auf: als Grundgesetz organischen Lebens, als stetiges Sichverwandeln einer Einheit, die in allen Verwandlungen – Stengel, Stengelblätter, Kelchblatt, Blütenblatt, Staubblatt, Fruchtknoten – immer sie selber bleibt. Alle Organe der Pflanze, heißt das, sind nur umgebildete Blattformen; die »Urgestalt« erscheint in permanenten Veränderungen. 1784 beobachtete er die morphologische Bildung der Schädelknochen aus umgebildeten Knochen der Wirbelsäule: auch im menschlichen Oberkiefer findet sich der sogenannte Zwischenkieferknochen. Es schien ihm zu bestätigen, daß e i n Typus die Struktur der einzelnen Gattungen von Lebewesen bestimmt.

Trotz der an höfischen Pflichten, an gelegentlichen Reisen, an eigenen Anliegen erfüllten ersten zehn Weimarer Jahre, wuchs Goethes Unbehagen an Stadt und Gesellschaft, an Klima und Landschaft und erzeugte eine fast pathologische Verstimmung über den deutschen Charakter überhaupt. Gewisse Spannungen im Verhältnis zu Charlotte wie zum Herzog verstärkten das Gefühl der Vereinsamung. Den Plan, sich diesen bedrückenden Verhältnissen für einige Zeit zu entziehen, bereitete er in aller Stille vor; er empfand ihn als eine Flucht aus der kleinen Welt und reiste am 3. September 1786 aus Karlsbad, wo er mit Charlotte und Herder die ersten 4 Bände der mit dem Verleger Göschen vereinbarten Ausgabe seiner *Schriften* abschloß, heimlich und ohne Abschied im Postwagen nach Italien ab. Über den Brenner ging es nach Verona, Venedig, Bologna und nach einigen Stunden in Florenz weiter nach Rom, wo er am 29. Oktober endlich ankam (*Italienische Reise*, 12. Oktober 1786):

Hätte ich nicht den Entschluß gefaßt, den ich jetzt
ausführe, so wär' ich rein zu Grunde gegangen: zu
einer solchen Reise war die Begierde, diese Gegenstände mit Augen zu sehen, in meinem Gemüt gestiegen. Die historische Kenntnis förderte mich nicht,
die Dinge standen nur eine Hand breit von mir ab;
aber durch eine undurchdringliche Mauer geschieden. Es ist mir wirklich auch jetzt nicht etwa zu
Mute, als wenn ich die Sachen zum erstenmal sähe,
sondern als ob ich sie wiedersähe.

Eingeführt von dem Maler Johann Heinrich Wilhelm Tischbein (1751–1828), erfuhr Goethe in Rom im Kreise deutscher und schweizerischer Künstler und Schriftsteller wie
Angelika Kauffmann (1741–1807), Johann Heinrich Lips
(1758–1817), Alexander Trippel (1744–1793) oder des
Kunstgelehrten und Malers Heinrich Meyer (1760–1832) die
überwältigende Gegenwärtigkeit einer Kultur und ihrer
historischen Zeugnisse, die er im wesentlichen aus Abbildungen und literarischen Dokumenten kannte. Colosseum,
Pantheon, die Ruinen der Kaiserpaläste auf dem Palatin, die
Cestius-Pyramide gehörten zu den mächtigen Erlebnissen
klassischer Architektur, die für sein Leben symbolische
Bedeutung gewannen. Michelangelos Gemälde in der Sixti-
nischen Kapelle und Raffaels Fresken im Vatikan gaben
thematisch und formal die Modelle höchster europäischer
Malkunst ab; den Apoll von Belvedere hatte Winckelmann
zur Schlüsselgestalt der modernen Rezeption des griechischen Ethos gemacht. Kunst war überall erhöhte, transparent gewordene Natur; der Schluß ergab sich nicht zuletzt
aus den genauen Beobachtungen der natürlichen Umwelt
und ihrer botanischen oder geologischen Aspekte, bei der
Besteigung des Vesuvs oder der Reise nach Sizilien. In
Palermo konkretisierte sich die Vorstellung der »Urpflanze«, die er später zu einem seiner prinzipiellen naturwissenschaftlichen Glaubensartikel ausbilden sollte (*Italienische Reise*, 15. Mai 1787):

Die Urpflanze wird das wunderlichste Geschöpf von der Welt, um welche mich die Natur selbst beneiden soll. Mit diesem Modell und dem Schlüssel dazu kann man alsdann noch Pflanzen ins Unendliche erfinden, die konsequent sein müssen, das heißt: die, wenn sie auch nicht existieren, doch existieren könnten und nicht etwa malerische oder dichterische Schatten und Scheine sind, sondern eine innerliche Wahrheit und Notwendigkeit haben. Dasselbe Gesetz wird sich auf alles übrige Lebendige anwenden lassen.

Die Briefe, die er nach Weimar sandte, berichten, jenseits der erregenden menschlichen Bereicherung, von der Vertiefung seiner ästhetischen Einsichten: Winckelmanns *Geschichte der Kunst des Altertums* (1764) las er zum ersten Mal genau, Karl Philipp Moritz' *Versuch einer deutschen Prosodie* (1786) wurde ihm für die Versgestaltung der *Iphigenie* wertvoll, und dessen Schrift *Über die bildende Nachahmung des Schönen* (1788) faßte die kunsttheoretischen Erwägungen dieser Jahre zusammen.

Im Gegensatz zu den ihm unsympathisch grandiosen christlichen Kunstdenkmälern des barocken Rom bekräftigte sich jene Verehrung der römisch-klassischen Werke, die er mit den Augen Winckelmanns als Zeugnisse einer vorbildlichen, ja absoluten seelisch-ästhetischen Disposition begriff. Die Kunst der Renaissance konnte und wollte er von der der Antike nicht als historisch gerechtfertigt unterscheiden. Geschichte stellte für Goethe eine unberechenbare Folge von Kulturen und sozialen Konstellationen dar, in der große einzelne ihrer Zeit das Profil verleihen. Von einer teleologischen oder organischen Dynamik schien ihm Geschichte weit entfernt.

Der italienische Aufenthalt brachte ihm zum Bewußtsein, daß er nicht zum ausübenden Künstler bestimmt sei, sondern zum Deuter der Funktion der Kunst und damit zur Artikulierung einer Bildungsaufgabe, in der die Kunst ihre kognitive, vor allem aber soziale und in gewissen Grenzen emanzipatorische Funktion haben müsse. Daß die ästhetischen Prämissen dieses politischen Vorsatzes nahezu ausschließlich im antiken Vorbild zu finden waren, führte zu jener beschränkten klassizistischen Kunstlehre, die ihn weit hinter der Theorie und Praxis seiner Zeit zurückbleiben ließ.

In Italien lernte er sehen und sich der Welt öffnen, die in zahllosen menschlichen, landschaftlichen, gesellschaftlichen und künstlerischen Erfahrungen seine Aufnahmefähigkeit und Urteilskraft entfaltete. Eine Reise nach Neapel und Sizilien bot vom Februar bis Juni 1787 kaum abzuschätzende Anregungen. Mit Tischbein ist er in Pompeii und Herculaneum, verkehrt er mit dem berühmten englischen Kunstsammler Sir William Hamilton (1730–1803) und bewundert die »Attituden«, die lebenden Figurendarstellungen, der späteren Lady Hamilton, gewinnt durch zweimaligen Besuch von Paestum neue Vorstellungen von antiker Architektur und setzt von Neapel nach Palermo über. Dort zeichnet er in seinem Tagebuch die Landschaft, Gebirgsformen, Pflanzenwelt, Kunstdenkmäler und Volkstypen. Die exotische Vegetation des öffentlichen Gartens von Palermo, wo die Idee der Urpflanze Gestalt gewinnt, erinnert ihn an die Welt Homers und läßt ihn eine Nausikaa-Tragödie planen. Segesta, Agrigent und Taormina erregen seine Anteilnahme an den Formen griechischer Tempel und Theater. Jeder Tag, jede Stunde erweitert seinen Horizont.

Während des zweiten römischen Aufenthaltes vom Juni 1787 bis zum 23. April 1788 setzt er seine architektonischen und anatomischen Studien fort, bemüht sich um die handwerkliche Technik der bildenden Künste, liest in den Schriften des damals berühmtesten klassischen Malers und Kunsttheoretikers Anton Raphael Mengs und Leonardos da Vinci und gewinnt in Ausstellungen eine Übersicht über die in Rom schaffenden französischen und englischen Maler, die ihre spezifischen Formen eines europäischen Klassizismus entwickelt hatten.

Seit 1775 nimmt Goethe jetzt zum ersten Mal wieder das *Faust*-Thema auf, skizziert einen Plan und arbeitet – im Garten der Villa Borghese – Teile der Paktszene, der *Hexen-küche* und *Wald und Höhle* aus. Über die poetische Gestaltung des *Torquato Tasso*, über Handlungsgang und Form, wird immer aufs neue nachgedacht. Das abgeschlossene Manuskript des *Egmont* wird nach Weimar gesandt: das menschliche Dilemma des zögernden Widerstandskämpfers hatte ihn seit 1774 beschäftigt. Im strengen Sinne ist *Egmont* kein politisches Drama, so offensichtlich auch die institutionellen und persönlichen Spannungen der Hauptfiguren von ideologischen Alternativen ausgehen. Nicht in der großzügig-edlen Haltung Egmonts, sondern in den staatspolitisch konsequenten Thesen Albas und Oraniens spüren wir Goethes Versuch, antithetische persönliche Überzeugungen zu entfalten, nicht aber sie aus einem politischen Gesamtkonzept abzuleiten. Auch hier zeigt sich Goethes Abneigung, den Staat als historischen Organismus zu begreifen und in ihm nationale Impulse oder gar revolutionäre Freiheitschimären als legitime Triebkräfte anzuerkennen. Das theatralisch verwobene Ineinander von Kalkül und Dämonie, von Zwang und Freiheit ist nicht so sehr eine geschichtliche Bedingung, als eine in Goethes Neigung zur Ambiguität begründete dramatische Formel. Egmonts schließliche Apotheose – »Die Freiheit in himmlischem Gewand, von einer Klarheit umflossen, ruht auf einer Wolke« – verweist auf eine poetische Vision, nicht auf politische Realität.

Bis zum Tag nach seiner Ankunft in Rom, dann noch einmal von Rom bis Neapel, führt Goethe ein Reisetagebuch für Charlotte von Stein; Tagebucheinträge und Briefe nach Weimar bieten weitere Belege für die gegenständlichen Beobachtungen und die persönlichen Reaktionen Goethes. 1816 stellt er dieses Material, oft stilisiert und organisch integriert, in der *Italienischen Reise*, einer seiner großen autobiographischen Schriften, zusammen.

Vom Herbst 1788 bis Anfang 1790 in Weimar entstanden

und 1795 in Schillers *Horen* veröffentlicht, bieten Goethes *Römische Elegien* Nachhall und Verewigung der halkyonischen Zeit in Italien: Erinnerung und Gegenwart – intensiviert durch die neue Liebe zu Christiane Vulpius (1765 bis 1816) – schaffen hier Gedichte von höchster formaler Disziplin und erotischem Glanz.

Die geschlossene Dichtung in antiker Form im schwebenden, gleitenden Rhythmus des Hexameters und der Distichen wird eine der Formen, die Goethe von jetzt ab gern wählt: *Alexis und Dora* (1796), *Der neue Pausias, Amyntas* (beide 1797), die großartige Elegie *Euphrosyne* (1797) sind vollkommene Beispiele äußerst kunstbewußter, vor Italien kaum vorstellbarer Dichtung.

Am 23. April 1788 nahm Goethe von Rom Abschied: »Die Hauptabsicht meiner Reise war: mich von den physisch-moralischen Übeln zu heilen, die mich in Deutschland quälten und zuletzt unbrauchbar machten; sodann den heißen Durst nach wahrer Kunst zu stillen. Das erste ist mir ziemlich, das letzte ganz geglückt«, schrieb er im Januar 1788 an den Herzog. Er kam als ein Verwandelter am 18. Juni 1788 nach Weimar zurück; den Freunden schien er ein Fremder. Zwar hatte der Herzog ihn schon in Italien auf seine Bitte hin von der künftigen »Direktion der Kameralgeschäfte« entbunden, die Belastung durch amtliche und gesellschaftliche Pflichten blieb freilich nach wie vor kaum zu bewältigen. Herder gegenüber wuchs die Entfremdung; Charlotte von Stein schien ihn nicht wiederzuerkennen und hielt sich sieben Jahre lang in kühler Distanz.

Einen Monat nach seiner Rückkehr aus Italien überreichte ihm am 12. Juli die vierundzwanzigjährige Demoiselle Christiane Vulpius eine Bittschrift für ihren Bruder, den Romanschriftsteller Christian August Vulpius. Goethe empfand die unmittelbare menschliche Integrität des Mädchens im Gegensatz zur höfischen Undurchsichtigkeit, nahm sie in seinem Haushalt auf und verdankte ihr, bei aller kaum verhehlten Mißachtung der bürgerlich-adligen Gesellschaft der kleinen Stadt – erst 1806 wurde die Ehe kirchlich geschlossen –, nicht nur den Sohn August, sondern eine unvergleichlich enge, herzliche und tätige Verbundenheit.

Herbst und Sommer 1789 waren – in den Monaten der Französischen Revolution – dem Abschluß des *Tasso* gewidmet. Höfische Kultur und der Anspruch des selbstbewußten Künstlers ihren rituellen, wenn auch legitimen Formen des Denkens und Fühlens gegenüber werden hier in Versen von höchster Leidenschaft und Geschlossenheit gegeneinander gestellt. Mit allen seinen Energien von Liebe und Kunst sieht sich Tasso aus dem Kreise einer Welt von Gestalt und Tradition verstoßen. Unversöhnlich endet das Stück mit der Verteidigung der Kultur durch Antonio, aber auch der Übermacht von Qual und Todesverbundenheit in der künstlerischen Existenz Tassos. Charakteristisch für Goethes naturphilosophisch gegründetes ästhetisches Denken bleibt die Abhandlung *Einfache Nachahmung der Natur, Manier, Stil* (1789), die zu dem Schluß führt, daß »Stil«, und damit das vollkommene Kunstwerk, auf kognitiven Zielsetzungen beruht, auf dem »Wesen« der Dinge, insofern diese visuell artikuliert und gestaltet erscheinen. Hier schon wird Goethes Tendenz zum Formulieren und Schematisieren der Schwerpunkte ›klassischer‹ Überzeugungen deutlich:

> Wie die einfache Nachahmung auf dem ruhigen Dasein, und einer liebevollen Gegenwart beruhet, die Manier eine Erscheinung mit einem leichten fähigen Gemüt ergreift, so ruht der Stil auf den tiefsten Grundfesten der Erkenntnis, auf dem Wesen der Dinge, insofern uns erlaubt ist, es in sichtbaren und greiflichen Gestalten zu erkennen.

Noch einmal, vom März bis Juni 1790, reist Goethe nach Norditalien, von der Herzogin gebeten, sie dort auf ihrer Rückreise aus Rom abzuholen. In Venedig studiert er die venezianische Malerei, sieht beim Fund eines Schafschädels am Lido seine Auffassung bestätigt, daß die Schädelknochen der Wirbeltiere aus der Metamorphose der Wirbelknochen zu erklären seien, und beginnt die *Venetianischen Epigramme*, Kommentare zur Zeit, vor allem die erste Auseinandersetzung mit der Französischen Revolution.

Im September 1788 hatte Goethe in Rudolstadt im befreundeten Hause der Frau von Lengefeld Friedrich Schiller getroffen, den Menschen, der bis zu seinem Tod 1805 in unerschöpflichem geistigen Austausch mit Goethe das große Experiment einer kulturpolitischen Bildung und Emanzipation des deutschen Bürgertums fördern und steuern sollte. In Temperament und den politischen Tendenzen ihrer Schriften oft weit voneinander entfernt, völlig verschieden in ihrer Vorstellung von der historischen Macht und Funktion des Staates, gemeinsam überzeugt von der zentralen Wichtigkeit einer ethisch-ästhetischen Erneuerung der durch ihre eigenen inneren Diskrepanzen geschwächten zeitgenössischen Kultur, schafft jeder mit diplomatischem Respekt für die geistigen Voraussetzungen des anderen das in vielen seiner Prämissen und Folgen zugleich eindrucksvolle und fragwürdige Aktionsfeld einer ›deutschen Klassik‹. Goethe hatte 1788 die Berufung Schillers auf eine Professur für Geschichte an der Universität Jena vermittelt; Schiller forderte Goethe zur Mitarbeit an seiner geplanten Zeitschrift *Die Horen* auf: Mitte Juli 1794 fand im Anschluß an eine Sitzung der Naturforschenden Gesellschaft in Jena jenes grundlegende Gespräch über die Urpflanze, die Lehre von der Metamorphose und das Verhältnis von Erfahrung und Idee im naturwissenschaftlichen Verfahren statt.

Einen Monat später, am 23. August 1794, skizziert ein Brief Schillers den sowohl »naiven« als »sentimentalen«, antiken als modernen Gang des Goetheschen Geistes: »Sie suchen das Notwendige der Natur, aber Sie suchen es auf dem schwersten Wege, vor welchem jede schwächere Kraft sich wohl hüten wird. Sie nehmen die ganze Natur zusammen, um über das Einzelne Licht zu bekommen, in der

Allheit ihrer Erscheinungsarten suchen Sie den Erklärungs-
grund für das Individuum auf. Von der einfachen Organisation steigen Sie, Schritt vor Schritt zu den mehr verwickelten
hinauf, um endlich die verwickeltste von allen, den Menschen, genetisch aus den Materialien des ganzen Naturge-
bäudes zu erbauen [...]. Wären Sie als ein Grieche, ja nur als
ein Italiener geboren worden, und hätten schon von der
Wiege an eine auserlesene Natur und eine idealisierende
Kunst Sie umgeben, so wäre Ihr Weg unendlich verkürzt,
vielleicht ganz überflüssig gemacht worden. Schon in die
erste Anschauung der Dinge hätten Sie dann die Form des
Notwendigen aufgenommen, und mit Ihren ersten Erfahrungen hätte sich der große Stil in Ihnen entwickelt. Nun, da
Sie ein Deutscher geboren sind, da Ihr griechischer Geist in
diese nordische Schöpfung geworfen wurde, so blieb Ihnen
keine andere Wahl, als entweder selbst zum nordischen
Künstler zu werden oder Ihrer Imagination das, was ihr die
Wirklichkeit vorenthielt, durch Nachhülfe der Denkkraft zu
ersetzen und so gleichsam von innen heraus und auf einem
rationalen Wege ein Griechenland zu gebären.« Schillers
Briefe über die ästhetische Erziehung des Menschen lassen
Goethe am 28. Oktober 1794 die »völlige Übereinstimmung« zumindest ihrer Denkweise und ihrer kulturpolitischen Vorstellungen bestätigen.

Mit großem Interesse hatte Goethe schon 1790 Kants
Kritik der Urteilskraft gelesen, mit Sympathie Kants These
von der wechselseitigen Abhängigkeit von Kunst und Natur
zur Kenntnis genommen und die Voraussetzungen für ein
Verständnis der ästhetischen Schriften Schillers durchdacht.
Den zwei anderen kritischen Hauptwerken Kants stand
Goethe beziehungslos gegenüber, Kants Ablehnung der dei-
stischen, teleologischen Naturerklärung aber kam seinen
eigenen Überzeugungen entgegen, die Definition des Organischen als einer Zweckmäßigkeit, die in der Struktur des
Geschöpfes selbst liegt, entsprach dem Denken Goethes.

Poetologische und naturwissenschaftliche Themen spielen

in Gesprächen und im später (1828/29) vorsichtig redigierten Briefwechsel mit Schiller ihre Rolle. Im Bereich des typologischen Fragens richtet sich die Aufmerksamkeit zuerst auf eine grundsätzliche Definition der Gattungskategorien in der Literatur. Was hier und später einigermaßen spekulativ an Axiomen des Epischen, Dramatischen und Lyrischen vermeintlich aus der antiken Poetik abgeleitet wird, führt zunächst zur Schöpfung von Balladen, in denen Goethe und Schiller die ihnen kongenialen Themen und Formen gestalten. Gegenüber Schillers straff dramatischen Erzählabläufen sind die Balladen Goethes bei aller Vielfalt der Stimmung einfach und altertümlich, volksliedhaft und nicht selten geheimnisvoll atmosphärisch. Zu dieser Gattung gehören so verschiedenartige Kunstwerke wie *Der Fischer* (1778), *Der König in Thule* (1774), *Erlkönig* (1782), *Die Braut von Korinth* und die legendenhafte Ballade *Der Gott und die Bajadere* (beide 1797).

Die gleichgesinnte Zusammenarbeit beider, ausdrücklich ihr Widerwille gegen den Literaturbetrieb der Zeit, wurde manifestiert in einer Sammlung von satirischen *Xenien* (1795–96), die sich scharf gegen die Feinde der Schillerschen *Horen*, die Berliner Aufklärer, unter ihnen vor allem den (aus moderner Sicht höchst verdienstvollen) Publizisten Friedrich Nicolai richteten.

1793 nimmt Goethe die Fäden von *Wilhelm Meister* wieder auf, bis zu seinem Abschluß im August 1796 von Schillers Kritik begleitet und nun ganz ausgerichtet auf das allmähliche Reifen des zwanzigjährigen Helden im Verlauf von etwa acht Jahren, auf die Darstellung menschlicher Metamorphosen, des »Werde, der Du bist!«. Nicht ein Ziel, sondern ein »dunkler Drang« läßt Wilhelm zunächst auf dem Theater, dann im Kreis des Adels denselben Prozeß der Selbstfindung durchmachen, der auch die anderen Gestalten, die schöne Seele, Aurelie, Mignon, den Harfner, den Graf und die Gräfin, verändert. Daß Goethe einen mittelmäßigen Künstler in das Zentrum des Romans stellt, daß auch hier der ›schöne Schein‹ die Ideologie des Bürgertums stützt, läßt die Handlung außerhalb jeder politischen Verbindlichkeit ablaufen.

Die Gestaltung der zwei großen Schlußbücher verleiht dem Werk außer einem wenigstens angedeuteten Ideengewebe einen neuen Glanz der Sprache und eine instinktive Bildkraft auch der theoretisierenden Reflexionen. Wenn Schiller den *Lehrjahren* eine regulative Vernunftidee unterlegen wollte, so widersprach das Goethes Intention: weder die Philosophie noch der problematische Komplex der Antike werden als Bildungsmächte ausgebreitet, nur das Zeugnis religiösen Reifens in den *Bekenntnissen einer schönen Seele* (*Wilhelm Meisters Lehrjahre*, 6. Buch) fügt dem eher empirischen Verlauf der Erzählung eine ätherisch-innerliche Dimension hinzu.

Die Wirkung des Romans, vor allem auf die jungen Romantiker, war bedeutend; als Erzähltyp sollte er die Geschichte des deutschen ›Bildungsromans‹ von Novalis' *Heinrich von Ofterdingen* über Mörikes *Maler Nolten* bis in unsere Gegenwart bestimmen.

Noch während der Arbeit an den *Lehrjahren* wurde, als Abschluß der vom Ressentiment gegen die Revolution bestimmten *Unterhaltungen deutscher Ausgewanderten* (1795), das magisch spielende *Märchen* (1795) von der grünen Schlange, den Königen und der schönen Lilie ausgeführt und an Schiller für dessen *Horen* geschickt. Bald nach den *Lehrjahren* entstand die strenge Elegie *Alexis und Dora* (1796) und 1796–97 die »große Idylle« *Hermann und Dorothea* (1797), die Schiller etwas pathetisch »den Gipfel unserer ganzen neueren Kunst« nannte – immerhin lange Zeit Goethes populärstes Werk, eine der sieben Dichtungen, in denen er sich mit der Französischen Revolution auseinanderzusetzen suchte. Die in ungewöhnlich eingängigen Hexametern berichteten Begebenheiten eines Sommersonntags lassen in einem rechtsrheinischen Landstädtchen die Auswirkungen des fernen politischen Gewitters spüren, Flüchtlinge werden aufgenommen, Dorothea, die Fremde, schließt ihr Ehebündnis mit Hermann, nicht zuletzt aus innerem Widerstand gegen die universale Auflösung aller traditionellen Ordnung: »Alles bewegt sich / jetzt auf Erden einmal, es scheint sich alles zu trennen« (9. Gesang). Hier wie in den anderen Revolutionsdichtungen wird freilich eine zureichende Analyse der politischen Umwälzungen nicht vermittelt: vor dem chaotischen Hintergrund der Revolution baut Goethe ein deutsches Kleinstadtidyll auf, ein Anschauungsbild der patriarchalischen Ordnung, die es aus Einsicht und Entschlußkraft zu behaupten und wiederherzustellen gilt. In *Reineke Fuchs*, jener »unheiligen Weltbibel«, dem spätmittelalterlichen Tierepos, das Goethe aus Gottscheds Prosaübersetzung (1732) in vollendete Hexameter umwandelte, wurde schon 1793 die Revolution als komische Haupt- und Staatsaktion, als ein Moment in der Tiergeschichte der Menschheit persifliert. Was Goethe in Weimar als bürgerlicher Vertreter des Feudalismus, als Visionär einer freien Persönlichkeitskultur zu behaupten suchte, schien ihm durch eine Naturkatastrophe der Vernichtung ausgeliefert. Die politische Berechtigung der Revolution hat er – anders als Schiller oder Wieland – niemals zugestehen wollen.

Eine ausführliche und verständnisvolle Besprechung von *Hermann und Dorothea* durch August Wilhelm Schlegel, einem Goethe auch weiterhin sympathischen Vertreter des jungen ›Romantiker‹, bot aufs neue Anregungen zu Reflexionen über die Strukturgesetze von Epos und Drama. Der Tod des Achill sollte jetzt in einer *Achilleis* (1799) dichterisch gestaltet werden, die Form der *Ilias* wird (im Anschluß an einen Aufsatz Wilhelm von Humboldts) überprüft, Friedrich August Wolfs These in seinen *Prolegomena ad Homerum* (1795) von der Entstehung der Homerischen Epen als einem Werk mehrerer Rhapsoden gewinnt an Geltung, besonders Robert Woods berühmter *Essay on the Original Genius of Homer* (1769) eröffnet sachliche und poetologische Zugänge zur antiken Thematik und epischen Technik.

Dichtung, nur in begrenztem Umfang und eher dilatorisch betrieben, war für Goethe in den neunziger Jahren das eine Mittel, sich gegenüber den teils unbehaglichen, teils durch sein unzureichendes historisches Verständnis bedrängenden politischen Problemen abzusichern. Der andere, leidenschaftlich umschrittene und erforschte Bereich blieben die Naturwissenschaften, die in seinem Werk an zentraler Stelle stehen und Dichtung und Politik umgreifen. Wie in seiner Politik und Poetik geht Goethe auch in der Naturbetrachtung von der organischen Beziehung zwischen Subjekt und Objekt aus, nicht von einer modernen Abstrahierung und Technisierung der Definitionsinstrumente (*Maximen und Reflexionen* 706):

> Der Mensch an sich selbst, insofern er sich seiner gesunden Sinne bedient, ist der größte und genaueste physikalische Apparat, den es geben kann, und das ist eben das größte Unheil der neuern Physik, daß man die Experimente gleichsam vom Menschen abgesondert hat und bloß in dem, was künstliche Instrumente zeigen, die Natur erkennen, ja, was sie leisten kann, dadurch beschränken und beweisen will.

Mit dieser heute – und unter progressiven Naturwissenschaftlern schon damals – durchaus unhaltbaren Voraussetzung die Bemühungen Goethes um ein produktives Verhältnis von Subjekt und natürlichem Phänomen zu entwerten, heißt Sinn und Zweck seines Interesses an Struktur und Funktion der Natur zu verkennen. Ihm lag nicht daran, die Welt durch technische Eingriffe zu verändern, sondern den Menschen auf diejenigen Formen hinzuweisen, durch die sein Leben Zusammenhang und Gestalt gewinnt (*Zahme Xenien* V):

> Was ist denn die Wissenschaft?
> Sie ist nur des Lebens Kraft.
> Ihr erzeuget nicht das Leben,
> Leben erst muß Leben geben.

Goethe selbst war sich der Grenzen seiner Methode bewußt und bot schon 1797 in einer *Selbstschilderung* die herausfordernde Formel an:

> Seitdem er hat einsehen lernen, daß es bei den Wissenschaften mehr auf die Bildung des Geists der sie behandelt, als auf die Gegenstände selbst ankommt, seitdem hat er das, was sonst nur ein zufälliges unbestimmtes Streben war, hat er dieser Geistestätigkeit nicht entsagt, sondern sie nur mehr reguliert und lieber gewonnen [...].

Genau wie in seinem politischen Handeln verfuhr er auch in seinen naturkundlichen Studien betont konservativ und skeptisch gegenüber den wachsenden Tendenzen zu technischen Verfahren. Wirklich folgenreich für die spätere Wissenschaft waren wohl nur seine botanischen Entdeckungen, zuerst dargelegt in der Schrift *Versuch, die Metamorphose der Pflanzen zu erklären* (1790), in der er – anders als Leibniz in seiner *Monadologie* (entst. 1714), in der der Begriff erscheint – ein Grundgesetz des organischen Lebens, einen symbolischen Fall erkennt: in unaufhörlichen Verwandlungen erscheint die »Urgestalt«, in allem verwirrenden Wechsel behauptet sich das Gesetz des Dauernden. Seine osteologischen und anatomischen Schriften suchen die Konsequenzen eines Typus durch alle Gestalten hin nachzuweisen. Kaum beachtet wurde Goethes Meteorologie. Am wichtigsten, ja zentrales Anliegen mehrerer Jahrzehnte war ihm seine *Farbenlehre*, im Januar 1790 begonnen, in den *Beiträgen zur Optik* I schon in einzelnen Kernpunkten formuliert, neunzehn Jahre später – am »glücklichen Befreiungstag« (*Tag- und Jahreshefte*) des 16. Mai 1810 – in 2 Bänden abgeschlossen.

Ein *Versuch, die Elemente der Farbenlehre zu entdecken* und die durch Kants *Kritik der Urteilskraft* geklärte Abhandlung *Der Versuch als Vermittler von Objekt und Subjekt* waren 1793 entstanden, ein Jahr später jene *Betrach-*

tungen zur Morphologie, mit denen die Zustände des Gestalthaften in ihrer beständigen Variabilität gesehen werden, als »Ideen, als Begriff oder ein in der Erfahrung und für einen Augenblick Festgehaltenes«. Da die morphologischen Axiome in der Natur ebenso wie der Kunst ihre Geltung haben, wird die von Goethe unbeirrt vorausgesetzte Einheit alles Lebendigen ausdrücklich bestätigt.

Die *Farbenlehre* wird in schärfstem Gegensatz zu Isaac Newtons *Opticks or a treatise of the reflections, refractions, inflections and colours of light* (1704) konzipiert und entwickelt: Newton erklärt das weiße Sonnenlicht als Zusammensetzung aus farbigen Lichtelementen, Goethe als das grundsätzlich unzerteilbare und einfachste Phänomen, das wir kennen. Farben sind für Goethe die Metamorphosen des Lichtes, die sich im Kampf mit dem Dunklen bilden. Gegründet auf den Begriff der Polarität, erscheint das Dunkel nicht etwa als Abwesenheit des Lichtes, sondern als ein positives Gegenlicht. Anders als das von Newton bis heute gültige Verfahren, die Vorgänge des Lichtes als Bewegungsfunktionen in mathematischen Gleichungen auszudrücken, geht Goethes Naturschau davon aus, qualitative Differenzen festzustellen, in Reihen zu ordnen und als Ganzes zu verstehen. Farbe will er als eine »uranfängliche Naturerscheinung«, als sinnlichen Imperativ ansehen. Die poetisierende Metaphorik der Sprache der *Farbenlehre* erhellt zugleich die belebende Energie des Phänomens der Farbe wie auch die Schwelle ihrer begrifflichen Grenzen:

> Bis einer sagen kann, er begreife das Grün des Regenbogens, oder das Grün des Laubes, oder das Grün des Meerwassers, dies erfordert ein so allseitiges Durchschreiten des Farbenreiches und eine daraus entspringende Höhe von Einsicht, zu welcher bis jetzt kaum jemand gelangt ist.

Deutlicher als aus seinen poetischen Schriften sind Goethes philosophische Konzepte aus seinen naturwissenschaftlichen

zu extrapolieren; um so deprimierender für ihn, daß ihnen
kaum ernstliche Beachtung geschenkt wurde; erst seit wenigen Jahrzehnten hat eine verständnisvolle Diskussion des
naturwissenschaftlichen Grundbasses seines Denkens neue
kritische Dimensionen des Werkes im ganzen erschlossen.

Die disparaten Reaktionen auf die Französische Revolution,
das Angebot einer neuen Sensibilität und Weltsicht durch
die Romantiker, überhaupt das seit langem das Bewußtsein
verändernde Gefühl einer umfassenden gesellschaftlichen,
politischen und ideellen Krise schienen einen resoluten, ja
aggressiven Versuch Goethes und Schillers zu rechtfertigen,
kulturpolitische Überzeugungen und Kunstvorschriften zu
entwickeln, die dem offensichtlichen Verfall von traditionellen, wenn auch kritisch modernisierten Ordnungskategorien
entgegenwirken, vielleicht sogar das bürgerliche Selbstbewußtsein kräftigen sollten. In einer pragmatischen Kunst-
zeitschrift, den *Propyläen* (1798–1800), sollte – mit Hilfe des
befreundeten, jetzt in Weimar ansässigen Schweizer Kunst-
schriftstellers und Archäologen Heinrich Meyer, seit 1795
Lehrer an der Zeichenschule in Weimar, dann deren Direktor – der Versuch einer Verständigung über Voraussetzungen und Aussichten einer gemeinsamen kulturellen Urteils-
bildung gemacht werden.

Die *Propyläen* bieten in ihren Beiträgen, die wenn auch
nur zum Teil von Goethe selbst verfaßt, doch von ihm
überprüft wurden, die strengste und zugleich einseitigste
Dokumentation einer ›klassischen‹ Ideologie, die sich ag-
gressiv gegen die nahezu allgemein vertretenen Tendenzen
einer modernen, geschichtlich-philosophisch und religiös
differenzierten Kunst wandte. Wenn Goethe auch grundsätzlich in allen Bereichen des ästhetischen Vorgehens theoretische Normen geringschätzte, sie bestenfalls als »theoretische Hausmittel« konzedierte und etwa in einem so liebens-
würdig erzählten Aufsatz in Brief- und Gesprächsform wie
Der Sammler und die Seinigen (1799) urban anbot, mußte

ihm doch daran liegen, Voraussetzungen und Ziele der *Propyläen* ausführlich zu formulieren. Das Werk solle Bemerkungen und Betrachtungen harmonisch verbundener Freunde über Natur und Kunst enthalten, sich sowohl der gegenseitigen Abhängigkeit als auch der Unterschiede dieser Bereiche bewußt sein. »Lassen Sie mich«, schreibt er am 19. Oktober 1794 an Schiller, »bei meinen Erklärungen das Wort Kunst brauchen, wenn ich immer gleich nur bildende Kunst, besonders Skulptur und Malerei hierunter verstehe: daß manches auf andere Künste passe, daß manches gemein sein werde, versteht sich von selbst.«

»Kunst«, daran muß immer wieder erinnert werden, war für Goethe kein autonomes Feld: seine Kunstlehre ist nicht auf einen ›ästhetischen‹ Bereich begrenzt, sondern eine Form der angewandten Naturanschauung, die Gestaltung allgemeinster Prinzipien der Erfahrung und des Erlebens in spezifischen Medien. Wenn Kunst und Natur grundsätzlich aufeinander bezogen sind, so müssen deren Funktionsweisen doch deutlich voneinander abgegrenzt werden. Insofern kann Goethe sagen (in der Einleitung zu den *Propyläen*): »Die Natur ist von der Kunst durch eine ungeheure Kluft getrennt, welche das Genie selbst ohne äußere Hülfsmittel, zu überschreiten nicht vermag.« Jedenfalls habe sich der Künstler an die Natur zu halten, jene »Schatzkammer der Stoffe im allgemeinen«.

Eines der vorzüglichsten Kennzeichen des Verfalles der Kunst ist die Vermischung der verschiedenen Arten derselben. Die Künste selbst, sowie ihre Arten, sind untereinander verwandt, sie haben eine gewisse Neigung, sich zu vereinigen, ja sich ineinander zu verlieren; aber eben darin besteht die Pflicht, das Verdienst, die Würde des echten Künstlers, daß er das Kunstfach, in welchem er arbeitet, von andern abzusondern, jede Kunst und Kunstart auf sich selbst zu stellen und sie aufs möglichste zu isolieren wisse.

Unerläßlich sei es, das »Kunstgemäße« zu bestimmen, entscheidend die Wahl des zu gestaltenden »Gegenstandes«. (*Über die Gegenstände der bildenden Kunst* war das Thema des Beitrags, den Goethe und Meyer im 1. Heft der *Propyläen*, 1798, veröffentlichten.

> Der echte gesetzgebende Künstler strebt nach Kunstwahrheit, der gesetzlose, der einem blinden Triebe folgt, nach Naturwirklichkeit; durch jenen wird die Kunst zum höchsten Gipfel, durch diesen auf ihre niedrigste Stufe gebracht.

In einem mit Schiller schematisierten Fragment über den »Dilettantismus« wird bemängelt, daß der Dilettant »die Kunst mit dem Stoff verwechselt [. . .]. Was dem Dilettanten eigentlich abgeht, ist Architektonik im höchsten Sinne, diejenige ausübende Kraft, welche erschafft, bildet, konstruiert.« Strenggenommen aber ist Dilettantismus gleichbedeutend mit Pfuscherei, gegen die der geplante Aufsatz unmißverständlich Front macht. Als einen Anreger derer, die »auf der breiten Fläche des Dilettantismus und der Pfuscherei, zwischen Kunst und Natur hinschleifen, und ebensowenig geneigt sind, eine gründliche Kenntnis der Natur, als eine gegründete Tätigkeit der Kunst zu befördern«, sieht er auch Diderot, dessen *Essai sur la peinture* Goethe übersetzt und 1799 in den *Propyläen* kommentiert. »Natur und Kunst zu konfundieren, Natur und Kunst völlig zu amalgisieren« scheint ihm Diderots Grundirrtum. An Schiller schreibt er am 22. Juni 1799 im Hinblick auf den geplanten aggressiven Dilettantismus-Aufsatz:

> Wenn wir dereinst unsere Schleusen ziehen, so wird es die grimmigsten Händel setzen, denn wir überschwemmen geradezu das ganze liebe Tal, worin sich die Pfuscherei so glücklich angesiedelt hat. Da nun der Hauptcharakter des Pfuschers die Inkorrigibilität ist, und besonders die von unserer Zeit mit einem

ganz bestialischen Dünkel behaftet sind, so werden
sie schreien, daß man ihnen ihre Anlagen verdirbt,
und wenn das Wasser vorüber ist, wie Ameisen nach
dem Platzregen alles wieder in alten Stand setzen.
Doch das kann nichts helfen, das Gericht muß über
sie ergehen. Wir wollen unsere Teiche nur recht
anschwellen lassen und dann die Dämme auf einmal
durchstechen. Es soll eine gewaltige Sündflut werden.

Schiller stimmt dem energisch bei: »Das einzige Verhältnis
gegen das Publikum, das einen nicht reuen kann, ist der
Krieg, und ich bin sehr dafür, daß auch der Dilettantism mit
allen Waffen angegriffen wird.«

Daß eine so rigoros ›klassische‹ Kunstlehre nicht nur im
historischen Augenblick neuer, romantischer Einsichten
kaum Zustimmung finden konnte, sondern sich vor allem
zwei Jahrhunderte später mit den ästhetischen Vorstellungen
unserer eigenen Zeit nicht vereinbaren läßt, braucht kaum
betont zu werden. Goethes Thesen im einzelnen zu verabso-
lutieren oder pathetisch zu verallgemeinern hat wenig Sinn:
sie waren durchaus polemisch gemeint, wenn er auch gelegentlich (an Hirt, 1. Februar 1798) zugesteht, es sei ihm
weniger darum zu tun, »andere von der Gültigkeit unserer
Gedanken zu überzeugen, als vielmehr ihre eigene Denkkraft in Tätigkeit zu setzen«. Gerade die »gegenständliche«
Kunst hat längst ihre Selbstverständlichkeit verloren, das
»Kunstgemäße« ist grundsätzlich in Frage gestellt, »Kunst«
und »Natur« stehen heute in einer höchst problematischen
Beziehung zueinander, die Vitalität des Religiösen ist in
unserer Poetik unverkennbar, das Interesse an Alternativen
der Rezeption – das Goethe psychologisch in keinem Sinne
wichtig schien, es sei denn die Frage, von welcher »Maxime«
oder »Neigung« der Beschauer ausgeht – hat den Horizont
unserer kritischen Sicht prinzipiell verändert.

Die 3 Bände der *Propyläen* konnten in 6 Stücken unter der
Mitarbeit Schillers, Meyers und Humboldts nur bis 1800

erscheinen – man vermutet, daß es kaum ein Dutzend zustimmender Leser gab –, gleichzeitig übrigens mit der von den Brüdern Schlegel begründeten Zeitschrift *Athenäum*, in der Goethe als »Statthalter des poetischen Geistes auf Erden« gefeiert wird. Um die Prinzipien der ›klassischen‹ Stilrichtung auch praktisch zu fördern, veranstalteten die »Weimarer Kunstfreunde« (Goethe, Meyer, Schiller und Karl Ludwig Fernow) von 1799 bis 1805 jährliche Ausschreibungen von Preisaufgaben, deren Einsendungen honoriert und in den *Propyläen* und der *Jenaer Allgemeinen Literaturzeitung* von Meyer und Goethe beurteilt wurden. Die antike Literatur, vor allem Homer, lieferte die vorgeschriebenen Themen – etwa »Venus führt Paris Helena zu«. Die Künstler – unter ihnen Philipp Otto Runge und Peter Cornelius – sollten dadurch veranlaßt werden, »aus ihrer Zeit und Umgebung herauszugehen, aus sich selbst auf die einfach hohen und profunden Gegenstände aufzumerken, und Bedeutung und Form im höchsten Sinne zu kultivieren«. Mit der siebenten Kunstausstellung gab Goethe diese kunstpädagogischen Bemühungen auf und zog in einem rückschauenden Bericht (*Letzte Kunstausstellung 1805*) die einigermaßen melancholische Summe seines Unternehmens.

Von den Angriffen, die Goethes intransigente Position unter den jüngeren Schriftstellern und Malern auslöste, hielten sich die frühen Vertreter der romantischen Sensibilität fern: mit den Brüdern August Wilhelm und Friedrich Schlegel stand er mehr als ein Jahrzehnt lang in diskreter, sachlich oft dankbarer Verbindung: Friedrich Schlegels *Geschichte der Poesie der Griechen und Römer* las er 1798 mit spürbarer Anteilnahme, seine *Lucinde* mit verständlicher Abneigung; in den Beiträgen zum *Athenäum* erkannte er eine enorme kritische Begabung und Beweglichkeit, auf August Wilhelm Schlegels Kenntnis der antiken Metrik konnte er sich mehrfach verlassen; dessen *Ion* führte er 1802 in Weimar als Musterbeispiel einer antik-modernen dramatischen Synthese auf. Er spürte das Genialische des jungen Tieck, beurteilte

dessen Roman *Franz Sternbalds Wanderungen* (1798) mit
leicht ironischer Zustimmung und hörte sich Tiecks Lesung
seiner *Genoveva* (1799) an, deren »wahrhaft poetische Behandlung« ihm gefiel. Novalis lernte er kennen; zurückhaltend äußerte er sich über Hölderlins *An den Äther* und *Der
Wanderer* (»Der Dichter hat einen heitern Blick über die
Natur, mit der er doch nur durch Überlieferung bekannt zu
sein scheint«). Von Jean Pauls eigentümlich konvoluter
Erzählweise spricht er (ausführlich später in den *Noten und
Abhandlungen* des *Divan*) distanziert, aber verständnisvoll;
unter den zahlreichen ›romantischen‹ Naturwissenschaftlern
schätzte er Johann Wilhelm Ritter, den Fürsprecher des
Galvanismus und Kenner der Farbenphysik, den Naturphi-
losophen Hendrik Steffens und später den Arzt, Naturforscher und Maler Carl Gustav Carus. Kein Zweifel, daß
durch alle diese Begegnungen, vor allem aber auch schon
früh durch die Schriften Schellings – *Ideen zu einer Philosophie der Natur* (1797), *Von der Weltseele* (1798), *Bruno*
(1802) – Goethes Bewußtsein der Modernität folgenreich
erweitert wurde. Für Fichtes dynamischen Idealismus empfand er, trotz dessen unbeugsamer Haltung im sogenannten
Atheismusstreit, wiederholt bezeugte Achtung; mit Hegel,
der seit 1805 in Jena eine Professur innehatte, entwickelte
sich ein lebhafter Verkehr.

Was Goethe neben der kaum übersehbaren Fülle seiner
Verpflichtungen von 1791 bis 1817 mit äußerstem Ziel-
bewußtsein als den aussichtsreichsten Wirkungsbereich betrachtete, war seine Leitung des Hoftheaters. Mit den beliebten Schlagern August von Kotzebues bis zu den an-
spruchsvollen Stücken Schillers, dessen Bühnenbearbeitun-
gen Shakespeares und dessen Übertragung von Racines
Phèdre, mit der ersten Aufführung der neuen Bühnenfas-
sung des *Götz* und Goethes Übersetzungen Voltaires wird
versucht, ein Niveau an Inszenierung und Darstellung zu erreichen, das sehr bald in Deutschland beispielhaft wurde.
Iffland tritt 1796 vierzehnmal als bewunderter Gast auf;

Proben werden unter Goethes strenger Leitung regelmäßig durchgeführt und Nachwuchs durch Lehrvorträge im Sinne des antikisierenden Weimarer Stils herangebildet. Die Grundsätze wurden aufgezeichnet und schließlich 1824 von Eckermann im Auftrag Goethes als *Regeln für Schauspieler* zusammengestellt, in denen strenge Stilisierung und Entsubjektivierung vorgeschrieben werden.

Noch einmal versuchte Goethe um die Jahrhundertwende, ohne daß Schiller von der Arbeit erfuhr, sich in einem großangelegten, fragmentarisch gebliebenen Trauerspiel, der *Natürlichen Tochter*, mit dem von ihm nie zureichend durchschauten Phänomen der Französischen Revolution auseinanderzusetzen. Einer historischen Quelle entnimmt er die Aufzeichnungen über das Geschick der natürlichen Tochter eines Herzogs, die legitimiert werden soll. Die Korruption der adligen Gesellschaft vermag es, sie auf Anordnung des Königs auf eine einsame Insel zu entführen. Vor die Wahl zwischen dieser unfruchtbaren Isolierung und einem Leben an der Seite eines bürgerlichen Mannes, der ihr die Aussicht bietet, weltabgewandt einen versöhnenden Dienst für das Vaterland zu leisten, dem »jäher Umsturz« droht, heiratet sie den Parlamentssekretär. Symbolisch dicht komponiert, von einem hohen rhetorischen Pathos sentenziös oft allzu glatt bewegt, äußerst verschränkt im Verhältnis von innerem Adel und böswillig beschworenem Chaos, von politischer Intrige und entsagender Humanität, zeigt auch dieses Stück wieder Goethes Neigung zu einem hierarchisch-feudalen Ethos: hier meinte er, »das schrecklichste aller Ereignisse in seinen Ursachen und Folgen dichterisch zu gewältigen« und im Plan der *Natürlichen Tochter* ein Gefäß bereitet zu haben, »worin ich alles, was ich so manches Jahr über die Französische Revolution und deren Folgen geschrieben und gedacht, mit geziemendem Ernste niederzulegen hoffte« (*Tag- und Jahreshefte* 1799).

Wie hoch Goethe die wissenschaftliche und damit kulturpolitische Bedeutung der Universität Jena einschätzte, für deren Institute er weitgehend verantwortlich war, wird deutlich, wenn wir uns sein resolutes Bemühen vergegenwärtigen, 1803 für die plötzlich ausgeschiedenen Professoren Schelling, Hufeland und Paulus Nachfolger zu finden und die damit zusammenhängende Verlegung der ihm außerordentlich wichtigen *Allgemeinen Literatur-Zeitung* nach Halle durch ein eigenes Organ, die *Jenaische Allgemeine Literaturzeitung*, wettzumachen. Zwischen 1804 und 1807 entwickelt er für diese literaturpolitisch einflußreiche Zeitschrift eine intensive Rezensionstätigkeit, warb eifrig Mitarbeiter und besprach selbst ausführlich die lyrischen Gedichte von Voß, Hebels *Alemannische Gedichte*, Arnims und Brentanos Volksliedersammlung *Des Knaben Wunderhorn* oder auch ein Werk wie die *Gedichte in Nürnberger Mundart* des Klempners und Mechanikers Johann Konrad Grübel, dessen »schöne sittliche Natur« und dessen »Geradsinn, Menschenverstand, Scharfblick, Durchblick in seinem Kreise« ihm die entscheidenden Qualifikationen eines »Naturdichters« abzugeben schienen.

1805 sollte für Goethe menschlich wie sachlich ein schwerwiegendes Jahr werden: trotz wiederholter ernster Erkrankungen an rückfälligem Brustfieber und Nierenstörungen – schon 1801 war er erst nach neuntägiger Bewußtlosigkeit »von der nahfernen Grenze des Totenreichs« zurückgekehrt – übersetzte und kommentierte er Diderots bisher unveröffentlichten Dialog *Le Neveu de Rameau*, dessen Manuskript Schiller vermittelt hatte. Von Dezember 1803 bis März 1804 besuchte ihn in Begleitung von Benjamin Constant Mme. de Staël, deren *De l'Allemagne* er 1810 und 1814 mit lebhaftem Interesse las. Vor allem aber schloß er nach eingehender Lektüre der Briefe Winckelmanns das Sammelwerk *Winckelmann und sein Jahrhundert* (1805) ab, das von seiner großen biographischen und kulturgeschichtlichen Skizze des Lebens eines für die Zeit unvergleichlich einflußreichen Geistes eingeleitet wurde, dessen Verhältnis zur Antike für Goethe unverändert verpflichtend blieb.

Am 9. Mai 1805 starb Schiller. Kein Ereignis in Goethes
Leben griff ähnlich radikal in seine Existenz ein, kein anderer Mensch hatte sein Denken in einem geschichtlich bedeutsamen Moment in vergleichbarer Weise bestimmt. Der
Unterschied ihrer Temperamente, ihrer Herkunft, ihrer
historisch-politischen Denkweise, ihres Verhältnisses zum
Staat, ihres Glaubens an eine veränderbare Gesellschaft war
ihnen zu jeder Zeit bewußt. Mit höchst diplomatischem
Respekt für diese Verschiedenheit erhöhten beide, ohne daß
man etwa von einer ›Dichterfreundschaft‹ sprechen kann,
ihre kritischen und schöpferischen Energien. Nach Schillers
Tod hat Goethe ihm in seinem *Epilog zu Schillers Glocke* ein
bewegendes Denkmal gesetzt.

In Wirklichkeit veränderte Schillers Tod die Richtung und
die Organisationsformen von Goethes Leben. Die Freundschaft zu Zelter, dem Gründer der Berliner Singakademie,
wurde immer enger, ihr Briefwechsel steht an menschlicher
Substanz weit über dem zwischen Goethe und Schiller. Ein
disziplinierter Stab von Mitarbeitern und Sekretären, unter
ihnen, von 1803 bis 1812 Friedrich Wilhelm Riemer (1774
bis 1845) und seit 1823 Johann Peter Eckermann (1792
bis 1854), der Verfasser der *Gespräche mit Goethe in den
letzten Jahren seines Lebens* (1836–48), ermöglichte allmählich die Sammlung und Herausgabe der kaum überschauba-
ren Fülle an Dokumenten seines Lebens und Werkes.

Die Jahre nach Schillers Tod bedeuteten eine spürbare
Lockerung der dogmatischen Behauptung ›klassischer‹ Forderungen, so unverändert Goethe bis zuletzt an der beispiel-
haften Größe der Antike festhielt. Calderon und Cervantes
und die großen zeitgenössischen Engländer und Franzosen
gewannen seine Sympathie. Europa öffnete sich ihm in
zunehmendem Maße als politischer und künstlerischer
Bereich einer modernen Gesinnung: ein ›weltliterarischer‹
Verkehr sollte immer vordringlicher die nationalen Grenzen
merkantil wie ästhetisch überbrücken und das Bewußtsein
gemeinsamer Interessen und Aufgaben bekräftigen. Die Ge-

stalt Napoleons gewann an Faszination. Bis zur persönlichen Begegnung in Erfurt am 2. Oktober 1808 hatte er dessen Tätigkeit skeptisch verfolgt und eingeschätzt. Immer entschiedener sah er in ihm den Ordner der chaotischen europäischen Staatsverhältnisse und damit zugleich den ruhmbewußten Förderer von Kunst und Wissenschaft. Die Plünderung und Besetzung Weimars am 14. Oktober 1806 war im ganzen, nicht zuletzt durch die Bedeutung von Goethes Namen, recht leidlich vorübergegangen. Am 19. Oktober ließ sich Goethe mit Christiane bürgerlich trauen: auch im persönlichen Kreis wollte er seinen Willen zur Ordnung in gefährdeter Zeit beweisen.

Im Winter 1807/08 entsteht ein Zyklus von Sonetten, Stilproben innerhalb seines lyrischen Spätwerkes. Am wichtigsten schien ihm der Abschluß der *Farbenlehre*, die 1810 in Druck ging. Es war ihm eines klar (an Riemer, 25. November 1808):

> Schon fast seit einem Jahrhundert wirken Humaniora nicht mehr auf das Gemüt dessen, der sie treibt, und es ist ein rechtes Glück, daß die Natur dazwischen getreten ist, das Interesse an sich gezogen und uns von ihrer Seite den Weg zur Humanität geöffnet hat.

Auf der Fahrt von Jena nach Weimar erzählt Goethe am 1. Mai 1808 Heinrich Meyer den Inhalt der ersten Hälfte eines neuen Romans, *Die Wahlverwandtschaften*, der kurz danach während eines der häufigen Aufenthalte in Karlsbad erweitert und diktiert, im Sommer 1809 revidiert und abgeschlossen wird und im selben Jahr erscheint. Der bedrückende Ablauf einer › Verwirrung der Gefühle‹ unter verschiedenartig disponierten und motivierten Menschen wird von einem welterfahrenen Erzähler verfolgt, der sich auch und gerade da, wo ihm das Geschehen am bedenklichsten und erschreckendsten erscheint, streng zurückhält.

Vier scheinbar zufällig miteinander verbundene Menschen entfalten in unbedingter Konsequenz die ihnen eigentümli-

che Natur. Die Endkrise im Verhältnis des Paars Eduard
und Charlotte zum Hauptmann und der völlig lauteren
Ottilie wird dargestellt: die elementaren Spannungsfelder
des Lebens, der Liebe, der Leidenschaft und des Schicksals,
natürliches und kosmisches Geschehen werden innerhalb
der Institution der Ehe zugleich erfüllt und in ihren Grund-
impulsen problematisch. Die scheinbar intakte adlige Gesellschaft bot den fragwürdigen Hintergrund des Romans.
Dieser Adel ist in seiner wesentlichen Zelle, der Familie,
brüchig und haltlos.

Eduard, nur in einigen Zügen mit Werther vergleichbar,
unfähig zu verzichten, ungehemmt durch sein Gewissen,
außerhalb jener gesicherten Welt, der er anfänglich anzuge-
hören schien, wird zwischen Charlotte und Ottilie unstet
hin und her gerissen. Ottilie ist ganz Natur: liebevoll und
bereit, sich dem Geliebten anzupassen, verursacht sie schul-
dig-unschuldig den Tod des Kindes, das im Boot ihren
Armen entgleitet. Sie sieht die ihr gemäße Form des Lebens
gestört und die Ordnung der Natur herausgefordert; sie
»entsagt« der Welt, nicht als Märtyrerin, sondern als »Die-
nerin der Natur«. Charlotte will dem elementaren Drang aus
dem Gefühl einer weltlich-sittlichen Verpflichtung nicht
nachgeben: die Institution der Ehe wird durch ihr »Entsa-
gen« gerettet. Wenn am Ende Eduards »vor kurzem zu
unendlicher Bewegung aufgeregtes Herz in unstörbarer
Ruhe liegt«, ist er mit Ottilie, der »Heiligen«, in einer
anderen, »seligen« Welt vereint. Ottilie wird »eine geweihte
Person, die nur dadurch ein ungeheures Übel für sich und
andre vielleicht aufzuwiegen vermag, wenn sie sich dem
Heiligen widmet, das, uns unsichtbar umgebend, allein
gegen die ungeheuren zudringenden Mächte beschirmen
kann«.

Der Roman, elegant komponiert und reich an symbolischen Relationen, hat in der neueren Kritik Deutungen der
verschiedensten, oft nicht ganz widerspruchsfreien Art
gefunden, bleibt aber eine der reifsten erzählerischen Lei-

Goethe im Alter von 77 Jahren

stungen Goethes. Ursprünglich als Novelle geplant, sollten
Die Wahlverwandtschaften in den weiten Rahmen der *Wanderjahre* eingefügt werden, jener Fortsetzung der *Lehrjahre*,
die Goethe seit 1807 beschäftigte.

Im Frühjahr 1808, noch vor dem Entwurf des Schemas
der *Wahlverwandtschaften*, erschien der 1. Teil des *Faust* im
Druck, als Band einer neuen Gesamtausgabe seiner Werke –
ein überstürzter Abschluß der Arbeit, die ihn mit langen
Unterbrechungen seit mehr als dreißig Jahren immer wieder
in ihren Bann gezogen hatte. Als Goethe 1775 in Weimar
eintraf, war ein Komplex, den man als *Urfaust* bezeichnet,
vorhanden. Die Grundvoraussetzungen der alten Faust-Sage
hatte Goethe jedenfalls übernommen: den leidenschaftlichen
Wunsch nach übermenschlicher Erkenntnis und titanischem
Lebensgenuß, schließlich eine großartige Weltfahrt und die
Gewinnung Helenas, der schönsten aller Frauen. Die Gret-
chen-Episode schob Goethe ein. Der Teufel wird als Abge-
sandter des Erdgeistes beibehalten, mit Mephistopheles,
halb Teufel, halb Geist, schließt schon der Faust der Sage
einen Pakt.

Über zwölf Jahre lang ruht dann die Arbeit am *Faust*: was
1790 im 7. Band der Goetheschen *Schriften* als »Fragment«
erschien, enthielt an Neuem die *Hexenküche*, *Wald und
Höhle*, Stücke der Paktszene und eine Erweiterung der
Schülerszene. Valentins Monolog und *Nacht. Offen Feld*
fielen weg. Erst Mitte der neunziger Jahre drängte Schiller
auf einen gewissen Abschluß der Dichtung; schon 1800 war
an eine Zerlegung des Stoffes in 2 Teile gedacht worden. In
dieser Fassung gewann die Dichtung ihre poetische Fülle und
ihre menschlich-übermenschlichen Facetten, ihren Reichtum
an poetischen Formen und die lyrisch-dramatischen Spannungen.

Für den 2. Teil wurde schon in den neunziger Jahren ein
Stück des Helena-Aktes gedichtet und der Schluß des Dramas skizziert. Erst am 26. Februar 1825 meldet das Tagebuch: »An Faust einiges gedacht und geschrieben«; von da

an arbeitete Goethe sieben Jahre lang fast ununterbrochen am »Hauptgeschäft«. Obwohl das Manuskript im November 1831 versiegelt wurde, las Goethe im Januar 1832 der Schwiegertochter Ottilie und Eckermann Partien des 2. Teils vor; am 24. Januar findet sich der Vermerk im Tagebuch: »Neue Aufregung zu Faust in Rücksicht größerer Ausführung der Hauptmotive, die ich, um fertig zu werden, allzu lakonisch behandelt hatte.« Zwei Monate später starb Goethe; 1833 erschien der vollständige 2. Teil.[1]

In einem Brief an den Naturforscher Nees von Esenbeck vom 24. Mai 1827 spricht Goethe in einer charakteristisch-pointierten Formel von der »grenzenlosen Empirie unsrer ästhetischen Versuchereien«: vor allem der 2. Teil des *Faust* ist in der Tat ein grandioses Mosaik sprachlicher, rhythmischer, sinnbildlich gespiegelter Elaborationen geistiger Positionen und deren Vielfalt an Perspektiven. Wenn der 1. Teil seinen volkstümlich-bürgerlichen Ton auch in den magischen oder lyrischen Äußerungen behauptet, ist der 2. im strengsten Sinne das Werk und Zeugnis eines Poeta doctus, der die Bedeutung einzelner szenischer und figürlicher Angebote eher in kunstvollen Umschreibungen und Anspielungen als in unmittelbar ergreifenden Gestalten transparent macht. Der Weg Fausts vom kaiserlichen Hof über die klassischen Gefilde zum Palast des Menelaos, die Vermählung mit Helena, Geburt und Tod des Euphorion, des Mischlings antiken und deutschen Geistes, Fausts Teilnahme am Feldzug führt schließlich zur Vision einer dem Meer abgewonnenen Siedlung für Millionen Menschen auf freiem Grund, die sich im Kampf ums Dasein, im »Weiterschreiten« das Glück der Freiheit erkämpfen sollen. Es sind dies die Stadien, die Faust nicht als psychologisch gerechtfertigter Charakter, sondern als handelnde Gestalt innerhalb der jeweiligen Themenkonstellation, der für den modernen Geist bedeutsamen Bezirke des Denkens erhellt. Die Rollen Fausts und Mephistopheles' haben sich gegenüber denen des 1. Teils verändert: Faust ist jetzt das die Natur erkennende

und von ihrer Gesetzlichkeit erfüllte schöpferische Wesen,
Mephistopheles dessen kritisch-analytische Gegenstimme,
Agens der modernen Skepsis gegenüber Realität und Zeit.

Im schwebenden Aufstieg wird Fausts Unsterbliches
schließlich durch die »ewige Liebe« verklärt, Gretchen wird
begnadigt und zum Vorbild des vom unerhörten Glanz des
höchsten Lebens geblendeten Faust.

So schwer durchschaubar auch das philosophische Aderwerk der »Tragödie«, so überwältigend bleibt Goethes immer wieder ansetzender Versuch, symbolisch oder allegorisch die Felder der modernen Erfahrung zu ermessen und
darüber hinaus die Spannung zwischen einem höchsten Streben und dessen unaufhörlicher Gefährdung in einem großartigen Sprach- und Bildwerk einsichtig zu machen.

In einem Brief an Wilhelm von Humboldt vom 17. März
1832 blickt Goethe noch einmal auf die Entstehung des
Werkes zurück:

> Es sind über sechzig Jahre, daß die Konzeption des
> *Faust* bei mir jugendlich von vorneherein klar, die
> ganze Reihenfolge hin weniger ausführlich vorlag.
> Nun hab ich die Absicht immer sachte neben mir
> hergehen lassen und nur die mir gerade interessanten
> Stellen einzeln durchgearbeitet, so daß im zweiten
> Teil Lücken blieben, durch ein gleichmäßiges Inter-
> esse mit dem Übrigen zu verbinden. Hier trat nun
> freilich die große Schwierigkeit ein, dasjenige durch
> Vorsatz und Charakter zu erreichen, was eigentlich
> der freiwillig tätigen Natur allein zukommen sollte.
> Es wäre aber nicht gut, wenn es nicht auch nach
> einem so langen, tätig nachdenkenden Leben möglich
> geworden wäre.

Es waren drei Umstände, die in den Jahren 1814–19 zur
Gestaltung einer der schönsten und konsequentesten lyrischen Sammlungen Goethes führten, dem *West-östlichen*

Divan. Einmal war es der Unmut über die kulturellen und politischen Spannungen, die sich vor allem in den deutschen Kleinstaaten aus der Auflösung der Napoleonischen Europa-Politik und Goethes scheinbarer Indifferenz gegenüber dem Sieg der Befreiungskrieger ergaben. In einem Gespräch mit dem Historiker Luden im Dezember 1813 sagte Goethe:

> Glauben Sie ja nicht, daß ich gleichgültig wäre gegen die großen Ideen Freiheit, Volk, Vaterland. Nein, diese Ideen sind in uns, sie sind Teil unseres Wesens, und niemand vermag sie von sich zu werfen. Auch mir liegt Deutschland warm am Herzen. Ich habe oft einen bitteren Schmerz empfunden bei dem Gedanken an das deutsche Volk, das so achtbar im einzelnen und so miserabel im Ganzen ist. Eine Vergleichung des deutschen Volkes mit andern Völkern erregt uns peinliche Gefühle, über welche ich auf jegliche Weise hinwegzukommen suche. In der Wissenschaft und der Kunst habe ich die Schwingen gefunden, durch welche man sich darüber hinwegzuheben vermag, denn Wissenschaft und Kunst gehören der Welt an und vor ihnen verschwinden die Schranken der Nationalität. Aber der Trost, den sie gewähren, ist doch nur ein leidiger Trost und ersetzt das stolze Bewußtsein nicht, einem großen, starken, geachteten und gefürchteten Volk anzugehören.

Nicht weniger wichtig war das insistent reflektierende Bewußtsein seiner eigenen, zeitsymptomatischen Lebensphasen – die Vorarbeiten für *Dichtung und Wahrheit* wurden 1810/11 begonnen (ersch. 1811–22), die Redaktion des Materials für die *Italienische Reise* 1813/14 –, deren instinktiv akzeptierte feudalistische Basis jetzt radikaler gefährdet schien als je zuvor. Wie Altbewährtes und ein kaum zu assimilierendes Neue zueinander in Beziehung gebracht werden konnten, war die Herausforderung der Zeit, die ihm bis zum Abschluß des *Faust* nur in der Mehrdeutigkeit, der kunstvoll perspektivischen Beweglichkeit der Dichtung zu bewältigen war. Die Gedichte des *West-östlichen Divan* (ersch. 1819) sollten das Prinzip der unvermittelten Welt- und Wertfülle in einem Idiom verwirklichen, das sich grundsätzlich von der Logik traditioneller europäischer Dichtungs- und Denkformen unterschied. Im Juni 1814 lernte er den *Divan* des persischen Dichters Hafis in der deutschen Übersetzung des Wiener Orientalisten Joseph von Hammer-Purgstall kennen: Trink- und Liebeslieder, die während der Eroberungszüge Timurs gegen China im 14. Jahrhundert gedichtet wurden und die Goethe jetzt lockten, sie vor dem Hintergrund des erschreckenden Napoleonischen Feldzugs gegen Moskau in der Gefühls- und Bilderwelt des Ostens nachzuschaffen. Zwei Literaturen, zwei Kulturen sollten nebeneinander gestellt und in ihrer spezifischen Form des »Geistreichen« profiliert werden. In den beigefügten *Noten und Abhandlungen zum besseren Verständnis des West-östlichen Divans* stellt Goethe historische Betrachtungen zur persischen Literatur und poetologische Reflexionen über das Verhältnis von Dichter und Zuhörer, über die »Naturformen der Dichtung« zusammen.

Die Erfahrung des Alters gewann ihre spürbare Wirklichkeit durch den Entschluß, im Juli 1814 nicht, wie schon einige Male vorher, nach Böhmen, sondern nach Wiesbaden in die Heimatgegend zu reisen, der er seit 1797 ferngeblieben war. Schon auf der Fahrt von Weimar nach Frankfurt entstanden zahlreiche Gedichte im Geiste des *Divan*, darunter *Selige Sehnsucht* mit dem Thema des ›Stirb und Werde!‹: der Plan einer Gedichtsammlung schien realisierbar. Jetzt und später vermittelte die Rhein-, Main- und Neckarreise unvergleichlich belebende Impulse. Während »Nord und West und Süd zersplittern / Throne bersten, Reiche zittern / Flüchte du, im reinen Osten / Patriarchenluft zu kosten«. Im Herbst des Jahres entstanden für den *Divan* mehrere Gedichte des *Schenkenbuchs*. In Heidelberg sah er die Boisseréesche Sammlung mittelalterlicher Malerei. Er reiste weiter über Frankfurt, wo er zum ersten Mal Marianne (1784–1860) traf, die junge Gattin des befreundeten Bankiers Johann Jakob von Willemer, eine ungewöhnlich geistreiche und dichterisch begabte Frau, die 1815 in den Liebesspielen und Maskierungen der wichtigsten der 12 Bücher des *Divan* zur zentralen Figur der Suleika werden sollte und selbst einige der schönsten Gedichte verfaßte. Im Sommer und Herbst des Jahres entstanden weitere *Divan*-Gedichte, darunter das erste an Marianne gerichtete, *Nicht Gelegenheit macht Diebe*, das sie mit eigenen Strophen erwiderte. In den letzten Septemberwochen gewann die Liebe zwischen Goethe und Marianne ihre dichterische Gestaltung in den Versen, die das *Buch Suleika*, mit ihrem Höhepunkt, Goethes *Wiederfinden* und Mariannes Gedichten auf den Ostwind und Westwind, bilden sollten. Nach diesen erfüllten Tagen haben sich die beiden nicht mehr gesehen.

Um das *Buch Suleika*, das Kernstück des Zyklus, gruppiert Goethe »Bücher« oder Felder der orientalisch-westlichen Gesinnung, das einleitende *Buch des Sängers* endet mit dem Gesang der *Seligen Sehnsucht*, im *Buch Hafis* wird das Verhältnis der östlichen Religiosität zur westlichen umschrieben; es folgen Spruch- und Lehrdichtung, Abrechnung mit dem Unverstand der urteilslosen Masse, der Zustand rauschhafter Ekstase, allgemeine ethische und religiöse Betrachtungen und schließlich die Bitte des westlichen Dichters um Einlaß ins Paradies, gerechtfertigt durch die Beweise seiner Liebe und das Angebot seiner Verse.

Wenn nicht wenige der *Divan*-Gedichte – etwa das *Vermächtnis altpersischen Glaubens* oder *Wiederfinden* – den Begriff von ›Gedankenlyrik‹ nahelegen, so ist damit nicht die etwa für Schillers Lyrik so charakteristische logische Entfaltung einer Idee gemeint, sondern die Metamorphose und das Aufgehen des individuellen Erlebens in der Totalität des Bewußtseins. Jeder Bereich der Erfahrung nährt und spiegelt dieses Bewußtsein: weltliche und religiöse Themen greifen ineinander, Weisheitslehren oder Liebesgespräche formulieren und variieren die Gesetze aller Lebensbeziehungen. Privates und Öffentliches, Trennung und Wiederfinden, Dialog und verhaltenes Schweigen sind die stets im Modus des Fließens, der Bewegung und der Übergänge vermittelten Verhaltensweisen: »Dein Lied ist drehend wie das Sterngewölbe«. Kreisende Wiederholung der Motive, bewußt gesetzte Antithetik und Parallelismus sind die Mittel des orientalisierenden Stils, der sich vom ›klassischen‹ so wesentlich unterscheidet, wie es das Gedicht *Lied und Gebilde* metaphorisch umschreibt:

> Mag der Grieche seinen Ton
> Zu Gestalten drücken,
> An der eignen Hände Sohn
> Steigern sein Entzücken;
>
> Aber uns ist wonnereich
> In den Euphrat greifen,
> Und im flüßgen Element
> Hin und wider schweifen.
>
> Löscht ich so der Seele Brand,
> Lied es wird erschallen;
> Schöpft des Dichters reine Hand,
> Wasser wird sich ballen.

In der märchenhaften Welt des *Divan* bleibt jedenfalls das Helle, bleiben Heiterkeit und Anmut, aber auch ein Gefühl für das Transitorische, die eigentliche Grundierung eines Werkes, das, frei von allem spekulativen Idealismus, von allem Maßlosen und Undeutlichen, Goethes Nähe zur poetischen Sensibilität der Romantik empfinden läßt.

> Von abertausend Blüten
> Ist es ein bunter Strauß,
> Von englischen Gemüten
> Ein vollbewohntes Haus;

> Von buntesten Gefiedern
> Der Himmel übersät,
> Ein klingend Meer von Liedern
> Geruchvoll überweht.

Die Gestik der späten Lyrik Goethes – ein gewisser Lakonismus, der Blick auf das Bedeutsame, der Verzicht auf das semantisch Überflüssige, die Neigung zu Assoziationen und Andeutungen – bleibt, in der Nähe der Sprechformen des *Divan*, symptomatisch auch für die großen sogenannten Dornburger Gedichte, etwa *Dem aufgehenden Vollmond*, die Verse der *Chinesisch-deutschen Jahres- und Tageszeiten* und die langsam reifende *Paria*-Dichtung.

Goethes Gefühl der seelischen Bewegung und Erneuerung wurde zur selben Zeit überraschend vertieft durch die Beispiele »nordischer« Malerei in der Heidelberger Sammlung Boisserée und den Besuch des noch unvollendeten Kölner Doms. Gewiß, »dezidierter Heide« wollte er trotz der überwältigenden mittelalterlichen Zeugnisse gotischer und romanischer Kunstdenkmäler bleiben: die uneingeschränkt beispielhafte Größe antiker Lebensmodelle gehört zu den Axiomen seines Denkens. In seiner Zeitschrift *Über Kunst und Altertum in den Rhein- und Maingegenden* (ab 1816, seit 1818 als *Über Kunst und Altertum*) weist er auf den Reichtum der bisher kaum wahrgenommenen Gegenstände und Formen der »heimischen« Kunst; aber seine Ablehnung der zeitgenössischen Begeisterung für die christliche, die neukatholische, nazarenische Malerei hätte nicht entschiedener sein können. Wenn er 1817 mit der Übersendung des 2. Heftes der Zeitschrift an Boisserée schreibt: »Möge es Ihren Gesinnungen und Absichten zusagen«, so konnte er Meyer versichern, die Hauptwirkung des Heftes »wird groß und tüchtig bleiben: denn alle Welt ist dieser Kinderpäpstelei satt, und es hängt von uns ab, immer derber herauszugehen. Denken Sie auch nach, was alles wir zunächst tun sollen, um die Herzensergießungen der Weimarischen

Kunstfreunde recht in vollem Maße hervorströmen zu lassen. Es muß nun Schlag auf Schlag gehen, ich zünde auch im naturwissenschaftlichen Fache das Kriegsfeuer an allen Orten und Enden an.«

Das letzte Jahrzehnt des Goetheschen Lebens sollte den großen Entwurf eines kontinuierlich in Wissenschaft, literarischem Verkehr, selbstbewußter Repräsentation, patriarchalisch-feudaler politischer Überzeugung gegründeten Lebens in einer Folge von bekennenden und summierenden Werken vollenden. Neben dem 2. Teil des *Faust* war vordringlich noch ein letztes großflächiges, zeitkritisches Werk abzuschließen. Schon im Mai 1821 hatte er eine 1. Fassung von *Wilhelm Meisters Wanderjahre* hergestellt, die er seit seiner Lektüre der *Cent Nouvelles nouvelles* und Boccaccios *Decamerone* im Jahre 1807 aus gelegentlich komponierten Novellen in einem Handlungsgefüge verflocht. Was aufgrund eines neuen Schemas seit 1825 entstand, war ein in seiner Form und seinen Thesen eigenwilliger und unkonventioneller Roman, der kaum etwas von dem ursprünglichen Plan einer Verzahnung beider Teile des *Meister*-Romans verwirklichte.

Die Wege von Wilhelms Wanderung, die Handlungsbereiche, die er beobachtet, die Geschichten, die er liest oder anhört, sind nicht mehr Zeichen einer Entwicklung zur individuellen Bildung, sondern nebeneinander gestellte Zeugnisse und Dokumente eines Wandels der sozialen Lebensbedingungen in einer veränderten Zeit.

Novellen, beginnend mit der Geschichte von Joseph dem Zweiten, und die verschiedenartigsten Kristallisationen weltanschaulicher Ansichten bilden, nach Goethes eigenem Urteil, ein Kollektiv, wenn auch nicht aus einem Stücke, »so doch aus einem Sinn«. Die didaktisch-pädagogische Absicht wird in Episoden wie dem *Bund der Wanderer* und der *Pädagogischen Provinz* ausführlich und oft trocken und ohne viel Rücksicht auf den zu Belehrenden entfaltet.

Erzählt wird hier offensichtlich in der Absicht, mitzuteilen und aufzuklären. Es ist ein Werk, das in der Nähe der großen utopischen Staatsromane von Plato und Morus bis Rousseau steht, freilich ohne eigentliche philosophische Methode. Die von der Zeit und den Tendenzen der Gegenwart gestellten Probleme lassen sich an allen Aspekten des privaten und öffentlichen Daseins aufzeigen, in Wirtschaft, Erziehung und Religion, in den Arbeits- und Lohnverhältnissen, in Schulreform und den gelockerten Glaubensgrundsätzen. Die sozialistischen Schriften Sismondis, Saint-Simons, Benthams und Owens haben hier anregend gewirkt. Von den »natürlichen« Lebensformen Josephs des Zweiten bis zur unvermeidlichen Spezialisierung des Maschinenzeitalters verändert sich die Art und das Tempo der Existenz: aus der Seßhaftigkeit wird ein »Bund« der Wanderer, für die die Forderung des Tages, freiwillige Einschränkung, »Entsagung«, bestimmend sind. Alles das bedeutet den Verzicht auf den bisher verkündeten Humanitätsgedanken, auf das klassische Bildungsideal. Leonardo, der bewegende Geist der »Wanderer«, weist auf die neue »Weltfrömmigkeit« hin. Eine freie Richtung des Denkens, Toleranz und die Hoffnung auf Landbesitz läßt in der Sicht auf Amerika Abschied von der alten, gesicherten Welt nehmen, von Tradition und »Gemüt«. Zu einer Zeit, als die Probleme der industriellen Revolution anderswo vehement zur Diskussion gestellt wurden, scheint Goethes Vorstellung der kommenden sozialen Struktur eher reaktionär.

Wilhelms Sohn Felix wird in der Pädagogischen Provinz erzogen, in der über den Weg von der ethischen zur philosophischen und christlichen Religion die Lehre von den drei Ehrfurchten verwirklicht wird: Ehrfurcht vor sich selbst, Ehrfurcht vor dem Höchsten, das über uns, und Ehrfurcht vor dem Lieben, das neben uns ist. Der Entschluß, uns selbst Ehrfurcht zu gebieten, stellt die Lichtgestalt der Makarie in den Mittelpunkt dieser weltlichen Apotheose, in der die Harmonie zwischen der menschlichen Seele und

dem System der Planeten erreicht ist und patriarchalische
und kosmische Normen im Sinne Goethes zum Ausdruck
kommen.

Eingeschobene Novellen verbreitern und variieren die
verschlungenen Wege dieser seltsamen Topographie, die
Thomas Carlyle »die Allegorie des neunzehnten Jahrhunderts« nannte. Der Charakter des Alterswerkes mit seiner
oft rücksichtslosen Diskontinuität des Erzählganges, seinen
Unstimmigkeiten und Widersprüchen ist unverkennbar.
Sein überstürzter Abschluß konnte nur mit Hilfe Ecker-
manns durch Auffüllung des Materials aus Notizheften
Goethes erreicht und in gewissem Sinne gerechtfertigt werden durch das auch für die spätere europäische Romanthe-
orie geltende Prinzip der ›poetischen Logik‹ einer bewußt
aufgebrochenen Handlungsfolge.

Als Goethe am 22. März 1832 in Weimar starb, ging ein
Leben von höchster Produktivität zu Ende, von ungebrochener Anhänglichkeit an die Werte seiner bürgerlichen
Herkunft, aufgehoben in der höfischen Welt eines verant-
wortungsbewußten Feudalismus. Durchaus weltlich gesinnt, die konsequenten Entwicklungsgesetze der damaligen
Naturwissenschaften als Modelle seines rational-empiri-
schen Verhaltens jenseits aller spiritualistischen oder dogmatischen Religiosität fruchtbar machend, konnte er sich als
»Stockrealisten« bezeichnen, der an der Überzeugung der
organischen Struktur der Natur als universalem Ordnungs-
system festhielt. Letzte Fragen nach dem Sinn von Schöpfer
und Schöpfung wollte er nicht in kirchlicher Lehre und
Organisation, sondern in ehrfürchtiger Anerkennung des
religiösen Empfindens beantwortet wissen. Wenn wir heute
in Goethes Naturschau die Voraussetzung seiner dichterischen, ja kulturpolitischen Bemühungen sehen, so empfand
er die Indifferenz seiner Zeitgenossen gerade gegenüber
diesem zentralen Interesse an den Operationsformen der

Wissenschaften als kaum verständlich (*Morphologie. Schicksal der Druckschrift*):

> Nirgends wollte man zugeben, daß Wissenschaft und Poesie vereinbar seien. Man vergaß, daß Wissenschaft sich aus Poesie entwickelt habe, man bedachte nicht, daß nach einem Umschwung von Zeiten, beide sich wieder freundlich, zu beiderseitigem Vorteil, auf höherer Stelle, gar wohl wieder begegnen könnten.

Sich den politischen Gegebenheiten anzupassen, statt sie, wie viele seiner Freunde und Zeitgenossen, tätig im Sinne einer progressiven Emanzipationspolitik zu verändern, war nicht nur in seinem angestammten rheinfränkisch-bürgerlichen Habitus begründet, seinem Glauben auch hier an eine »natürliche« Ordnung, die sich innerhalb veredelter feudaler Prämissen produktiv entwickeln sollte, sondern in einem tiefen Mißtrauen gegenüber jeder historischen oder gar teleologischen Konsequenz in der Weltgeschichte. Weder mit dem aufgeklärten Despotismus des 18. Jahrhunderts noch dessen bleibenden Spuren im gesellschaftlichen und individuellen Verhalten der Deutschen überhaupt konnte und wollte er sich identifizieren. Sein nie überwundener Schrecken gegenüber dem durch die Französische Revolution entbundenen Chaos, andererseits seiner Hoffnung auf die Neuordnung der katastrophalen dynastischen Verhältnisse in Deutschland durch Napoleon waren Reaktionen einer instinktiven Abwehr gegen jede Form schrankenloser Impulsivität und Subjektivität. Wir wissen, wie stark auch in anderem Zusammenhang, etwa seiner Kritik gegenüber dem »pathologischen« Werk Kleists, sich dieser Instinkt nahezu blind behauptete.

In der Kunst, jener Artikulierung der höchsten menschlich-gesellschaftlichen Leistung, durchaus abhängig von einem Verständnis der Natur, aber als Gegenstand der Reflexion von eigener Gesetzlichkeit, sah er die mögliche Form einer aussichtsreichen politischen Aktion der Bürgerklasse.

Hier, verankert in den bis spät unhistorisch gesehenen Bildern der klassischen Kunst- und Lebensformen, lag der Ansatz zu jener humanistischen Unterbauung des deutschen Selbstverständnisses im 19. Jahrhundert. Seine öffentlich erklärte Hochschätzung der großen literarischen Zeitgenossen – Byrons, Scotts, Manzonis – verliehen seinem Nachruhm in England, Amerika, Frankreich und Italien eine sehr viel unmittelbarere Wirkung, als das in Deutschland der Fall sein konnte. Er steht dort nicht ganz zu Unrecht im weiteren Umkreis der europäischen Romantik.

Wer heute sich mit dem Werk Goethes vertraut zu machen sucht, muß es jenseits aller Mythisierung einer bedeutenden Erscheinung tun, muß Sinn und Rechtfertigung einer Universalität begreifen, die in der bildhaften Gestaltung, sei es dichterischer oder kritischer Impulse, ihre Erfüllung findet. Sich an einer gewissen Steifheit des Menschen Goethe zu stoßen heißt, absehend von seiner öffentlichen ›Tournure‹, die inneren Spannungen, die geistige Intensität und Beweglichkeit dieses einzigartigen Menschen verkennen. Kaum ein anderer Schriftsteller der Moderne ist gerade für unsere Zeit so ergiebig und anregend, so reich an Einsichten und konkreten Anschauungen wie Goethe. Es war eine überlegene, ernste und verantwortungsbewußte Stimmung, die ihn trotz eines tief empfundenen Unmuts gegenüber der Fragwürdigkeit der eigenen Zeit – »Verwirrende Lehre zu verwirrtem Handel waltet über die Welt« – fünf Tage vor seinem Tode Wilhelm von Humboldt gegenüber in seinem letzten Brief (17. März 1832) die Kernüberzeugung seines Lebens formulieren ließ:

> Je früher der Mensch gewahr wird daß es ein Handwerk, daß es eine Kunst gibt, die ihm zur geregelten Steigerung seiner natürlichen Anlagen verhelfen, desto glücklicher ist er; was er auch von außen empfange, schadet seiner eingebornen Individualität nichts.

Das beste Genie ist das, welches alles in sich aufnimmt, sich alles zuzueignen weiß, ohne daß es der
eigentlichen Grundbestimmung, demjenigen was
man Charakter nennt, im mindesten Eintrag tue,
vielleicht solches noch erst recht erhebe und durchaus nach Möglichkeit befähige [...]. Die Organe des
Menschen durch Übung, Lehre, Nachdenken, Ge-
lingen, Mißlingen, Fördernis und Widerstand und
immer wieder Nachdenken verknüpfen ohne Bewußtsein in einer freien Tätigkeit das Erworbene mit
dem Angebornen, so daß es eine Einheit hervorbringt welche die Welt in Erstaunen setzt.

Anmerkung

1 Hier eine zureichende Interpretation der *Faust*-Dichtung zu bieten ist nicht möglich: verwiesen sei auf den materialreichen *Kommentar zu Goethes Faust* von Th. Friedrich und L. J. Scheithauer,
Stuttgart 1974 (u. ö.), die Kommentare der neueren Goethe-Ausga-
ben, etwa der Berliner, Hamburger oder Münchner, die Einführung
von V. Lange, »Faust. Die Tragödie zweiter Teil«, in: *Goethes
Dramen. Neue Interpretationen*, hrsg. von W. Hinderer, Stuttgart
1980, S. 281–312, und U. Gaier, *Goethes Faust-Dichtungen. Ein
Kommentar*, Stuttgart 1989.

Bibliographische Hinweise

Erwin und Elmire. 1775, 1788. – Proserpina. 1778, 1786. – Die Geschwister. 1787. – Claudine von Villa Bella. 1788. – Der Groß-Cophta. 1792. – Der Bürgergeneral. 1793. – Paläophron und Neoterpe. 1801. – Leben des Benvenuto Cellini. 1803. (Übers.) – Denis Diderot: Rameau's Neffe. 1805. (Übers.) – Pandora. 1810. – Philipp Hackert. 1811. – Des Epimenides Erwachen. 1815. – Zur Naturwissenschaft überhaupt. 1817. – Campagne in Frankreich und Belagerung von Mainz. 1822. – Briefwechsel zwischen Schiller und Goethe in den Jahren 1794–1805. 1828.

Werke. Vollständige Ausgabe letzter Hand. 40 Bde. Stuttgart/ Tübingen 1827–30. – Dazu ergänzend: Nachgelassene Werke. 20 Bde. Hrsg. von J. P. Eckermann und F. W. Riemer. Stuttgart/ Tübingen 1832–42.

Werke. Hrsg. im Auftrag der Großherzogin Sophie von Sachsen, Weimarer Ausgabe (Sophien-Ausgabe). 133 [in 143] Bdn. Weimar 1887–1919. – Nachdr. Tokyo/Tübingen 1975. – Taschenbuchausg. München 1987.

Sämtliche Werke. Jubiläumsausgabe. 40 Bde. In Verb. mit K. Burdach, W. Creizenach [u. a.] hrsg. von E. v. d. Hellen. Stuttgart/ Berlin 1902–07.

Werke. Festausgabe [...]. 18 Bde. Hrsg. von R. Petsch. Krit. durchges. Ausg. mit Einl. und Erl. Leipzig 1926.

Werke. Hamburger Ausgabe. 14 Bde., 1 Reg.-Bd. Hrsg. von E. Trunz. Hamburg 1948–64 [u. ö.]. – Nachdr. München 1966–74 [u. ö.].

Gedenkausgabe der Werke. Briefe und Gespräche. 28. August 1949. Artemis-Ausgabe. 24 Bde., 3 Erg.-Bde. Hrsg. von E. Beutler. Zürich/Stuttgart 1948–71.

Berliner Ausgabe. 22 Bde., 1 Suppl.-Bd. Hrsg. von S. Seidel. Berlin 1960–78.

Sämtliche Werke nach Epochen seines Schaffens. Münchner Ausgabe. Bd. 1 ff. Hrsg. von K. Richter [u. a.]. München 1985 ff.

Sämtliche Werke, Briefe, Tagebücher und Gespräche. Bd. 1 ff. Frankfurt a. M. 1988 ff.

Der junge Goethe. Neubearb. Ausg. 5 Bde., 1 Reg.-Bd. Hrsg. von H. Fischer-Lamberg. Berlin / New York 1963–74.

Gedichte. 3 Bde. Mit Erl. von E. Staiger. Zürich 1949.

[11]1982. – Taschenbuchausg. München 1977. Frankfurt a. M
1978.

Gundolf, F.: Goethe. Berlin 1916, [13]1930. – Nachdr. Darmstad
1963. New York 1971.

Kühn, R.: Goethe, eine medizinische Biographie. Stuttgart 1949.

Meyer, H.: Goethe. Das Leben im Werk. Hamburg 1951.
Nachdr. Stuttgart 1967.

Staiger, E.: Goethe. 3 Bde. Zürich 1952–59. [3]1978.

Witkowski, G.: Goethe. Leipzig 1899. [3]1923. – Neubearb. u. d. T.
Das Leben Goethes. Berlin 1932.

Goethe und die Antike. Eine Sammlung. 2 Bde. Hrsg. von E. Gru
mach. Nachw. von W. Schadewaldt. Berlin 1949.

Beiträge zur Goethe-Forschung. Hrsg. von E. Grumach. Berli
[Ost] 1959.

Goethe. A collection of critical essays. Hrsg. von V. Lange. Engle
wood Cliffs (N. J.) 1968.

Aspekte der Goethezeit. Hrsg. von S. A. Corngold [u. a.]. Göttin
gen 1977.

Goethes Dramen. Neue Interpretationen. Hrsg. von W. Hindere
Stuttgart 1980.

Studien zur Goethezeit. Erich Trunz zum 75. Geburtstag. Hrsg
von H.-J. Mähl und E. Mannack. Heidelberg 1981.

Goethes Narrative Fiction. The Irvine Goethe Symposium. Hrsg
von W. J. Lillymann. Berlin / New York 1983.

Goethes Erzählwerk. Interpretationen. Hrsg. von P. M. Lützele
und J. E. McLeod. Stuttgart 1985.

Faust-Bibliographie. 3 Tle. in 4 Bdn. Bearb. von H. Henning. Ber
lin [Ost] 1966–76.

Aufsätze zu Goethes »Faust I«. Hrsg. von W. Keller. Darmstad
1974. [2]1984.

Goethes »Wahlverwandtschaften«. Kritische Modelle und Diskurs
analysen zum Mythos Literatur. Hrsg. von N. W. Bolz. Hildes
heim 1981.

Die Wahlverwandtschaften. Eine Dokumentation der Wirkung vo
Goethes Roman 1808–1832. Hrsg. von H. Härtl. Berlin [Ost
1983.

Wörterbuch zu Goethes »Werther«. 7 Teillief. Begr. von E. Merke
In Zus.-Arb. mit J. Graefe und F. Merbach fortgef. und vollende
von I. Engel [u. a.]. Berlin [Ost] 1958–66.

Gedichte in zeitlicher Folge. 2 Bde. Hrsg. von H. Nicolai. Frank
furt a. M. 1958. – Taschenbuchausg. Frankfurt a. M. 1977.

Die Schriften zur Naturwissenschaft. Vollst. mit Erl. vers. Ausg.
Leopoldina-Ausgabe. 22 Bde. Begr. von G. Schmid, W. Troll und
L. Wolf. Seit 1957 hrsg. von D. Kuhn [u. a.]. Weimar 1947
bis 1977.

Goethe über seine Dichtungen. Versuch einer Sammlung aller Äuße
rungen des Dichters über seine poetischen Werke. 3 Tle. in 9 Bdn.
Von H. G. Gräf. Darmstadt 1967–68. (Nachdr. der Ausg. Frank
furt a. M. 1901–14.)

Briefe. Hamburger Ausgabe. 4 Bde. Textkrit. durchges. und mit
Anm. vers. von K. R. Mandelkow unter Mitarb. von B. Morawe.
Hamburg 1962–66.

Briefwechsel des Herzogs Carl August mit Goethe. 3 Bde. Hrsg.
von H. Wahl. Berlin 1915–18.

Goethe und Cotta. Briefwechsel 1797–1832. 3 [in 4] Bdn. Textkrit.
und komm. Ausg. Hrsg. von D. Kuhn. Stuttgart 1979–83.

Briefwechsel mit seiner Frau. 2 Bde. Hrsg. von H. G. Gräf. Frank
furt a. M. 1916.

Briefwechsel mit Wilhelm und Alexander von Humboldt. Hrsg. von
L. Geiger. Berlin 1909.

Goethe und die Romantik. Briefe. 2 Bde. Hrsg. von C. Schüdde
kopf und O. Walzel. Weimar 1898–99.

Johann Wolfgang von Goethe und Friedrich Schiller. Der Brief
wechsel. 3 Bde. Hrsg. von S. Seidel. Leipzig 1984.

Briefe an Charlotte von Stein. 3 Bde. Hrsg. von J. Fränkel. Umge
arb. Neuausg. Berlin [Ost] 1960–62.

Briefwechsel mit Christian Gottlob Voigt. 4 Bde. Unter Mitarb. von
W. Huschke bearb. und hrsg. von H. Tümmler. Weimar
1949–62.

Willemer, Marianne und Johann Jakob [von]: Briefwechsel mit
Goethe. Dokumente, Lebens-Chronik, Erläuterungen. Hrsg. von
H. J. Weitz. Frankfurt a. M. 1965.

Der Briefwechsel zwischen Goethe und Zelter. 3 Bde. Nach den
Handschriften hrsg. von M. Hecker. Bern 1970. (Nachdr. der
Ausg. Leipzig 1913–18.)

Goethe. Begegnungen und Gespräche. Bd. 1 ff. Begr. von E. Gru
mach. Hrsg. von R. Grumach. Berlin 1965 ff.

Goethes Gespräche. Eine Sammlung zeitgenössischer Berichte aus seinem Umgang. 10 Bde. Hrsg. von W. v. Biedermann. Leipzig 1889–96. – 2. Aufl. 5 Bde. Neu hrsg. von F. v. Biedermann. Leipzig 1909–11. – Neuausg. 4 Bde in 5 Tln. Auf Grund der Ausg. und des Nachlasses von F. v. Biedermann erg. und hrsg. von W. Herwig. Zürich/München 1965–84.

Eckermann, Johann Peter: Gespräche mit Goethe in den letzten Jahren seines Lebens. Hrsg. von R. Otto unter Mitarb. von P. Wersig. Berlin/Weimar 1982.

Amtliche Schriften. Veröffentlichung des Staatsarchivs Weimar. Goethes Tätigkeit im Geheimen Consilium. 3 [in 4] Bdn., 1 Reg.-Bd. Hrsg. von W. Flach. Weimar 1950–87.

Corpus der Goethezeichnungen. 7 Bde. Bearb. und hrsg. von G. Femmel. Leipzig 1958–73.

Briefe an Goethe. Gesamtausg. in Regestenform. Bd. 1 ff. Hrsg. von K.-H. Hahn. Weimar 1980 ff.

Goethe in vertraulichen Briefen seiner Zeitgenossen. Auch eine Lebensgeschichte. 3 Bde. Zus.-gest. von W. Bode. Bern 1969. (Nachdr. der Ausg. Berlin 1917–23.) – Neuausg. mit Quellennachweis, Textrev. und Register von R. Otto. Anm. von P.-G. Wenzlaff. Berlin [Ost] 1979 / München 1982.

Mittheilungen über Goethe. Aus mündlichen und schriftlichen, gedruckten und ungedruckten Quellen. 2 Bde. Von F. W. Riemer, Berlin 1841. – Neuausg. [...] hrsg. von A. Pollmer. Leipzig 1921.

Goethe. Sein Leben in Bildern und Texten. Vorw. von A. Muschg. Hrsg. von Ch. Michel. Gestaltet von W. Fleckhaus. Frankfurt a. M. 1982.

Zischka, G. A.: Goethe. Tageskonkordanz der Begebenheiten, Tagebücher, Briefe und Gespräche. Bd. 1 ff. Wien 1980 ff.

Goethes Leben von Tag zu Tag. Eine dokumentarische Chronik. Bd. 1 ff. Von R. Steiger. Zürich/München 1982 ff.

Mommsen, M.: Die Entstehung von Goethes Werken in Dokumenten. Unter Mitw. von K. Mommsen. Bd. 1 ff. Berlin 1958 ff.

Fambach, O.: Goethe und seine Kritiker. Die wesentlichen Rezensionen aus der periodischen Literatur seiner Zeit, begleitet von Goethes eigenen und seiner Freunde Äußerungen. Mit einem Anh.: Bibliographie der Goethe-Kritik bis zu Goethes Tod. Düsseldorf 1953.

Goethe im Urteil seiner Kritiker. Dokumente zur Wirkungsge-

schichte Goethes in Deutschland. 4 Bde. Hrsg., eingel. und komm. von K. R. Mandelkow. München 1975–84.

Mandelkow, K. R.: Goethe in Deutschland. Rezeptionsgeschichte eines Klassikers. 2 Bde. München 1980 ff.

Goethe-Bibliographie. [Auswahlbibliographie von den Anfängen bis 1964.] 2 Bde. Begr. von H. Pyritz. Fortgef. von H. Nicolai und G. Burkhardt. Heidelberg 1965–68.

Goethe-Bibliographie 1951–1969. Bearb. von H. Nicolai. In: Goethe-Jahrbuch 14–33 (1952–71).

Goethe-Bibliographie 1970 ff. Bearb. von H. Henning. In: Goethe-Jahrbuch 89 ff. (1972 ff.).

Internationale Bibliographie zur deutschen Klassik 1750–1850. Bearb. von K. Hammer, H. Henning [u. a.]. F. 1–10 (1959 bis 1963). In: Weimarer Beiträge 6–10 (1960–64). [Buchausg.: Leipzig 1973.] F. 11/12 ff. (1964/65 ff.). Weimar 1970 ff.

Goethe-Handbuch. 3 Bde. In Verb. mit [...] hrsg. von J. Zeitler. Stuttgart 1916–18. – 2., vollkommen neugest. Aufl. u. d. T.: Goethe-Handbuch. Goethe, seine Welt und Zeit in Werk und Wirkung. 4 Bde. Unter Mitw. zahlreicher Fachgelehrter hrsg. von A. Zastrau. Stuttgart 1956.

Goethe-Wörterbuch. Bd. 1 ff. Hrsg. von der Deutschen Akademie der Wissenschaften zu Berlin [u. a.]. Berlin [Ost] / Stuttgart 1966 ff.

Lexikon der Goethe-Zitate. Hrsg. von R. Dobel. Zürich 1968. – Taschenbuchausg. München 1972.

Altenberg, P.: Goethe. Versuch einer morphologischen Darstellung. Berlin 1949.

Bielschowsky, A.: Goethe. Sein Leben und seine Werke. 2 Bde. München 1896–1904. [33]1918.

Bode, W.: Goethes Leben. [1749–98.] 9 Bde. Berlin 1920–27.

Böhm, H.: Goethe. Grundzüge seines Lebens und Werkes. Berlin 1938. [4]1950.

Conrady, K. O.: Goethe. Leben und Werk. 2 Bde. München 1982–85.

Eissler, K. R.: Goethe. A psychoanalytic study. 1775–1786. 2 Bde. Detroit 1963. – Dt. Basel / Frankfurt a. M. 1983–84. – Taschenbuchausg. München 1987.

Friedenthal, R.: Goethe. Sein Leben und seine Zeit. München 1963.

Studien zum »West-östlichen Divan« Goethes. Hrsg. von E. Lohner. Darmstadt 1971.

Interpretationen zum »West-östlichen Divan«. Hrsg. von E. Lohner. Darmstadt 1973.

Goethes »Wilhelm Meister«. Zur Rezeptionsgeschichte der Lehr- und Wanderjahre. Hrsg. von K. F. Gille. Königstein i. T. 1979.

Erläuterungen und Dokumente: Johann Wolfgang Goethe, »Wilhelm Meisters Lehrjahre«. Hrsg. von E. Bahr. Stuttgart 1982.

Arens, H.: Kommentar zu Goethes »Faust I«. Heidelberg 1982.

Atkins, S.: Goethe's »Faust«. A literary analysis. Cambridge (Mass.) 1958.

Beutler, E.: Essays um Goethe. 2 Bde. Leipzig 1941–47. 5., neu durchges. Aufl. Bremen 1957. [In 1 Bd.]

Blessin, S.: Die Romane Goethes. Königstein i. T. 1979.

Einem, H. v.: Goethe-Studien. 2., erw. Aufl. München 1972.

Emrich, W.: Die Symbolik von »Faust II«. Sinn und Vorformen. Berlin 1943. – 2. Aufl. Frankfurt a. M. 1957. 4. Aufl. Wiesbaden 1978.

Fischer, H.: Goethes Naturwissenschaft. Zürich 1950.

Friedrich, Th.: Goethes Faust erläutert. Leipzig 1932, [3]1940. – Überarb. Neuausg.: Friedrich, Th. / Scheithauer, L. J.: Kommentar zu Goethes Faust. Mit einem Faust-Wörterbuch und einer Faust-Bibliographie. Stuttgart 1959. – Erw. Neuaufl. 1973 [u. ö.].

Gaier, U.: Goethes Faust-Dichtungen. Ein Kommentar. Bd. 1: Urfaust. Stuttgart 1989.

Henel, H.: Goethezeit. Gesammelte Aufsätze. Frankfurt a. M. 1979.

Jäger, G.: Empfindsamkeit und Roman. Wortgeschichte, Theorie und Kritik im 18. und frühen 19. Jahrhundert. Stuttgart/Berlin/Köln/Mainz 1969.

Kobligk, H.: Johann Wolfgang von Goethe: »Faust II«. Frankfurt a. M. / Berlin / München [6]1985.

Kommerell, M.: Gedanken über Gedichte. Frankfurt a. M. 1943.

Korff, H. A.: Goethe im Bildwandel seiner Lyrik. 2 Bde. Hanau 1958.

Lohmeyer, D.: Faust und die Welt. Zur Deutung des zweiten Teils der Dichtung. Potsdam 1940. – Neufass. m. d. Untert.: Der zweite Teil der Dichtung. Eine Anleitung zum Lesen des Textes. München 1975.

Lukács, G.: Goethe und seine Zeit. Bern 1947. – 3. Aufl. Berlin [Ost] 1955.

Mason, E. C.: Goethe's »Faust«. Its genesis and purport. Berkeley (Calif.) 1967.

Meyer, Herman: Diese sehr ernsten Scherze. Eine Studie zu »Faust II«. Heidelberg 1970.

Mommsen, K.: Natur und Fabelreich in »Faust II«. Berlin 1968.

Müller-Seidel, W.: Die Geschichtlichkeit der deutschen Klassik. Literatur und Denkformen um 1800. Stuttgart 1983.

Naumann, Gerhard: Konfiguration. Studien zu Goethes »Torquato Tasso«. München 1965.

Rasch, W.: Goethes »Torquato Tasso«. Die Tragödie des Dichters. Stuttgart 1954.

– Goethes »Iphigenie auf Tauris« als Drama der Autonomie. München 1979.

Reiss, H.: Goethes Romane. Bern/München 1963.

Schadewaldt, W.: Goethe-Studien. Natur und Altertum. Zürich/ Stuttgart 1963.

Schlaffer, H.: Wilhelm Meister. Das Ende der Kunst und die Wiederkehr des Mythos. Stuttgart 1980.

Schlaffer, H.: Faust 2. Teil. Die Allegorie des 19. Jahrhunderts. Stuttgart 1981.

Schlechta, K.: Goethes »Wilhelm Meister«. Mit einer Einl. von H. Schlaffer. Frankfurt a. M. 1985.

Trunz, E.: Weimarer Goethe-Studien. Weimar 1980.

Henkel, A.: Goethe-Erfahrungen. Studien und Vorträge. Stuttgart 1982.

Wittgenstein, L.: Bemerkungen über die Farben. Hrsg. von G. E. Anscombe. Frankfurt a. M. 1979.

Zimmermann, R. Ch.: Das Weltbild des jungen Goethe. Studien zur hermetischen Tradition des deutschen 18. Jahrhunderts. 2 Bde. München 1969–79.

FRIEDRICH LEOPOLD
GRAF ZU STOLBERG-STOLBERG

Von Jürgen Behrens

Geboren wurde Friedrich Leopold Graf zu Stolberg-Stolberg am 7. November 1750 im holsteinischen Bad Bramstedt als Sohn des in dänischem Dienst stehenden Amtmannes, etwa einem heutigen Landrat vergleichbar, Christian Günther Graf zu Stolberg-Stolberg. Der in der Gesamtfamilie Stolberg latent vorhandene Pietismus verstärkte sich in diesem Zweig unter dem Einfluß der offenbar exzentrischen Mutter Christiane aus der Familie Castell-Remlingen, einer engen Freundin Klopstocks.

Der Vater starb auf einer Badereise 1765 in Aachen. Die Mutter kaufte das kleine Gut Rondstedt (heute: Rungstedt) nördlich Kopenhagen und übersiedelte mit drei Söhnen und vier Töchtern dorthin, ihre älteste Tochter Henriette war bereits verheiratet, vier weitere Kinder waren jung gestorben. Friedrich Leopold wird später in zwei Ehen achtzehn Kinder haben. Die Familie – im engen wie im weiteren Sinne – bleibt für ihn lebenslang und ohne jede Einschränkung der gemäße Rahmen der eigenen Existenz. Die engste Verbindung besteht zum älteren Bruder Christian (1748 bis 1821): bis 1777 ist ihr Lebensweg derselbe, 1779 erscheinen als erste gemeinsame Buchveröffentlichung beider die *Gedichte*, 1819–25 in 20 Bänden die *Gesammelten Werke der Brüder* [...] *Stolberg*, als die sie in die Literaturgeschichte eingehen wie außer ihnen nur die Brüder Grimm.

Daß Klopstock in die Erziehung der Brüder direkt eingegriffen hat, ist mehrfach belegt; die Jugend erscheint im

Rückblick aller Geschwister in heiterem Licht, die Familie war nicht reich, konnte aber offenbar auskömmlich leben; erst in den frühen siebziger Jahren kommt es zwischen den älter werdenden Geschwistern und der Mutter zu Spannungen über deren literarische Interessen, mit der 1753 geborenen Auguste, der späteren Brieffreundin Goethes, 1771 zum Zerwürfnis, das erst kurz vor dem Tod der Mutter Ende 1773 formell ausgesöhnt wurde.

Im Herbst 1770 begannen Christian und Friedrich Leopold ihr Studium im pietistisch geprägten Halle, im Oktober 1772 immatrikulierten sie sich für das letzte Studienjahr in Göttingen. Boie vermittelte rasch die Bekanntschaft mit den Mitgliedern des Göttinger Hain, jenem jugendlichen Dichterbund des Sturm und Drang, der sich am 12. September 1772 in der Umgebung Göttingens für »ewig« feierlich konstituiert hatte und dessen »annus mirabilis« ein Jahr später am 12. September 1773 mit der Abreise der Brüder aus Göttingen endete. Der gemeinsame Nenner war »Klopstock!« – weniger als Person und Dichter, sondern als Losungswort der neuen Generation – als solches wird große Ende 1773 im *Werther* den Namen ausrufen. Den Dichter selbst, dessen Oden-Ausgabe von 1771 gleichsam den Sturm und Drang eingeläutet hatte, kannten die Göttinger nicht, aus seiner nächsten persönlichen Umgebung kamen die Brüder Stolberg – das war das eine. Das andere: die Brüder waren nicht nur Grafen (in den Hörsälen waren die »Grafenbänke« noch eine Realität), sondern Angehörige einer zwar nicht mehr de facto, aber de iure reichsunmittelbaren Familie des Heiligen Römischen Reiches Deutscher Nation, also des dem Reichsoberhaupt zunächst stehenden Standes: aus den geistlichen »Brüdern« des Pietismus waren weltliche der Dichtung geworden. Die ständische Welt, in der sie alle noch aufgewachsen waren, gehörte ein Vierteljahrhundert später im wesentlichen der Vergangenheit an. Anreger dieses Göttinger Kreises war Boie, der führende Kopf wurde bald Voß, die poetisch begabtesten waren zweifellos Hölty und

Friedrich Leopold Graf zu Stolberg-Stolberg
1750–1819

nach ihm Stolberg; Miller und Hahn sind zu nennen, die übrigen bleiben Randfiguren, Bürger schließt sich dem Bund nicht an, begleitet ihn aber mit freundlichem Interesse und liest in diesem Kreis seine Ballade *Lenore* vor. Das Göttinger Jahr ist für Stolberg, insoweit er Dichter war, prägend. Er nimmt die – freilich diffusen – Themen des Hain auf: Freiheit, Vaterland, Natur; die Grenzen sind fließend. Nach zögernden Dichtversuchen in Halle wächst in der Gemeinschaft der Göttinger Bundesbrüder das poetische Selbstbewußtsein, die ersten Hymnen und Lieder entstehen und werden bei den regelmäßigen Treffen des Bundes vorgelesen, ja zum erstenmal wagen es beide Brüder, dem verehrten Klopstock ihre Gedichte zu schicken. Im Winter 1772/73 entsteht im Göttinger Kreis die Sammelhandschrift *Für Klopstock*, die die Brüder bei einem Osterbesuch 1773 in Hamburg überreichen. Der Sommer vereinigt die Göttinger noch einmal.

Wie schon von Halle aus bereisen Christian und Friedrich Leopold den Harz, die Heimat der Gesamtfamilie, aber auch die Heimat Klopstocks und Sujet vieler seiner Oden. Friedrich Leopolds Ode *Der Harz* spiegelt die ganze Thematik jener frühen Zeit, sie ist eins der 7 Gedichte, die im berühmten *Göttinger Musenalmanach auf das Jahr 1774* erscheinen, in dem sich beide Brüder erstmals der Öffentlichkeit stellen.

Als Autodidakten beginnen die Brüder in Göttingen Griechisch zu lernen, Christian an der *Odyssee*, Friedrich Leopold an der *Ilias*, die er alsbald zu übersetzen beginnt, als erster in Deutschland in Hexametern; der Wettstreit mit Bürger, der eine Übersetzung in fünffüßigen Jamben plant, bewegt die Gemüter. 1777 läßt Friedrich Leopold den 20. Gesang in Boies Zeitschrift *Deutsches Museum*, die für lange Jahre sein bevorzugtes Organ wird, erscheinen. Im Jahr darauf besorgt Voß, dem Stolberg die Übersetzung schenkt, die Ausgabe des Gesamtwerkes, bereits drei Jahre später erscheint die 2. Auflage, nachdem schon 1780 in Amberg ein Raubdruck herausgekommen war. Bis 1962 sind mindestens 11 Auflagen erschienen.

Belegt ist für das Göttinger Jahr auch umfangreiche historische Lektüre, und zwar zur französischen, englischen und niederländischen Geschichte. Nur die in späteren Jahren für Stolberg so wichtigen theologischen Studien bleiben noch ausgespart. Noch stehen Dichten und (ganz unphilologisch als Nachdichten verstandenes) Übersetzen im Vordergrund.

Die standesübliche ›Kavalierstour‹ der jungen Adligen fiel – wohl aus materiellen Gründen – vergleichsweise bescheiden aus, sie führte 1775 von Kopenhagen über Frankfurt in die Schweiz und über Weimar und Berlin zurück und dauerte nur ein dreiviertel Jahr. Mit dem Hallenser Studienfreund Kurt Georg von Haugwitz, dem späteren preußischen Außenminister, trafen sich die Brüder in Frankfurt. Der briefliche Kontakt zu Goethe war schon 1774 angeknüpft, im Januar 1775 datiert Gothes erster Brief an Auguste Stolberg. Im Mai trafen die Brüder, die von Gießen vermutlich Friedrich Maximilian Klinger mitgebracht hatten, in Frankfurt mit Goethe zusammen. Am 14. Mai 1775 begann dort – man hatte sich »Werthers Uniform« (blauer Rock, gelbe Weste und Hose und runder grauer Hut) machen lassen – jene ›Geniereise‹ über Straßburg und Emmendingen nach Zürich zu Lavater, in der der Sturm und Drang sich zugleich erfüllte und erschöpfte, eine genialische Prozedur, eine Art mehrwöchiger Feiertag. Die thematische Identität von Goethes *Mahomets Gesang* und Stolbergs *Der Felsenstrom* ist ebenso offensichtlich wie die – lediglich perspektivisch seitenverkehrte – von Gretchens *Meine Ruh' ist hin* und dem *Lied in der Abwesenheit*. Hinzu kam für Stolberg und Goethe eine biographisch fast identische Situation: Beide waren unglücklich verliebt, Goethe in Lili Schönemann, an die er sich nicht binden wollte, Stolberg in die nicht näher bekannte, in Hamburg lebende Sophie Hanbury, die er aus Standesgründen nicht heiraten konnte; für beide war die Zukunft ungewiß, ein Wirkungskreis noch nicht abzusehen, aber es wurde für beide höchste Zeit, denn nach der damaligen Lebenserwartung standen sie – Goethe war 25, Stolberg 24 Jahre alt – längst am Ende der Jugend, ja bald in der Lebensmitte.

Anfang Juli verließ Goethe Zürich, die Brüder Stolberg bereisten die Schweiz bis in den Herbst. Im November trafen sie Goethe noch einmal in Weimar. Der von Herzog Karl August unterstützte Plan, Friedrich Leopold als Kammerherrn nach Weimar zu holen, zerschlug sich, Stolberg blieb als Gesandter des Fürstbischofs von Lübeck und Herzogs von Oldenburg in Kopenhagen. Bis 1800 bleibt er in staatlichen Ämtern; zeitweilig auch in dänischen Diensten als Gesandter in Berlin (1789–91), danach als Kammerpräsident des Fürstbischofs, des einzigen protestantischen übrigens, mit Sitz in Eutin.

1782 hatte er dort seine erste Frau Agnes von Witzleben geheiratet. Das durch Schuberts Vertonung berühmte *Lied auf dem Wasser zu singen* spiegelt das nur vier Jahre währende Glück dieser Ehe in jenem lyrischen Liedton, der Stolberg gemäßer war als die Hymne. Zwischen 1777 und 1782 hatte er im *Deutschen Museum* 5 Prosa-Impromptus veröffentlicht, beginnend mit *Über die Fülle des Herzens* – ein zentraler Begriff des Sturm und Drang, ja der Literatur der zweiten Jahrhunderthälfte überhaupt – und schließend mit *Über die Begeistrung*, die zum Besten der Sturm-und-Drang-Prosa gehören und zugleich sein ›poetologisches‹ Credo darstellen, das eine ›Poetik‹ eigentlich gar nicht zuläßt, sondern der »Begeistrung« allein dichterische Kraft zumißt, die dem Dichtenden immer dann zu Diensten ist, wenn er nur ›con amore‹ dichtet. Das ›pfingstlerische‹ Element des Sturm und Drang ist bei keinem seiner Schreibenden so rigoros und konsequent ausgeprägt wie bei Stolberg, dessen pietistische Herkunft hier gleichsam säkularisiert wiederum deutlich wird.

Die Jahre bis zum Tod seiner ersten Frau 1788 sind poetisch die fruchtbarsten. Neben Gedichten erscheinen im *Deutschen Museum* die satirischen *Jamben*, als Buch dann 1784, im gleichen Jahr als Privatdruck das erste der stark politisch geprägten Dramen, dessen Titelfigur der Tyrannenmörder Timoleon ist. Bis 1788 entsteht der zeitgenössische Erziehungsroman *Numa*, der das französische Ancien régime in den schwärzesten Farben vor der leuchtenden Folie eines idealisierten englischen Parlamentarismus zeigt – die poetische Schwäche erkennend, läßt Stolberg das Buch unveröffentlicht. 1788 erscheint der utopische Roman *Die Insel* mit einer Vorrede, die am schönsten die gelöste Stimmung jener Jahre wiedergibt.

Der Tod von Agnes Ende 1788 stürzt Stolberg in eine schwere, auch religiöse Krise; auch die zweite Heirat mit Sophie von Redern, die er 1789 in Berlin kennenlernt und im Februar 1790 heiratet, ändert zunächst wenig. Erst die ausgedehnte Italien-Reise vom Sommer 1791 bis Anfang 1793, deren Darstellung 1794 in 4 Bänden erscheint, vermag zu einer gewissen Beruhigung zu führen. Im März 1793 tritt er offiziell sein Amt als Kammerpräsident in Eutin an.

1791 war es zur ersten Begegnung mit der Fürstin Amalie von Gallitzin und ihrem Kreis in Münster gekommen. Der Katholizismus, auf den er hier stieß, war kirchlich orientiert, aber unpolemisch, geistvoll und vor allem geistlich glaubwürdig. In der allgemeinen geistlichen Verödung beider großen Kirchen zum Ausgang des 18. Jahrhunderts war der Kreis von Münster durchaus singulär und wirkte auf den stets für neue Eindrücke offenen Stolberg anziehend. Die Kirche als Institution ernst genommen zu sehen war für den gläubigen, aber kirchenfernen Pietisten neu. Jedenfalls begann er in Eutin ein intensives theologisches Studium.

Parallel dazu machten sich die Eindrücke der Französischen Revolution immer bemerkbarer. Wie schon früher nach der amerikanischen Unabhängigkeitserklärung war Stolberg anfangs begeistert. Das war keineswegs verwunderlich, sowenig wie die Freiheitslyrik der frühen Jahre als bloße Literatur zu werten ist: Im Angehörigen einer reichsunmittelbaren Familie war die uralte europäische Idee der Adels-Fronde gegen jeglichen Absolutismus sehr tief verwurzelt. Der natürliche politische Antagonismus von neuzeitlichem Absolutismus und Standesbewußtsein findet im *Götz von Berlichingen* des Reichsstädters Goethe ebenso seinen Niederschlag wie in den Werken des reichsunmittelbarer Familie entstammenden Standesherren, jener nach und nach entmachteten Gruppe des alten Reichsadels, die selbst nach der formellen Auflösung des alten Reiches 1806 noch gewisse Privilegien behielt.

Im letzten Jahrzehnt des Jahrhunderts vermischen sich religiöse und politische Überlegungen bei Stolberg. Das Umschlagen der Französischen Revolution in Jakobiner- und später Napoleonische Diktatur, verbunden mit dem Bewußtsein vollkommener Machtlosigkeit des eigenen Reichsverbandes und des geistlichen Verfalls der Kirchen, läßt in der ideal erfaßten katholischen Kirche ein mögliches, auch politisch wirksames Ordnungsprinzip erscheinen, das im Münsteraner Kreis, zu dem die Verbindungen enger werden, in menschlich sympathischer Form vor Augen ist. Aber die Überwindung tief angelegter theologischer Skrupel bedarf der Zeit.

Am 1. Juni 1800 tritt Stolberg mit seiner Frau in Münster von der evangelischen zur katholischen Konfession über. Dieser Schritt ist jenseits aller literarischen Wirkung Stolbergs, die für die Zeitgeschichte nicht zu unterschätzen ist, das folgenreichste Ereignis in seiner Biographie: der Konfessionalismus des 19. Jahrhunderts wird an dessen Schwelle deutlich. Goethes spätere Bewertung dieses Schrittes als eines Aktes der Schwäche und der Anlehnungsbedürftigkeit ist ebenso falsch wie für die bis heute Goethe-abhängige deutsche Literaturgeschichtsschreibung folgenreich.

Die Wirkung des Schrittes war enorm. Ein einigermaßen toller Broschürenkrieg spiegelte die Erregung einer Öffentlichkeit, die das Institut Kirche aufklärerisch überholt glaubte und sich nun mit dem Gegenteil konfrontiert sah. Stolberg selbst wandte sich der Geschichte zu und veröffentlichte – bezeichnend genug – eine *Geschichte der Religion Jesu Christi*, die von 1806 an in 15 Bänden im Verlag des protestantischen Schwiegersohns von Matthias Claudius,

Friedrich Perthes, in Hamburg erschien, der später auch der Verleger erbaulicher Bücher Stolbergs wurde.

Um die Wende des Jahrhunderts erschienen Stolbergs Übersetzungen: 1796 Plato, 1802 Aischylos, an dem er in den achtziger Jahren gearbeitet hatte und der selbst Schiller »Respekt« abnötigte, 1803 Augustinus und 1806 – völlig verspätet und nie wieder gedruckt – *Ossian*.

Merkwürdig bleibt, daß Stolberg die Romantik nicht zur Kenntnis nahm, sie war ihm wesensfremd, obwohl in der geschichtlichen Dimension zu Arnim, Brentano und den Brüdern Grimm Beziehungen denkbar gewesen wären. Auch klassizistischer Dogmatismus, wie der Goethes, den er 1812 in Karlsbad traf und »dick und rot« fand, ist für Stolberg, der zweifellos einer der besten Antike-Kenner seiner Zeit war, nicht denkbar; das pseudoreligiöse Element dieser Anschauung hatte er nicht nötig. Ihn im Biedermeier einzuordnen bleibt so unmöglich, wie ihn unter dem Begriff ›Restauration‹ zu fassen. Unter allen Wandlungen bleibt er der Typus des großen Herrn des 18. Jahrhunderts, das in der sehr bürgerlich bestimmten Literatur dieser Zeit kaum einen Repräsentanten fand.

Von 1800 an lebte Stolberg in Münster, bald dann nacheinander in drei westfälischen Landschlössern, die er aber jeweils nur gemietet hatte. Gemeinsam mit Christian veröffentlichte er 1815 ein Heft antinapoleonischer *Vaterländischer Gedichte*, im gleichen Jahr erschien die Biographie Alfreds des Großen, 1818 neben drei zeitkritischen »kleinen Schriften« das *Leben des hl. Vincentius von Paulus*, des Ordensstifters aus der Zeit der französischen Fronde; 1819 beginnt Johann Heinrich Voß noch einmal den Streit um die Konversion vor der gegenüber 1800 völlig veränderten Zeitsituation. Stolberg stirbt am 5. Dezember 1819 in Sondermühlen bei Osnabrück während der Arbeit an der *Abfertigung der langen Schmähschrift*, die der Bruder Christian 1820 herausgibt. Der Streit, im Kern mehr politisch als konfessionell, wurde von Voß und andern fortgesetzt.

Bibliographische Hinweise

Gesammelte Werke der Brüder Christian und Friedrich Leopold Grafen zu Stolberg. 20 Tle. New York / Hildesheim 1974. (Nachdr. der Ausg. Hamburg 1820–25.)

Briefe. Hrsg. von J. Behrens. Neumünster 1966. [Mit Bibliographie.]

Briefe Friedrich Leopolds Grafen zu Stolberg und der Seinigen an J. H. Voß. Hrsg. von O. Hellinghaus. Münster 1891.

Briefwechsel zwischen Klopstock und den Grafen Christian und Friedrich Leopold zu Stolberg. Hrsg. von J. Behrens. Mit einem [. . .] Nachw. von E. Trunz. Neumünster 1964.

Numa. Ein Roman. Hrsg. von J. Behrens. Neumünster 1968.

Über die Fülle des Herzens. Frühe Prosa. Hrsg. von J. Behrens. Stuttgart 1970. [Mit Bibliographie.]

Behrens, J.: Wieland und die Brüder Christian und Friedrich Leopold Grafen zu Stolberg-Stolberg. In: Jahrbuch des Wiener Goethe-Vereins. N. F. 65 (1961) S. 45–67.

– Friedrich Leopold Graf zu Stolberg. Porträt eines Standesherrn. In: Staatsdienst und Menschlichkeit. Studien zur Adelskultur des späten 18. Jahrhunderts in Schleswig-Holstein und Dänemark. Neumünster 1980. S. 151–165.

– Der Göttinger Hain. In: Sturm und Drang. Ausstellungskatalog. Frankfurt a. M. 1988. S. 1–45.

Hennes, J. H.: Friedrich Leopold Graf zu Stolberg und Herzog Peter Friedrich Ludwig von Oldenburg. Mainz 1870.

– Stolberg in den letzten zwei Jahrzehnten seines Lebens. Mainz 1875.

– Aus F. L. von Stolbergs Jugendjahren. Frankfurt a. M. 1876.

Janssen, J.: Friedrich Leopold Graf zu Stolberg. 2 Bde. Freiburg i. B. 1877.

Menge, Th.: Der Graf Friedrich Leopold Stolberg und seine Zeitgenossen. 2 Bde. Gotha 1862.

Scheffczyk, L.: Friedrich Leopold zu Stolbergs »Geschichte der Religion Jesu Christi«. Die Abwendung der katholischen Kirchengeschichtsschreibung von der Aufklärung und ihre Neuorientierung im Zeitalter der Romantik. München 1952.

Schumann, D. W.: Friedrich Leopold Stolbergs Übertritt zur Katholischen Kirche. In: Euphorion 50 (1956) S. 271–306.

JAKOB MICHAEL REINHOLD LENZ

Von Henning Boetius

Ob Jakob Michael Reinhold Lenz je im klinischen Sinne schizophren gewesen ist, wird sich nie mit Sicherheit sagen lassen. Das literaturgeschichtliche Erscheinungsbild seiner Person und seines Werkes war auf jeden Fall lange Zeit von schizophrener Zweideutigkeit. Dies hat sich wirkungsgeschichtlich bis heute negativ ausgewirkt: der Name Lenz ist bekannter als sein Werk, das zudem schlecht und unvollständig ediert ist. Es gibt zwei berühmte Exponenten der gegensätzlichen Einschätzung des Phänomens Lenz: Goethe und Büchner. Goethe bezeichnet seinen Exfreund in *Dichtung und Wahrheit* (III,11 und 14) als »Schelm in der Einbildung«. Seine Sinnesart lasse sich am besten mit dem englischen Wort »whimsical« beschreiben, »welches, wie das Wörterbuch ausweist, gar manche Seltsamkeit in e i n e m Begriff zusammenfaßt«. Die deutschen Bedeutungsfacetten von »whimsical« lauten ›grillenhaft‹, ›überspannt‹, ›launisch‹, ›wunderlich‹. Von hier ist es nicht weit bis zur moralischen Kritik am Charakter einer Person. Selbstmitleid und Müßiggang haben nach Goethes Meinung bei Lenz zu einem Werther-Syndrom geführt, in dem sich Realitätsverlust mit einem quälenden Hang zur Intrige an sich verbinden. Diese vernichtende Kritik schließt natürlich auch die Werke Lenzens mit ein. Mit »whimsy‹ bezeichnet, erscheinen sie als literarische Unerheblichkeiten. Entsprechend resümiert Goethe in bezug auf seinen ehemaligen Freund: »Nur ein vorübergehendes Meteor«.

Während sich dieses Verdikt in der Goethe-geprägten

Germanistik durchsetzt und das Bildungsbürgertum jene seltsame Leuchterscheinung am literarischen Himmel längst nicht mehr zur Kenntnis nimmt, beginnt ein Menschenalter nach Lenzens jämmerlichem Tod in den Straßen von Moskau eine Art Aufwertungskampagne für sein Werk. Sie wird fast ausschließlich von Schriftstellerkollegen getragen. Romantiker wie Tieck und Brentano entdecken ihn. Tieck sorgt durch eine philologisch schlampige, jedoch wirkungsgeschichtlich erlösende Werkausgabe (1828) für einen ersten Entsatz wichtiger Lenzscher Werke aus ihrer Eingeschlossenheit in schwer zugänglichen und vergessenen Einzeldrucken.

Beinah wichtiger für die Wirkungsgeschichte wird die 1835 verfaßte und 1839 postum veröffentlichte Novelle *Lenz* von Georg Büchner. Auch wenn sie dem spätestens seit Lavaters *Physiognomischen Schriften* (IV, 10) bereitstehenden Klischee der Nähe von Genie und Wahnsinn Vorschub leistet, bringt sie doch in ihrer poetisch genauen, Lenz verwandten Sprache die entscheidende Rehabilitation dieses Dichters zustande. Hatte Goethe Lenz gewogen und zu leicht befunden, findet Büchner ihn auf eine solidarische Weise zu schwer für das brüchige Parkett menschlichen Zusammenlebens. Das Grillenhafte, bei Goethe charakterlich abwertend gesehen, ist bei Büchner Zeichen einer hohen moralischen Kompetenz. Lebensuntüchtigkeit Lenzscher Prägung wird hier zum Merkmal einer Identitätskrise des modernen Ich. Unfähigkeit zum Pragmatismus, wie ihn Leute vom Schlage Goethes beherrschen, führt zum Trudeln in der Gesellschaft und schließlichen Absturz der komplizierten Person in die eigene innere Leere hinein. Von dieser Interpretation her kann sich Lenz zur Kultfigur der sechziger Jahre des 20. Jahrhunderts entwickeln. Aber schon die Expressionisten konnten sich in der Erfahrung gesellschaftlich erzeugter Einsamkeit wiederfinden.

Die Frage ›Schwächling‹ oder ›Kultfigur‹ hat bis heute den neutralen Blick auf die Werke von Lenz verstellt. Nur im

Jakob Michael Reinhold Lenz
1751–1792

Bereich der Dramen ist die Lage seit der *Hofmeister*-Bearbeitung durch Bertolt Brecht (1949) ein wenig besser.

Lenz wird am 23. Januar 1751 in Seßwegen in Livland als viertes Kind eines deutschstämmigen Pfarrers geboren, der in der russischen Ostsee-Provinz eine bemerkenswerte Karriere bis hin zum Generalsuperintendenten macht (seit 1779). Unscheinbar von Gestalt wie sein Lieblingssohn Jakob, muß der Vater von eindrucksvoller Autorität gewesen sein, in der sich Härte, moralische Integrität und Intelligenz vereinten. Anders hätte er in dem komplizierten Gebilde dieser politisch russischen, kulturell deutschen und volkssprachlich estnisch-lettischen Provinz nicht diesen Erfolg gehabt. Die Mutter hingegen war kränklich, ungebildet und schwach, nur das Sprachrohr ihres Mannes im häuslichen Bereich, jedoch von ungebrochener Zärtlichkeit zu ihrem Sohn, wie man aus dem einzig publizierten Brief aus ihrer Feder an den Sohn schließen kann. Dieser Kräftegegensatz scheint das erste Movens zu bilden, das die Seele des Kindes in jene Rotation versetzt, die die Zeitgenossen und vorab der zeitweilige Freund Goethe als bedenkliches Kreisen um sich selbst konstatierten.

Livland ist klimatisch und kulturell gesehen rauhe und öde Wildnis des Nordens. Dies scheinen positive Bedingungen der damals stattfindenden Aufwertung der ›nordischen‹ Poesie durch die Königsberger Sprachphilosophen Hamann und Herder gewesen zu sein. Auch für den kleinen Lenz werden die harten Winter mit den belauschten Kaminfeuergesprächen im väterlichen Haus wohl die entscheidenden geistigen Impulse gebracht haben. In einem verkappten Selbstporträt deutet er dies zu Beginn seiner Erzählung *Der Landprediger* an:

> Von Kindheit an waren alle Ergötzungen, die er suchte, die Ergötzungen eines alten Mannes und ihm nicht besser als in einer Gesellschaft, wo Tabak geraucht und über gelehrte Sachen disputiert wurde.

1751 wird der Vater nach Dorpat versetzt. Diese Kleinstadt am Rande der Welt – geographisch liegt sie auf der Breite Stockholms – wird zum magischen Ort seiner Jugend und Pubertät. Unter der intensiven pädagogischen Anleitung des Vaters entwickelt er sich zu dessen Spiegelbild, allerdings mit dem Hang, auf der religiösen Silberbeschichtung blind zu werden. Der Junge beginnt zu schreiben. Diese Nebenbeschäftigung wird offenbar geduldet – muß nicht ein zukünftiger Prediger über eine flüssige Diktion verfügen? Erste Dramen und Gedichte entstehen. Eines davon, *Der verwundete Bräutigam* (ersch. postum 1845) mit aktuellem Bezug auf ein Attentatsereignis im livländischen Adelskreis, wird privat mit Erfolg aufgeführt. Lenz beginnt in Dorpat auch sein lyrisches Gesellenstück *Die Landplagen* (1769), ein monströses Werk in 1500 klopstockischen Hexametern, in dessen Sprachflut die religiöse Thematik schier hinweggespült wird. Bei aufmerksamer Lektüre bemerkt man heute, daß hier schon beim Sechzehnjährigen die für sein Werk eigentümliche soziale und sexuelle Thematik im Entstehen ist.

1768 wird Lenz aus der väterlichen Obhut nach Königsberg zum Studium der Theologie entlassen. Dies kommt dem Entkorken einer Zauberflasche gleich. Lenzens Geist verläßt sein Gefängnis und verflüchtigt sich, aus der Perspektive des Vaters gesehen, in den Wolken der Poesie. Er gibt sein Studium praktisch auf, hört dafür bei Kant, der keineswegs so trocken ist, wie man ihn sich gewöhnlich vorstellt. Hier wird Lenz mit den Protagonisten des modernen Geistes bekannt gemacht: Rousseau, Pope, Young, Milton, Shaftesbury und vor allem Shakespeare.

Lenz krönt sich in diesem geistigen Frühling selbst zum Dichter. Als sichtbare Insignie erscheinen seine *Sieben Landplagen* (1769) im Druck, der Zarin Katharina II. zugeeignet, die hinfort seine selbsterwählte politische ›Vaterfigur‹ bleiben wird, in deren Schatten er seinen reformerischen Utopien nachhängt.

Dem leiblichen Vater gegenüber schlüpft er nun immer konsequenter in die Rolle des verlorenen Sohnes, indem er sein Studium abbricht und eine Gelegenheit nutzt, mit zwei livländischen Baronen von Kleist als deren Mentor und Reisebegleiter nach Straßburg zu gehen. Dies bedeutet einerseits demütigende finanzielle Abhängigkeit als eine Art Stallbursche für die geistigen Belange, andererseits jedoch ist es der Einzug in ein Paradies, dies sowohl in klimatischem wie in literarischem Sinn. Der Frühsommer 1771, in dem Lenz in der Rheinebene anlangt, muß ihm wie ein Wunder vorgekommen sein. Das frische Talent aus dem geistigen Lappland wird günstig aufgenommen. Lenz sprudelt vor literarischen Aktivitäten über, wird aktives Mitglied der Salzmannschen Gesellschaft, in der die neue Bewegung des Sturm und Drang Konturen gewinnt. Er hält Reden, übersetzt Shakespeare und Plautus und schreibt selber seine wichtigsten Theaterstücke: *Der Hofmeister* (1772), *Der neue Menoza* (1773), *Die Soldaten* (1775), *Die Freunde machen den Philosophen* (1775). Auch Gedichte und wichtige Prosa (*Tagebuch*, *Moralische Bekehrungen eines Poeten*, *Zerbin*), entstehen.

In diesen fünf Straßburger Jahren eines flüchtigen Ruhms, der kaum über die drückende Finanznot hinwegtäuscht, bildet Lenz nicht den für ihn typischen Schreibstil aus, er macht sich auch mit dem vertraut, was man gemeinhin die Realität zu nennen pflegt. Mit Hilfe der Barone von Kleist blickt er hinter die Kulissen des Soldatenlebens, durch seine Verstrickung in Liebeshändel wird er zunehmend mit der Erkenntnis vertraut, daß die geschlechtlichen und sozialen Rollen auf der Bühne der Leidenschaft so starr festgelegt sind, wie es den Geldverhältnissen entspricht. Lenz verliebt sich nacheinander und durcheinander in Goethes Exfreundin Friederike Brion, in Clephchen, die Freundin des älteren Kleist, in Goethes Schwester Cornelia, in die Adlige Henriette Waldner. Alles sind unmögliche, vergebliche, unerwiderte Beziehungen. Man hat den Eindruck, daß hier sowohl Sexualängste, die vielleicht immer noch die verinnerlichte

Moral des Vaters nährt, wie auch die finanziellen und gesellschaftlichen Kräfte in einer fast mechanischen Weise zusam-
menwirken, die der Schriftsteller Lenz in jedem seiner
Werke als Kabalenmaschinerie entlarvt und darstellt. Je
hoffnungsloser der Privatmann Lenz sich in das Dickicht
seiner Herzensangelegenheiten verrennt, um so klarer
scheint er dessen fatale Struktur als den Entwurf einer
kafkaesken Foltermaschine formulieren zu können, die
einem das gefällte Urteil in die eigene Haut ritzt. Das Urteil
lautet in jedem Falle Erfolglosigkeit. Wenn man heute das
Tagebuch liest, in dem Lenz seine Liebe zu Cleophe Fiebich
beschreibt, wird ersichtlich, wie modern er in deutlicher
Vorläuferschaft zu Proust die elegische Dialektik von Glück
und Unglück, von Einbildung und Wirklichkeit in diesem
Bereich ausdrückt.

So milde die Straßburger Sommer sind, kulturell herrscht
in dieser Stadt ein Reizklima zwischen deutscher und französischer Position. Die fast koloniale Abhängigkeit der
deutschen Intellektuellen von französischer Kulturhegemo-
nie entlädt sich damals in der ästhetischen Revolte des Sturm
und Drang. Lenz gerät mitten in diesen Vorgang hinein und
wird von ihm mitgerissen. In seinen im Stil eines feurigen
Theatermonologes gehaltenen *Anmerkungen übers Theater*
(1774) polemisiert er mit Witz gegen die von den französischen Klassizisten verordneten, vermeintlich aristotelischen
Regeln der Dramaturgie, wobei es vornehmlich um das
Gesetz der drei Einheiten von Ort, Zeit und Handlung geht.

Was heißen die drei Einheiten? hundert Einheiten
will ich euch angeben, die alle immer doch die e i n e
bleiben. Einheit der Nation, Einheit der Sprache,
Einheit der Religion, Einheit der Sitten – ja was
wird's denn nun? Immer dasselbe, immer und ewig
dasselbe. Der Dichter und das Publikum müssen die
eine Einheit fühlen aber nicht klassifizieren. Gott ist
nur Eins in allen seinen Werken, und der Dichter
muß es auch sein [. . .].

In diesen Tönen erweist sich Lenz mehr als Vertreter des Sturm und Drang als in seinen eigenen Texten. Dort finden sich nirgends die vom Idol Shakespeare abgeleiteten großen Kerls, die Originalgenies. Leere, kümmerliche Menschenhülsen bewegen sich wie Puppen durch seine Stücke. Was schon die Zeitgenossen nach anfänglicher Zustimmung (vor allem dem *Hofmeister* gegenüber) irritierte, dieses marionettenhafte Personal, diese gegenseitige Travestierung der Gattungsprinzipien von Komödie und Tragödie, diese aufgesetzten Happy-Ends, die Dialogalbernheit, diese Epidemien von Ohnmachten, all das gehört zum Räderwerk einer Bühnenveranstaltung, die die Intrigenmaschine der Gesellschaft zugleich abbildet und parodiert. Man muß beim Interpretieren noch heute aufpassen, nicht selber auf dieser Drehbühne der Lenzschen Stücke den Halt zu verlieren. Schubarth, der Sturm-und-Drang-Freund Lenzens, fand nach anfänglicher Begeisterung für den *Hofmeister* ein Stück wie den *Neuen Menoza* schlichtweg zum Kotzen, wobei er unfreiwillig etwas sehr Richtiges erfaßt, wenn er über die Protagonisten des Stücks sagt: »Um Originale zu werden, werden sie albern!« Clemens Brentano wendet diese Kritik mit romantischer Ironie in ein Lob: »das Ganze rumpelt und rauscht und ist doch so leer und so voll [...]. Mich erhält in stetem Lachen« (an Arnim, Februar 1806). Dieses stete Lachen ist dem heutigen Zuschauer durch Samuel Becketts Stücke beigebracht worden. Von hier aus eröffnet sich ein neuer Zugang zu den absurden Püppelspielen des Jakob Michael Reinhold Lenz.

Daß seine beiden konventionellsten Stücke wirkungsgeschichtlich noch den meisten Anklang fanden, hängt mit dem Mißverständnis von Lenzens Realismus zusammen. Man glaubte, ihn hier zu finden und z. B. in dem Stück *Die Freunde machen den Philosophen* zu vermissen. Es gibt jedoch nur einen Realismus bei Lenz, und der findet sich in allen seinen Werken, selbst in denen aus der sogenannten verrückten Zeit: es ist nicht der Realismus der Handlung oder der Personenschilderung, sondern allein die Interpretation der Wirklichkeit als einer Narrenbühne, auf der es zwei unterschiedliche Narrentypen gibt: die angepaßten und die scheiternden. Daß Lenz selbst zu letzterem Typus gehört, wird ihm und seiner Umwelt spätestens klar, als er 1776 nach Weimar geht. Um als freier Schriftsteller leben zu können, ganz zu schweigen von seinen Träumen als Sozialreformer, braucht Lenz einen pragmatisch orientierten, politisch intakten Mäzen, wie ihn Goethe im Herzog von Weimar gefunden hatte. Die Art, wie Lenz indessen in diesem Fall nach der Friederike-Affäre erneut auf den Spuren des »Bruders« wandelt, ließ Außenstehende zumindest damals an seinem Verstand zweifeln. Er benimmt sich dermaßen ungeschickt auf dem höfischen Parkett, er mimt dermaßen penetrant den Clown, der durch seine tolpatschigen Stürze höchstens Mitleidsgelächter provoziert, daß er entweder dumm oder masochistisch erscheint. Nun wird bei der Lektüre seines Werkes deutlich, daß er weder das eine noch das andere war. Lenzens Versagen und seinem Narrentum, das nach der vertuschten Affäre um ein Spottgedicht, in dem Lenz anscheinend Goethes Beziehung zur Frau von Stein karikierte, noch im gleichen Jahr zu seiner Ausweisung aus dem Herzogtum führt, scheint eine ganz andere innere Logik zugrunde zu liegen. Diese Logik wird auch in dem anschließenden Niedergang seiner physischen, sozialen und psychischen Existenz deutlich. Jetzt erfolgt nämlich das, was Zeitgenossen und Nachwelt nicht ohne voyeuristische Neugier als die Tollheit, die geistige Umnachtung des Dichters beobachtet haben. Lenz, dessen innere Ruhelosigkeit schon immer einer Neigung zum Wandern korrespondierte, zieht nach Westen. Straßburg, wo er seine besten Tage verlebt hatte, gibt die allgemeine Zugrichtung an. Der üble Leumund, den das Weimarer Desaster erzeugte, begleitet ihn. Die Freunde distanzieren sich in dem Maße, wie Lenz die Symptome des Irrsinns vorzeigt. Tobsuchtsanfälle, apathische Zustände, höchst wirkungslose Selbstmordversuche,

Verfolgungswahn. Dazwischen seltsame Bergbesteigungen in der Schweiz, als käme man so auch ohne gesellschaftliche Resonanz auf jenen Dichterolymp hinauf, zu dem Lenz in seiner dramatischen Skizze *Pandaemonium Germanicum* (ersch. postum 1819) selbstironisch nur auf allen vieren kriechend vordringt, während Goethe sozusagen mühelos hinaufgesprungen ist.

In dieses Jahr fällt auch der Aufenthalt bei dem Pfarrer Oberlin in den Vogesen (später der Stoff von Büchners Lenz-Novelle). Die Freunde, soweit man sie noch so nennen darf, Klinger, Schlosser und andere aus dem alten Kreis, unternehmen mancherlei Heilungsversuche. Der Plan, Lenz in eine Art Irrenpension in Frankfurt zu stecken, scheitert glücklicherweise an Geldmangel. Der Eindruck, daß der kleine Livländer allen furchtbar auf die Nerven geht, verstärkt sich. Es handelt sich bei dessen Zustand wohl kaum um echte Schizophrenie. Da liegt Schlosser, der Goethe-Freund und Ehemann von Goethes Schwester Cornelia, Lenzens inzwischen verstorbener Busenfreundin, mit seiner Diagnose »Hypochondrie« sicher richtiger. Der Gedanke liegt nahe, daß Lenz unter dem extremen Innen- und Außendruck der Ablehnung in das Gewand der Krankheit wie in eine Verkleidung geschlüpft ist. Man darf nicht vergessen, daß er nicht nur von der offiziellen Gesellschaft ausgegrenzt wird. Vielmehr findet die gleiche Ausgrenzung auch in ihm selbst statt, da der Vater mit seinen Ansprüchen als oberster Repräsentant der nämlichen Gesellschaft auf dem Weg über die Erziehung in Lenzens Person enthalten war. Lenz befindet sich also in der berühmten und ausweglosen Situation des Hasen, der sich zwischen zwei Igeln totläuft, weil er sie nicht unterscheiden kann.

Überhaupt nicht zur These einer manifesten Schizophrenie paßt die Tatsache, daß Lenz sich plötzlich gesundet 1779 an der Hand seines Bruders nach Livland zurückführen läßt. Der Vater ist gerade Generalsuperintendent geworden und damit der Vorgesetzte der gesamten evangelischen Geistlich-

keit in Livland. Stärker könnte Lenz selbst nicht in seinen
tragischen Komödien die Über-Ich-Position dieses Mannes
karikieren. Er könnte jetzt alles für seinen Sohn tun, ihm
jede beliebige Schreiber-, Hofmeister oder Lehrerstelle verschaffen. Doch solche Happy-Ends passen nicht in die
Dramaturgie des Lenzschen Lebens. Der Vater lehnt ihn ab.
Lenz bleibt der verlorene Sohn. Er irrlichtert weiter durch
die Gegend, bis er schließlich in Moskau landet. Verrückt ist
er nicht, lebenstüchtig jedoch auch nicht. Er lebt mehr
schlecht als recht von kleinen Jobs, Übersetzungen, vor
allem aber von Almosen. Er findet sogar Zugang zu einigen
russischen Intellektuellen. So vegetiert er noch dreizehn
Jahre nach jener entscheidenden Begegnung mit dem Vater
in Riga. Am 4. Juni 1792 wird er tot auf einer Moskauer
Straße gefunden.

Lenz befand sich ein Leben lang in einer Art Schreibzwang.
Die magere Publizität seiner Werke steht in keinem Verhältnis zu ihrer Fülle. Während die Dramen aufgrund ihrer
sozialkritischen Thematik und ihrer fortschrittlichen Struktur, die in shakespearschen Kurzszenen den Stil der sogenannten offenen Form (Klotz) begründen, wenigstens einigermaßen überlebt haben, verblich die Lyrik vor dem Glanz
der Goetheschen Gedichte. Gefördert wurde dies durch die
unglückliche Vermengung von Texten beider Dichter im
sogenannten Sesenheimer Liederbuch. Eine Zeitlang wußte
sich die Germanistik nur so zu helfen, daß sie nach dem
Aschenputtelprinzip die »guten« Gedichte Goethe und die
»schlechten« Lenz zuschrieb. Dabei hat Lenz in seinen
Versen durchaus einen eigenen Tonfall entwickelt.

Ossianische und anakreontische Einflüsse neutralisieren
sich in einer Weise, die die neuen Töne hörbar werden läßt.
Da gibt es vor-heineschen Wortwitz (vgl. das desillusionie-
rende Schockwort »Quark« im sentimentalen Kontext des
Gedichtes *An das Herz*!), da wird auch soziale Thematik wie
z. B. die sexuelle Unterdrückung der Frauen auf eine Weise

gereimt, die nichts von der kritischen Schärfe wegnimmt (vgl. z. B. *Die Liebe auf dem Lande*). Dennoch kann man sagen, daß Lenz in seine Lyrik weniger kreative Kraft investiert hat als in die Dramen und die Prosa. Vor allem letztere wird bis heute kraß unterschätzt, was auch ihre mehr als dürftige Präsenz in den greifbaren Lenz-Ausgaben zeigt. Dabei hat Lenz gerade in dieser Gattung »dem kommenden Säkulum gerufen«, wie er so schön und ironisch selbstbewußt am Ende des *Pandaemonium Germanicum* sagt. Anders als bei den Dramen, wo Lenz sehr früh einen stringenten Stil, eine typische, jeweils nur leicht variierte Form entwickelt, betritt er in der Prosa zunächst zwei gegensätzliche Wege, die allerdings das bekannte gleiche Ziel haben: die Konstruktion der Intrigenmaschine Gesellschaft aufzuzeigen. In einem maritimen Vergleich in der Vorrede der *Moralischen Bekehrungen* benennt Lenz den pädagogischen Hintersinn dieser Bemühung: er will den zukünftigen Seefahrer einen verbesserten Sicherheitsstandard der Navigation in den von Untiefen und anderen »Unregelmäßigkeiten« geprägten Gewässern des Lebens verschaffen. Der eine Weg, den Lenz bei diesem Unterfangen beschreitet, ist die höchst exakte, differenzierte Selbstbeobachtung der persönlichen Verwicklung des Subjekts in die Intrigenmaschine. Dieser subjektive Prosatypus ist im *Tagebuch*, in den *Moralischen Bekehrungen eines Poeten* und im *Waldbruder* (1797) verwirklicht.

Neben der tagebuchartigen Introspektion entwickelt Lenz die gegenläufige Technik einer bis zur Unerträglichkeit distanzierten Schilderungsart der gleichen Lügenwelt. Sie wird jetzt nicht wie mit einer Camera obscura ins Dunkel der Seele projiziert, sondern von außen wie unter Glas in greller Beleuchtung betrachtet. Beispiele dieser Technik sind die Novelle *Zerbin* (1775) und *Der Landprediger* (1777). Die stilistische Trockenheit dieser Prosa, die man Lenz gewöhnlich als Mangel an Fähigkeiten vorwirft, ist gerade das artifizielle Prinzip, das bereits die spröde Stilistik Kafkas ahnen läßt. Zum Schluß, in seiner ›wahnsinnigen‹ Zeit, macht Lenz den äußerst kühnen Versuch, beide Schreibperspektiven zu vereinen. Es entstehen dabei Texte, die meiner Ansicht nach zum Besten gehören, was es von ihm an Prosa gibt. Offiziell werden sie bislang als bloße Dokumente geistiger Verwirrung des Autors, als Symptom seiner Krankheit betrachtet. Liest man sie jedoch ohne dieses Vorurteil, wird man bemerken, daß hier höchst moderne Schreibtechniken zur Anwendung kommen. Lenz verläßt sowohl die subjektive wie die objektive Perspektive in Richtung einer an surrealistische Praktiken erinnernden automatischen Prosa. Man hat das Gefühl, daß Lenz sich hier von Schreibkonventionen löst, die noch von dem Bedürfnis nach gesellschaftlicher Anerkennung gelenkt worden waren. Er schreibt jetzt ›verrückter‹, nicht weil er verrückter ist, sondern weil er sich ehrlicher zu seiner verzerrten Normalität bekennt. Heraus kommen Texte wie jener *Empfindsamste aller Romane*, in denen die Verwandlung von Menschen in Tiere so vollkommen gelingt wie später im Falle von Kafkas Gregor Samsa.

Lenz ist nach Johann Christian Günther der zweite wichtige Autor neudeutscher Sprache, an dem sich die Wechselwirkung von Leben und Werk auf fatale und zugleich glückliche Weise zeigt. Fatal ist sie für die private Person, die an der mit ihrer künstlerischen Kompromißlosigkeit verbundenen gesellschaftlichen Ausgrenzung umkommt. Glücklich ist sie für das hinterlassene Werk, das unter jenem immensen existentiellen Druck, der auf dem Autor lastete, zu sprachlicher Ehrlichkeit und Originalität findet.

Lenz ist sicherlich kein »vorübergehendes Meteor«. Er ist allerdings auch keine strahlende Sonne, nicht einmal ein Fixstern zweiter Größe. Er ist ein Wandelstern, den man bekanntlich am Flimmern und an seiner regelmäßigen Wiederkehr erkennen kann. Das macht ihn übrigens auch zur Orientierung so geeignet.

Bibliographische Hinweise

Gesammelte Schriften. 3 Bde. Hrsg. von L. Tieck. Berlin 1828.

Gesammelte Schriften. 5 Bde. Hrsg. von F. Blei. München/Leipzig 1909–13. [Bisher umfangreichste Ausgabe.]

Werke und Schriften. 2 Bde. Hrsg. von B. Titel und H. Haug. Stuttgart 1966–67.

Werke und Schriften. Hrsg. von R. Daunicht. Hamburg 1970.

Werke und Briefe. 3 Bde. Hrsg. von S. Damm. München/Wien 1987.

Briefe von und an Jakob Michael Reinhold Lenz. 2 Bde. Ges. und hrsg. von K. Freye und W. Stammler. Bern 1969. (Nachdr. der Ausg. Leipzig 1918.)

Boetius, H.: Der verlorene Lenz. Auf der Suche nach dem inneren Kontinent. Frankfurt a. M. 1985. [Enthält einen Teil der späten Prosa Lenzens.]

Haffner, H.: Der Hofmeister – Die Soldaten. München 1979.

Hohoff, C.: Jakob Michael Reinhold Lenz. Hamburg 1977. [Mit Bibliographie.]

Inbar, E. M.: Shakespeare in Deutschland. Der Fall Lenz. Tübingen 1982.

McInnes; E.: Jakob Michael Reinhold Lenz, »Die Soldaten«. Text, Materialien, Kommentar. München/Wien 1977.

Rosanow, M. N.: Lenz, sein Leben und seine Werke. Leipzig 1972. (Nachdr. der Ausg. Leipzig 1909.)

Stephan, I. / Winter, H.-G.: »Ein vorübergehendes Meteor?« Jakob Michael Reinhold Lenz und seine Rezeption in Deutschland. Stuttgart 1984.

JOHANN HEINRICH VOSS

Von Gerhard Hay

1781 erschienen in Berlin Karl August Küttners *Charaktere teutscher Dichter und Prosaisten Von Kaiser Karl dem Großen, bis auf das Jahr 1780,* einer der ersten Versuche, deutsche Nationalliteratur in Essays auch ästhetisch wertend vorzustellen einschließlich der Gegenwartsliteratur. Zu Voß steht dort: »Ein junger Humanist und Dichter, der mit seltnen Sprachkenntnissen und tiefer Einsicht in den Geist der griechischen Litteratur einen richtigen Geschmack, nicht gemeinen Witz und warme Vaterlandsliebe verbindet. Er hat die besten Werke der Alten mit Enthusiasmus gelesen und verschlungen, er hat sie vielfältig in unsrer Sprache nachgeahmt, ihre Erhabenheit, ihre bezaubernde Süßigkeit und Melodie zu treffen getrachtet, und einigemal beynahe wirklich getroffen. In der höhern Ode, der Elegie und Idylle hat er manchen glücklichen Versuch gewagt, und letztere besonders mit neuen Bildern, neuer Kunst und neuem Tone bereichert. Die poßierliche Lustigkeit, der komische Witz und die naive Volkssprache, die er hineinzulegen, und durch die anmuthigsten Gemälde, Schalkheit, herzliche Einfalt und Empfindung zu heben gewußt hat, geben ihnen das Auffallende der eignen Manier. Und diese sind unstreitig das schönste Produkt seines Genies. In andern misfällt der gesuchte Neologismus, die jugendliche Selbstsucht, und das Ueberspannte in Gedanken und Ausdrucke. Auch seine griechische Rechtschreibung beleidigt Ohr und Auge. Seine Verteutschung der Odyssee hat nicht Bodmers einfältigen und alten Ton, aber wohl dieselbe Treue, mehr Verfeinerung, und überall Spuren des Fleißes und eignen poetischen Gefühls.«

Der am 20. Februar 1751 in Sommersdorf im mecklenburgischen Waren Geborene war der Enkel eines freigelassenen Handwerkers und der Sohn eines Kammerdieners, der es vergeblich versucht hatte, ins bürgerliche Milieu aufzusteigen. Erst in der dritten Generation gelang die Integration mit allen Nöten, die ein mittelloser, begabter Schüler und Student erfahren mußte: 1759–65 Penzliner Stadtschule, privates Büffeln in Latein und Griechisch, 1766–69 Stadtschule Neubrandenburg. Voß entdeckte seine Vorliebe für die Gegenwartsliteratur: Hagedorn, Haller, Gessner, Ramler und dann Klopstock. Mit achtzehn Jahren übernahm er schon die Verantwortung für drei Kinder des Klosterhauptmanns von Oertzen auf Ankershagen als Hofmeister. Die Demütigung dieses Status, dem kaum ein aufsteigender Intellektueller im 18. Jahrhundert entkam, wie auch seine Abkunft wurden für Voß prägend. Der nur fünf Jahre ältere Pfarrer Ernst Theodor Johann Brückner führte den leidenden Freund in die Philosophie und Literatur der Aufklärung ein und machte ihn mit einer literarischen Zeitschrift bekannt, die zunehmend zum Publikationsorgan einer jungen Generation wurde: der *Göttinger Musenalmanach*, 1769 von Gotter begründet und nun 1770–74 herausgegeben von Heinrich Christian Boie. Boie und seine Freunde um den *Musenalmanach* holten Voß an die junge Universität in Göttingen. Zuerst in Theologie, dann seiner Begabung nach in Philologie schrieb er sich ein. Philologie, das hieß die antiken Sprachen, doch Boie lenkte sein Interesse auch auf die modernen, Englisch vor allem. Wichtiger als sein Studium bei Heyne wurde Voß die Erfahrung in einem Kreis Gleichgesinnter, die seine poetische Begabung anerkannten. Diesem Bund gab Voß am 12. September 1772 nach Klopstocks Ode *Der Hügel und der Hain* den Namen »Göttinger Hain«. Ihm gehörten neben Voß und Boie Hölty, Miller,

Johann Heinrich Voß
1751–1826

Johann Friedrich Hahn, Wehrs, Karl Friedrich Cramer an,
später traten die Brüder Stolberg, Leisewitz und Esmarch
hinzu. Bürger, Schubart und Claudius waren ihnen verbunden. Neben ›amicitia‹ und ›scientia‹ wurden für die Poesie
Freiheit und – in dem vielgeteilten Deutschen Reich – Vaterlandsliebe als Ideologie verlangt; Klopstock war das Vorbild
und Germanien der Mythos, »Barden« nannten sich diese
Studenten, die ihre neuen Texte unter einer ›deutschen‹
Eiche außerhalb Göttingens vorlasen, kritisch, aber enthu-
siasmiert. Voß hieß Gottschalk, später Sangrich; Chorführer
war Boie. Voß, der Freund und zukünftige Schwager, übernahm 1774 von Boie die Herausgabe des *Musenalmanachs*,
was mit 150 Reichstalern verbunden war, zuwenig, um mit
der Pastorentochter Ernestine Boie, die er lediglich schriftlich kennengelernt hatte, eine Ehe eingehen zu können.

Nach dem Studium suchte Voß eine Existenzgrundlage;
der Versuch, den Almanach im Selbstverlag herauszugeben,
scheiterte. Claudius half, und Voß orientierte sich immer
mehr nach dem Norden, wo in Flensburg die Verlobte
wartete. Er suchte die Nähe von Klopstock und Claudius,
auch die der befreundeten Grafen Stolberg. Wandsbeck
wurde ihm seit April 1775 Ausgangspunkt für Bewerbungs-
reisen als Schulrektor; sie schlugen fehl. Wieder kamen ihm
Freunde zu Hilfe: Goeckingk, nun Herausgeber des alten
Göttinger Musenalmanachs, fusioniert mit dem gescheiterten Selbstverleger des Almanachs für das Jahr 1776, überre-
det durch einen brieflichen Appell an Herz und Kopf des
Konkurrenten; Voß schrieb ihm am 4. Oktober 1776: »Wir
hindern uns also offenbar einander; denn beyde Almanache
zu kaufen, ist die Sache von wenigen, und so bleiben unsern
Lesern, entweder in Ihrem oder in meinem, Gedichte unbekannt, die eine sehr gute Wirkung auf ihr Herz und ihren
Geschmack würden gehabt haben.« (Gleichwohl blieb die
Konkurrenz, da Bürger den Göttinger Almanach seit 1777
redaktionell betreute, auch er in finanziellen Nöten.) Fritz
von Stolberg half, er trat Voß das Honorar für seine *Ilias-*

Übersetzung ab, und der Hamburger Verleger Karl Ernst
Bohn sicherte ihm 400 Reichstaler auf sechs Jahre bei einer
Auflage von 5000 Exemplaren zu. Die Grundlage für eine
Ehe in Wandsbeck schien gesichert, die Hochzeit fand am
15. Juli 1777 in Flensburg statt. Neben seiner Herausgeber-
schaft übersetzte Voß Werke von Platon und Pindar, im
Mittelpunkt allerdings seiner Arbeiten stand in den Jahren
1777–79 die Übersetzung von Homers *Odyssee*, eine Übersetzung, die Sinn, Vers und Ton des Epos erstmals in die
deutsche Sprache transferieren sollte. Kommentare und
Teile erschienen in Zeitschriften, ein Philologenstreit mit
den ehemaligen Lehrern Heyne und Lichtenberg begann;
erst Ende 1781 konnte die *Odyssee* in Hamburg auf Sub-
skription erscheinen, Voß' bedeutendste Leistung als Übersetzer: der geglückte Versuch, äußere und innere Form von
einer sprachlichen Identität in eine andere zu übertragen, ein
Ideal, das Goethe in seiner Übersetzungstheorie in *Noten
und Abhandlungen zu besserem Verständniß des West-östlichen Divans* pries; denn ein solcher Übersetzer »gibt mehr
oder weniger die Originalität seiner Nation auf, und so
entsteht ein Drittes, wozu der Geschmack der Menge sich
erst heran bilden muß [...]. Der nie genug zu schätzende
Voß konnte das Publicum zuerst nicht befriedigen, bis man
sich nach und nach in die neue Art hinein hörte, hinein
bequemte. Wer nun aber jetzt übersieht, was geschehen ist,
welche Versatilität unter die Deutschen gekommen, welche
rhetorische, rhythmische, metrische Vorteile dem geist-
reichtalentvollen Jüngling zur Hand sind [...], der darf
hoffen, daß die Literaturgeschichte unbewunden aussprechen werde, wer diesen Weg unter mancherlei Hindernissen
zuerst einschlug.«

Doch nicht nur der Übersetzer Voß setzte Maßstäbe für
Prosodie und Übersetzungen der Klassik und Romantik –
trotz späterer kleinlicher Querelen mit fast allen Jüngeren;
als Autor adaptierte er aus der Antike ein bisher kaum
gepflegtes Genre, die ›Idylle‹, nicht antikisierend, sondern

einbettend in die Bewußtheit seiner persönlichen Erfahrungen und manchmal sogar den Dialekt seiner Heimat benutzend. Voß brachte in die ›Bildchen‹ einer heilen Welt Gesellschaftskritik, thematisierte, verstärkt gerade im Alter, soziale Probleme einer feudalen Gesellschaft von unten her. Der epische Hexameter blieb entsprechend der antiken Vorlage, doch wurde er gleichsam deutsch und aktualisiert mit manchmal demokratischen Inhalten, ohne dabei die Vorliebe für das ausgeschmückte Detail zu vergessen. Literaturgeschichtlich gipfelt diese Form in *Luise*, 1795 in 3 Gesängen geschlossen veröffentlicht, nachdem seit 1783 Teile dieses norddeutsch-ländlichen und protestantisch-bürgerlichen Epos erschienen waren. Privates und Gegenwärtiges hatte der Philologe in klassizistische Form übertragen. Goethe schrieb 1824: »Voß hat in seiner *Luise* diesen häuslichen Ton angegeben; in *Hermann und Dorothea* habe ich ihn aufgenommen, und er hat sich in Deutschland weit verbreitet.« *Luise, ein ländliches Gedicht in drei Idyllen* wurde ein literarischer Erfolg bei dem gerade zum Lesen erzogenen Bürgertum (I, 441–446):

> Sie umschauten die weithin lachende Landschaft,
> Plauderten viel und sangen empfundene Lieder von
>   Stolberg,
> Bürger und Hagedorn, von Claudius, Gleim und Jacobi,
> Sangen: »O wunderschön ist Gottes Erde!« mit Hölty,
> Welchen den Tod anlacht' und beklagten dich, redlicher
>   Jüngling!

Auch beruflich konnte sich Voß zunächst leidlich, dann immer besser etablieren: im Oktober 1778 übernahm er die Stelle eines Schulrektors in Otterndorf im Lande Hadeln. Das Amt mußte eine wachsende Familie ernähren, fünf Söhne und Voß' Mutter; man war weiterhin auf die Honorare aus dem Almanach angewiesen. Häufige Krankheiten durch das Marschfieber waren der Hauptgrund, 1782 die Otterndorfer Stellung gegen die gleiche in Eutin einzutauschen. Friedrich Leopold von Stolberg hatte diese Berufung durchgesetzt. Eutin war eine kleine Residenzstadt des Fürstbischofs von Lübeck und Herzogs von Oldenburg, und Voß spürte sehr bald den Druck, der von der feudal-absolutistischen Gesellschaft ausging. Es war ein anderes Klima als im Lande der freien Bauern. Doch man lebte sich ein, so daß Voß Berufungen auf andere Rektorats- und Professorenstellen ablehnte. 1786 erhielt er den Titel eines Hofrats, was mit Befreiungen vom Schulamt verbunden war. Der Fürstbischof belohnte damit den philologischen Ruhm seines Untertans.

Voß lebte in der Eutiner Zeit die bürgerliche Idylle, die *Luise* beschreibt. Der Gelehrte, anerkannt in Familie und Gesellschaft, von Freunden besucht, Freunde besuchend: Gefühlskultur, aber immer mit der Narbe seiner Abkunft, besonders in der Zeit der Französischen Revolution. Literarisch schlug sich allerdings dies Ereignis kaum nieder. Die Oden und Lieder der Jahre 1789/90 sind weiterhin idyllisch und unverbindlich humanitär wie etwa der Schluß von *An den Genius der Menschlichkeit* (1790):

> Heil, Heil! erhabener Genius
> Der edlern Menschlichkeit,
> Der Sinn' und Herzen zum Genuß
> Urreiner Schöne weiht!
> Dir schwören wir beim Feiertrank
> Von neuem Biedermut;
> Und laut ertönts im Hochgesang:
> Seid menschlich, froh und gut!

Goethe in seiner Rezension der *Lyrischen Gedichte* 1804: »Auch ist in der Folge die Annäherung zum französischen Freiheitskreise nicht heftig, noch von langer Dauer, bald wird unser Dichter durch die Resultate des unglücklichen Versuchs abgestoßen und kehrt ohne Harm in den Schoß sittlicher und bürgerlicher Freiheit zurück.« Der Aufsteiger Voß hatte sich angepaßt. Eine Entwicklung machte seine

Dichtung nicht mehr durch, aus dem Genie des Göttinger Hains war ein Philologe geworden, der seine ehemaligen Demütigungen durch die Gesellschaft nun durch Polemiken gegen Freunde und Lehrer kompensierte; die Unterdrückung schlug um in Aggression, statt des gesellschaftlichen Protestes der private Haß im eitlen Gewande des erfolgreichen Philologen. Der Freund Friedrich Leopold von Stolberg wurde sein wichtigstes Ziel, als der Adlige die Revolution ablehnte und gar noch 1800 zum Katholizismus übertrat, doppelter Verrat an den liberalen Versprechungen unter der Göttinger Eiche. Doch erst 1819, nach vielen Verstrickungen des Polemikers mit den Romantikern, holte Voß öffentlich gegen Stolberg aus, dessen Konversion er nun als symptomatischen Beginn der antirationalistischen Strömungen der zwanziger Jahre sah: *Wie ward Fritz Stolberg ein Unfreier?* 1820 nochmals, selbst kurz nach Stolbergs Tod, erweitert in *Bestätigung der Stolbergischen Umtriebe.* Der hetzerische Artikel erschien in der Zeitschrift *Sophronizon* und löste eine Fülle öffentlicher Stellungnahmen aus. Goethe notierte sich 1820 unter dem Stichwort *Voß contra Stolberg*:

> Voß contra Stolberg! ein Prozeß
> Von ganz besonderem Wesen,
> Ganz eigner Art; mir ist indes
> Das hätt' ich schon gelesen.
> Mir wird unfrei, mir wird unfroh,
> Wie zwischen Glut und Welle,
> Als läs ich ein Capitolo
> In Dantes grauser Hölle.

1802 erbat sich Voß seine Entlassung aus dem Eutiner Schulbetrieb und erhielt 600 Taler Pension. Voß reiste und erwartete eine neue Berufung, da seine Übersetzungen aus der Antike (Vergil, Hesiod, Theokrit, Ovid, Horaz, Tibull u. a.) eine noch nie erreichte Qualität aufwiesen. Besonders eng wurde seine Bindung an die Weimarer, als er noch 1802 mit seiner Familie nach Jena zog; seine ältesten Söhne studierten dort. Verbissen publizierte er gegen alle Widersacher der alten Philologenschule. Goethe versuchte Voß an das kleine Herzogtum zu binden, hofierte ihn durch eine lange Besprechung seiner vierbändigen Gedichtauswahl 1804, die geradezu hymnisch endet: »Ihm war das glückliche Los beschieden, daß er den alten Sprachen und Literaturen seine Jugend widmete, sie zum Geschäft seines Lebens erkor. Nicht zerstückeltes buchstäbliches Wissen war sein Ziel, sondern er drang bis zum Anschauen, bis zum unmittelbaren Ergreifen der Vergangenheit in ihren wahresten Verhältnissen, er vergegenwärtigte sich das Entfernte, und faßte glücklich den kindlichen Sinn, mit welchem die ersten gebildeten Völker sich ihren großen Wohnplatz die Erde, den übergewölbten Himmel, den verborgenen Tartarus mit beschränkter Phantasie vorgestellt, er ward gewahr, wie sie diese Räume mit Göttern, Halbgöttern und Wundergestalten bevölkerten, wie sie jedem einen Platz zur Wohnung, zur Wanderung den Pfad bezeichneten. Sodann aufmerksam auf die Fortschritte des menschlichen Geistes, der nicht aufhörte zu beobachten, zu schließen, zu dichten, ließ der Forscher die vollkommene Vorstellung, die wir Neuern von dem Erd- und Weltgebäude sowie von seinen Bewohnern besitzen, aus ihren ersten Keimen sich nach und nach entwikkeln und auferbauen. Wie sehr dadurch Fabel und Geschichte gefördert worden, ist niemand mehr verborgen, und sein Verdienst wird sich immer glänzender zeigen, je mehr dieser Methode gemäß nach allen Seiten hin gewirkt und das Gesammelte geordnet und aufgestellt werden kann.«

Trotz ehrenvoller Avancen aus Weimar nahm Voß im Sommer 1805 das Angebot der badischen Regierung an, in Heidelberg für 1000 Gulden jährlich die Universität zu beraten, ein Ehrensold für den Philologen und Übersetzer. Zu praktischer Tätigkeit im Dienste der Universität kam es jedoch kaum, unflexibel stand der alternde Voß der neuen romantischen Zeitströmung gegenüber. Schon die 1802 erschienene *Zeitmessung der deutschen Sprache* war ein Dokument des Starrsinns gewesen; in die Antike verstiegen, wollte Voß die Quantität der antiken Silben auf die akzentuierenden deutschen Silben übertragen. Übersetzungen sind das Alterswerk des Heidelbergers Voß: Lustspiele des Aristophanes, Properz u. a. In jahrelangen Arbeiten versuchte er sich an Shakespeare, in Konkurrenz mit der jungen Generation, und unterlag. In Berufung auf Luther und Lessing versuchte er seinen polemischen Altersstarrsinn zu rechtfertigen, wenn er etwa in der *Antisymbolik* (2 Bände, 1824–26) nochmals seine alten und neuen Aggressionen verbreitete. Voß starb am 29. März 1826 durch Schlaganfall in Heidelberg.

Bibliographische Hinweise

Sämtliche poetische Werke. Hrsg. von A. Voß nebst einer Lebensbeschreibung und Charakteristik von F. E. Th. Schmid. Leipzig 1835.

Idyllen. Mit einem Nachw. von E. Th. Voss. Heidelberg 1968. (Nachdr. der Ausg. Königsberg 1801.)

Sämtliche Gedichte. 6 Bde. Königsberg 1802.

Briefe nebst erläuternden Beilagen. 3 Bde. Hrsg. von A. Voß. Hildesheim 1971. (Nachdr. der Ausg. Halberstadt 1833.)

Briefwechsel zwischen Johann A. P. Schulz und Johann Heinrich Voss. Hrsg. von H. Gottwaldt und G. Hahne. Kassel/Basel 1960.

Briefe an Goeckingk 1775–1786. Hrsg. von G. Hay. München 1976.

Anmerkungen und Randglossen zu Griechen und Römern. Hrsg. von A. Voß. Leipzig 1838.

Benning, L.: Johann Heinrich Voß und seine Idyllen. Bendorf 1925.

Fröschle, H.: Der Spätaufklärer Johann Heinrich Voss als Kritiker der deutschen Romantik. Stuttgart 1985.

Häntzschel, G.: Johann Heinrich Voß. Seine Homer-Übersetzung als sprachschöpferische Leistung. München 1977.

Herbst, W.: Johann Heinrich Voss. 3 Bde. Bern 1970. (Nachdr. der Ausg. Leipzig 1872–76.)

FRIEDRICH MAXIMILIAN KLINGER

Von Gert Ueding

Friedrich Maximilian Klinger wurde am 17. Februar 1752 in der freien Reichsstadt Frankfurt geboren. Der Vater, Konstabler bei der Frankfurter Artillerie, starb schon 1760 an den Folgen eines Unfalls, wenige Tage vor dem 8. Geburtstag des Sohnes. Die Witwe, Tochter eines Sergeanten, 32 Jahre alt und mittellos, aber tatkräftig, hatte für drei Kinder zu sorgen, zwei Töchter und den Sohn Friedrich Maximilian; ein anderer Sohn war nur knapp ein Jahr alt geworden. Sie wurde Wäscherin und verkaufte Feuersteine in einem kleinen Laden am Fartor. Mit Hilfe des Gymnasialprofessors Zink gelangte der junge Friedrich auf die Frankfurter Gelehrtenschule. Nachdem er sie im Herbst 1772 verlassen hatte, vergingen eineinhalb Jahre, bevor er sich als Student an der Universität Gießen immatrikulierte, um Jura zu studieren. Er wird durch weiteren Unterricht Geld fürs Studium verdient, im übrigen aber mit seinen Freunden in der engen Witwenstube im Rittergäßchen oder im Goetheschen Haus am Hirschgraben über Kunst und Literatur, die vergangene deutsche Freiheit und die ungewisse Zukunft geredet haben. »Man liebt an dem Mädchen was es ist, und an dem Jüngling was er ankündigt, und so war ich Klingers Freund, sobald ich ihn kennen lernte«, heißt es in *Dichtung und Wahrheit* (III,14). Ob Goethe Klinger, wie es nach dieser berühmten Schilderung erscheint, erst 1769 kennenlernte oder ob der junge Friedrich bereits als kleiner Knabe zu Füßen der Frau Rat Goethe gesessen hatte (»Wie manche Stunde hab ich vertraut bey ihr auf dem Stuhl genagelt

zugebracht und Märchen gehört«), wie er sich in einem Brief
(an Kayser, 2. Pfingsttag 1776) erinnert, sei dahingestellt,
jedenfalls war auch Klinger unter den jungen Schriftstellern
und Intellektuellen, die seit Beginn der siebziger Jahre die
Errungenschaften ihrer Väter mit keckem Spott verhöhnten,
dann wegfegen wollten, um an ihre Stelle eine neue, Kraft
und Bewegung, Gefühl und Enthusiasmus verkörpernde
Kultur zu setzen. Im Juni 1776 brach Klinger seine juristischen Studien ab und reiste nach Weimar, wo Goethe am 11.
ebendieses Monats zum Verdruß der Weimarer Hofgesellschaft zum Geheimen Legationsrat mit Sitz und Stimme im
Staatsrat ernannt worden war. Inzwischen galt Klinger als
ein begabter Dramatiker der neuen Bewegung. Sein Erstling
Otto (entst. 1773/74, ersch. 1775) ist ein Ritterdrama im Stile
des *Götz*, noch Schiller hörte daraus den gewaltigen Aufruf
zu eigener genialischer Produktivität. Das nächste Stück,
Das leidende Weib (1775), handelt von dem unheilvollen
Einfluß der Lektüre auf die weibliche Sittlichkeit.

Besonderen Erfolg aber hatte Klinger mit seinem dritten
Drama, den 1774 entstandenen *Zwillingen* (ersch. 1776).
Das Stück erhielt vor Leisewitz' *Julius von Tarent* den ersten
Preis der Ackermannschen Schauspielertruppe. Das »Mei-
sterstück«, wie Goethes Schwager Schlosser etwas vor-
schnell lobte (an Boie, 28. März 1778), ist eine blutige
Historie um Erstgeburtsrecht und Brudermord und hatte
nur mäßigen Bühnenerfolg, machte aber Klinger in kurzer
Zeit einem größeren deutschen Publikum bekannt. Den
Zwillingen folgten kurz hintereinander zwei weitere Kraft-
stücke (*Die Neue Arria*, *Simsone Grisaldo*, beide 1776), so
daß Wieland bemerkte: »Eurem Klinger sollte nun,
dächt' ich, nach gerade doch auch allemal ein Wort der
kritischen Ermahnung ans Herz gelegt werden – oder wollt
ihr ihn lieber noch fort tollen lassen?« (an Merck, 13. Mai
1776). Klinger tollte fort, nun auch in Weimar. Das Ergebnis: eine Komödie, die »Der Wirrwarr« heißen sollte: »Ich
hab die tollsten Originalen zusammengetrieben. Und das

Friedrich Maximilian Klinger
1752–1831

tiefste tragische Gefühl wechselt immer mit Lachen und
Wiehern« (an Schleiermacher, 4. September 1776). Die me-
lodramatische Handlung geht wieder um einen Familien-
zwist, um Liebe, Todesfeindschaft und geheimnisvolle Mas-
keraden. Klinger hat das Stück dann umgetauft, und die
Ironie der Literaturgeschichte will es, daß der neue Name
zur populären Bezeichnung der ganzen Bewegung wird,
obwohl der ursprüngliche so viel genauer gepaßt hätte.
Denn *Sturm und Drang* (1776), wie er es nun auf Rat seines
neuen, eben in Weimar eingetroffenen Freundes Christoph
Kaufmann nannte, traf zwar das Gärende, Wildbewegte,
Aufbrechende der neuen Realitätserfahrung, nicht aber die
ausweglose Verworrenheit, die ihr zugrunde lag: als objekti-
ver und subjektiver Zustand in einem.

Im Herbst 1776 verließ Klinger Weimar, seine Hoffnungen auf eine Anstellung hatten sich nicht erfüllt, die Beziehungen zu Goethe und seinem Kreis waren durch Intrigen
und Indiskretionen Kaufmanns zerstört, auch der Plan, in
der preußischen Armee Offizier zu werden, zerschlug sich
wegen der dafür ungünstigen Friedenszeiten, ebensowenig
wurde aus der Offiziersstelle bei den deutschen Söldnertrup-
pen in Amerika. Dafür fand er als Theaterdichter ein Engagement bei der Seylerschen Schauspielertruppe in Leipzig,
der bedeutendsten neben Schröders Unternehmen in Hamburg, bearbeitete für sie den *Sturm und Drang* und *Das
leidende Weib* für die Bühne und schrieb eine neue kraftge-
nialische Staatsaktion: *Stilpo und seine Kinder* (ersch. 1780).
Eine unruhige Wanderzeit begann, und erst auf dem Som-
mersitz der Jacobis in Pempelfort kam er etwas zu sich,
begann ein Werk in der Manier von Lukians Göttergesprä-
chen: *Der verbannte Götter-Sohn* (1777), vielleicht die maß-
loseste Konfession der Geniezeit. Aber das alles brachte kein
Geld ein, also versuchte er sich als Unterhaltungsschriftstel-
ler mit einem Roman *Orpheus* (1778), einer wunderlichen
Mixtur aus französischem Feenmärchen, erotischem Roman
und Staatssatire.

Die entscheidende Wende in Klingers Leben kam 1780 zustande, als ihm der Bruder des regierenden Herzogs von Württemberg eine Offiziersstelle in russischen Diensten vermittelte. Der Antritt verzögerte sich etwas, und Klinger nutzte die Zeit für sein übermütigstes und merkwürdigstes Buch, den kleinen Roman *Plimplamplasko, der hohe Geist (heut Genie). Eine Handschrift aus den Zeiten Knipperdollings und Doctor Martin Luthers. Zum Druk befördert von einem Dilettanten der Wahrheit* (1780) – die komische Abrechnung mit dem fratzenhaften Geniewesen Kaufmanns und der eigenen Vergangenheit, ein derber Entwicklungsroman, in einer künstlich-kunstvollen, altertümlichen Sprache geschrieben, voller Wortwitz und Situationskomik, ein Sprachexperiment, das wir heute erst zu schätzen wissen, aber den Zeitgenossen als bloß launisches Nebenprodukt erscheinen mußte.

Als Leutnant im Bataillon de Marine und Ordonnanzoffizier des Großfürsten und Zarewitsch Paul gehörte Klinger zum Petersburger Hofstaat, seine Rolle als Vorleser und Homme de lettres der Hofgesellschaft brachte ihn in eine enge persönliche Beziehung zu dem später durch seinen Cäsarenwahn berüchtigt gewordenen Zaren und seiner Frau Sophie Dorothea von Württemberg. Er war in das Rußland der Potemkinschen Dörfer geraten, der Kulissenwelt in der Regierungszeit Katharinas II. Der Petersburger Hof wirkte dagegen wie eine Idylle inmitten einer verderbten, von Machtentfaltung und untergründiger Barbarei, von verschwenderischem Glanz des hauptstädtischen Lebens und dem Elend und der Dumpfheit des Volkes geprägten Welt. Karriere im Krieg hatte er nicht gemacht, dafür eine um so erstaunenswürdigere im Frieden, und er verdankte sie allein seiner Selbstdisziplin, Geradheit und Unbestechlichkeit. Die äußere Unnahbarkeit war hart errungene Fassade. »Ihnen kann ich wohl im Vertrauen sagen«, schrieb er am 24. Januar 1818 an die Freundin Fanny Tarnow, »u. Sie werden es mir glauben, daß ich in meinem Innern Seyn, jünger u stürmen-

der u brennender bin, als ich es in meiner Jugend war«. 1785
trat Klinger in das adlige Landkadettencorps ein, eine militä-
rische Bildungsanstalt, welche die Zöglinge im Alter von
fünf oder sechs Jahren aufnahm, um sie nach fünfzehn
Jahren als Fähnriche, Leutnants oder Kapitäne in die Armee
zu entlassen. Klinger hatte sich endgültig für einen seßhaften
Beruf entschieden. 1788 heiratete er Elisaweta Alexan-
drowna Alexejewa, die Tochter eines Obersten, und wurde
Kapitän. Zwei Söhne starben noch im frühen Kindesalter,
der dritte, Alexander, wurde 1812 in der Schlacht bei Boro-
dino verwundet und starb an den Folgen seiner Verletzun-
gen. Obwohl nicht so schnell, wie Klinger hoffte, aber doch
unaufhaltsam vollzog sich sein Aufstieg. Im November 1796
starb Katharina; nun begann die zunächst launische, dann
despotische Herrschaft Pauls I., unter der Klinger freilich
nicht so sehr zu leiden hatte wie andere. Die alte, sehr enge
persönliche Freundschaft schützte ihn nicht nur vor den
grausamen Demagogenverfolgungen, sondern beschleunigte
seine Karriere als russischer Staatsdiener. Zu Beginn des
Jahres 1798 wurde er zum Oberstleutnant, im Dezember
zum Generalmajor und leitenden Erzieher des Kadettencorps ernannt. Ende Februar 1801, einen Monat, bevor Paul
durch eine Verschwörung gestürzt und grausam ermordet
wurde, avancierte er zum Direktor des Kadettencorps.

Pauls Nachfolger Alexander I. wirkte wie eine Erlösung,
und Klinger begrüßte ihn enthusiastisch wie den idealen
Fürsten. Im Frühjahr 1802 erhielt er das kurländische Kron-
gut Druckenhof auf Lebenszeit verliehen. Seine Ämter,
Ehren und Orden häuften sich: Oberdirektor des Pagen-
corps (1801) und Conseilmitglied des Fräulein- und Katha-
rinenstifts (1802), Mitglied des Oberschulrats und Kurator
der von Paul gestifteten deutschen Universität in Dorpat
(1803). Klinger beschäftigte sich nun bis 1816 vor allem mit
erziehungs- und bildungspolitischen Fragen, entwarf Pläne
für die Einrichtung von Volksschulen, zur Reorganisation
der militärischen Erziehung, für die Ordnung der Universi-

tät. Die beiden ersten russischen Jahrzehnte aber waren die fruchtbarste Zeit im Leben des Schriftstellers Klinger. In den Anfangsjahren entstanden drei Stücke: *Die falschen Spieler* (1782), *Elfride* (1783) und *Der Schwur* (entst. 1783, ersch. 1786), im ukrainischen Feldlager 1783 ein kleiner kritisch-satirischer Roman *Der goldene Hahn. Ein Beitrag zur Kirchen-Historie* (ersch. 1785), der im märchenhaften Gewande Klingers an Voltaire geschulte Religionskritik vorträgt. 1784 folgte ein historisches Drama *Konradin* (ersch. 1786), ein Jahr später die erste (verschlüsselte) Dramatisierung eines zeitgeschichtlichen russischen Stoffes, das um Potemkin spielende Drama *Der Günstling* (1787). Bis 1790 schloß sich eine Reihe von vier Dramen an, in denen Klinger antike Stoffe bearbeitete: *Medea in Korinth* (entst. 1786, ersch. 1791), *Aristodymos* (entst. 1787, ersch. 1790), *Damocles* (1790), *Medea auf dem Kaukasos* (entst. 1790, ersch. 1791). Das überlieferte Modell wird zum Spiegel zeitgenössischer Bezüge und überraschender Entsprechungen, feudal-absolutistische Tyrannei (*Damocles*) und nationale Verblendung (*Aristodymos*) gehören Klingers eigener Erfahrungswelt an. Auch die folgenden Stücke aus diesen Jahren sind politische Dramen: *Roderico* (entst. 1786, ersch. 1790), eine Variation der Geschichte, die Schiller im *Don Karlos* dramatisierte, *Die zwo Freundinnen* (entst. 1788, ersch. 1790), eine Sittenkomödie, und die zweite Dramatisierung eines russischen Stoffes, *Oriantes* (1790), die ins antike Thrakien verlegte Episode aus der Geschichte Peters des Großen: die Auseinandersetzung zwischen dem Zaren und seinem Sohne Alexej, der auf Betreiben seines Vaters des Hochverrats angeklagt, zum Tode verurteilt worden und an den Folgen der Torturen 1718 gestorben war.

Aber nicht die Dramen sind die bedeutendsten Werke Klingers, sondern seine nach 1790 entstandenen Romane. Der auf 10 Bände geplante Zyklus ist Fragment geblieben, *Das zu frühe Erwachen des Genius der Menschheit* ist nur als Bruchstück ausgeführt, und der 10. Band, wohl als autobiographischer Rechenschaftsbericht geplant, blieb aus politischen Rücksichten ungeschrieben. An seiner Stelle erschienen die *Betrachtungen und Gedanken über verschiedene Gegenstände der Welt und der Litteratur* (1803–05), eine Sammlung von Aphorismen, kleinen Essays und kurzen Dialogen.

Innerhalb nur eines Jahrzehnts erschienen in schneller Folge: *Fausts Leben, Thaten und Höllenfahrt* (1791), *Geschichte Giafars des Barmeciden* (1792–94), *Geschichte Raphaels de Áquillas* (1793), *Reisen vor der Sündfluth* (1795), *Der Faust der Morgenländer* (1797), *Geschichte eines Teutschen der neusten Zeit, Der Weltmann und der Dichter* (beide 1798), *Das zu frühe Erwachen des Genius der Menschheit* (1798 und 1804), *Sahir, Eva's Erstgeborener im Paradiese* (1798). Ein Romanwerk, in dem einmal die historische (*Raphael, Giafar*), dann die philosophische (*Faust, Genius*), die politische (*Geschichte eines Teutschen, Weltmann*), schließlich die religions- (*Sahir*) und kulturkritische (*Reisen vor der Sündfluth, Faust der Morgenländer*) Perspektive dominiert; sehr unterschiedliche Romane, die aber alle einen gemeinsamen Fluchtpunkt haben: die menschliche Tragödie, die bis zur Komödie und Farce hinabreicht. Klingers Romanwerk wurde aus dem kulturellen Gedächtnis der Deutschen nicht wegen seiner Unvollkommenheiten verdrängt, die man leicht über seiner ästhetischen Kraft, seinem sittlichen Enthusiasmus und seiner unbestechlichen Wahrheitsliebe vergißt, sondern weil es sich den herrschenden kulturellen Tendenzen in der deutschen Geschichte des 19. Jahrhunderts verweigerte. Wider Willen hat Jean Paul in seiner *Vorschule der Ästhetik* die geistige Legitimation und innere Form von Klingers Werk gleichermaßen auf den Begriff gebracht, das »Ideal und Wirklichkeit, statt auszusöhnen, noch mehr zusammen hetzt«.[1]

Inzwischen gehört die klassizistische Ästhetik, die ihn verbannte, der Vergangenheit an, und nichts mehr stünde der Absicht im Wege, Fjodor Iwanowitsch Klinger, wie er im *Russischen biographischen Wörterbuch* heißt, nach mehr als zweihundert Jahren wieder in die deutsche Literatur einzubürgern, ihm vor allem den Platz eines zukunftweisenden Außenseiters in der Geschichte der deutschen Literatur zuzuerkennen. Auch er ein deutscher Schriftsteller ohne Misere, den Goethe, als er von seinem Tod (am 13. Februar[2] 1831 in Petersburg) erfuhr, gegenüber dem Kanzler von Müller mit den Worten charakterisierte: »Das war ein treuer, fester, derber Kerl wie keiner.«[3]

Anmerkungen

1 Jean Paul, *Vorschule der Aesthetik*, in: J. P.: *Sämtliche Werke. Hist.-krit. Ausg.*, hrsg. von der Preussischen Akademie der Wissenschaften, Abt. 1, Bd. 11, Weimar 1935, S. 236.   **2** Vgl. Rieger, 1896, Bd. 2, S. 642, sowie O. Smoljan, *Maximilian Klinger. Leben und Werk*, Weimar 1962, S. 140 f. Smoljan zitiert dort u. a. aus dem *Rusky Invalid ili Wojenyje Wedomosti*, Nr. 50 vom 27. Februar 1931.   **3** F. v. Müller, *Unterhaltungen mit Goethe*, mit Anm. vers. und hrsg. von R. Grumach, München 1982, S. 204.

Bibliographische Hinweise

Werke. 12 Bde. Königsberg 1809–16.
Sämtliche Werke. 12 Bde. Mit einer Charakteristik und Lebensskizze F. M. Klingers. Stuttgart/Tübingen 1842.
Werke. Hist.-krit. Gesamtausg. Bd. 1 ff. Hrsg. von S. L. Gilman [u. a.]. Tübingen 1978 ff.
Ein verbannter Göttersohn. Lebensspuren 1752–1831. Eine Auswahl aus dem Werk. Hrsg. und eingel. von G. Ueding. Stuttgart 1981.
Fausts Leben, Taten und Höllenfahrt. Anm. von E. Schöler. Nachw. von U. Heldt. Stuttgart 1986.

Arntzen, H.: Die Komödie der Entfremdung. Lenz und Klinger. In: H. A.: Die ernste Komödie. Das deutsche Lustspiel von Lessing bis Kleist. München 1968. S. 83–101.

Hering, Ch.: Klingers Romane. Das Baugesetz der Dekade. In: Modern Language Notes 79 (1964) S. 363–390.

Herrmann, R.: Das Bild der Gesellschaft in den Werken des älteren Klinger, besonders in seinen Aphorismen. Diss. Berlin [Ost] 1958.

Jelenski, M.: Kritik am Feudalismus in den Werken Friedrich Maximilian Klingers bis zur Französischen Revolution, speziell in seinen Dramen. Diss. Berlin [Ost] 1953.

Kaiser, H. M.: Studien zu Friedrich Maximilian Klingers Romanen. Eine Analyse der Motive und Charaktere in der Triade Faust, Raphael, Giafar. Diss. Brown University, Providence (R. I.) 1968.

Kliess, W.: Sturm und Drang. Gerstenberg, Lenz, Klinger, Leisewitz, Wagner, Maler Müller. München 1976.

Lieb, A.: Die geistesgeschichtliche Stellung der Betrachtungen und Gedanken Friedrich Maximilian Klingers. Diss. Freiburg i. B. 1951.

Otto, G.: Begriffs- und Namensregister zu Friedrich Maximilian Klingers »Betrachtungen und Gedanken über verschiedene Gegenstände der Welt und der Literatur«. Hildesheim / New York 1981.

Rieger, M.: Klinger in der Sturm- und Drang-Periode. Mit vielen Briefen. Darmstadt 1880.

– Friedrich Maximilian Klinger. Sein Leben und Werke. Bd. 1: Klinger in seiner Reife. Mit einem Briefbuch. Bd. 2: Briefbuch zu Friedrich Maximilian Klinger. Darmstadt 1896.

Segeberg, H.: Friedrich Maximilian Klingers Romandichtung. Untersuchungen zum Roman der Spätaufklärung. Heidelberg 1974.

Zilk, G.: Faust und Antifaust. Eine Studie zum Denken und Dichten Friedrich Maximilian Klingers. München 1965.

JOHANN ANTON LEISEWITZ

Von Norbert Oellers

Leisewitz wurde am 9. Mai 1752 in Hannover als Sohn eines Weinhändlers geboren. Seine Kindheit (bis 1759) verlebte er in Celle, seine Jugend in Hannover; von dort ging er im Herbst 1770 nach Göttingen, um das Studium der Rechtswissenschaften aufzunehmen, das er Ostern 1774 mit Erfolg abschloß. Bevor er Göttingen verließ, wurde er am 2. Juli desselben Jahres (dem Geburtstag Klopstocks) in den Göttinger Dichterbund, den »Hain«, aufgenommen, und zwar wegen seiner besonderen historischen Kenntnisse und Fähigkeiten. In dieser Zeit plante Leisewitz ein großes Werk über die Geschichte des Dreißigjährigen Krieges. Zur Ausführung des Plans ist es nie gekommen.

In Göttingen verfaßte Leisewitz zwei antifeudalistische Dialogszenen, die in den Göttinger *Musenalmanach auf das Jahr 1775* eingerückt wurden (*Die Pfändung* und *Der Besuch um Mitternacht*), sowie den größten Teil des Trauerspiels *Julius von Tarent*. Im Oktober 1774 legte Leisewitz in Celle das Advokatenexamen ab, danach ließ er sich als Anwalt in Hannover nieder. Nur unlustig übte er seinen Beruf aus; entsprechend gering waren seine Einnahmen, so daß er lange Zeit ein äußerst ärmliches Leben fristete. Auf die Ankündigung Sophie Charlotte Ackermanns und Friedrich Ludwig Schröders, geeignete Originalstücke mit 20 Louisdors zu honorieren, reagierte Leisewitz mit der Einsendung des im Sommer 1775 noch einmal überarbeiteten *Julius von Tarent*. Die erhoffte Summe kam ihm allerdings nicht zu, weil die Begutachter nur ein einziges Stück finanziell auszeichneten: Klingers *Die Zwillinge*.

Von Ende 1775 bis Mitte 1776 widmete sich Leisewitz in Braunschweig intensiven Geschichtsstudien; in dieser Zeit lernte er Lessing kennen, mit dem er bis zu dessen Tod einen anregenden Umgang pflegte. Anfang 1778 übersiedelte Leisewitz nach Braunschweig, nachdem er dort eine Anstellung als Landschaftssekretär gefunden hatte. Als sich seine finanzielle Lage ein wenig zum Besseren wendete, konnte er 1781 Sophie Seyler, die Tochter des Hamburger Theaterdirektors Abel Seyler, heiraten. Leisewitz blieb in Braunschweig, wo er sich langsam auch öffentliche Anerkennung erwarb, wie die Stufenleiter seiner Karriere belegt: 1786 wurde er Erzieher des Erbprinzen Karl Georg August, 1790 Hofrat, 1801 Geheimer Justizrat, 1805 Präsident des Sanitätskollegiums. In den letzten Jahren seines Lebens setzte er sich mit Eifer für eine umfassende Reform des Armenwesens in Braunschweig ein. Am 10. September 1806 ist er gestorben.

Das im engeren Sinne literarische Werk von Leisewitz ist sehr schmal: es besteht im wesentlichen aus dem 1776 anonym erschienenen Trauerspiel *Julius von Tarent*, das von den Zeitgenossen mit viel Beifall aufgenommen wurde und etwa zwei Jahrzehnte auf der Bühne großen Erfolg hatte. Lessing hielt es für das Werk eines Genies, der junge Schiller begeisterte sich an ihm, Karl Philipp Moritz zählte es 1786 zu den fünf deutschen Dramen, die allein als korrekt und ausgefeilt gelten könnten. Leisewitz war in seiner Selbsteinschätzung bescheiden: er rechnete sich zu den mittelmäßigen Schriftstellern.

Das fünfaktige Drama folgt den Regeln, die Leisewitz von Gottsched und Lessing gelernt hatte: es ist in Aufbau und Sprache nie verwirrend, sondern stets klar; die Personenzahl ist beschränkt, die Einheiten von Zeit und Handlung sind streng gewahrt, die Länge der Szenen erscheint sorgsam berechnet; es wird ein gewähltes Schriftdeutsch gesprochen.

Johann Anton Leisewitz
1752–1806

Leisewitz wurde zu seinem Stück durch die Geschichte des Großherzogs Cosimo I. von Florenz angeregt, die er aber, um nicht den Anschein zu erwecken, er liefere eine »dialogierte Geschichte« (Lessing), gründlich veränderte: An die Stelle Cosimos und seiner Söhne Johann und Garsias treten Constantin und seine Söhne Julius und Guido, der Ort wird nach Tarent verlegt, die Zeit ist von 1562 ans Ende des 15. Jahrhunderts verschoben. Beibehalten wollte Leisewitz »die praktisch-philosophischen Sitten des Medicäischen Hofs«, wie er im Dezember 1779 an den Meininger Bibliothekar Reinwald schrieb.

Die äußere Handlung des Stückes hat ihm das Etikett eines ›typischen‹ Sturm-und-Drang-Dramas verschafft: Julius und Guido, die Söhne des Fürsten Constantin von Tarent, lieben dasselbe Mädchen (Blanka), das nicht ihres Standes ist. Um den Konflikt zwischen dem schwärmerisch liebenden Julius und dem heftig begehrenden Guido zu entschärfen, verfügt der Vater die Einweisung Blankas in ein Kloster, in das indes Julius einzudringen vermag, um Vorbereitungen für die Entführung der Geliebten zu treffen. Die feindlichen Brüder versöhnen sich für eine kurze Zeit während der Geburtstagsfeier des Fürsten; doch der Streit entzündet sich schnell wieder, als Guido verlangt, Julius solle auf Blanka verzichten, dann werde er ein gleiches tun. Als Julius das Entführungswerk beginnen will, tritt ihm Guido entgegen und ersticht ihn im Affekt. Guidos Bitte um Bestrafung erfüllt der Vater: er tötet ihn. Dann gibt er sein Herrscheramt auf und geht ins Kloster – ein Gescheiterter auch er.

Nicht nur die Brudermord-Geschichte legt es nahe, die Tragödie mit der ›Bewegung‹ des Sturm und Drang in Verbindung zu bringen, sondern auch die Leidenschaftlichkeit, mit der die Brüder auf ganz verschiedene Weise nach subjektiver Selbstverwirklichung streben, ohne jede Chance allerdings, ihr Ziel zu erreichen. Auf hypertrophen Gefühlen ist kein Glück zu gründen, wenn es gleichzeitig um die

Wahrung aufgeklärter Staatsräson geht; von dieser ist der weise Fürst ganz erfüllt. Es gelingt ihm, seinen Untertanen ein guter Herrscher zu sein, und er wird deshalb geliebt. Daß er seine politischen und philosophischen (speziell: seine moralischen) Prinzipien im Konflikt der Söhne durchsetzen möchte, befördert deren Untergang und zieht auch andere Personen ins Unglück hinein: Blanka wird wahnsinnig, Aspermonte, Julius' philosophischer Ratgeber, zieht in den Krieg: »nach Ungarn in die Säbel der Ungläubigen«. Auch wenn es so scheint, daß *Julius von Tarent* ebenso ein Drama der gescheiterten Aufklärung wie ein Lehrstück verantwortungsloser Empfindsamkeit ist, kann nicht zweifelhaft sein, daß Leisewitz hinsichtlich eines gesellschaftlichen Ordnungssystems keine Alternative vorschlagen wollte, sondern eine eindeutige Überzeugung vertrat: Aus dem Zeitalter der Aufklärung müsse sich ein aufgeklärtes Zeitalter entwickeln, selbst wenn aus dem Zusammenstoß mit neuen antiaufklärerischen Tendenzen tragische Katastrophen erwüchsen.

Der Dichter des *Julius von Tarent* hat viele Jahre (vermutlich von 1779 bis 1787) an einer Komödie *Der Sylvesterabend* gearbeitet, von der nur eine einzige Szene überliefert ist. In großen Mengen haben sich Tagebuchaufzeichnungen aus den Jahren 1779 bis 1781 erhalten, von denen das Wichtigste gedruckt wurde: Dokumente einer zuweilen peinlichen Selbstbeobachtung und Selbstdisziplinierung, Zeugnisse der Melancholie, Hypochondrie und Lebensunlust, aber auch: der Deutlichkeit, Vernünftigkeit und Ordnungsliebe.

Daß der Ein-Werk-Dichter Leisewitz besonders unter sozial- und geistesgeschichtlichen Aspekten (als Repräsentant einer durch das Nebeneinander sehr unterschiedlicher ›Strömungen‹ charakterisierbaren Epoche) die Aufmerksamkeit der Literaturwissenschaft verdient, ist durch die gründliche Arbeit von Ines Kolb in neuerer Zeit bekräftigt worden.

Bibliographische Hinweise

Sämmtliche Schriften. Zum erstenmale vollständig gesammelt und mit einer Lebensbeschreibung des Autors eingeleitet. [Hrsg. von F. L. A. Schweiger.] Hildesheim 1970. (Nachdr. der Ausg. Braunschweig 1838.)

Tagebücher. 2 Bde. Hrsg. von H. Mack und J. Lochner. Hildesheim / New York 1976. (Nachdr. der Ausg. Weimar 1916–20.)

Briefe an seine Braut. Hrsg. von R. Hagen. Braunschweig 1973.

Julius von Tarent. Ein Trauerspiel. Hrsg. von W. Keller. Stuttgart 1965 [u. ö.].

Aichbergen, G. K. v.: Johann Anton Leisewitz. Ein Beitrag zur Geschichte der deutschen Literatur im 18. Jahrhundert. Nach dem Tode des Verfassers hrsg. [von K. Tomaschek]. Wien 1876.

Dieckhöfer, E.: Der Einfluß des »Julius von Tarent« auf Schillers Jugenddramen. Diss. Bonn 1902.

Kolb, I.: Herrscheramt und Affektkontrolle. Johann Anton Leisewitz' »Julius von Tarent« im Kontext von Staats- und Moralphilosophie der Aufklärung. Frankfurt a. M. / Bern 1983.

Kühlhorn, W.: Julius von Tarent von Johann Anton Leisewitz. Erläuterung und literarhistorische Würdigung. Walluf bei Wiesbaden 1973. (Nachdr. der Ausg. Halle a. d. S. 1912.)

Martini, F.: Die feindlichen Brüder. Zum Problem des gesellschaftlichen Dramas von Johann Anton Leisewitz, Friedrich Maximilian Klinger und Friedrich Schiller. In: Jahrbuch der Deutschen Schillergesellschaft 16 (1972) S. 208–265.

Mattenklott, G.: Melancholie in der Dramatik des Sturm und Drang. Stuttgart 1968.

Niebour, M.: Beiträge zur Kenntnis des Dichters Leisewitz. In: Jahrbuch des Geschichtsvereins für das Herzogtum Braunschweig 4 (1905) S. 62–113.

Noble, P. W.: The Life and Works of Johann Anton Leisewitz. Diss. University of Wisconsin, Madison 1976.

Oellers, N.: Johann Anton Leisewitz. In: Deutsche Dichter des 18. Jahrhunderts. Ihr Leben und Werk. Hrsg. von B. v. Wiese. Berlin 1977. S. 843–860.

Sidler, J.: Johann Anton Leisewitz, Julius von Tarent. Zürich 1966.

Spycher, P.: Die Entstehungs- und Textgeschichte von Johann Anton Leisewitz' »Julius von Tarent«. Bern 1951.

GEORG FORSTER

Von Ralph-Rainer Wuthenow

Daß Georg Forster zu den wenigen Schriftstellern der deutschen Aufklärung von europäischem Format gehört, ist heute eine Feststellung, die niemanden mehr überrascht; das wäre hundert, ja hundertfünfzig Jahre nach seinem Tode noch anders gewesen. Dies hängt sowohl mit Forsters Lebensgang und dessen Eigentümlichkeit als auch mit dem zwiespältigen Verhältnis der Deutschen zur Aufklärung zusammen wie überhaupt mit der hierzulande herrschenden Unfähigkeit, eine literarische Tradition, wie andere Länder sie besitzen, auszubilden.

Aber nicht allein durch seine Bedeutung ist Forster eine Figur von europäischem Zuschnitt, er ist es auch durch seinen ungewöhnlichen Lebensweg, der ihn nach Rußland, nach England, um die ganze Welt, nach Deutschland und Polen, wiederum nach Deutschland und schließlich in das revolutionäre Frankreich führte.

Die Geschichte dieses so abenteuerlichen wie kurzen Lebens hat Forster selbst, bruchstückhaft, in seinen Briefen hinterlassen, die überdies auch, wie wenige, über die Entbehrungen und die Mühsal der Existenz eines deutschen Schriftstellers in der ersten Glanzzeit der deutschen Literatur Auskunft erteilen. Als Sohn eines in Nassenhuben bei Danzig (Gdansk) tätigen Pfarrers am 27. November 1754 geboren, hat Johann Georg(e) Adam Forster nicht einmal eine normale Schule, geschweige denn eine Universität besucht: der betriebsame, stets unzufriedene, doch für die Naturkunde leidenschaftlich interessierte Vater nimmt den

Knaben schon auf eine ihm angetragene Studienreise ins Innere Rußlands mit, nach deren unbefriedigendem Ausgang er sich von ihm kurzerhand auch nach England begleiten läßt, wo denn ebenfalls aus vielen Projekten nichts werden sollte, weshalb der junge Georg bereits Lomonossow übersetzt und dann sogar durch Stundengeben zum Unterhalt beitragen muß.

1772 jedoch ergibt sich für den Vater die Möglichkeit, sich James Cook anzuschließen, der im Auftrag der Admiralität seine zweite Weltumseglung vorbereitet; Johann Reinhold Forster setzt durch, daß sein Sohn ihn als Gehilfe begleiten darf. Die eigentliche Ausbildung Georg Forsters beginnt nun, an Bord der »Resolution«, unter Gefahren und Entbehrungen; sie ist, den Umständen entsprechend, wesentlich empirisch ausgerichtet. Selten war eine Bildungsreise so weitreichend und so folgenreich, zugleich Ausbildung und Einsicht in die Verhältnisse der Menschen und in die physiognomischen Geheimnisse des Erdballs. Nach einer Weltreise von zweieinhalb Jahren sind die Forsters 1775 wieder in England.

Der Schwierigkeiten halber, in die der Vater mit der Admiralität gerät, ist es Georg, der die Weltumseglung unter Cooks Kommando beschreibt, was die Behörde dem Vater untersagen konnte. Der englischen Fassung (A voyage towards the South Pole and round the world, 1777) folgt bald schon die deutsche Übersetzung (Reise um die Welt, 1778–80), und es ist nicht nur der Bericht eines beispiellosen Abenteuers, sondern aus ihm erwächst auch der literarische Erfolg des jungen Mannes. Sein Ruhm und das ihm überall entgegengebrachte Interesse helfen ihm, schließlich auch in Deutschland Fuß zu fassen: als Übersetzer und Rezensent, als Lehrer am Carolinum in Kassel, als Mensch im Umgang mit Lichtenberg und Sömmering. Freilich weiß er auch, was ihm fehlt (an Spener, 5. Juli 1779):

Georg Forster
1754–1794

Ich besinne mich; ich bin Uebersetzer des Büffons,
würdiger Nachfolger eines Martini; – ich correspon-
dire mit Fürsten und schreibe ein Abcbuch der Na-
turhistorie; ich seegle um die Welt und komme nach
Cassel, zwölfjährigen Rozlöffeln ihre Muttersprache
buchstabiren zu lehren. – Ich werde angesehen als
könnte ich andern helfen, und weis mir selbst nicht
zu rathen; bin immer geschäftig, und komme keinen
Schritt weiter!

Ein wenige Jahre später geschriebener Brief macht deutlich,
daß sich an dieser Situation grundsätzlich nicht viel ändern
sollte; bald ist die schriftstellerische Tätigkeit nicht mehr das
Produkt seiner Neigungen, sondern nur zu oft Auftrags-
arbeit und Notwendigkeit, den Forderungen der Gläubiger
zu entsprechen. Er beklagt sich, daß es ihm an den nötigen Karten und Büchern fehlt (an den Vater, 8. September
1783):

Ich fühle täglich mehr den Mangel daran, und muß
sie haben, wenn ich in der Welt vorwärts gehen will,
denn sonst geh' ich den Krebsgang. Ich muß noch
viel lernen, ehe ich ein gutes Buch schreiben kann;
und wenn ich nicht bald anfange, werde ich nicht
imstande seyn zu studiren, und meine besten Jahre
werden verloren seyn.

Über eine bescheidene Professur in Wilna, wo er 1785 seinen
Hausstand mit Therese Heyne, der Tochter des berühmten
Altphilologen, gründet, führt ihn sein Weg schließlich 1788
nach Mainz, wo er eine Stelle als Universitätsbibliothekar
hatte angetragen bekommen. Er ist weiter ständig tätig:
beschäftigt mit Essays und Abhandlungen, Editionen,
Übersetzungen und Rezensionen. So kann er auch beginnen, seine *Kleinen Schriften zur Geographie und Völker-
kunde* (1789–97) zu sammeln. »In dieser Sammlung gedenkt
der Verf. seine eigenen bisherigen Beobachtungen und Col-

lectaneen zur Anthropologie, Länderkunde und Naturgeschichte, zugleich aber auch neue Beyträge, die in fremder Sprache erscheinen, wenn sie von keinem großen Umfange sind, mitzutheilen«, heißt es in einer Selbstanzeige von 1789 (W XI,181).

Nachdem sich andere Reisepläne immer wieder zerschlagen haben, unternimmt Forster in Begleitung des jungen Alexander von Humboldt noch einmal, von Mainz aus, eine größere Reise, rheinabwärts bis in die habsburgischen Niederlande, nach Holland und weiter nach England, die er ausführlich und fesselnd in den *Ansichten vom Niederrhein* (1791–94) beschrieben hat und die ihn auf dem Rückweg auch über Frankreich führte, wo er in Paris den Jahrestag der Revolution erlebte, der er wie viele deutsche Intellektuelle erwartungsvoll und zustimmend gegenüberstand, dies um so mehr, als er die deutschen Zustände mit immer kritischeren Augen betrachtete, die seine Welterfahrung ihm frühzeitig geschärft hatte.

Als 1782 die französischen Truppen unter Custine die Reichsfestung Mainz eher besetzten als eroberten, war Forster nach kurzer Bedenkzeit bereit, für die neue Verwaltung und für eine Republik auf deutschem Boden tätig mitzuwirken. Erklärend schreibt er darüber an den Freund Johann Heinrich Voß (21. September 1792) in Berlin:

Ich bin im polnischen Preußen eine Stunde von Danzig geboren und habe meinen Geburtsort verlassen, eh er unter königlich-preußische Botmäßigkeit kam. Insofern also bin ich kein preußischer Untertan. Ich habe als Gelehrter in England gelebt, eine Reise um die Welt getan, hernach in Kassel, in Wilna und zuletzt in Mainz meine geringen Kenntnisse mitzuteilen gesucht. Wo ich jedesmal war, bemühte ich mich, ein guter Bürger zu sein; wo ich war, arbeitete ich für das Brot, welches ich erhielt. Ubi bene, ibi patria, muß der Wahlspruch des Gelehrten bleiben;

er bleibt es auch des freien Mannes, der in Ländern, die keine freie Verfassung haben, einstweilen isoliert leben muß.

Im Auftrag des rheinisch-deutschen Nationalkonvents plädiert er schließlich vor der französischen Nationalversammlung für die Angliederung der linksrheinischen, von den Revolutionstruppen besetzten Gebiete an die Republik, was dazu führte, daß die Reichsacht über ihn verhängt und auf seinen Kopf ein Preis gesetzt wurde (der ihm als zu niedrig erschien), was juristisch wohl angehen mochte, ihn aber in der Sache kaum treffen konnte, da ihm die Erwägung nationaler Gesichtspunkte anders als unter kosmopolitischer Perspektive fremd sein mußte. Forster dachte nicht deutsch oder französisch, sondern republikanisch und gerecht. Nach der Wiedereroberung von Mainz durch die Koalitionstruppen war Forster der Rückweg versperrt; er erlebte in Paris den Sturz der Gironde und den Höhepunkt der Terreur. Am 12. Januar 1794 starb er vereinsamt in Paris, gichtbrüchig, bis zuletzt noch Reiseplänen nachhängend, eine Karte von Indien auf den Knien, wohl an den Folgen der frühen Entbehrungen und der späten Enttäuschungen.

In einem seiner letzten Briefe an Frau und Kinder sieht er sich, ohne Wehleidigkeit, wie in einen Sturm verschlagen, unter dem es, wenn möglich, auszuharren gilt (29. Dezember 1793):

> Die Revolution ist ein Orkan, wer kann ihn hemmen? Ein Mensch, durch sie in Tätigkeit gesetzt, kann Dinge tun, die man in der Nachwelt nicht vor Entsetzlichkeit begreift. Aber der Gesichtspunkt der Gerechtigkeit ist hier für Sterbliche zu hoch. Was geschieht, muß geschehen. Ist der Sturm vorbei, so mögen sich die Überbleibenden erholen und der Stille freuen, die darauf folgt. Meine Lieben, ich kann jetzt nicht weiter vor Erschöpfung. Seid nicht besorgt [...].

Dem einzigartigen Lebenslauf entspricht ein Werk von ungewöhnlicher Thematik, Breite und Vielfalt, untypisch überdies für die deutsche Aufklärung: Die Reisebeschreibung, ein in jener Epoche überaus beliebtes Genre, wird, anders als dies bei den Schilderungen der normalen Bildungsreise üblich ist – von Goethe, dem Vater, bis zu Goethe, dem Sohn –, nicht allein zur Beschreibung einer Weltreise, wie sie Italiener, Spanier, Briten, Holländer und Franzosen seit der Renaissance aufzuweisen hatten, sondern darüber hinaus zu einer neuen Form der Welterfahrung; nicht allein die Landschaftsbeschreibungen sind bedeutend, das Tahiti-Bild etwa, sondern nicht minder die Beobachtungen der Menschenwelt, der Kulturzustände und die Reflexionen, die urtümlichen Naturzustand, frühe Stufen der Zivilisation und ihre Gefährdung durch den europäischen Einfluß wie das Erwecken falscher Bedürfnisse genau erfassen und problematisch werden lassen, indes dem Handel doch zugleich als einem Medium auch des intellektuellen Austausches die Möglichkeiten zur Beförderung der Aufklärung, ja einer allmählich sich entfaltenden Weltzivilisation zugesprochen werden. Mehr noch: es wird europäische Zivilisation zugleich kritisch gespiegelt und, wiewohl nicht zum ersten Mal, relativiert. Aufklärung beginnt, sich über sich selbst aufzuklären – die philosophische Reise entsteht.

Von der bedeutenden Erfahrung dieser Reise leiten sich weitere essayistische und naturwissenschaftliche Arbeiten über Entdeckungsgeschichte, Pflanzenformen, Handelsentwicklung und daraus sich ergebende politische und geschichtsphilosophische Phänomene her, die zuweilen auch eine prognostische Tendenz schon erkennbar werden lassen. Die Forster von Friedrich Schlegel nachgerühmte Popularität gründet sich auf die Fähigkeit, über die stets arbeitsteiligen Spezialinteressen hinauszugehen, sie unter höherem Gesichtspunkt zusammenzufassen, zu deuten und somit mehr zu liefern als Arbeiten eines fachwissenschaftlich gebundenen Autors. In der Tat ist Forster mehr: ein gesell-

schaftlicher Schriftsteller, der auch die Kunst weniger vom
Standpunkt des Künstlers als vielmehr von dem der Gesellschaft aus ansieht, in die sie doch hineinwirken sollte und in
der das Werk wie der Künstler selbst ihren Platz haben
sollten. Er hat deshalb auch die Umstände, unter denen zu
seiner Zeit die schriftstellerischen Arbeiten wirksam werden
konnten, genau reflektiert: die Fähigkeiten des Mitteilens
wie auch des Empfangens sah er in einer Weise entwickelt
wie nie zuvor; das nur mechanische Gesetz der Überlegen-
heit durch Stärke hatte für ihn seine Geltung verloren, statt
dessen gewannen die intellektuellen Kräfte an Geltung wie
noch nie, und noch die Macht der Phantasie fand Anerkennung in ihrer möglichen Herrschaft über das menschliche
Gemüt. Noch sind die Folgen dieser gewaltigen Gärung in
der Geschichte des Menschengeschlechts, als die er die Aufklärung erkennt, nicht abzusehen.

Es gelingt Forster immer wieder, über das Vorgegebene
hinauszudenken: an der Grenze der denkenden Vorstellung
wird die beflügelnde Ahnung, die Hoffnung gerechtfertigt
und der Resignation oder auch dem bequemen Frieden mit
dem Bestehenden kein Raum gelassen, zu gewaltig sind
dafür die historischen Metamorphosen, in denen die
Menschheit sich befindet. Der Gedanke der Perfektibilität
wird hier nicht abstrakt konzipiert und postulatorisch erläutert, er wird, aus der Erfahrung gewonnen, zum Element
eines über die einengende Gegenwart, ohne sich von ihr
lösen zu wollen, hinausdrängenden Denkens.

Vielseitig, anspruchsvoll, zwanglos und dennoch zielge-
richtet ist Forsters Eigenart als essayistischer Schriftsteller:
was muß man einem gebildeten Publikum bieten?, so fragt
er sich und erwidert darauf in einem kritischen Literaturbe-
richt:[1]

> Ein gebildetes Publikum will Gedanken, Reflexio-
> nen, Anregungen eines eigentümlichen Ideenganges,
> zarte Berührungen, leichte Übergänge, umfassende

Blicke, mit einem Worte, Geist und Gefühl, wo dem roheren, langsameren, durch Lage und Regierungsdruck gefesselten und verkümmerten nur grobe Speisen, unmittelbar zu benutzender und zum notdürftigen Unterhalt anwendbarer Unterricht, oder auch derbe Erschütterungen nötig sind.

Da hier von der englischen Literatur die Rede ist, bezieht sich der implizierte Gegensatz negativ auf die deutschen Verhältnisse; so bleibt die Aufgabe des Schriftstellers, an der Bildung eines Publikums zu arbeiten; es gilt überdies ein Gegengewicht herzustellen zu den »Werken einer überspannten Einbildungskraft«.

In welcher Weise Forsters schriftstellerische Praxis solchen Grundsätzen entspricht, läßt sich unschwer feststellen, nicht nur weil Themen aus dem Bereich der Naturkunde wie der Literatur und der Philosophie, Gegenstände des Gelehrten wie solche, durch die sich der Gelehrte vielleicht zu erniedrigen fürchtet, einen breiten Raum einnehmen. Dies zeigt sich auch ganz evident in seinen Reisewerken; die Perspektive und Verfahrensweise ist niemals nur beschreibend, konstatierend, klassifizierend und positivistisch, vielmehr geht es ihm darum, den Gegenstand sozusagen vor den Augen des Lesers zu entwickeln, ihn denken zu machen und gewissermaßen ins Gespräch zu ziehen. Hat, so gesteht er einmal, »die Bereicherung des Verstandes auch üble Folgen, so ist der Mißbrauch doch nur unvermeidliche Bedingung des Guten; Fäulniß und Wachsthum sind Wirkungen derselben Sonne; Mängel und Übel sind von der Einschränkung, wie dieser von der Coexistenz, unzertrennlich. Auf diesen Gesichtspunct führt uns der Verf., um uns nun selbst den Schluß ziehen zu lassen, daß die Beförderer der sittlichen Bildung, die uns Wahrheit bringen, zu diesem Endzweck mit seltener Energie und Empfänglichkeit begabt, mithin unserer Achtung werth seyn müssen« (W XI,181 f.).

So handelt ein Aufsatz gar von Leckereien, in einem

anderen spricht Forster von der »Beziehung der Staatskunst auf das Glück der Menschheit«; zuweilen nimmt er auch, programmatisch, die Grundsätze, die sein Schreiben bestimmen, als Forderungen in die Darstellung selber hinein. So beginnt sein Essay über die »Ruinen« von Volney, der später den Titel *Über den gelehrten Zunftzwang* (1791) erhielt, mit folgendem Satz:

> Das Gesetz der Vernunft kann nur Eins sein: ihre Anwendung auf Alles, was ist, auf Alles, was durch die Sinne unmittelbar wahrgenommen oder mit Hilfe der Einbildungskraft als existierend gedacht werden kann. Das Gegenteil, die Behauptung, daß wir diese Anlage empfangen hätten, um sie nicht zu benutzen, ist so widersprüchlich in sich selbst, daß man sie keiner ernsthaften Widerlegung würdigen kann.

Der unmittelbare, thesenhafte Einsatz ist überaus wirksam, doch nicht unbedingt typisch für Forster als Essayisten; der erste Satz des Essays *Über Leckereien* (1788) bezieht sich auf den für deutsche Verhältnisse zweifellos ein wenig provozierenden Titel, indem der Autor nun versichert, es sei keineswegs seine Absicht, einen Beitrag für ein Kochbuch zu liefern. Auf Umwegen wird die im Titel angekündigte Absicht erläutert, scherzhaft auch, bevor der Autor den scheinbar unernsten Gegenstand ernsthaft anfaßt: Um welche Naturprodukte handelt es sich? Reicht das physiologische Phänomen des Reizes auf Gaumen und Zunge aus, um zu bestimmen, was ›lecker‹ ist? Forster geht auf die bei verschiedenen Völkern unterschiedlich ausgeprägte menschliche ›Organisation‹ ein, derzufolge der gleiche Gegenstand verschieden geartete Sinneseindrücke hervorzurufen vermag. So ist auch im Individuum einzeln entwickelt, was in der Menschheit zusammenfinden soll: die Gattung erst ist der ganze, unzerteilte Mensch.

Forster handelt in diesem Zusammenhang auch von Sinnengenuß und Daseinsfreude. Askese und Verzicht reduzieren die Möglichkeiten von Erfahrung, umgekehrt dürfte die Verfeinerung der Sinnlichkeit wiederum der Aufklärung und der Humanisierung dienlich sein. Die Speisen wirken nicht allein auf die Beschaffenheit der Körperkräfte ein, sondern auch auf die Sinnesorgane; noch unsere Stimmungen sind Resultate der Reizbarkeit der durch die Nahrungsaufnahme affizierten Nerven. Wir verdanken dem Geschmackssinn sogar Kenntnisse, die Instinkte können sich entdeckerisch auswirken, und erst wo der bloße Naturzustand durch fortgeschrittene Verhältnisse abgelöst wurde, kann von verfeinertem Genuß die Rede sein: die Delikatessen sind nicht die Erfindung des Hungrigen. Die Vorstellungen vom Nützlichen, vom Guten und Schönen bilden sich erst in der Loslösung vom bloßen Bedarf, im Übergang zu zweckfreier Freude, und das Ergebnis ist ästhetisch gebildete Sinnlichkeit. Die Kehrseite einer solchen Entwicklung aber wird von Forster, dessen Vertrauen in den Fortschritt niemals blind war, keineswegs verheimlicht: gewaltsame Eingriffe in die Natur, Störung ihres Gleichgewichts, Ausrottung ganzer Tierarten, Sklavenhandel um des Kaffees und des Zuckers willen zeigen, wie aus Geschmack Luxus, aus Luxus Habgier mit allen ihren zerstörerischen Wirkungen wird. Zum andern aber bewegen Konsum und Luxus den Handel; Verfeinerung und Aufklärung gehen aus dem »Schutt veralteter Verfassungen« mit allen möglichen, oft seltsamen Nebenwirkungen hervor. Noch das Tierreich hat Teil an diesem Bedürfnis nach ›Leckereien‹. Mit diesem Hinweis bricht Forster seine Überlegungen ab, seine Plauderei, wenn man will, die von physiologischen und anthropologischen Fragen zu solchen von geschichtsphilosophischer Tragweite überleitet.

Auch die Reise wird in solchem Sinne essayistisch-fragend behandelt; alles ist gewonnen, so heißt es in den *Ansichten vom Niederrhein*, »wenn es zur Gewohnheit wird, die Geisteskräfte zu beschäftigen und die Vernunft, die man dem größten Theile des Menschengeschlechts so lange und so gern abgeläugnet oder auch wohl unmenschlich entrissen hat, in ihrer Entwicklung überall zu begünstigen« (W IX,22). Dem dient Forsters Prosa, dienen die öffentlich gewordenen Reisebriefe als Erscheinungsform des nicht nur durch die Anrede geselligen Essays, an Vernunft appellierend, auch wo sie ›nur‹ einzelne Stationen eines enzyklopädisch ausgerichteten Reisewerks zu beschreiben scheinen. Naturkunde und Agrikultur, Kunstwerke und soziale Verhältnisse, Bauwerke und Naturalienkabinette, Gegenrevolutionen in den habsburgischen Niederlanden, Handel und Industrie, alles hat darin seinen Platz und macht die *Ansichten* zu einem Kompendium der modernen Welt, so umfassend und so genau, wie von niemand sonst in seiner Zeit erfaßt – sieht man einmal von der *Enzyklopädie* Diderots und d'Alemberts ab. Das Subjekt tritt zurück, und es ist nicht von Impressionen und Stimmungen die Rede; Forster scheint um der Welt willen zu reisen, nicht um das Interessante um sich zu genießen.

Der Blick auf den Hafen von Amsterdam, den Forster beschreibt, mag dafür als Beispiel dienen: Schiffbau, Handel, Weltverkehr und Aufklärung scheinen in eine unauflösliche Verbindung getreten zu sein (W IX,300):

> Die Stadt mit ihren Werften, Docken, Lagerhäusern und Fabrikgebäuden; das Gewühl des fleißigen Bienenschwarmes längs dem unabsehlichen Ufer, auf den Straßen und den Kanälen; die zauberähnliche Bewegung so vieler segelnden Schiffe und Boote auf dem Südersee, und der rastlose Umschwung der Tausende von Windmühlen um mich her – welch unbeschreibliches Leben, welche Gränzenlosigkeit in diesem Anblick! Handel und Schiffahrt umfassen und benutzen zu ihren Zwecken so manche Wissenschaft; aber dankbar bieten sie ihr auch wieder Hülfe zu ihrer Vervollkommnung. Der Eifer der Gewinnsucht schuf die Anfangsgründe der Mathematik, Me-

chanik, Physik, Astronomie und Geographie; die Vernunft bezahlte mit Wucher die Mühe, die man sich um ihre Ausbildung gab; sie knüpfte ferne Weltheile aneinander, führte Nationen zusammen, häufte die Produkte aller verschiedenen Zonen – und immerfort vermehrte sich dabei ihr Reichthum von Begriffen; immer schneller ward ihr Umlauf, immer schärfer ihre Läuterung.

Auch die Voraussetzung seiner Parteinahme für die Französische Revolution sind schon in den politischen Erörterungen dieses Buches zu finden. So erschien sie Forster schon bald als der Sieg der Philosophie über Vorurteil, Bedrükkung, Unvernunft. Neutral zu bleiben, verwehrte ihm angesichts der eingetretenen Umstände seine Denkweise, sein republikanischer Charakter, und wer ihn kannte und gelesen hatte, durfte darüber nicht verwundert sein.

Aus dem französischen Exil beschreibt er als Zeuge der Ereignisse von 1793 eine Phase der Entwicklung sowohl in seinen privaten Briefen als auch in der Folge der zum Druck bestimmten *Parisischen Umrisse* als einer, der verstand, daß man nur an Ort und Stelle das Ungeheure der Begebenheiten begreifen kann; so lieferte Forster in dieser Frühform politischer Korrespondenzberichte zugleich eine leidenschaftliche Lektion in politischer Philosophie.

Georg Forster war kein erfolgreicher Schriftsteller. Rühmenden Erwähnungen in Briefen der Zeitgenossen (vgl. Steiner, 1977, S. 99–107) wie Lichtenberg, Goethe, Herder und Jean Paul oder auch den Hegelschen Exzerpten der *Ansichten* stehen nur wenige öffentliche Anerkennungen gegenüber: Wieland rühmte die *Reise um die Welt*, Schubart die *Ansichten vom Niederrhein*, Goethe pries die Übersetzung der *Sakontala* von Kalidasa, wie auch Herder dies tat. Drei Jahre nach seinem Tode setzte dann Friedrich Schlegel dem geächteten Forster als einem klassischen Prosaisten ein Denkmal, das ihn selber ehrt, Rebmann rühmte den politischen Schriftsteller, Alexander von Humboldt hat nie mehr vergessen, was er dem Beispiel und der Belehrung Forsters zu verdanken hatte, und befestigte so das Andenken an den Naturforscher und -schilderer, an den großen Reisenden. Sonst aber war, nachdem in Hubers *Friedenspräliminarien* (1794–95) Nachlaßprosa erschienen war, von Forster auch im Jungen Deutschland so gut wie nicht die Rede. 1829 veröffentlichte dann seine Witwe, die inzwischen wiederverheiratete Therese Huber, Forsters Briefwechsel und *Nachrichten von seinem Leben*, die für Varnhagen von Ense zum Anlaß wurden, mit Nachdruck und Bewunderung auf Forster, kritisch aber auch auf die verfälschenden Eingriffe der Witwe hinzuweisen. Gervinus verfaßt dann für die neunbändige Gesamtausgabe von 1843 eine längere Studie, die sicherlich für Literaturhistoriker wie Hermann Kurz und Hermann Hettner wichtiger war als das gutgemeinte, aber nicht eben gedankenreiche Buch von Jacob Moleschott *Georg Forster, der Naturforscher des Volks* (1854).

Das sind Zeugnisse, die darlegen, daß Georg Forster nicht völlig vergessen war, aber von einer Wirkung kann in diesem Zusammenhang noch nicht die Rede sein, auch die philologisch-textkritischen Bemühungen Leitzmanns seit 1893 gehören eher in die Editions- als in die Wirkungsgeschichte Forsters. Für diese, wie reduziert auch immer, spricht dann eher die Aufnahme von Forsterscher Prosa in so bedeutende Anthologien, wie sie z. B. Gustav Landauer, Hugo von Hofmannsthal und Rudolf Borchardt nach dem Ersten Weltkrieg haben erscheinen lassen. Hier war mehr Gerechtigkeit am Werk, als sonst zu finden war (auch nicht in Ina Seidels Forster-Roman *Das Labyrinth* von 1922, der über viele Jahre hinweg den Deutschen das wenige vermitteln sollte, was sie noch von Forster wußten).

Erst nach 1945 beginnt eine ernstzunehmende und produktive wissenschaftliche Beschäftigung mit dem Werk Forsters auf breiter Basis, die auch der Vielfalt, die es auszeichnet, gerecht zu werden trachtet. Hier ist insbesondere

Gerhard Steiner zu nennen, der viele unbekannte Texte erschlossen, die kritische Gesamtausgabe begonnen und weitgehend verantwortet hat, die zur Grundlage weiterer Ausgaben wurde, so daß die Werke Forsters heute einem so breiten Leserkreis zugänglich geworden sind wie niemals zuvor. Hundertundfünfzig Jahre nach seinem Tode erst hörte Forster auf, ein halbvergessener und beinahe verschollener Schriftsteller zu sein. Heute erst kann jeder wissen, daß er in die Geschichte der deutschen Literatur, der deutschen Aufklärung gehört und aus der Geschichte des deutschen Republikanismus genausowenig wegzudenken ist.

Anmerkungen

1 *Geschichte der englischen Literatur vom Jahre 1791*, in: *Sämtliche Schriften*, hrsg. von Th. Forster, Leipzig 1843, Bd. 6, S. 125 f.
2 *Sämtliche Schriften*, Bd. 5, S. 301.

Bibliographische Hinweise

Sämmtliche Schriften. 9 Bde. Hrsg. von dessen Tochter und begleitet von einer Charakteristik Forsters von G. G. Gervinus. Leipzig 1843.

Werke. Sämtliche Schriften, Tagebücher, Briefe. Bd. 1 ff. Hrsg. von der Deutschen Akademie der Wissenschaften in Berlin [. . .]. Berlin [Ost] 1958 ff. [Zit. als: W.]

Werke. 4 Bde. Hrsg. von G. Schneider. Frankfurt a. M. 1967–71.

Der Weltumsegler und seine Freunde. Georg Forster als gesellschaftlicher Schriftsteller der Goethezeit. Hrsg. von D. Rasmussen. Tübingen 1988.

Fiedler, H.: Georg Forster-Bibliographie 1767–1970. Berlin [Ost] 1971.

Krüger, Ch.: Georg Forsters und Friedrich Schlegels Beurteilung der Französischen Revolution als Ausdruck des Problems einer Einheit von Theorie und Praxis. Göppingen 1974.

Rödel, W.: Forster und Lichtenberg. Ein Beitrag zum Problem deutsche Intelligenz und Französische Revolution. Berlin [Ost] 1960.

Saine, Th. P.: Georg Forster. New York 1972.

Steiner, G.: Georg Forster. Stuttgart 1977. (Sammlung Metzler. 156.)

– Freimaurer und Rosenkreuzer. – Georg Forsters Weg durch Geheimbünde. Neue Forschungsergebnisse auf Grund bisher unbekannter Archivalien. Weinheim 1985.

Uhlig, L.: Georg Forster. Einheit und Mannigfaltigkeit in seiner geistigen Welt. Tübingen 1965.

Wuthenow, R.-R.: Vernunft und Republik. Studie zu Georg Forsters Schriften. Bad Homburg / Berlin / Zürich 1970.

KARL PHILIPP MORITZ

Von Lothar Müller

Karl Philipp Moritz ist ohne Zweifel ein Autor der Aufklärung. Doch wird man bei ihm kaum dazu angeregt, sich ihre
Entfaltung als triumphalen Siegeszug der Lichtmetaphorik
vorzustellen. So sehr er den hellen Regionen des Wissens
und der Erkenntnis, der diesseitigen Vollkommenheit und
Harmonie zustrebt, so wenig gelingt es ihm, die »schwarzen
Gedanken«, die ihn von Kindheit an begleiten, in die Ferne
einer überwundenen Vergangenheit zu rücken. Der aufklärerischen Maxime, sich seines eigenen Verstandes zu bedienen, folgt er mit Ausdauer und Eifer, doch bleibt ihm gerade
deshalb das, was jenseits der Reichweite des Verstandes
liegen könnte, eine ständige Herausforderung, ein Stachel
der Unruhe und Ungewißheit. Schauplatz des hartnäckigen
Widerstreits zwischen dem »schwarzen Melancholischen«
und den heiteren Prospekten der Vernunft ist sein Werk weit
eher als Dokument der Überwindung und Zerstreuung von
Angst, Dunkelheit und Schrecken durch die überlegene
Denkkraft und das Licht der Erkenntnis. Als Sprachpäd-
agoge und Lehrer, als Erfahrungsseelenkundler und Anthro-
pologe, als Theoretiker des Schönen und als Mythologe, als
Romanautor und Prosaschriftsteller hat er teil an der großen
reflexiven Bewegung, von der die Aufklärung vor allem in
der zweiten Hälfte des 18. Jahrhunderts vorangetrieben und
bestimmt wird. Im Blick auf das »individuelle Dasein« wie
auf die Entwicklung der Gattung stellt auch Moritz immer
wieder die Frage nach dem inneren Gewebe menschlicher
Natur, Vernunft und Sprache. Als vornehmste Aufgabe der

Aufklärung gilt ihm die Aufklärung des Menschen über sich
selbst. Die stolze Selbstgewißheit des autonomen Vernunft-
subjekts freilich bleibt ihm dabei fremd. Die Hoffnungen,
die er auf die Denkkraft, das Wissen und die Erkenntnis
setzt, richten sich auf eine Fluchtburg vor Leiden, Unglück
und Elend, nicht auf eine Königsburg der souveränen
Dekretierung künftigen Glücks. Nicht nur wegen des Facet-
tenreichtums seiner intellektuellen Physiognomie wird er im
Rückblick zu einer der Schlüsselfiguren in der deutschen
Literatur des 18. Jahrhunderts, sondern vor allem, weil sein
Werk mit den Entwürfen und Projekten der Aufklärung
zugleich bis in die Formalstruktur des Denkens hinein die
Bedingungen festhält, unter denen sie sich zu bewähren
haben.

> Was hatte er vor seiner Geburt verbrochen, daß er
> nicht auch ein Mensch geworden war, um den sich
> eine Anzahl anderer Menschen bekümmern und um
> ihn bemüht sein müssen – warum erhielt er gerade die
> Rolle des A r b e i t e n d e n und ein andrer des B e -
> z a h l e n d e n ?

Wie hier im *Anton Reiser* (S. 276) taucht immer wieder im
Werk Moritzens die fatale Macht des Zufalls der Geburt als
hartes empirisches Faktum auf, an dem alle Versuche, sich
durch Religion oder Philosophie der Vernünftigkeit der
Weltordnung zu vergewissern, zuschanden werden. Ob er
eine polemische Skizze *Über deutsche Titulaturen* (1786)
verfaßt oder in seiner *Kinderlogik* (1786) auf die Unterschiede von Monarchie und Republik zu sprechen kommt,
ob er anläßlich einer Romanrezension *Über das menschliche
Elend* (1786) und die Frage seiner literarischen Darstellbar-
keit nachdenkt oder in den spekulativ gefärbten *Fragmenten
aus dem Tagebuch eines Geistersehers* (1787) Nachtgedan-
ken über den »verwesenden Leichnam des entseelten
Menschenglücks« ausbrütet – stets meldet sich bei Moritz
der Verdacht zu Wort, es könne schon bei der Geburt eines

Karl Philipp Moritz
1756–1793

Menschen sein künftiges Unglück festgelegt sein, es sei
womöglich das Schicksal der meisten Menschen schon entschieden, ehe sie geboren sind. Was als Maschinerie gedacht
ist, die den Zufall als Erfüllungsgehilfen der Wünsche in
Dienst nimmt, wird bei Moritz zum Schreck- und Sinnbild
des schuldlosen Unglücks (*Hartknopf*, S. 378):

> jenes fürchterliche G l ü c k s r a d , das sich unaufhör-
> lich dreht; aus welchem ein jeder schon bei der
> Geburt sein Looß zieht, das ihn entweder zur E i n s
> bei der N u l l , oder zur N u l l bei der E i n s be-
> stimmt. Wenige giebt es hier der Gewinnste, und der
> Verluste unzählige; damit – o des Wahnsinns! – der
> Gewinn, der auf einen einzigen fällt, desto größer
> sey.

Am 15. September 1756, kurz nach dem Ausbruch des
Siebenjährigen Krieges, wurde Karl Philipp Moritz als Sohn
eines Militärmusikers in Hameln an der Weser geboren. Sein
Vater, im Kontakt mit separatistischen Zirkeln stehend, die
den französischen Quietismus der aristokratischen Mystike-
rin Madame de la Guyon nach Deutschland importierten,
quittierte später aus religiösen Gründen den Dienst und
verdingte sich zu geringerem Lohn als Dorfschreiber. Die
Mutter war von einem calvinistisch getönten Protestantis-
mus geprägt. Den jungen Moritz hat der Zufall der Geburt
nicht begünstigt, sondern in einer Welt des Mangels und
Elends, der Prügel und der häuslichen Zwietracht, der
Schmerzen des skrofulösen Körpers und der verbissenen
Frömmigkeit der Seele aufwachsen lassen. Lieblos aufgezo-
genes Kind und roh behandelter Handlanger eines Hut-
machers ist er gewesen; ehrgeiziger Gymnasiast, der von
Freitischen und Stipendien abhängig war, und scheiternder
Schauspielaspirant; Student der Theologie (ohne Abschluß)
in Erfurt und Gast der Herrnhuter-Gemeinde zu Barby;
nach einer fehlgeschlagenen Annäherung an die Philanthropen um Basedow schließlich ab 1778 Waisenhausinfor-

mator in Potsdam und Lehrer am Grauen Kloster in Berlin,
wo er es 1784 zum Gymnasialprofessor bringt.

Prosaischer im Tonfall ist kein deutscher Roman des
18. Jahrhunderts ausgefallen als sein *Anton Reiser* (1785 bis
1790), in dem er unter fremdem Namen die Geschichte
seiner eigenen Kindheit und Jugend als exemplarische Lei-
densgeschichte erzählt, zusammengesetzt aus der detailrei-
chen Fülle schmerzhafter Erinnerungen und zur Sprache
gebracht mit einer ebenso bitteren wie lakonischen Präzision, die der gestochenen Schärfe des zeitgenössischen Kup-
ferstichs in nichts nachsteht. Die empirische Enge mit ihren
klaustrophobischen Ängsten und schwarzen Gewaltphanta-
sien gewinnt hier ebenso Gestalt wie das Reich der hochfliegenden Träume und Wünsche, die von der Laterna magica
der Einbildungskraft als Versprechen einer besseren Zukunft
der Seele vor Augen gezaubert werden. Als lesewütiges Kind
und als empfindsam poetisierender Jüngling, als lyrischer
Dilettant und exzessiver Jünger der Theatromanie sucht
Anton Reiser nach möglichen Bruchstellen im Schicksalsring
aus materieller Not und religiösem Elend, um ihn aufzu-
sprengen und der Macht der Herkunft zu entgehen. Zwar ist
dem Helden am Ende, wenn ihn der Erzähler des Romans
ohne Abschied verläßt, die Laterna magica der glanzvollen
Zukunft auf dem Theater zerbrochen, doch ist in der
Geschichte der scheiternden Entwürfe Anton Reisers die
Geschichte der Entstehung des Autors Karl Philipp Moritz
verborgen enthalten. Die Energie, mit der der illusionsge-
fährdete Jugendliche die Sphären der literarischen Kultur
zu seiner Wunschheimat macht, steht am Ursprung der
gelungenen Verwandlung des erlittenen ins erzählte Leben.
Wie weit der Weg war, den es dabei zurückzulegen galt,
wird sichtbar, wenn man neben dem Gehalt des Romans
die Perspektive ins Auge faßt, aus der er erzählt wird: Es
ist die des analytischen Rückblicks. Die Distanz zwischen
dem Helden und dem Geschichtsschreiber des dargestellten
Lebens gibt sich von Beginn an als Differenz zwischen

Selbsttäuschung und Erkenntnis, unaufgeklärtem und aufgeklärtem Bewußtsein zu erkennen. Während Anton Reiser sich aus den Beständen religiöser Überlieferung und aus aufgelesenen Versatzstücken des Bildervorrats der Melancholie-Tradition abstrakte Deutungen seines Schicksals zusammenbastelt, diagnostiziert der Erzähler des Romans die »Leiden der Einbildungskraft« (*Reiser*, S. 68) und die Selbstmißverständnisse des Helden mit Methoden, die dem Arsenal der beginnenden empirischen Psychologie und Erfahrungsseelenkunde entstammen. Die Maske des moralischen Arztes, unter der Karl Philipp Moritz seine Kindheit rekonstruiert, ist ein Ich-Entwurf der überwundenen Seelenkrankheit, praktizierte Selbstaufklärung durch Erinnerung am eigenen Leben entlang.

Die sozialkritischen und psychologischen Einsichten, die der Roman *Anton Reiser* seinem Helden voraus hat, mögen einem heutigen Leser bei aller Bewunderung ihrer Beobachtungsschärfe als nahezu selbstverständlich sich aus dem Stoff ergebende Konsequenz erscheinen. Doch zeigt ein Blick auf Moritzens Frühwerk als Prediger und Pädagoge, wie mühsam diese Positionsgewinne im Prozeß der Selbstaufklärung erkämpft waren. Seine Predigt *Die Dankbarkeit gegen Gott erhöhet unsre Freuden auf Erden* (1780), seine aus der Berliner Lehrtätigkeit erwachsenen *Unterhaltungen mit meinen Schülern* (1780) und auch die *Beiträge zur Philosophie des Lebens* (1780), mit denen er sich einen Namen als Schriftsteller zu machen beginnt, sind Versuche einer nur noch mit forcierter Anspannung gelingenden Bändigung individueller, vorreflexiver Leiderfahrungen durch die Tröstungen der Rhetorik der Frömmigkeit oder der optimistischen rationalistischen Philosophie. Während der empfindsame Prediger und Pädagoge immer wieder die »Glückseligkeit« beschwört und als Lohn arbeitsamer Frömmigkeit und Tugend idyllische Szenerien in Aussicht stellt, bleibt seine Einbildungskraft zugleich an Schreckensbilder gefesselt, konterkariert seine angstdurchwirkte Metaphorik die vorgetragenen Stilisierungen und Idealisierungen des empirischen Lebens. Nur um den Preis innerer Widersprüchlichkeit und brüchiger Selbstbeschwichtigung findet der Tagebuchschreiber und Selbstbeobachter zur Aufhebung und Integration beunruhigender Erfahrungen in das Koordinatensystem einer als vernünftig und harmonisch gedachten höheren Ordnung. Als könne dadurch das ersehnte Glück herbeigezwungen werden, verordnet der Lehrer seinen Schülern ein an Rigorosität und Purismus kaum überbietbares Arbeitsethos, verpflichtet er die Erinnerungstätigkeit auf die Idyllisierung der Vergangenheit. Aus den Spannungen, die sich im Oszillieren zwischen der Eigendynamik individueller Reflexion und der Inanspruchnahme konventioneller Deutungsmuster aus Theologie und Philosophie ergeben, gewinnt Moritz die Antriebsenergie, mit der er zum Projekt der Erfahrungsseelenkunde vorstoßen wird.

Vom Lehrer am Grauen Kloster wird Moritz in den Jahren nach 1780 mehr und mehr zum vollgültigen Mitglied in der Berliner Gelehrtenrepublik, hartnäckig arbeitet er an der Verwirklichung seines Kindertraums von einer schriftstellerischen Existenz. Eine wichtige Station auf dem Weg zur Profilierung als Autor ist seine Reise nach England im Jahre 1782. Ihr literarischer Ertrag war ein Reisebericht, in dem sich Moritz auf höchst individuelle Weise die durch Sternes *Sentimental Journey* beförderte Tendenz zur Subjektivierung des Genres zunutze macht. Das Buch wird ein großer Erfolg und macht seinen Verfasser weit über die Grenzen Berlins hinaus bekannt. Die *Reisen eines Deutschen in England im Jahre 1782*, in Briefform verfaßt und 1783 erschienen, sind wie die programmatische Broschüre *Aussichten zur Experimentalseelenlehre* (1782) im Untertitel an Friedrich Gedike adressiert. In der von diesem gemeinsam mit Johann Erich Biester herausgegebenen *Berlinischen Monatsschrift* publizierte Moritz als ersten Vorabdruck seines Romans ein *Fragment aus Anton Reisers Lebensgeschichte* (1783), übrigens im selben Jahrgang wie Kant seine berühmte *Beantwortung der Frage: Was ist Aufklärung?*. Sein eigenes Zeitschriftenprojekt, mit dem er die empirisch-psychologische Aufklärung des Menschen über sich selbst befördern will, erwächst auf dem Hintergrund der Berliner gelehrten Öffentlichkeit, die das Vorhaben wohlwollend unterstützt. Moses Mendelssohn, zu dessen Gesprächskreis Moritz Zugang gefunden hat, schlägt ihm den endgültigen Titel *Erfahrungsseelenkunde* und die Orientierung an der theoretischen Infrastruktur der Medizin vor. Der philosophische Arzt Markus Herz, dem Moritz als Patient wie als Diskussionspartner verbunden ist, gibt ihm Anregungen für seinen Versuch, analog zu den einzelnen Disziplinen der Heilkunde des Körpers eine »Seelenkrankheitskunde«, »Seelennaturkunde«, »Seelendiätetik« etc. zu entwickeln.

Wenig Reflexionen, viel »Fakta« und vor allem kein »moralisches Geschwätz« verspricht Moritz in seiner Einleitung zu *Gnothi Sauton oder Magazin zur Erfahrungsseelenkunde* (1783–93). Was die gängige Moral als Laster qualifiziert und an der allgemeinen Norm der Tugend mißt, soll hier im Blick auf die verborgenen Triebfedern individueller Fälle untersucht, womöglich als Krankheit der Seele in Schutz genommen und durch Einsicht, nicht durch Vorhaltungen behandelt werden. Von Beginn an akzentuiert Moritz die Zeitschrift als offenes Forum der Selbstverständigung, nicht als Organ exklusiver Gelehrtenkonversation. Für die Erfahrungsseelenkunde, so die Voraussetzung, ist jeder Mensch durch sein Menschsein Experte, und ausdrücklich ist das *Magazin* im Untertitel als *Lesebuch für Gelehrte und Ungelehrte* ausgewiesen. Seine egalitäre Tendenz gibt sich zwar nicht offensiv als politisches Programm zu erkennen, doch ist sie in Moritzens Erläuterungen seiner Ziele implizit stets anwesend. Leitmotivisch kehrt der Grundsatz wieder, der Wert eines jeden Individuums sei nur in ihm selbst zu finden, jedem Menschen, auch dem »Alleruntersten«, müsse man sein eigenes individuelles Dasein wichtig und verständlich machen. *Gnothi Sauton* ›erkenne dich selbst!‹ – der Obertitel des *Magazins* steht für kollektive Aufklärung durch Selbsterkenntnis. Ein Spiegel des Menschengeschlechts soll die neue Wissenschaft werden, in dem aus ungezählten Einzelbeobachtungen der Individuen das Bild der Gattung entsteht. In diesem Spiegel, so die Hoffnung, soll nicht der äußere Schein, sondern das verborgene Innere der Menschheit aufgefangen werden, damit sie im illusionsfreien Blick auf sich selbst die Möglichkeiten ihrer Vervollkommnung erkennen kann. Im Kranken soll der Gesunde nicht das ganz andere erkennen, sondern einen möglichen Zustand des eigenen Ich, während umgekehrt der Kranke aus der Verständigungsgemeinschaft der Gesunden nicht ausgeschlossen ist, sondern als Selbstbeobachter an ihr teilhat.

Im *Anton Reiser* wird, im Bündnis mit den Kräften der Erinnerung, die mikroskopische Ausrichtung der erfahrungsseelenkundlichen Aufmerksamkeit literarisch produktiv und gibt der sozialkritischen Schicht des Romans ihre Schärfe und detailreiche Prägnanz. Das *Ideal einer vollkommnen Zeitung* (1784), entstanden gelegentlich einer kurzfristigen Tätigkeit als Redakteur der *Vossischen Zeitung*, hält das zwar gescheiterte, aber doch bedeutsame Projekt fest, die Aufwertung des »Kleinscheinenden« zur publizistischen Strategie zu machen und »ein Blatt für das Volk zu schreiben«, in dem die gängige Hierarchie des Berichtenswerten verkehrt wäre. Nicht die Politik der Kabinette, die Kriegsrüstungen und Fürstenreisen stünden hier an der obersten Stelle der Skala, sondern die unscheinbaren, aber aufschlußreichen Ereignisse des täglichen Lebens in allen Ständen, auch dem des »tyrannisch behandelten Lehrburschen des gemeinen Handwerkers«. Eine Zeitung für und über die Anton Reisers als Organ der Volksaufklärung, ein Magazin von Nachrichten, in dem der »Vergleich zwischen zwei Sackträgern, die sich auf der Straße gezankt haben«, dem Bericht über das Verhältnis zwischen Rußland und der Türkei Konkurrenz macht.

Moritz hat mit diesem Plan keinen Erfolg gehabt. Furore hat er in der *Vossischen Zeitung* nur als Theaterkritiker gemacht, vor allem mit seinen Polemiken gegen die Dramatik des jungen Schiller. Sein Haupteinwand gegen *Kabale und Liebe* wie gegen die *Räuber* ist der eines Erfahrungsseelenkundlers. Er moniert an den Schillerschen »Ungeheuern« wie Franz Moor und dem Präsidenten, daß »man überhaupt gar nicht erfährt, wie diese Menschen so geworden sind«.

In Schlichtegrolls *Nekrolog auf das Jahr 1793* hat der Gothaer Gymnasialprofessor Karl Gotthold Lenz den Autor Karl Philipp Moritz kritisch vernichtet. Lenz' biographischer Aufsatz ist weniger ein Nachruf als das steckbriefartige Porträt eines ebenso eitlen wie unseriösen Vielschreibers, eines schwächlichen und zugleich skrupellosen Schmarotzers der literarischen Kultur, der als warnendes Exempel für künftige Schriftstellergenerationen dienen kann: »In seinem ganzen Studiren war nichts planmäßiges und durchdachtes; keine gleichförmige und ebenmäßige Ausbildung seiner Geisteskräfte zu einem Ganzen; er beschäftigte sich jedesmahl mit dem, worauf ihn die Umstände hinstießen [...]. Seine Vernunftbegriffe waren nicht entwickelt, noch auf allgemeine Grundsätze zurückgeführt; seine Überzeugungen über die wichtigsten Angelegenheiten der Menschheit, über Gott, Unsterblichkeit und Freyheit, waren sehr schwankend und unsicher; in seine aufgeklärte Denkungsart mischte sich von Zeit zu Zeit etwas von seinen frühern mystischen, von abergläubischen und schwärmerischen Ideen. Seine sittlichen Grundsätze waren nicht berichtigt und geläutert genug [...]. An ein Ganzes dachte er selten; noch seltener brachte er es zu Stande.«

Was der Nachrufschreiber, gegen dessen gehässigen Tonfall Goethe und Schiller in den *Xenien* Moritz in Schutz nahmen, als Symptom von Charakterlosigkeit geißelt, läßt sich mittels einer perspektivischen Drehung der Interpretation positiv als eigentümliche Leistung Moritzens auslegen.

Von Eklektizismus, Dilettantismus und Synkretismus ist sein Denken, zumal wenn es um philosophische Themen kreist, in der Tat geprägt, doch ist mit dieser Diagnose nicht schon das Urteil über ihn gesprochen. Denn gerade im Mißlingen der Integration irritierender Erfahrungen ins Koordinatensystem der zeitgenössischen philosophischen Reflexion zeigt sich die Konsequenz, mit der Moritz die Sphäre des individuellen Leidensdrucks immer wieder und oft gegen die eigene Absicht vor ihrer theoretischen Aufhebung im Horizont einer als vollkommen gedachten Ordnung der Welt schützt. Er tat dies eher als autodidaktischer Grübler, der den Bewegungen seiner losgelassenen Denkkraft folgt, denn als geschulter Weltweiser, der es an philosophischer Bildung mit seinen Berliner Freunden Markus Herz, Salomon Maimon oder gar Moses Mendelssohn hätte aufnehmen können. Gerade als Dilettant aber wird er zum Seismographen für die Erschütterungen einer Umbruchzeit, und als Eklektizist führt er im Umgang mit der herbeizitierten und aufgelesenen Tradition vor, was andernorts auf den Begriff gebracht wird: die Krise der Metaphysik und der rationalistischen Schulphilosophie. Mit großem Eifer sucht der Denker Moritz in der rationalistischen Psychologie nach Rückversicherungen und Stützen für die Denkkraft und den Geist, aber zugleich entdeckt der Erfahrungsseelenkundler, wie wenig geschützt die oberen Seelenvermögen gegen die vermeintlich niederen sind und wie gering der Abstand ist, der das gesunde vom kranken Selbstbewußtsein trennt. Und umgekehrt lebt das *Magazin* zwar von der Attraktion des methodischen Empirismus, aber auch die Selbstbeobachtung, das wichtigste Werkzeug des Erfahrungsseelenkundlers, gerät in den mißtrauischen Reflexionsstrudel und wird als Quelle möglicher Selbsttäuschung verdächtig. Unermüdlich arbeitet Moritz in seinen Aufsätzen an der hermetischen Abdichtung des Geistes und des Denkens gegen die zerstörbare Welt des Körpers, aber die so gewonnene Unzerstörbarkeit des intellektuellen Ich ist nur der labile Rückzugspunkt eines Denkens, das von der Radikalisierung der geheimen Selbstzweifel vorangetrieben wird, die mit dem Rationalismus einhergingen. Nicht systematisch voranschreitend, sondern oszillierend zwischen Dichotomien und Widersprüchen bewegt sich das Denken bei Moritz.

Schon im Titel zeigt sein *Versuch einer kleinen praktischen Kinderlogik welche auch zum Teil für Lehrer und Denker geschrieben ist* (1786), daß ihm das Projekt einer Einführung der Kinder in die Kunst der Aneignung und Ordnung der Welt mittels der Denkkraft unversehens zu einem grüblerischen Buch für Erwachsene gerät. Die optimistische Aussicht auf den Gleichklang von vernünftig geordnetem Denken und vernünftig geordneter Welt hat sich an den für Moritz typischen Dichotomien zu bewähren. Kein Lob des denkenden Menschen, dem nicht das Memento mori ins Wort fiele; kein Körper, der nicht das Bild des Skeletts heraufriefe; keine Idylle, die nicht vom Krieg bedroht, und kein Pflug, der nicht zum Schwert umgeschmiedet werden könnte. Im Eisen, das den Fortschritt der Gattung ermöglicht, nimmt zugleich das Wechselspiel von Bildung und Zerstörung Gestalt an. Aus der unvermeidlichen Erhebung des Menschen über den geschichtslosen Stand des Schäfertums resultieren mit den Errungenschaften der Kultur zugleich die Schrecknisse des Kampfs der Menschen untereinander. Der Schlüssel wird zum Sinnbild der Abtrennung der Menschen durch das Eigentum, zum Staat formieren sich nicht Freie und Gleiche, sondern Unterdrücker und Unterdrückte. Vor allem in den *Denkwürdigkeiten, aufgezeichnet zur Beförderung des Edlen und Schönen* (1786–88) hat Moritz seine Aufsätze publiziert und später unter dem Titel *Die große Loge oder der Freimaurer mit Wage und Senkblei* (1793) versammelt. Im Protest gegen die Unterwerfung von Mensch und Natur unter die Logik des Zwecks sucht Moritz nach Sphären, die das Ineinander von Bildung und Zerstörung transzendieren. Er findet sie im Naturschönen, das dem Nutzen enthoben ist; in der Sprache, die noch dem von Geburt an Taubstummen erlaubt, durch Teilhabe an ihren abstrakten Elementen sich zum Vernunftwesen zu bilden; im Individuellen, das nicht als Mittel, sondern als sein eigener Zweck seine Bestimmung erfüllt; und schließlich im Schönen der Kunst, das der geschichtlichen, von Zerstörung gezeichneten Welt abgerungen ist als ein gänzlich intransitives, nur sich selbst verpflichtetes Gebilde voll innerer Vollkommenheit.

Seit 1779 Mitglied der Berliner St. Johannis-Loge zur Beständigkeit, definiert Moritz in Reden und Ansprachen immer wieder »eine gewisse Gleichgültigkeit und Unerschrockenheit vor dem Tode« als vornehmstes Charakteristikum des Freimaurers und als Basis seiner »inneren Vervollkommnung« wie seines »höhern Freiheitsgefühls« (*Werke* III, S. 311). Die Ideale gemeinschaftlicher Tätigkeit und Wirksamkeit bindet er an die Einübung der Einsicht ins Unvermeidliche. Ihre Elementarform ist die Anerkennung des Todes, ihr allgemeiner Begriff die »Resignation«. Sie wird für Moritz zur Schlüsselkategorie, sie gibt dem von ihm vertretenen Typus von Aufklärung das individuelle Profil. Von unkritischer Kontemplation deutlich geschieden, ist die »Resignation« für Moritz die Voraussetzung für den ungetrübten, von Illusionen freien Blick auf Unglück, Qual und Not. In seiner Sozialkritik ist die pessimistische Beantwortung der Frage, ob die Erkenntnis des Elends seine Abschaffung garantieren kann, stets als Möglichkeit mitgedacht. So bleibt auch in den schärfsten Formulierungen sein Reflektieren über die Dichotomien der Gesellschaft frei von jeder triumphalen Rhetorik der Unaufhaltsamkeit von Aufklärung und Fortschritt.

Im allegorisch verrätselten Gegenstück zum *Anton Reiser*, dem von Jean Paul bis Arno Schmidt als Meisterwerk gepriesenen Roman *Andreas Hartknopf* (1786) mit seinem 2. Teil *Andreas Hartknopfs Predigerjahre* (1790), hat Moritz aus der Symbolik der Freimaurer, der respektlos verfremdeten Sprache der Bibel und den Motivbeständen seiner Reflexionen über Geist und Tod eine Textur gewebt, deren schillernde Färbung aus der Überblendung des archaisierenden Pathos einer Märtyrer-Hagiographie mit dem satirischen Witz eines zeitdiagnostischen Gegenwartsromans resultiert. Ketzer ist Andreas Hartknopf im doppelten Sinn: als Störenfried der deklamatorisch-abstrakten Aufklärung wie als eigensinniger Prediger gegen den »Buchstaben«-Glauben einer zur Orthodoxie erstarrten und staatsfrommen Religion. Seine Wanderschaft durch die Welt gen Osten zum Licht, das in Auslegung des Schöpfungsberichts zum Symbol der Sprache wird, die allen, auch den Taubstummen, die Teilhabe an Vernunft und Würde des Menschen ermöglicht, nimmt die religiöse Metaphorik beim Wort und will die Tröstungen des Jenseits in handfeste Elemente des diesseitig-irdischen Lebens verwandeln. Aus Rettich und Salz besteht das Abendmahl, das »Paradies« ist ein Dorfgasthaus für die Ärmsten der Armen, und die Frömmigkeit des Helden verträgt sich gut mit seinem Freimaurertum. Im 1. Band des Romans sind es vor allem die »Weltreformatoren«, auf die die kritische Spitze zielt. Ob Basedow und sein Philanthropin, das als Urbild der »Kosmopolitenbande« unschwer zu erkennen ist, durch die Polemik zu Recht getroffen werden, mag man bezweifeln. Der karikierte Typus einer allzu selbstgewissen Aufklärung von oben aber steht über seinen Anlaß hinaus für eine Gefahr aller Weltverbesserer: »Der einzelne Mensch war ihm, wie nichts – aber die ganze Menschheit konnte er liebevoll umfassen – gegen die schlug sein Herz, wie er sagte, mit mächtigen Schlägen« (*Hartknopf*, S. 29 f.).

Zum Credo Hartknopfs gehört die »Resignation«, aber nicht zu Unrecht hat Moritz den Roman »eine wilde Blasphemie gegen ein unbekanntes großes Etwas« genannt (an Goethe, 7. Juni 1788). Denn wo darin vom Leiden, Unglück und Elend der Niederen die Rede ist, klingt die aufs Jüngste Gericht anspielende Sprache weniger wie ein demütiger Seufzer denn wie ein Vorklang des *Hessischen Landboten*:

»Weh euch dann, die ihr den Menschen ihren e i n z e l n e n aechten Werth raubtet, um Lücken mit ihnen auszustopfen« (*Hartknopf*, S. 97). Der 2. Teil des *Hartknopf* läßt den Helden zum Opfer zweier gnadenloser Vertreter der zu einem System dogmatischer Lehrsätze degenerierten Religion werden. Die darin enthaltene Auseinandersetzung mit der Mystik ist von eben der Haltung respektvoller Distanz bestimmt, die Moritz nach seiner Rückkehr aus Italien als Herausgeber des *Magazins zur Erfahrungsseelenkunde* an den Tag legte. Dort hatte während seiner Abwesenheit der Mitherausgeber Carl Friedrich Pockels mit grobem Geschütz in den zeitgenössischen Schwärmerstreit eingegriffen und polemisch alle eingesandten Berichte über mystische Frömmigkeit wie die Ahnungen und Visionen als Produkte krankhafter Einbildungskraft diagnostiziert. Im öffentlich ausgetragenen Streit trennte sich Moritz daraufhin von Pockels und gab die restlichen Bände des *Magazins* zusammen mit Salomon Maimon heraus. In seiner *Revision über die Revisionen des Herrn Pockels in diesem Magazin* schrieb er:

> Es gibt eine Sucht, viele Dinge leicht erklärlich zu finden, eben so wie es eine Sucht gibt, viele Dinge unerklärlich zu finden – und man fällt sehr leicht von einem Extrem aufs andere. Die Revisionen über die gesammleten Fakta in einem Magazin zur Erfahrungsseelenkunde sind nicht dazu da, um diese Fakta nur größtentheils aus leere Einbildungen abzufertigen, damit ja dem Aberglauben entgegengearbeitet werde [...]. Die Vernunft, welche bei jedem Schritt den sie vorwärts thut, in Schwärmerei zu gerathen fürchtet, ist eben so wie die Tugend, welche immer bewacht werden muß, der Schildwache nicht werth.

Vom Schriftsteller und Verleger Johann Heinrich Campe mit einem Vorschuß auf einen künftigen Reisebericht versehen, war Moritz im Sommer 1786 kurzentschlossen nach Italien aufgebrochen, ohne die Genehmigung zum Verlassen seines Berliner Lehramtes abzuwarten. In Rom lernte er Goethe kennen und schloß Freundschaft mit dem Idol seiner Jugend, von deren Werther-Kult der *Anton Reiser* Zeugnis ablegt. Als er Ende 1788 nach Deutschland zurückkehrt, macht er mit nicht geringem gesellschaftlichen Erfolg mehrere Wochen in Weimar Station und wird, als er im Frühjahr 1789 in Begleitung des Weimarer Herzogs wieder in Berlin eintrifft, zum Professor für die Theorie der schönen Künste ernannt. Als er am 26. Juni 1793, noch nicht 37 Jahre alt, dem chronischen Lungenleiden erliegt, das sein Leben begleitet hatte, gehört er zu den bekanntesten intellektuellen Figuren der preußischen Residenzstadt. Man ist versucht, die Italien-Reise nicht nur als Höhepunkt in seinem Leben, sondern zugleich als Wendepunkt in seiner intellektuellen Biographie zu interpretieren. Doch trügt die eingängige These, Moritz habe sich durch die Konzentration auf das Studium der in Rom entdeckten Antike, durch den nahen Umgang mit dem zur Klassik entschlossenen Goethe und durch seinen sozialen und akademischen Aufstieg vom kritischen Erfahrungsseelenkundler zum eskapistischen Ästhetiker und elitären Verfechter einer strengen Theorie der Kunstautonomie gewandelt. Denn zum einen vereindeutigt diese Sicht das komplizierte Nebeneinander verschiedener Theorieansätze bei Moritz zu einem übersichtlichen Nacheinander, zum anderen unterschätzt sie sowohl die Beharrlichkeit des Erfahrungsseelenkundlers, der dem *Magazin* als Herausgeber treu bleibt und 1790 den 4. Band des *Anton Reiser* auf den Markt bringt, wie auch das kritische Potential seiner Theorie des Schönen und seiner Schriften zur Mythologie.

Den Grundgedanken seiner Theorie des Schönen, daß das Kunstwerk exterritorial zur Welt der Zwecke und des Nutzens angesiedelt sei und jede äußere Verbindung zu ihnen verweigere, um allein aufgrund seiner inneren Zweckmäßigkeit und Vollkommenheit in sich selbst gerechtfertigt zu sein, hat Moritz schon 1785 skizziert, und zwar in dem

Aufsatz *Versuch einer Vereinigung aller schönen Künste und Wissenschaften unter dem Begriff des in sich selbst Vollendeten*. Ebenfalls voritalienisch ist sein *Versuch einer deutschen Prosodie* (1786), der nach eigenem Bekunden Goethe für die Erarbeitung der Versfassung der *Iphigenie* von Nutzen war. Als Extrakt seiner Gedanken über und Erfahrungen mit der Kunst hat Moritz selbst seine ästhetische Hauptschrift *Über die bildende Nachahmung des Schönen* (1788) annonciert, in der er die Abwendung von der Wirkungsästhetik zur umfassenden Autonomiekonzeption ausbaut. Mit äußerst subtilen begrifflichen Reflexionen weist Moritz dem Schönen einen privilegierten Ort nicht nur jenseits der Welt der Zwecke, sondern auch jenseits der Sphären an, über die die Denkkraft herrscht, und macht es gänzlich vom Erreichen der äußersten inneren Vollkommenheit abhängig, ob das Kunstwerk »im Kleinen ein Abdruck des höchsten Schönen im großen Ganzen der Natur« wird oder auf die unterste Stufe des »Unnützen« herabsinkt. Aufgefaßt eher als produktives Vermögen denn als reproduktive Fähigkeit, wird die »Nachahmung« bei Moritz durch den von Leibniz inspirierten Begriff der »Tatkraft« definiert und so mit dem Geniebegriff vermittelt. Die Tatkraft, wie die Natur selbst gleich fähig zur Bildung wie zur Zerstörung, erlaubt dem Künstler die Nachbildung der Natur im Kleinen. Was ihn hätte vernichten können, wird zum Werk, wie das Werk selbst zum schönen Abbild von Natur und geschichtlicher Welt nur werden kann, indem es dem Widerstreit von Bildung und Zerstörung abgerungen ist: als »Vorgefühl von jener großen Harmonie, in welche Bildung und Zerstörung einst Hand in Hand, hinüber gehn« (*Werke* II, S. 577).

Mit seinem Verleger Campe, dem die »phantasierende Philosophie« in der Schrift nicht behagte, geriet Moritz in heftigen öffentlichen Streit. Goethe nahm einen Auszug aus der *Bildenden Nachahmung* als Echo der gemeinsamen Gespräche in Rom in seine *Italienische Reise* auf. Vor allem die ältere Goethe-Philologie hat die Begegnung beider als heilsame Unterordnung des Dilettanten unter das Genie interpretiert und Moritzens scharfe Trennung der »Bildungskraft« von der »Empfindungskraft« vor allem als Selbstkritik der eigenen, im *Anton Reiser* berichteten Tendenz zu empfindsam-lyrischem Dilettantismus aufgefaßt. Doch ist die Rigorosität und Strenge, mit der der Theoretiker des Schönen die Autonomie der Kunst verficht, mehr als ein verkapptes Selbstgericht. Denn sie zielt über die Psychologie des ästhetischen Subjekts hinaus auf eine Theorie der symbolischen Funktion des Schönen. Im Protest gegen die Vermischung der Sphären des Nützlichen und des Schönen ist die Vorstellung einer Welt implizit mitgedacht, in der die Kunst befreit wäre von der Aufgabe, Kompensation des Elends zu sein wie für Anton Reiser. Explizit wird der utopische Gehalt seiner Autonomie-Konzeption in Moritzens mythologischen Schriften. Sie sind in seinem Werk das Gegenstück zur Erfahrungsseelenkunde, wie diese ein Spiegel, in dem die Gattung des Menschengeschlechts ihrer selbst ansichtig werden kann. Zeigt sich in der Erfahrungsseelenkunde das ungeschminkte Bild der gegenwärtigen Menschheit, so wird im Blick auf die Mythologie der Antike als ferne Vergangenheit sichtbar, was das Ziel ihrer Bildung zu sein hätte. Den modernen »Leiden der der Einbildungskraft« (*Reiser*, S. 68), in denen Anton Reisers durch Unterdrückung verzerrte Natur ihren Ausdruck findet, steht in der Mythologie eine »Sprache der Phantasie« (*Werke* II, S. 611) gegenüber, die Moritz als Organ der gelungenen Verwandlung des Lebens in das Schöne ausdeutet. Was in der *Bildenden Nachahmung* begrifflich zur vornehmsten Leistung des Schönen erklärt wird, bringt Moritz im behutsam kommentierenden, eher erzählerischen als analytischen Duktus seiner *Götterlehre oder Mythologische Dichtungen der Alten* (1790) zur lebendigen Anschauung. Nicht die historische oder allegorische Ausdeutung der Götterwelt interessiert ihn, sondern die immanente Nachzeichnung ihres inneren Zusammenhangs, durch den die Oppositionen von Bildung und Zerstörung, Krieg und Frieden, Leben und Tod in die »höhere Sprache« des Schönen übersetzt werden. Daß es vor allen Dingen ihre gegenbildliche Funktion ist, um derentwillen Moritz die Antike als Entsprechung und Beglaubigung seiner Theorie des Schönen ausgestaltet, belegt sein Buch *Anthousa oder Roms Altertümer* (1791), dessen emphatischer Untertitel – *Ein Buch für die Menschheit* – deutlich seinen programmatischen Charakter signalisiert. Es malt in leuchtenden Farben das Bild der Antike als einer Festkultur, in der sich Religion und Leben nicht feindlich gegenüberstehen, sondern aneinander anschließen, um gemeinsam die Sphäre des Schönen zu bilden. Wie das Feuer, befreit von seiner Nützlichkeit, im Kult zur schönen Flamme wird, sind die Feste der Alten insgesamt nicht Gegensatz zum Alltag, sondern »Weihungen des wirklichen Lebens« (*Werke* II, S. 498), reflexiv gesteigerter Genuß des Lebens, nicht Flucht aus ihm. In der Betonung des republikanischen Charakters der staatlichen Feste der Römer bekommt die kontrastive Perspektive eine politische Färbung. Moritz rekonstruiert auf der Kreisbahn der Feste das Bild der Antike als einer Kultur, die auf die regulative Idee des Schönen bezogen ist und ohne Abspaltungen oder Ausblendungen aller Elemente ihres »wirklichen Lebens« zum Stoff der reflexiven Selbstbegegnung macht. In seinen *Reisen eines Deutschen in Italien in den Jahren 1786 bis 1788* (1792) gehört die kritische Kontrastierung der in den Ruinen anwesenden Antike und des modernen katholischen Rom zu den Grundmustern des Erzählens. Den Scharfblick für Armut und Elend hat der Antikenbegeisterte und Kunstschilderer nicht verloren, die Einsichten des Erfahrungsseelenkundlers hat der aus Rom zurückkehrende Mythologe und Theoretiker des Schönen nicht vergessen.

Bibliographische Hinweise

Werke. 2 Bde. Ausgew. und eingel. von J. Jahn. Berlin/Weimar 1973.

Werke. 3 Bde. Hrsg. von H. Günther. Frankfurt a. M. 1981. [Zit. als: Werke.]

Die Schriften. 30 Bde. Hrsg. von P. und U. Nettelbeck. Nördlingen 1986 ff.

Schriften zur Ästhetik und Poetik. Krit. Ausg. Hrsg. von H. J. Schrimpf. Tübingen 1962.

Anton Reiser. Ein psychologischer Roman. Hrsg. von W. Martens. Stuttgart 1972 [u. ö.].

Anton Reiser. Ein psychologischer Roman. Hrsg., erl. und mit einem Nachw. vers. von E.-P. Wieckenberg. München 1987. [Zit. als: Reiser.]

Andreas Hartknopf. Eine Allegorie. 1786. Andreas Hartknopfs Predigerjahre. 1790. Fragmente aus dem Tagebuch eines Geistersehers. 1787. Faks.-Dr. der Originalausg. Hrsg. und mit einem Nachw. vers. von H. J. Schrimpf. Stuttgart 1968. [Zit. als: Hartknopf.]

Bezold, R.: Popularphilosophie und Erfahrungsseelenkunde im Werk von Karl Philipp Moritz. Würzburg 1984.

Boulby, M.: Karl Philipp Moritz: At the Fringe of Genius. Toronto/Buffalo/London 1979.

Catholy, E.: Karl Philipp Moritz und die Ursprünge der deutschen Theaterleidenschaft. Tübingen 1962.

Ghisler, R.: Gesellschaft und Gottesstaat. Studien zum »Anton Reiser«. Winterthur 1955.

Fürnkäs, J.: Der Ursprung des psychologischen Romans. Karl Philipp Moritz' »Anton Reiser«. Stuttgart 1977.

Hubert, U.: Karl Philipp Moritz und die Anfänge der Romantik. Frankfurt a. M. 1971.

Minder, R.: Die religiöse Entwicklung von Karl Philipp Moritz auf Grund seiner autobiographischen Schriften: Studien zum »Reiser« und »Hartknopf«. Berlin 1936. – Nachdr. mit einem Vorw. von 1973: Glaube, Skepsis und Rationalismus. Frankfurt a. M. 1974.

Müller, K.-D.: Autobiographie und Roman. Studien zur literarischen Autobiographie der Goethezeit. Tübingen 1976.

Müller, L.: Die kranke Seele und das Licht der Erkenntnis. Karl Philipp Moritz' »Anton Reiser«. Frankfurt a. M. 1987.

Rau, P.: Identitätserinnerung und ästhetische Rekonstruktion. Studien zum Werk von Karl Philipp Moritz. Frankfurt a. M. 1983.

Saine, Th. P.: Die ästhetische Theodizee. Karl Philipp Moritz und die Philosophie des 18. Jahrhunderts. München 1971.

Sauder, G.: Empfindsamkeit. Bd. 1: Voraussetzungen und Elemente. Stuttgart 1974.

Schings, H.-J.: Melancholie und Aufklärung. Melancholiker und ihre Kritiker in Erfahrungsseelenkunde und Literatur des 18. Jahrhunderts. Stuttgart 1977.

Schrimpf, H. J.: Karl Philipp Moritz. Stuttgart 1980. Sammlung Metzler. 195.) [Mit Forschungsbericht und ausführlicher Bibliographie.]

Sölle, D.: Realisation. Studien zum Verhältnis von Theologie und Dichtung nach der Aufklärung. Darmstadt/Neuwied 1973.

Szondi, P.: Poetik und Geschichtsphilosophie I. Frankfurt a. M. 1974.

Todorov, T.: Théories du symbole. Paris 1977.

Vaget, H. R.: Dilettantismus und Meisterschaft. Zum Problem des Dilettantismus bei Goethe: Praxis, Theorie, Zeitkritik. München 1971.

AUGUST WILHELM IFFLAND

Von Elmar Buck

August Wilhelm Iffland wurde am 19. April 1759 in Hannover als Sohn wohlsituierter Eltern aus dem Bürgertum geboren. Schon in früher Jugend entwickelte sich seine Leidenschaft für das Theater. Ein erstes Engagement fand er 1777 bei Konrad Ekhof am Gothaer Hoftheater. Seit 1779 gehörte er siebzehn Jahre zum Ensemble des Mannheimer Hof- und Nationaltheaters, der damals wichtigsten deutschen Bühne. Als Siebenunddreißigjähriger wurde er Direktor des Königlichen Nationaltheaters in Berlin, das er achtzehn Jahre bis zu seinem Tod leitete, zuletzt als Generaldirektor. Seine Theaterstücke gehörten zum Grundstock eines jeden Spielplans der deutschen Bühnen seiner Zeit. Zudem war er selbst als Virtuose der Schauspielkunst ein beliebter Gast. Der Theaterdirektor, Schauspieler und Schriftsteller August Wilhelm Iffland starb am 22. September 1814 in Berlin.

Schon die von ihm selbst erinnerte Biographie (*Meine theatralische Laufbahn*, 1798) liest sich heute wie ein Modell theatralischer Sozialisation im 18. Jahrhundert. Da ist das bürgerliche Elternhaus, in dem man gemäß christlicher Moral lebt und die Literatur der Aufklärung liest. Da hinterläßt ein erster Theaterbesuch bereits unauslöschbare Eindrücke, die sich in wiederholten Besuchen einbrennen: zunächst nur Farben, dann kommen der Raum hinzu und der theatralische Gestus. So disponiert, erlebt Iffland die größten Schauspieler seiner Zeit: Ekhof, Ackermann, Schröder. Schließlich erreicht auch ihn die Botschaft der Morali-

August Wilhelm Iffland
1759–1814

schen Anstalt. Er möchte Schauspieler werden. Auf Wunsch des Vaters soll er Geistlicher werden. Vielleicht um das Theater aus seinem Kopf und Herzen zu verdrängen oder um sich mit dem für ihn vorgesehenen Amt zu arrangieren, imaginiert Iffland während des Gottesdienstes die Kirche als Theater und sieht sich schon als Prediger. Allein, bei aller objektiven Affinität von Kirche und Theater muß der Versuch einer Verbindung unumgänglich zum Konflikt führen – erst in ihm selbst und dann, nachdem das Theater aus diesem als Sieger hervorgegangen war, mit dem Elternhaus. Eine heimliche Flucht eröffnet seine theatralische Laufbahn.

Mag das erste Engagement am Hoftheater in Gotha mehr zufällig zustande gekommen sein – dennoch wird hier schon die Zielstrebigkeit erkennbar, mit der Iffland seine Karriere anging. Ein Vertrag in Gotha hieß, Ekhof als Lehrer zu haben, was für den Anfänger die beste Ausgangsposition bedeutete. Kaum hatte Iffland aber die ersten Male gefallen, drängte es ihn schon fort zu Schröder nach Hamburg. Nach Ekhofs Tod 1778 und der Schließung des Theaters 1779 wäre dann der Weg nach Hamburg frei gewesen – nur, Hamburg bedeutete neben Schröder auch neue Unsicherheit. So ließ sich Iffland mit dem Großteil des Gothaer Ensembles nach Mannheim an das Hof- und Nationaltheater verpflichten, das dort gerade unter Heribert Freiherr von Dalberg gegründet worden war.

Während seiner Mannheimer Zeit blieb Ifflands Tätigkeit nicht auf die Schauspielerei beschränkt; vielmehr trat er auch als Schriftsteller hervor, so etwa in *Briefen über die Schauspielkunst* (1781–82). Auch wurde am 27. Mai 1781 ein erstes eigenes Stück vom Mannheimer Theater unter dem Titel *Liebe und Pflicht im Streit* (*Albert von Thurneisen*) uraufgeführt. Obwohl die Aufführung wiederholt wurde, war sie doch kein entschiedener Erfolg. Zwei weitere dramatische Versuche fielen dann sogar durch: Es blieb jeweils bei der ersten und einzigen Vorstellung. Mit dem Erstlingswerk eines anderen jungen Autors erlangte das Mannheimer Theater zu der Zeit endlich die intendierte nationale Aufmerksamkeit. Am 13. Januar 1782 erschienen erstmals die *Räuber* auf der Bühne, und ihr Autor wurde daraufhin gleich als Theaterdichter verpflichtet. Möglich, daß Iffland durch den Erfolg des gleichaltrigen Schiller provoziert oder nur durch seine Anwesenheit in Mannheim stimuliert wurde, jedenfalls gelang auch ihm mit seinem nächsten Stück *Verbrechen aus Ehrsucht* (1784), zu dem Schiller den Titel vorschlug, wie Iffland seinerseits den zu *Kabale und Liebe*, mehr als nur ein Achtungserfolg.

Eine Zeitlang ging es nun Zug um Zug mit den beiden durch ihre Vorliebe für Kolportage und Effekt so ähnlichen Dramatikern Iffland und Schiller, nur, was dieser an Qualität voraushatte, blieb er an Quantität zurück. Sein Œuvre wuchs insgesamt auf 13 Dramen, während Iffland es auf 65 brachte. Macht allein schon die Vielzahl der Ifflandschen Stücke sie ihrer Nachwelt eher suspekt, so waren sie gerade dadurch für das zeitgenössische Theater von Vorteil; erwartete das Publikum doch ständig ein neues Stück. Diesem Wunsche kam Iffland nach. Aber auch in anderer Hinsicht waren seine Stücke nach Gusto des Zuschauers. Insonderheit bediente Iffland durch seine rührenden Momente den Geschmack des Publikums, das alle Unbill und Widersprüche der Zeit durch Selbstmitleid und Harmonie zu kompensieren suchte. Demzufolge waren Widersprüche auch Ifflands Sache nicht. Bei ihm wußte man, woran man war: wer der Gute ist und wer der Böse, und der Gute ist dann gut und der Böse böse. Diesem Grundschema folgen alle seine Stücke. Jeweils wird ein simpler moralischer Satz durch eine stereotype Dramaturgie exemplifiziert. Ifflands dramatische Ökonomie ist schon stark der jener *Neunhundert neun und neunzig (und noch etliche mehr) Almanachs-Lustspiele durch den Würfel* (1829) des Georg Nikolaus Bärmann verpflichtet, in dessen als Gesellschaftsspiel gedachtem Almanach die Titel der Stücke, ihre Figuren, Szenen und Dialoge durch den Zufall des Würfels bestimmt werden, um schließlich

durch den 200. Wurf immer zu einem befriedigenden Schluß
zu kommen. Ähnlich bei Iffland: Seien es »Trauerspiele«, »Lustspiele«, »Schauspiele«, »Familiengemälde« oder
»Ländliche Sittengemälde«, der angelegte Sieg des Guten –
in welcher Variation auch immer – stellt sich mit Sicherheit
ein. So könnten all seine Stücke mit der Schlußanweisung
von *Reue versöhnt* (1789) enden: »Sie umarmen sich sanft in
verschiedenen Gruppen.« Alle Standesunterschiede ver-
schwimmen in Tränen, ohne daß sich irgend etwas entscheidend geändert hätte. So reagierte Dalberg nach dem Schluß
der Mannheimer Aufführung von Ifflands *Jägern* (1785)
ganz gemäß der Intention des Stückes, wenn der pfälzische
Freiherr tränenvoll den erfolgreichen Komödianten in die
Arme schließt.

Nachdem der Durchbruch als Schriftsteller geschafft war,
reüssierte Iffland auch als Schauspieler, so daß sich sein
Ruhm allmählich über ganz Deutschland verbreitete. Ende
der achtziger Jahre dürfte Iffland das profilierteste Mitglied
im Mannheimer Ensemble gewesen sein. Jedenfalls gelang es
dem Dreißigjährigen als erstem in Mannheim, eine lebenslange Anstellung mit einer Pensionsberechtigung zu erwir-
ken. Als dann 1792 wieder ein Oberregisseur zu bestellen
war, wurde Iffland folgerichtig in dieses Amt gewählt,
womit ihm gewissermaßen die Leitung des Theaters oblag.
Iffland war oben, aber er war noch nicht ganz oben –
zumindest meinte er das, denn die historische Bedeutung
dieses Theaters noch nicht erkennen können, hielt er
Mannheim bei allem Erfolg für Provinz. Demzufolge richtete er erneut sein Augenmerk auf Hamburg, Berlin und
Wien. Hatte er schon wiederholt mit dem Gedanken
gespielt, Mannheim zu verlassen, ohne daß er dann wirklich
ging, so war es ihm Mitte der neunziger Jahre ernst.

Den willkommenen Anlaß zu seinem Entschluß boten
ihm die kriegerischen Auseinandersetzungen im Zusammenhang mit der Französischen Revolution, die für Mannheim
Belagerung, Bombardierung, Besetzung und damit verbun-

den die zeitweise Schließung des Theaters bedeuteten. Als zu dieser allgemeinen Unsicherheit auch noch Querelen mit Dalberg über die Führung des Theaters kamen, nahm Iffland 1796 ein Angebot des preußischen Königs an, das Berliner Nationaltheater zu übernehmen. Am 10. Juli 1796 stand er in Mannheim zum letzten Mal auf der Bühne. Am 14. November desselben Jahres wurde er durch Kabinettsorder zum Direktor des Königlichen Nationaltheaters ernannt.

Das Berliner Theater befand sich zu der Zeit infolge vorausgegangener langer Hofintrigen in einer denkbar schwierigen Situation. Iffland war gewissermaßen als Retter in der Not engagiert worden. Seine Direktion, der alle Ressorts unterstellt waren, bedeutete für das Berliner Nationaltheater eine Periode der Stabilisierung, der Solidität; eine Ära, die jedoch künstlerisch herausragende Ereignisse vermissen ließ. Die Einweihung des neuen Theaterbaus von Langhans (1801) dürfte Höhepunkt der Ifflandschen Direktion gewesen sein. Insgesamt etwies er sich als ein guter Administrator, wobei ihm seine Mannheimer Arbeit als Ausschußmitglied und Oberregisseur sicher hilfreich waren. Aber auch andere Mannheimer Erfahrungen kamen ihm in Berlin zugute. Die Folgen der Revolution holten ihn auch dort ein. Während der Napoleonischen Okkupation Berlins (1806–08) konnte sich Iffland als Direktor der Société Dramatique et Lyrique Allemande de S. M. le Roi erneut in der Kunst des Lavierens beweisen. Auf diese Weise rettete er das deutsche Nationaltheater über die Zeit der französischen Besetzung. Der preußische König dankte es ihm dann, indem er ihn 1811 zum Generaldirektor des Königlichen Schauspiels unter Einschluß der Oper unter den Linden ernannte.

Was den Schauspieler anbelangt, so schwankt Ifflands Bild in der Zeichnung seiner Zeitgenossen. Während die einen von ihm als dem »geborenen Schauspieler« sprechen, der seine Kunst zur »Vollendung« geführt hat, bestehen die anderen auf ungünstigen Anlagen und Effekthascherei. Heute läßt sich kaum noch beurteilen, wer der Wahrheit näher kommt; die Einschätzung bleibt unter der Würdigung allen verfügbaren Materials letztlich eine Glaubensfrage.

Hält man sich hingegen an die Fakten, so war Iffland von untersetzter Gestalt und verfügte über eine wenig klangvolle Stimme. Sein volles Gesicht wurde allein von ausdrucksvollen Augen geprägt. Ob diese Vorgaben nun als günstig oder ungünstig zu erachten sind, ist eine müßige Frage, denn entscheidend ist, was der Schauspieler aus diesen und mit diesen Vorgaben macht. Iffland zumindest konnte alle ›Schwächen‹ durch sein Spiel in Stärken verwandeln – das wird ihm allseits zugebilligt. Unbestritten ist ebenso, daß er von frühester Jugend an die Fähigkeit hatte, Charakteristika anderer blitzschnell zu erkennen und dazu noch das Vermögen, diese Spezifika erfolgreich nachzumachen. Diese Kunst wurde ihm zum Motor seiner Rollengestaltung, die er also nach der beobachteten Realität und nicht nach irgendeiner theatralischen Phantasie ausrichtete. Gleich beim ersten Auftritt charakterisierte er eine Figur durch eine spezielle Eigenschaft, die er dann die ganze Rolle durchhielt. War ihm dabei der erfolgsichernde Effekt auch nicht fremd, so ist hervorzuheben, daß er überhaupt erstmals eine Figur schuf, die gemäß der Vorlage als Einheit gesehen wurde und nicht als Aneinanderreihung von beifallheischenden Einzel-Effekten, wie es zu seiner Zeit noch üblich war.

Diesem Prinzip folgend, spielte Iffland in den 37 Jahren seiner Bühnenlaufbahn an rund 4190 Abenden 519 verschiedene Rollen, ohne auf ein bestimmtes Fach festgelegt zu sein. Sein Repertoire wurde die Basis für seinen Ruhm als Schauspieler. Zweifellos hat Iffland aber auch auf andere Weise an Ruhm und Nachruhm gearbeitet, sei es mit seinen eigenen Erläuterungen zu Franz Ludwig Catels Stichen von ihm als Franz Moor; sei es mit den genannten *Briefen über die Schauspielkunst* oder seinen *Fragmenten über Menschen-*

gestaltung (1785) wie seiner postum herausgegebenen *Theorie der Schauspielkunst* (1815).

Neben diesen schriftlichen Zeugnissen künden zahlreiche bildliche Darstellungen von Ifflands Schauspielkunst, so etwa die bereits genannten Stiche von Catel oder die der Gebrüder Henschel. Insonderheit sind dabei die Bleistiftzeichnungen Wilhelm Henschels, die er um das Jahr 1808 meistens im Theater selbst während der Vorstellung skizziert hat, von theaterhistorischem Wert. Denn mit diesen Rollenportraits, die nur als Vorlage für die Kupferstichserien dienen sollten, hat man erstmals ein halbwegs authentisches bildliches Zeugnis vom Spiel eines Schauspielers. Henschels Zeichnungen heben eine äußerst gespannte Körperhaltung Ifflands hervor, sein präzises Spiel mit den Händen und dann vor allem: die Augen. Hier erkennt man den Menschendarsteller, der der Individualität jeder Rolle nachgeht. So spielt er etwa den Juden Schewe, den Nathan und den Shylock nicht gemäß den damaligen theatralischen Klischees, vielmehr geht es ihm auch hier um die Darstellung des Menschen.

Bibliographische Hinweise

Theatralische Werke, in einer Auswahl. 10 Tle. Stuttgart/Leipzig 1858. [Mit Biographie.]

Fragmente über Menschendarstellung auf deutschen Bühnen. Erste Sammlung. Gotha 1785.

Meine theatralische Laufbahn. Stuttgart 1978 [u. ö.].

Theorie der Schauspielkunst für ausübende Schauspieler und Kunstfreunde. 2 Bde. Hrsg. von C. G. Flitner. Berlin 1815.

Böttiger, C. A.: Entwicklung desIfflandschen Spiels in vierzehn Darstellungen. Leipzig 1796.

Hermann, W.: Thaliens liebster Sohn. Iffland und Mannheim. Mannheim 1960.

Ifflands Schauspielkunst. Ein Rekonstruktionsversuch [...]. Hrsg. von H. Härle. Berlin 1925.

Kliewer, E.: August Wilhelm Iffland. Ein Wegbereiter in der deutschen Schauspielkunst. Berlin 1937.

Klingenberg, K. H.: Iffland und Kotzebue als Dramatiker. Weimar 1962.

Regener, E. A.: Iffland. Berlin/Leipzig 1904.

Reimann, V.: Der Iffland-Ring. Legende und Geschichte eines Künstleridols. Wien/Stuttgart/Basel 1962.

Friedrich Schiller

Von Norbert Oellers

Was Goethe in seinem *Faust* (II,8488) Helena über sich selbst sagen läßt: »Bewundert viel und viel gescholten«, das ließe sich auch als Überschrift einer nunmehr über zweihundertjährigen Wirkungsgeschichte Schillers verwenden, auch wenn »viel« nicht als ›gleich viel‹, ja gar nicht als quantitativ vergleichbar verstanden werden kann; denn die überlieferten Zeugnisse der Wirkungsgeschichte sind größtenteils solche der Bewunderung, der Anerkennung, ja auch der Liebe. Doch richtig ist: Unumstritten war Schiller nie; nie gab es einen Konsens über seinen poetischen Rang; Schulmeinungen wechselten und waren nie alles. Doch es gab (und gibt) ein Schiller-Bild, über das kaum je gestritten wurde: Goethes Lebens- und Geistesskizze, die er vom toten Freund entwarf (im *Epilog zu Schillers »Glocke«*); die Darstellung eines Menschen, der mit widrigen äußeren Umständen zu kämpfen hatte und dem Unbegreifliches gelang: »Indessen schritt sein Geist gewaltig fort / Ins Ewige des Wahren, Guten, Schönen, / Und hinter ihm, in wesenlosem Scheine, / Lag, was uns alle bändigt, das Gemeine.« Der Heros Schiller, zum Typus stilisiert – damit war, so mochte es scheinen, nichts falsch zu machen.

Daß Goethe im Mai 1805 mit Schillers Tod die Hälfte seines Daseins verlor, wie er am 1. Juni an Zelter schrieb; daß er nicht müde wurde, Schillers (menschliche) Größe zu preisen (»edel« nannte er ihn nicht selten, »aristokratisch« zuweilen, schließlich auch: »heilig«[1]); daß er voller Bewunderung auf sein rastloses Streben zurücksah (»Alle acht Tage war er ein anderer und vollendeterer; jedesmal wenn ich ihn wiedersah, erschien er mir vorgeschritten in Belesenheit, Gelehrsamkeit und Urteil«, bemerkte er 1825 gegenüber Eckermann[2]) – das zeigt zur Genüge, welche ungewöhnliche Wirkung der um ein Jahrzehnt Jüngere in dem Jahrzehnt ernster Freundschaft auf Goethe ausgeübt hat. Hat dieser auch Schillers poetisches Vermögen hochgeschätzt?

Selten hat Goethe die »zarte Differenz« zwischen sich und Schiller so deutlich als Differenz verschiedener Dichtungsweisen und so deutlich als Qualitätsdifferenz bezeichnet wie in jener Alters-Reflexion, in der von Schillers Dichtung als einer allegorischen gesprochen wird, während Goethe sich selbst als Vertreter symbolischer Poesie begreift: »die letztere [...] ist eigentlich die Natur der Poesie«.[3] Goethes Bewunderung des Dichters Schiller war nicht uneingeschränkt. Doch verdroß ihn sehr die Kritik, die andere an dem Freund übten, die Brüder Schlegel etwa und ihr Jenaer ›Anhang‹ (Novalis freilich ausgenommen), alt gewordene Aufklärer wie Friedrich Nicolai und Johann Friedrich Schink oder christliche Eiferer vom Schlage des Grafen Friedrich Leopold zu Stolberg. – Schiller gab genügend Anlaß zur Gesinnungskritik; das Ärgernis ist also ein doppeltes.

Daß am 20. Oktober 1799 im Jenaer Romantikerhaus, das sich (wie noch immer weithin unbekannt zu sein scheint) unweit des »Schwarzen Bären« befand, große Heiterkeit ausbrach, als Schillers gerade erschienenes *Lied von der Glocke* bekannt wurde (die Anwesenden seien, schrieb Caroline Schlegel am nächsten Tag ihrer Tochter, »fast von den Stühlen gefallen vor Lachen«), ist nicht nur eine oft wiederholte Anekdote, sondern gehört auch wesentlich zu einer ›wahren Geschichte‹: der Geschichte der janusköpfigen Schiller-Rezeption, die auf der einen Seite durch die breite Zustimmung des ›Volkes‹, das ja literarisch interessiert und ›gebildet‹ war, auf der anderen durch die bis zur Verachtung reichende Geringschätzung vieler einzelner, die

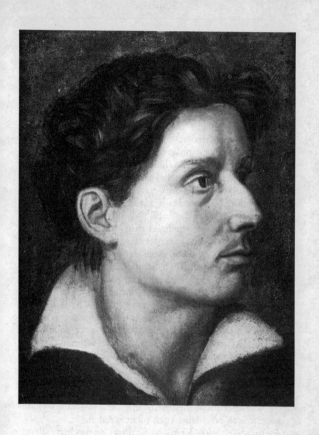

Friedrich Schiller
1759–1805

als Literaten speziell ›gebildet‹ waren, gekennzeichnet ist.
Während die Romantiker lachten, applaudierten andere:
Das Lied von der Glocke, das Hohelied bürgerlicher Tugen-
den (vor allem: männlicher Kraft und weiblicher Sanftheit),
das ungewöhnlich schroff jede Form revolutionärer Gewalt
verurteilte, erhielt schnell einen bevorzugten Platz im poetischen Hausschatz des deutschen Volkes, und es kann nicht
fraglich sein, daß der Inhalt des Gedichtes dieses in den
Rang eines säkularisierten Katechismus beförderte. Daß
Goethe, wie Eckermann gehört haben wollte, einmal über
Schillers »merkwürdiges Glück, als besonderer Freund des
Volkes zu gelten«[4], räsoniert habe, erscheint verwunderlich;
denn der stolze Knabe, die verschämte Jungfrau, der errö-
tende Jüngling, die züchtige Hausfrau und der strebende
Mann formieren doch das Idealbild einer bürgerlichen Ordnung, die der Dichter »heilig« nennt, wodurch er es jedem,
der sich damit einverstanden erklärt, leicht macht, an der
Heiligkeit zu partizipieren. Aber das Gelächter der Romantiker (auch über andere Texte Schillers) verstummte nie, und
daneben gab es gründliche Kritik; im Falle des *Lieds von der
Glocke* etwa an dem als miteinander nicht vereinbar angesehenen Nebeneinander von Glockenguß-Beschreibung und
weltanschaulichen Maximen und Reflexionen. »Auf der
einen Seite äußerste Ökonomie, auf der anderen uferlose
Sprüche; feste rhythmische Form, lustlose Reimerei; strikte
Kenntnis der Sache, unverbindliche Ideologie; verschwie-
gene Einsicht, plakatierte Trivialität; Größe in der Beschrän-
kung, aufgehäufter Plunder.«[5] So urteilte 1966 Hans Ma-
gnus Enzensberger (*Festgemauert aber entbehrlich*); sein
Urteil war aber nicht mehrheitsfähig, und wird es, obwohl
es ausgewogen erscheint, auch nicht werden.

Goethes versteckte Kritik an Schillers poetischen (allegorischen) Werken, in denen »das Besondere nur als Beispiel,
als Exempel des Allgemeinen«[6] gelte, kann ebenso die Doppelheit der Wirkung(en) Schillers erklären helfen wie dessen
im wahrsten Sinne ›spannender‹ Dichtungsanspruch, nach

dem der Stoff (einer schlechten Lebenswirklichkeit) durch die Form (der im Ideal erreichten Kunstwahrheit) geradezu ›vertilgt‹ werden müsse, und zwar im Spiel des zur ›ästhetischen Freiheit‹ gelangten Poeten. Wie aber hätte Schiller glauben können, er sei imstande, solches zu leisten, da er doch von sich wußte, daß er »keinen großen materialen Reichthum von Ideen« hatte (wie er am 31. August 1794 an Goethe schrieb) und daß ihm auch die unmittelbare Anschauung durch Intuition, die er an Goethe so sehr bewunderte als Kennzeichen des (naiven) Genies, fehlte? Er häufte Stoffmassen aufeinander, die er sich aus der Geschichte holte oder ausdachte – Ideensurrogate und zugleich Ersatz für fehlende ›Wahrnehmung‹ der ihn umgebenden Realität(en). In seinen frühen Werken demonstrierte er, was er seinen Karl Moor verkünden läßt: »die Freyheit brütet Kolosse und Extremitäten aus« (NA III,21). Welche Wirkung er damit auf gereifte Kunstkenner ausübte, macht nicht nur Goethes späte Bemerkung deutlich, daß ihn Werke wie *Die Räuber* nach der Rückkehr aus Italien »äußerst anwiderten«[7], sondern auch die Beurteilung des Stückes durch seinen Autor in ›klassischer‹ Zeit: Als das Drama im April 1796 in Weimar aufgeführt wurde (mit Iffland als Franz Moor), verließ Schiller verstimmt das Theater, weil er sein Werk als Zumutung empfand.

Der ausgedachte ›Stoff‹ für *Das Lied von der Glocke* hatte für Schiller – anders als für weite Kreise des bürgerlichen Publikums seiner und späterer Zeit – keinen Wert ›an und für sich‹, aber die (gekonnte) Formgebung schien ihm doch seine poetische ›Aufhebung‹ zu garantieren, zumal im Lied: Die schwesterliche Kunst wurde ja wohlweislich auf den Plan gerufen. Nicht darüber lachten die Romantiker; sie forschten schwerlich dem Kunstwillen Schillers nach.

Das Stoff/Form-Problem bei der Behandlung der Schillerschen Werke wurde kaum je so wichtig genommen, daß es mit poetologischen Prinzipien des Dichters in Zusammenhang gebracht wurde. Die Vernachlässigung dieses Problems ließe sich freilich nur dann als fortwährendes Mißverständnis der Schiller-Deutung beurteilen, wenn der Zusammenhang von Schiller selbst mit Entschiedenheit betont und immer wieder beachtet worden wäre. Für diese Tendenz spricht indes nicht viel. Immerhin läßt sie sich als nachdrücklich gewollt in Einzelfällen annehmen, und dann kann es für den Rezipienten zu überraschenden Einsichten kommen, wie dieses eine Beispiel lehrt: Kaum war Schillers vorletztes Drama *Die Braut von Messina* erschienen, als sich im Kreise der Romantiker der schon übliche Unmut regte: Das Stück sei, so schrieb Clemens Brentano im August 1803 an Achim von Arnim, »ein erbärmliches Machwerk, langweilig, bisarr und lächerlich«. Das Urteil bezog sich auf die monströse Fabel des Stücks, auf den, wie es schien (und bis heute scheint), schlecht ausgedachten Stoff, dem auch durch die gelehrte Vorrede des Dichters nicht aufzuhelfen war. Elf Jahre nach seinem ersten Urteil gab Brentano ein zweites ab, das von der stillschweigenden Voraussetzung ausging, der Stoff des Dramas habe auch nicht die geringste Bedeutung. »In keinem seiner Werke hat Schiller so nach Gestalt gerungen als in der *Braut von Messina*; die Chöre stehen wie widerhallende Säulen, die Mutter und die Kinder wie die Gruppe der Niobe zwischen ihnen, das Ganze ist beinah architektonisch und steinern; aber es sind tönende Steinbilder, Memnonssäulen der alten Welt, welche klingen, da ihnen die wunderbare Aurora der modernen romantischen Kunst ihre Strahlen an die Stirne legt und sie zauberisch belebt.«[8] Für Brentano war der Stoff ausgelöscht. Aber hätte er sich ihm nicht bei späterer Gelegenheit wieder aufdrängen können?

Im Schiller-Jahr 1909 konstatierte Egon Friedell, was für die Geschichte der Nachwirkung Schillers (auch in den folgenden Jahrzehnten) so richtig ist wie Helenas »Bewundert viel und viel gescholten«: »Es war ein ewiges Auf und Ab. Man polemisierte um ihn wie um einen Lebenden; nie war man sich über ihn einig. Er war ein staatsgefährlicher

Mensch und der Retter seines Volks, er war der Kanon edelster Dichtkunst und das Muster roher Theatralik, er war der Prediger der höchsten politischen und religiösen Ideale und der Vertreter einer inhaltlosen und abgelebten Ideenwelt. [...] er war dies alles gleichzeitig, miteinander, gegeneinander, durcheinander [...].«[9]

Schiller wurde am 10. November 1759 in Marbach am Nekkar geboren und erhielt am folgenden Tag in der Taufe die Namen Johann Christoph Friedrich. Sein Vater Johann Kaspar Schiller (1723–96) stand als Leutnant in Diensten des württembergischen Herzogs Karl Eugen; 1775 wurde er Verwalter der Herzoglichen Hofgärten und Baumschulen auf Schloß Solitude. Er war redlich und fromm, streng und mit praktischer Vernunft begabt. Die Mutter Elisabetha Dorothea geb. Kodweiß (1732–1802) hatte viel Phantasie, war fromm mit der Neigung zur Bigotterie und streng bei der Erziehung ihrer Kinder; im Alter wurde sie ziemlich verbittert und verfing sich in Wehleidigkeit. Außer dem Sohn hatte das Ehepaar noch drei Töchter: Christophine (1757–1847), Louise (1766–1836) und Christiane (1777–96). In den Jahren bis 1764 zog die Familie umher, wie es der Beruf des Vaters verlangte: nach Würzburg, Cannstatt, Schwäbisch Gmünd, schließlich nach Lorch, wo Schiller 1765/66 die Dorfschule besuchte. Schon früh äußerte er den Wunsch, Geistlicher zu werden; dem starken Vater wurde ein stärkerer übergeordnet. Der Junge hielt, auf einem Stuhl groß genug, Predigten und verlangte von seinen Zuhörern Andacht. Noch der Fünfzehnjährige war mit seinem Übervater intensiv verbunden, wie sich der Mitschüler Petersen erinnerte: »Nicht selten wandelten ihn heilige Schauer u. gottesdienstliches Entzücken an; er ergoß sich oft im Gebete u. hielt, auch in Gesellschaft, Andachtsübungen [...].«[10]

Dem erneuten Wohnungswechsel der Familie nach Ludwigsburg folgte Anfang 1767 der Eintritt in die dortige Lateinschule, auf der Schiller mit dem Lateinischen vertraut, mit dem Griechischen bekannt und mit dem Hebräischen in Berührung gebracht wurde. Als er dreizehn Jahre alt war, wurde er – verpflanzt.

1771 hatte Karl Eugen auf der Solitude eine »Militär-Pflanzschule« gegründet, auf der er begabte Landeskinder erziehen und ausbilden lassen wollte. Deren Eltern hatten sich schriftlich damit einverstanden zu erklären, daß sich ihre Kinder ausschließlich den Diensten des Hauses Württemberg widmen würden. Der dritten Aufforderung des Herzogs, seinen Sohn der Pflanzschule zu übergeben, konnte sich Schillers Vater nicht wieder verweigern: Anfang 1773 erfolgte der Ortswechsel.

Fast acht Jahre blieb Schiller in einem Institut, in dem ein äußerst strenges Regiment geführt wurde: Tag für Tag wurden dem Herzog detaillierte Berichte über das Betragen, den Gesundheitszustand und die Leistungen der Schüler, seiner »Kinder«, vorgelegt; Tag für Tag zeitigten die Berichte Folgen: Strafen und Belohnungen. Schiller hatte einen dritten Vater bekommen, den er liebte und haßte, weil er stärker war als sein leiblicher Vater und gegenwärtiger als sein himmlischer. Von den herzoglichen Verfügungen waren fast alle Lebensbereiche betroffen: wie der Unterricht durch Zucht-und-Ordnung-Prinzipien bestimmt wurde, so auch das Erscheinungsbild der Zöglinge (die Kleidung: eine Uniform), so auch das Verhalten bei Tisch und zur Nacht, so auch die Freizeitbeschäftigungen (wie das Spazierengehen), die dann keine mehr waren.

Vier Jahre nach Beendigung seiner Schul- und Studienzeit hat Schiller – in der Ankündigung seiner *Rheinischen Thalia* – mit Verve gegen das Bildungsinstitut des württembergischen Herzogs polemisiert und dabei von der »militärischen Regel«, der er unterworfen war, von den »Verhältnissen«, die ihm »zur Folter waren«, von der erzwungenen Unbekanntschaft mit der »wirklichen« Welt gesprochen; im Widerstand gegen die Unbilden habe sich seine poetische Welt, habe sich sein poetisches Talent entwickelt (vgl.

NA XXII, 93–95). Die publikumswirksame Rhetorik solcher Bekenntnisse nimmt diesen nicht ihren sachlichen Gehalt: Daß Schiller ein Apostel der Freiheit werden konnte, hat mit der Unfreiheit, die er jahrelang an sich erfuhr, einiges zu tun. Und mochte er sich von seinen (drei) Vätern auch mehr und mehr entfernen, so wurde er deren Schatten doch nie ganz los; sie erscheinen in großen Gestalten, die aus freien Stücken Freiheiten vernichten.

Anfang 1774, nach einem Jahr allgemein-humanistischer Ausbildung, entschloß sich Schiller zum Studium in der juristischen Fakultät, die gerade der Pflanzschule angegliedert worden war. Als im November 1775 die Akademie nach Stuttgart verlegt und um eine medizinische Fakultät erweitert wurde, begann Schiller, Medizin zu studieren.

Das Jahrfünft seiner medizinischen Studien nutzte Schiller zur intensiven Beschäftigung mit Literatur: Klopstock begeisterte ihn bis zum Außersichsein und wurde ihm nachahmenswertes Beispiel bei seinen ersten eigenen poetischen Versuchen; die Wirkung Shakespeares, den Schiller erst zwei Jahre nach Klopstock kennenlernte, war kaum weniger stark; die jungen deutschen Dichter seiner Zeit (Gerstenberg, Goethe, Leisewitz, Maler Müller, Klinger u. a.) entzückten ihn, wie ihn ältere (Haller, Lessing, Ewald von Kleist u. a.) anregten. Außerdem vermittelte ihm Plutarch Einsichten in das Räderwerk der Geschichte, das durch große einzelne angetrieben wird, die sich durch schwarze Verbrechen ebenso als ›erhaben‹ erweisen wie durch bewundernswerte gute Taten. Geistige wie politische Bewegungen der Gegenwart wurden dem Karlsschüler schließlich durch Rousseau und Montesquieu ins Bewußtsein gebracht. So ausgerüstet, begann der Medizinstudent mit der Produktion lyrischer und dramatischer Arbeiten, von denen nur einige Gedichte überliefert sind; das Drama *Cosmus von Medicis* vernichtete er selbst aus Einsicht in seine Mangelhaftigkeit.

Im Oktober 1779 reichte Schiller eine medizinische Dissertation ein, deren lateinische Fassung, die der Fakultät

vorgelegt wurde, nicht bekannt ist. Eine fragmentarisch
überlieferte deutsche Fassung (*Philosophie der Physiologie*)
zeigt, um was es ging: um den Versuch der Vermittlung von
Geist und Materie, Körper und Seele durch die Annahme
einer sogenannten »Mittelkraft«, die als »Band zwischen
Welt und Seele« (mit Sitz im »Nervengeist«) bestimmt wird
– ein zentrales Problem der Anthropologie jener Zeit und
ein bleibendes für Schiller. Wie der Riß, der durch die Welt
geht, zu schließen sei, wird er immer wieder bedenken, und
nie gibt es für ihn die Möglichkeit der ›Aufhebung‹ des
Gegensätzlichen in einer Synthese; immer sucht er nach der
Vermittlungsinstanz, die das Materielle ans Geistige, den
Stoff an die Form, die Wirklichkeit an das Ideal bindet, das
eine mit dem anderen amalgiert; im »Reich der Formen«, im
Kunstschönen, geschehe das wohl, so befindet er später, als
er seine ästhetischen Überlegungen zu einem anscheinend
ihn befriedigenden Ergebnis geführt hat; aber das W i e der
Hervorbringung von Kunst bleibt ein unentdecktes Geheimnis und muß es wohl bleiben, wenn die These von der
Autonomie der Kunst nicht aufgegeben werden soll. (Daß
der »Spieltrieb« den »Stofftrieb« mit dem »Formtrieb«
zusammenbringe, wie es später in den ästhetischen Briefen
heißt, ist eine rein formale Bestimmung, die durch die
poetische Praxis nicht zu beglaubigen ist.)

Schillers Dissertation wurde nicht angenommen, obwohl
sie den Gutachtern wie dem Herzog nicht mißfiel; es stehe,
befand dieser, »viel schönes darin«, und es sei »mit Feuer
gesagt«. »Aber eben des wegen wird gut seyn wenn der
Schiller noch 1 Jahr in der Academie bleibt, wo es indessen
gedämpft werden kann, so daß er hernach bey continuiren-
dem Fleiß einst ein großes Subject werden kann.«[11] – Eine zweite Dissertation (*Versuch über den Zusammenhang
der thierischen Natur des Menschen mit seiner geistigen*)
wurde im Herbst 1780 vorgelegt und akzeptiert; sie enthält einen neuen Vorschlag für das alte Dualismus-Pro-
blem: »der Mensch ist nicht Seele und Körper, der Mensch

ist die innigste Vermischung dieser beiden Substanzen«
(NA XX,64).

Am 15. Dezember 1780 wurde Schiller aus der Militäraka-
demie entlassen; gleichzeitig wurde er als Regimentsmedikus
in Stuttgart angestellt. Von seiner beruflichen Tätigkeit ist
kaum etwas bekannt und gar nichts von besonderen Erfolgen des Arztes. Statt dessen hat die Nachwelt mancherlei
gehört von Liebeshändeln, Saufgelagen und Lustbarkeiten
anderer Art (»Sommers alle Abende Kegelspiel – Winters
Manille, ein leichtes Kartenspiel«, hat Petersen aufgeschrie-
ben[12]); außerdem beginnt in diesen Jahren das umfangreiche
Kapitel der finanziellen Notsituationen, in die Schiller
immer wieder hineingeriet, weil er – auch aus Freude am
Risiko – über seine Verhältnisse zu leben beliebte. Manchem
seiner Gläubiger machte er es schwer, zu seinem Recht zu
kommen.

Am 22. September 1782 floh Schiller aus Stuttgart, weil
der Herzog ihn für eine unerlaubte Reise ins kurpfälzische
Ausland (nach Mannheim) mit Arrest bestraft und ihm
untersagt hatte, künftig andere als medizinische Werke zu
schreiben. Dieser Anordnung konnte sich der Dichter nicht
fügen. »So ging in Erfüllung«, hat Petersen kommentiert,
»was er, schon 1 1/2 Jahre vorher, gegen einen Freund
[Immanuel Elwert] geäussert hatte. Meine Knochen,
schrieb er diesem, haben mir im Vertrauen gesagt, daß sie in Schwaben nicht verfaulen
wollen.«[13]

Die Räuber, Schillers erstes erhaltenes Drama, waren Mitte
1781 anonym im Selbstverlag (mit der fingierten Ortsangabe
»Frankfurt und Leipzig«) erschienen und am 13. Januar
1782 in Mannheim in Anwesenheit des Autors uraufgeführt
worden. Ein Kraftgenie sondergleichen stellte sich am Ende
einer literarischen Epoche vor, die später die Bezeichnung
›Sturm und Drang‹ erhielt; kleine und große Kraftgenies
(Goethe, Lenz, Klinger, Müller, Leisewitz, Wagner) hatten

gerade erkennen lassen, wie heftig es in den Köpfen und auf
der Bühne zugehen konnte, wenn einmal die Schranken
einer klassizistischen Regelpoetik durchbrochen und die
Forderungen einer moralisch begründeten Wirkungsästhetik
außer Kurs gesetzt waren – da überbot sie Schiller.

Die Räuber zeichnen sich – wie andere Stücke des Sturm
und Drang – durch eine wüste Handlung, gewaltsame Charaktere und eine ganz und gar ›unpolierte‹, nämlich leidenschaftliche und bis zur Unnatürlichkeit ›offene‹ Sprache aus;
das Geschehen ist besonders unwahrscheinlich, so daß es
gleichgültig erscheint, ob die Rede vom »Tintengleksenden
Sekulum« und vom »schlappen Kastraten-Jahrhundert«
(vgl. NA III,20 f.) auf die Vergangenheit oder die Gegenwart zielt. Das Gesagte ist gleichsam historisch frei. Die
unerhörte fortdauernde Wirkung des Stückes hängt zweifellos damit zusammen, daß es dem Publikum erlaubt wird,
sich von dem Geschehen (und dem groß-artigen Sprechen)
völlig gefangennehmen zu lassen, also ohne eigene Reflexionen über das Bühnengeschehen auskommen zu können.
Kein anderes Stück Schillers entspricht in dieser Hinsicht so
genau seiner (und Goethes) viel später (in den Notizen
Ueber epische und dramatische Dichtung) aufgestellten Forderung: »Der zuschauende Hörer muß von Rechtswegen in
einer steten sinnlichen Anstrengung bleiben, er darf sich
nicht zum Nachdenken erheben, er muß leidenschaftlich
folgen, seine Phantasie ist ganz zum Schweigen gebracht«
(NA XXI,59). Und es gereicht dem Drama nicht zum Nachteil, wenn der Buch-Interpret bemerkt: Das Stück ist sowohl
ausgedacht wie unbedacht; es reklamiert mit erheblichem
Pathos Freiheitsrechte der ›Menschheit‹ und reduziert sie auf
die Freiheit des poetischen Genies; es handelt von dem
Zusammenstoß feindlicher Brüder, die keinen Identifika-
tionswunsch aufkommen lassen, da die Grenzlinien zwischen Teufel, Mensch und Engel leichthin verwischt sind. Es
enthält aber offensichtlich auch moralische Lehren, die in
ihrer Allgemeinheit noch leichter zu billigen sind als die

Bestimmungen des Dekalogs: der Mensch müsse gerecht sein, wohltun und seinesgleichen lieben, damit sich die Welt zum Besseren verändere.

So lassen sich *Die Räuber* auch in das Zeitalter einfügen, dem sie entstammen – in das der Aufklärung. Daß sie deshalb von den ›wahrhaft‹ aufgeklärten Zeitgenossen mit Zustimmung aufgenommen worden wären, läßt sich so wenig vermuten wie belegen: Das Pathos, mit dem sittliche Forderungen gestellt (aber nicht erfüllt) werden, die Entschiedenheit, mit der eine metaphysische Ordnung behauptet (aber nicht gezeigt) wird, die Gewalt des Spiels zwischen Leben und Tod (ohne ästhetische Legitimation) vermitteln einen Genuß, der ja durch Reflexionen gefährdet werden kann. Dem rationalistischen Kritiker ließe sich freilich entgegenhalten, die offenkundigen Mängel des Stücks bezeugten Schillers Überzeugung, es komme ihm hauptsächlich auf die Gewalt des Spiels an und er wolle kein weitergehendes Interesse verfolgen. Daher könnte der (gelehrte) Zuschauer, der sich von dem gräßlichen und gleichzeitig ›erhabenen‹ Geschehen gefangennehmen läßt, erklären, sein Wohlgefallen an dem Stück sei – interesselos. Solche Überlegungen sind dem jugendlichen Erfolgsautor natürlich nicht in den Sinn gekommen; aber sie sind für den späteren Betrachter nicht abwegig, weil der ›klassische‹ Schiller mit der (Kantischen) Kategorie des ›interesselosen Wohlgefallens‹ die Rezeption seiner Kunstprodukte zu steuern versucht hat – ohne Erfolg.

Die Gründe für die Begeisterung, die seinen *Räubern* galt, lassen sich zum Teil für die Begeisterung, die seine späteren Stücke (allesamt) hervorrufen konnten, in Anspruch nehmen; überall zeigte sich der Dichter unverändert ›herrscherlich‹: groß im Entwerfen ›bedeutender‹ Gestalten, bei der Konstruktion von Konflikten zwischen dem (nicht absolut) Bösen und dem (nicht absolut) Guten, in rhetorischen Aufschwüngen, die den Himmel aufzureißen schienen, im Pathos des moralisierenden Weltverbesserers schließlich, für den das Ästhetische nur der Idee nach eine perfekte Welt einschloß. In Wahrheit diente die Kunst (Schillers Kunst) nie allein dem ›bloßen‹ Genuß eines sich selbst genügenden Produkts; dazu fehlte ja die Voraussetzung, die Möglichkeit nämlich, vollkommene Kunst zu schaffen. Es ging also immer auch um die Aufregung von Emotionen und die Anregung von Einsichten in den Lauf der Welt und die Notwendigkeit richtigen Handelns.

»Haben wir je einen teutschen Shakespear zu erwarten, so ist es dieser«, urteilte Schillers erster Rezensent, Christian Friedrich Timme, am 24. Juli 1781 in der *Erfurtischen Gelehrten Zeitung*.[14] Schiller gefiel es, in einer Selbstrezension etwas von sich preiszugeben: »Er [der Verfasser] soll ein Arzt bei einem Wirtembergischen G r e n a d i e r -Bataillon sein [...]: So gewiß ich sein Werk verstehe, so muß er s t a r k e D o s e n in Emeticis eben so lieben als in Aestheticis, und ich möchte ihm lieber zehen Pferde als meine Frau zur Kur geben« (NA XXII, 131).

Der Dramatiker Schiller wollte auch als Lyriker schnell sein Glück machen: Im Februar 1782 veröffentlichte er die *Anthologie auf das Jahr 1782*, wieder anonym und wieder im Selbstverlag (»Gedrukt in der Buchdrukerei zu Tobolsko«), mit etwa 50 eigenen Beiträgen – Oden, Hymnen, Elegien, Liebesgedichten. Sie verleugnen nicht ihre Abhängigkeit von anerkannten Vorbildern, unter denen Klopstock weit herausragt; sie sind aber zum überwiegenden Teil schlechter als ihre Muster. Doch durch die ›echt‹ erscheinende pathetische Sprache, einen ›neuen Ton‹, in dem die barock anmutende Thematik antithetischer Spannungen zwischen Diesseits und Jenseits, Tod und Ewigkeit, Hinfälligkeit und Glücksbegehren ihren Ausdruck findet, gewinnen sie einen gewissen poetischen Rang, der ihnen in späterer Zeit von Schiller selbst nicht mehr zugebilligt wurde. Für seine Gedichtsammlung von 1800 wählte er ein einziges *Anthologie*-Gedicht aus, nämlich *Meine Blumen*; die vielen Veränderungen dieses Gedichts, das nun die Überschrift *Die Blumen* erhielt, machten es zu einem fast anderen. – Die wohl gelungensten Jugendgedichte Schillers, *Freigeisterei der Leidenschaft* und *Resignation*, in der konventionelle Anschauungen über Liebe und Glück, Gott und Ewigkeit (in wohlgesetzten Versen!) attackiert werden, finden sich nicht in der *Anthologie*, allerdings nicht (wie immer wieder gesagt wird) aus Zensurgründen, sondern weil sie – wahrscheinlich – noch nicht geschrieben waren. Sie erschienen 1786 in der *Thalia* und wurden auch in die Chrestomathie von 1800 aufgenommen.

Schillers erster öffentlicher Auftritt als Lyriker verlief wenig spektakulär. Das Interesse des zeitgenössischen Publikums war offenbar gering. Später richtete sich das Interesse der Beurteiler nicht selten mit Nachdruck auf die Frage nach dem biographischen Gehalt vieler Verse: Was hat die gedichtete Laura mit der wirklichen Hauptmannswitwe Louise Dorothea Vischer zu tun? War diese als Schillers Geliebte (?) das Muster für jene? (Petersen, dessen Notizen über Schiller auch den Satz enthalten: »Wahrheit ist es, durch die sich diese Lebensbeschreibung empfehlen soll«, wußte: »Seine Liebe mit Fischerin, einem wie an Geist so an Gestalt gänzlich verwahrlosten Weibe, einer wahren Mumie. Dies die Laura, die er in der Anthologie besang.«[15]) – Ist das Gedicht *An Minna* Ausdruck der Zuneigung Schillers zu Wilhelmine Andreae, der Nichte der Hauptmannswitwe? – Ganz sicher: Das »schmucke Kellermädchen in Schwetzingen«, das im Januar 1782 Schiller und Petersen bei deren Reise nach Mannheim »beschäftigte«[16], kann in der *Anthologie* nicht verewigt sein.

Als Schiller in Begleitung seines Freundes Andreas Streicher von Stuttgart nach Mannheim floh, befand sich in seinem Reisegepäck ein fast fertiges Trauerspiel, das er schnell auf die Mannheimer Bühne zu bringen hoffte: *Die Verschwörung des Fiesko zu Genua.* Schon drei Tage nach seiner Ankunft in Mannheim, am 27. September 1782, las er sein Werk einem fachkundigen Publikum vor, das indes

keinen Beifall zollte: zu sehr hatte der schwäbische Dialekt
des Dichters die Zuhörer vom Text des Dramas abgelenkt.
Erst die genaue Lektüre durch den Mannheimer Regisseur
Christian Dietrich Meyer eröffnete die Aussicht, das Drama
nach gehöriger Umarbeitung auf die Bühne bringen zu
können.

Fiesko machte kein großes Glück. Dem Stück blieb bei der
Uraufführung in Bonn (am 20. Juli 1783) der rechte Erfolg
versagt, und nicht anders war es bei den folgenden Aufführungen in Frankfurt a. M. (am 8. Oktober 1783) und in
Mannheim (am 10. Januar 1784). »Die jungen Schriftsteller
nach neuer Mode glauben immer, was plump ist, wäre
stark«, merkte Adolph Freiherr von Knigge in Friedrich
Nicolais *Allgemeiner Deutscher Bibliothek* tadelnd an und
schloß seine Rezension: »Der Verfasser hat gute Talente,
aber sie bedürfen [der] Ausbildung. Abentheuerliche Dinge
sind nicht Zeichen von Genie.«[17]

Die dramentechnischen Fortschritte des *Fiesko* gegenüber
den *Räubern* offenbaren gleichzeitig, warum das spätere
Stück als das schwächere erscheint: es ist reflektierter und
motivierter und in mancher Hinsicht ›gemäßigter‹, wodurch
sich seine Fehler deutlicher erkennen und benennen lassen.
Es fehlt nicht an Unwahrscheinlichkeiten (wie dem Verhältnis des Helden zur Gräfin Julia), nicht an Beliebigkeiten, die
schwerlich ›poetisch‹ genannt werden können; dazu gehört
das Ende: ob Verrina den Helden ins Meer stürzt, wie es in
der ›eigentlichen‹, der Buch-Fassung geschieht, oder ob
dieser sich mit jenem am Ende versöhnt, wie es dem Mannheimer Publikum vorgespielt wurde, mag für den Autor
eine Différence négligeable gewesen sein, tatsächlich aber wird
der Anspruch des Historischen aufgegeben, ohne daß der
Verlust ausgeglichen würde durch die Einsicht in eine
›höhere Notwendigkeit‹; diese deutet sich immerhin an,
indem die Gattungsbezeichung »Tragödie« auch für die
Fassung mit glücklichem Ende beibehalten wird. Tragisch
erscheint also nicht der Ausgang, sondern der Machtkampf

der Parteien und Individuen, das Sowohl-Als-auch des Gegensätzlichen, der große einzelne ›für sich‹, gut und böse, der, da er das Beste will, unmoralisch handeln muß, um wirken zu können; die Legalität gilt hier nichts. In der Mitte des Stückes spricht Fiesko aus, welche Erkenntnisse und Ansichten ihn treiben: »Die Schande nimmt ab mit der wachsenden Sünde. [...] Gehorchen und Herrschen! – Seyn und Nichtseyn! Wer über den schwindlichten Graben vom lezten Seraph zum Unendlichen sezt, wird auch diesen Sprung ausmessen« (NA IV,67). Verschwenderisch sind Schillers Helden in Worten, Gesten und Taten; nie leer.

Am 24. September 1782 war Schiller in Mannheim angekommen, am 3. Oktober machte er sich aus Furcht vor württembergischen Häschern auf die Weiterflucht: nach Frankfurt zunächst, dann nach Oggersheim. Dort erreichte den finanziell ruinierten und psychisch demoralisierten Dichter das Angebot Henriette von Wolzogens, der Mutter des ehemaligen Mitschülers und späteren Schwagers Wilhelm von Wolzogen, er könne auf ihrem Gut Bauerbach bei Meiningen einige Zeit leben. Schiller hielt sich hier von Dezember 1782 bis Juli 1783 auf (viel in Gesellschaft des Meininger Bibliothekars Reinwald, der 1786 seine Schwester Christophine heiratete) und arbeitete an seinem nächsten Drama, dem bürgerlichen Trauerspiel *Louise Millerin* (das später *Kabale und Liebe* genannt wurde), daneben am ersten *Don Karlos*-Entwurf.

Nach Mannheim zurückgekehrt, wurde Schiller dort für ein Jahr als Theaterdichter angestellt. Er konnte sein Vorhaben, neben *Fiesko* und *Kabale und Liebe* ein drittes Stück zur Bühnenreife zu bringen, nicht verwirklichen; also wuchsen seine Sorgen, die in erster Linie finanzieller Art waren. Die glanzvolle *Kabale und Liebe*-Aufführung in Mannheim am 15. April 1783 (zwei Tage nach der Uraufführung in Frankfurt a. M.) minderte diese Sorgen nicht, so wenig wie

die Wahl zum Mitglied der Kurfürstlichen Deutschen Gesellschaft Anfang 1784 und die Ernennung zum Weimarischen Rat am Ende desselben Jahres. Der Dichter will sich
durch die Gründung einer literarischen Zeitschrift helfen.

Wenige Wochen nach dem Erscheinen des 1. Hefts der
Rheinischen Thalia verläßt Schiller im April 1785 Mannheim
und begibt sich auf Einladung von vier sächsischen Bewun-
derern – Christian Gottfried Körner, dessen Braut Minna
Stock, deren Schwester Dora Stock und Ludwig Ferdinand
Huber – nach Leipzig. »Ich kann nicht mehr in Mannheim
bleiben«, hatte der Dichter am 22. Februar an Körner
geschrieben. »Menschen, Verhältniße, Erdreich und Himmel sind mir zuwider.« Zu den Menschen, die ihm nicht
zuwider waren, gehörte Charlotte von Kalb, mit der er seit
fast einem Jahr freundschaftlich verbunden war, gehörte
wohl auch Margarete Schwan, die Tochter seines Mannheimer Verlegers. Diesem schrieb er schon am 24. April 1785,
eine Woche nach seiner Ankunft in Leipzig: »die freimütige
gütige Behandlung, deren Sie [...] mich würdigten, verführte mein Herz zu dem kühnen Wunsch, Ihr Sohn seyn zu
dörfen.« Der Werbungsbrief blieb ohne Erfolg und also der
Wunsch des Vaters unerfüllt, den dieser im Februar 1784
geäußert hatte: der Sohn möge bald »eine vernünftige,
tugendhafte und häusliche Frau« finden, deren »guten
Anordnungen« er zu folgen hätte.[18] Im Juni 1784 hatte sich
Schiller übrigens schon einmal vergeblich um eine Braut
bemüht: Henriette von Wolzogen, seine Gönnerin, hatte auf
seinen Wunsch, sich mit ihrer Tochter Charlotte zu verbinden, abweisend reagiert.

Schillers Bedürfnisse nach herzlichem Umgang mit
Frauen führten auch in den zwei Jahren, die er – finanziell
sorgenlos, weil Körner großzügig für ihn sorgte – in Leipzig
und (seit September 1785) vornehmlich in Dresden verbrachte, zu mancherlei Verwicklungen mit den Freunden
und ›in der Gesellschaft‹; dabei scheinen die Beziehungen
zur (verheirateten) Schauspielerin Sophie Albrecht und zur

Buchhändlersfrau Wilhelmina Friederika Schneider weniger Anstoß erregt zu haben als das Verhältnis mit der knapp neunzehnjährigen Henriette von Arnim, der Tochter einer Dresdener Kammerdame, in den ersten Monaten 1787. Ob Schillers Abreise nach Weimar im Juli desselben Jahres mit diesem (inzwischen aufgegebenen) Verhältnis, das Körner mit Fleiß zu hintertreiben sich bemüht hatte, in Zusammenhang stand, mag sich aus der Deutung des Satzes ergeben, den Schiller am 12. Februar 1788 an Körner schrieb: »Eine Frau habe ich noch nicht; aber bittet Gott, daß ich mich nicht ernsthaft verplempere.« Da stand die Trennung von Charlotte von Kalb, mit der Schiller monatelang zusammengelebt hatte, ins Haus; zur gleichen Zeit bahnte sich das Verhältnis zu Charlotte von Lengefeld an. Die Neigung zu Corona Schröter, der Weimarischen Schauspielerin, der Schiller einige Monate zugetan gewesen war, bildete sich zur selben Zeit zurück.

Das poetische Hauptgeschäft in Leipzig und Dresden war die Vollendung des *Don Karlos*, dessen erste Akte 1785/86 in der *Thalia* erschienen waren, bevor das Ganze – verlegt von Göschen in Leipzig – 1787 als Buch herauskam. Die Beschäftigung mit dem historischen Stoff veranlaßte Schiller zu intensiven Geschichtsstudien, die er offenbar nicht allein zu poetischen Zwecken benutzen wollte, sondern auch als Erweiterung seiner Allgemeinbildung ansah – ohne den Gedanken an ihre unmittelbare ›Verwertbarkeit‹.

Das Freundschaftsverhältnis zu Körner fand seinen Niederschlag vor allem in der durch die Posa/Karlos-Beziehung bestimmten Fortsetzung des *Don Karlos*, aber auch in dem schwärmerischen *An die Freude*-Gedicht sowie in den *Philosophischen Briefen*, die er seiner *Thalia* einverleibte. Diese Zeitschrift versuchte er einem größeren Publikum gefällig zu machen, indem er sie mit spannenden Geschichten versah: *Verbrecher aus Infamie* und *Der Geisterseher* sind (schnell hingeworfene) Kriminal- bzw. Geheimbund-Geschichten, in denen der Autor, weil er ein Dichter war, Sensationsstoffe über das Tagesinteresse erhob: Das Räderwerk der Seele(n) ist so wenig das Thema eines bestimmten Zeitmoments, wie die Darstellung von abstrusen Handlungen historisch zu fixieren ist. Schiller erweist sich, seiner ›Natur‹ entsprechend, als Meister in der Kunst der Kolportage; deshalb erscheint er als Erzähler – in der psychologisierenden Charakterisierung seiner Figuren ebenso wie im metaphorischen Sprechen und in der Disposition des Stoffs – so souverän, daß er sich schnell mißtraute: *Der Geisterseher* blieb Fragment.

Fast zwei Jahre währte Schillers erster Aufenthalt in Weimar, wohin er, da er sich aus der bedrückenden Freizügigkeit Körners lösen wollte, gegangen war, um Charlotte von Kalb wieder nahe zu sein und Goethe zu finden und Beziehungen zu anderen geistigen Nobilitäten (Wieland, Herder) zu knüpfen. Goethe blieb noch über ein Jahr fern in Italien, Herder erwies sich als vorsichtig (zurückhaltend) entgegenkommend, Wieland als liebenswürdiger Lehrer und Freund; ihm verdankte Schiller Hilfen in der poetischen Praxis (besonders bei der Arbeit an dem großen Gedicht *Die Künstler*) und die Mitarbeit am *Teutschen Merkur*, der ihm für das Hauptwerk dieser Jahre, *Die Geschichte des Abfalls der vereinigten Niederlande von der Spanischen Regierung*, zur Verfügung stand. – Als Goethe 1788 nach Weimar zurückkehrte, nahm er von seinem Nachbarn zunächst kaum Notiz, kümmerte sich dann aber eifrig um dessen akademische Karriere: Zum Sommersemester 1789 wurde Schiller als Professor für Geschichte an die Universität Jena berufen.

Am 26. Mai 1789 hielt Schiller, der inzwischen seinen Wohnsitz in Jena genommen hatte, seine begeistert aufgenommene Antrittsvorlesung über den Unterschied zwischen dem Brotgelehrten und dem philosophischen Kopf (*Was heißt und zu welchem Ende studiert man Universalgeschichte?*). Sein Vater schrieb ihm in einem Dank- und Anerkennungsbrief vom 6. März 1790: »Keiner will zwar

Brodt-Gelehrter seyn, die meisten aber fühlen gar zu sehr daß sie keine Geniegelehrten sind. Vermutlich wird es in Jena eben so seyn, und dan kan sich mein lieber Friz übel empfolen haben. Es sei! ich weiß Er wird sich zu helfen wissen. Die Geschichte seines Geistes kan interessant werden, und ich bin begierig drauf« (NA XXXIV,1, Nr. 1). Fast zwei Jahre lang widmete er sich dann, mit wechselndem Erfolg, der akademischen Lehre und Forschung; als historisches Hauptwerk entstand in dieser Zeit die *Geschichte des Dreyßigjährigen Kriegs* – nicht nur eine Vorarbeit zu seinem dramatischen Hauptwerk (*Wallenstein*), das in den Jahren 1796–99 hervorgebracht wurde.

Schillers Universitätslaufbahn wurde 1791 zunächst durch eine schwere Erkrankung unterbrochen, nach dem Sommersemester 1793 dann wegen seines anhaltend schlechten Gesundheitszustands beendet. Da stand die Geburt seines ersten Sohnes bevor. Im Februar 1790 hatte Schiller, nachdem ihn der Herzog von Meiningen durch die Verleihung des Hofrat-Titels in den gehörigen Stand gesetzt hatte, Charlotte von Lengefeld geheiratet und damit die Entscheidung gegen deren nicht weniger geliebte Schwester Caroline bekräftigt – aus Einsicht in die Begrenztheit seiner Kräfte, in der Hoffnung auf eine geordnete Existenz, die ihm die Ruhe gab, seine ›Berufung‹ zu erfüllen. – Aus der Ehe gingen vier Kinder hervor. – Schillers Sterben dauerte vierzehn Jahre lang; die kruppöse Pneumonie, die sich im Januar 1791 zeigte, wurde er nicht mehr los.

Die Nachricht von Schillers Erkrankung hatte schnell die nächste ausgelöst: er sei gestorben. Nachdem dies dementiert worden war, sorgten der Herzog von Augustenburg (Friedrich Christian) und sein Finanzminister (Ernst Heinrich Graf von Schimmelmann) fürs Überleben: Schiller erhielt ein dreijähriges (später um zwei Jahre verlängertes) Stipendium, mit dem er seine Existenz gesichert sah – 1000 Reichstaler pro Jahr.

Die Krankheit, die Schillers Begleiterin blieb, reduzierte seine öffentlichen Aktivitäten drastisch; er richtete sein Leben fast ganz im Häuslichen ein, mied, um seine Arbeitskraft so weit wie möglich zu erhalten, Ablenkungen durch Gesellschaften, Gefährdungen durch schlechtes Wetter, Aufregungen durch die Teilnahme am politischen Geschehen. Es gab Grund genug für ihn, sein Interesse am Fortgang der Französischen Revolution, die er am Anfang mit Zustimmung, aber schon bald mit Skepsis bedacht hatte, einzuschränken. Nach der Guillotinierung Ludwigs XVI. wandte er sich entsetzt von den »elenden Schindersknechten« ab, wie es am Schluß des Briefes an Körner vom 8. Februar 1793 heißt; der Hauptinhalt dieses Briefes ist philosophischer Art.

Schiller widmete sich, nach abgebrochenen Geschichtsstudien, mit Eifer der Philosophie Kants und dann der eigenen: Die Abhandlung *Über Anmut und Würde* versucht, Kants Ethik zu ›übersteigen‹; mit den Briefen an den Herzog von Augustenburg, die später zu den *Briefen über die ästhetische Erziehung des Menschen* umgearbeitet wurden, sollte Kants Ästhetik abschließend überboten werden: die Schönheit als Freiheit in der Erscheinung sei, so Schiller, keine Utopie und schon gar nicht eine Chimäre, sondern realisierbar und also ›förmlich‹ zu erfahren. – Über fünf Jahre dichtete Schiller kaum etwas.

Im August 1793 reiste Schiller nach Württemberg und blieb dort neun Monate. Die Bekanntschaft mit dem Tübinger Verleger Johann Friedrich Cotta führte schnell zu einer engen geschäftlichen und persönlichen Beziehung, aus der sich der Vertrag über die Gründung einer Zeitschrift (*Die Horen*) hervorhob. – Nach Jena zurückgekehrt, kam Schiller in sehr lebhaften Kontakt zu Wilhelm von Humboldt, mit dem ihn fortan eine herzliche Freundschaft und eine fruchtbare Arbeitsgemeinschaft verbanden. – Goethe möge an den *Horen* mitarbeiten, bat Schiller in dieser Zeit; er hatte mit seiner Bitte Erfolg. Im Juli 1794 trafen sich die beiden zufällig und führten ein erstes ausführliches Gespräch miteinander, das Goethe in Erinnerung blieb als ernsthafter wissenschaftlicher Disput über die Frage, ob die von ihm ›angeschaute‹ symbolische Pflanze eine Erfahrung sei oder eine Idee.[19] Mit diesem Gespräch war der Grund gelegt für die Freundschaft zwischen den beiden Dichtern, der Grund auch für die Epoche der ›Weimarer Klassik‹.

Kabale und Liebe ist Schillers erster und letzter Versuch, soziale (›bürgerliche‹), also politische Verhältnisse seiner Zeit dichterisch vorzustellen, um sie dem Urteil des interessierten (vornehmlich bürgerlichen) Publikums zu unterwerfen. »Die Gerichtsbarkeit der Bühne fängt an, wo das Gebiet der weltlichen Geseze sich endigt«, hat er in seiner Rede *Was kann eine gute stehende Schaubühne eigentlich wirken?* am 26. Juni 1784 bestimmt (NA XX,92), und so mochte er sein Stück als eine Gerichtsverhandlung, an dessen Ende die Zuschauer das Urteil sprechen sollten, gemeint haben. Verhandelt wird der in jener Zeit nicht unübliche Fall einer Liebesbeziehung zwischen Angehörigen verschiedener Stände, für deren tödlichen Ausgang sich nicht allein die ›Herrschenden‹, die (korrupten) Vertreter des Feudalabsolutismus, zu verantworten haben, sondern auch die Unterdrückten, die als Gottesordnung akzeptieren, was in Wahrheit faules Menschenwerk ist.

Es bedarf der perfiden Intrige und leichtfertiger Irrtümer, um das tragische Ende möglich zu machen: die Liebenden waren bereits bis zur Grenze der Gesellschaftsordnung vorgestoßen und im Begriffe, sie zu überschreiten. Die Unwahrscheinlichkeiten der Handlung lassen sich als raffinierte Tarnmanöver deuten: ohne sie bräche, wenigstens auf der Bühne, die Doktrin der prinzipiellen Trennung von Adel und Bürgertum zusammen. Es ist dem Zuschauer leichtgemacht, dies so zu sehen; denn es wird auch sein Herz angesprochen: Die Protagonisten des Stückes (einschließlich der Lady Milford) berufen sich – immer überzeugend – auf das Herz als ›wahr‹ urteilende Instanz. Danach ergibt sich, daß Ferdinand unbedingt lieben kann und deshalb scheitert; denn Louise kann nur unter den Bedingungen ihres Standes lieben.

Das Stück ist ein Unikum im Werk Schillers, weil es ohne den großen Verbrecher auskommt, der das Publikum faszinieren könnte. Es lebt von einem interessanten, jederzeit aktualisierbaren ›Thema‹ und von der ungemein kräftigen Sprache, die auch im Überschwang kontrolliert erscheint. Der »deutsche Shakespeare« hat hier nicht nur des Briten *Othello*, sondern auch dessen *Romeo und Julia* ›verarbeitet‹ – wie er in den früheren Tragödien mit Anspielungen auf *Richard III.* und *Hamlet* nicht gespart hatte.

Im Zentrum des *Don Karlos*-Dramas, das Schiller nicht als Tragödie bezeichnete (erst in der letzten Fassung setzte er unter den Titel: »Ein dramatisches Gedicht«), steht der Satz des Marquis von Posa, gesprochen zum König Philipp II.: »Geben Sie Gedankenfreiheit –«, worauf der Mächtige erwidert: »Sonderbarer Schwärmer!« (NA VI,191 f.). Posas Forderung wurde und wird als die zentrale ›Aussage‹ des Stücks (und seines Dichters) verstanden – von den Mächtigen ebenso wie von den Ohnmächtigen; das sollte zu denken geben. Dem König wird oft Mitleid entgegengebracht, weil er in seiner Eiseseinsamkeit nicht menschlich sein könne; seine Einschätzung Posas indes wird leichthin übersehen. Doch Philipps zwei Worte sind so wichtig wie zweihundert Worte Posas; er durchschaut die Menschen, wie Posa sie übersieht. Diesem ist nicht zu helfen, weil er in einem Jahrhundert lebt, das seinem Ideal noch nicht reif ist; jener scheitert (so wissen es die Nachgeborenen), weil er in einem Jahrhundert lebt, das ihm, obwohl er es bestimmt, keine Möglichkeit gibt, es anders zu bestimmen. Die Untertanen Friedrichs II. von Preußen, der sich als erster Diener seines Staates hatte verstanden (und geliebt) sehen wollen, wußten, warum sie Posa für groß und Philipp für tragisch erachteten. Doch Schiller wollte es wahrscheinlich anders.

Der Dichter hat seine *Briefe über Don Karlos* 1788 nicht geschrieben, um über offenkundige Schwächen des Dramas hinwegzureden, sondern um den widersprechenden Meinungen der Kritiker ein Korrektiv zu geben. Es geht nicht an, seine Erklärungen als ein vom Drama völlig unabhängiges, also für dessen Verständnis ganz unergiebiges eigenes Werk anzusehen. Wenn er bestimmt, Posa habe nichts im Sinn gehabt als Flanderns Befreiung und dabei Karlos als sein unentbehrliches Werkzeug angesehen, und fortfährt, Posa habe Philipps Gemütslage falsch eingeschätzt und sei daher von dessen überraschender Haltung verleitet worden, »sein herrschendes Ideal von Flanderns Glück u. s. w. unmittelbar an die Person des Königs anzuknüpfen« (NA XXII,156), dann will er aus guten Gründen »diese Verblendung« nicht als Beweis der ›Größe‹ dieser zum Heldentum wenig geeigneten Figur geltend machen, sondern auf deren Gebrochenheit hinweisen, die im König ihre Entsprechung hat (NA XXII,167):

> Wir verachten diese Größe [Philipps], aber wir trauern über seinen Mißverstand, weil wir auch selbst aus dieser Verzerrung noch Züge von Menschheit herauslesen, die ihn zu einem der Unsrigen machen, weil er auch bloß durch die übrig gebliebenen Reste der Menschheit elend ist.

Das Stück aber heißt *Don Karlos*. In dem ›wirklichen‹ Helden vereinigen sich die Schwäche aller ›großen‹ Figuren und die Brüchigkeit der Lebens- und Herrschaftsverhältnisse, die Schiller nicht künstlich verdecken wollte: die Liebesgeschichte zwischen Karlos und seiner (Stief-)Mutter, die nicht allein aus Gründen der höfischen Etikette scheitert; das Freundschaftsverhältnis zwischen Karlos und Posa, das keiner Probe standhält, weil Karlos unfähig ist, sich als Zweck gebrauchen zu lassen, und Posa zu kurzsichtig, um den Freund (dessen aufs äußerste gespannte Gemütslage) richtig einschätzen zu können; die Staatstragödie, in der schließlich – damit Flandern nicht die Freiheit erhalten kann – die Hauptpersonen einander die Untergänge bereiten. Nicht nur aus mangelnder Klugheit und fehlender Willenskraft wird Posas Menschheitsbeglückungsplan zuschanden, sondern auch, weil der König selbst ein Gefangener der Inquisition ist.

Mit *Don Karlos* zieht Schiller einen Schlußstrich unter die Epoche seiner Jugenddramen mit den Heftigkeiten individueller Charaktere und den beliebig ausgestellten Schicksalen, deren Wesentliches gerade darin zu bestehen scheint, daß sie nicht notwendig sind; Alternativen werden nicht formuliert, aber sie können (beliebig?) gedacht werden. Nun aber, mit *Don Karlos* schon beginnend, visiert Schiller »der Menschheit große Gegenstände« an, deren Dignität zu verdeutlichen nichts geeigneter erscheint als die Poesie. Der Wandel zu einer ›gereinigten‹ Kunstauffassung zeigt sich nicht zuletzt darin, daß Schiller im *Don Karlos* die stilisierte – und den Stoff stilisierende – Verssprache (den von Shakespeare bevorzugten Blankvers) benutzt, damit das Schöne den Vorrang vor dem (vermeintlich) Wahren erhalte – wie die Form vor dem Stoff und das Ideal vor der (sogenannten) Wirklichkeit.

Unter den lyrischen Produkten Schillers aus dem Jahrzwölft von 1782 bis 1794 haben *Die Götter Griechenlandes* (1788) und *Die Künstler* (1789) eine für des Dichters damalige Kunst- und Geschichtsauffassung überragende Bedeutung: In jenem Gedicht wird zum erstenmal mit aller Schärfe die Auffassung vertreten, daß der Riß, der durch die Welt geht – Jenseits und Diesseits, Ideal und Wirklichkeit, Erscheinung und Wesen trennend –, seine Ursache in dem Verlust einer vorchristlichen Welt des Glücks, der Schönheit und der ›natürlichen‹ Vollkommenheit habe: Arkadien als Einheit des Göttlichen mit dem Menschlichen (»Da die Götter menschlicher noch waren, / waren Menschen göttlicher«) sei durch den Eintritt des einen Gottes in die Geschichte zerstört worden (»E i n e n zu bereichern, unter allen, / mußte diese Götterwelt vergehn«); so bleibe nur die Klage (»Schöne Welt, wo bist du?«) und die sehnsüchtige Erinnerung an das Gewesene (»Kehre wieder, / holdes Blüthenalter der Natur!«). – Wie das Vergangene an das Zukünftige, das verlorene Schöne an ein neues Schönes geknüpft werden könne, ist das Thema des großen kulturphilosophischen Gedichts *Die Künstler*, in dem Schiller einen Gang durch die Weltgeschichte unternimmt, um zu zeigen, daß der Mensch seine Würde immer nur dann bewahrt habe, wenn er sich – wie auch immer – als Künstler ausgesprochen habe:

> Nur durch das Morgenthor des Schönen
> drangst du in der Erkenntniß Land.

Noch ist die Schönheit nicht so vollkommen möglich, daß aus ihr wie von selbst ›entspringen‹ könnte, was ihr konstitutiv eignet und was dem Menschen als Eigentum zukommen soll: Freiheit und Wahrheit; aber »einst« wird die Schönheit als Wahrheit den Menschen »entgegen gehn«, dann »empfangen sie das reine Geisterleben, / der Freyheit süßes Recht, zurück«. Denen, über die er in Versen spricht, also auch sich selbst und Wieland, der ihn beraten hat, ruft Schiller emphatisch zu:

> Der Menschheit Würde ist in eure Hand gegeben,
> bewahret sie!
> Sie sinkt mit euch! Mit euch wird die Gesunkene sich
> heben!

Schillers *Geschichte des Abfalls der vereinigten Niederlande von der Spanischen Regierung* entstand in unmittelbarem Anschluß an *Don Karlos* und erschien schon 1788 in Buchform. Schiller hat zwar für seine Darstellung ein intensives Quellenstudium betrieben, doch hat er keinen Hehl aus seiner Absicht gemacht, nicht nur zu rekonstruieren, wie sich die geschichtlichen Ereignisse ›wirklich‹ zugetragen haben, sondern darüber hinaus zu diskutieren, was

Geschichte ›in Wahrheit‹ sei. Die Frage mußte lauten:
Erfolgte die Rebellion der Niederländer nach Gesetzen, die
in der Geschichte verborgen sind, oder auf Grund unbe-
greiflicher Zufälle? Auch wenn die Gesetze im einzelnen
schwerlich zu bestimmen sind, war für Schiller klar, daß der
Historiograph sich verhalten müsse, als sei ihr Vorhanden-
sein unbestreitbar. Am Beispiel der niederländischen Geschichte ließ sich zeigen, wie große Verbrechen und merk-
würdige Taten dem Räderwerk der Geschichte notwendig
inhärent sind: ihre Wahrheit läßt sich freilich durch die
Abschilderung von Fakten nicht ans Licht bringen; dazu
bedarf es der – Kunst. (Und um die Dichtkunst mit der Geschichte zu verknüpfen, bedarf es der – Philosophie.)

Schillers Geschichtsauffassung drückt sich am deutlich-
sten in seiner akademischen Antrittsrede *Was heißt und zu
welchem Ende studiert man Universalgeschichte?* aus, die
festlegt, in die Geschichte gehöre »die ganze moralische
Welt« (NA XVII,359). Der Historiker ist für Schiller ein
Lehrer von Moral und Geschichte und damit selbst ein
Beförderer der Geschichte. Zwar ist es ihm nicht möglich,
die Verbindungsglieder aller Bruchstücke der Geschichte zu
erkennen, aber daß es diese Glieder gibt und daß er sie
braucht, sollte er wissen. Also nimmt er sie »aus sich selbst
heraus, und verpflanzt sie ausser sich in die Ordnung der
Dinge d. i. er bringt einen vernünftigen Zweck in den Gang
der Welt, und ein teleologisches Prinzip in die W e l t g e -
s c h i c h t e« (NA XVII,374).

Während seiner aktiven Zeit als akademischer Lehrer
nahm Schiller ein zweites großes Geschichtswerk in Angriff,
das ihn bis ins Jahr 1792 beschäftigte (quälte): *Geschichte des
Dreyßigjährigen Kriegs.* Es ist viel mehr als eine Vorarbeit
des *Wallenstein*-Dramas und mehr als ein erneuter Versuch,
kriegerische Unternehmungen aus den gesetzmäßigen Zu-
sammenhängen einer Zeit wie aus allgemeinen Gesetzen von
Geschichte heraus erklärbar und verständlich zu machen; es
ist die konsequente Fortführung der radikal ahistoristischen

Auffassung von Geschichte: hin zu einem kompromißlos erscheinenden Idealismus, nach dem die Geschichte sich von Idee zu Idee entwickle. Was das im konkreten Einzelfall für den Historiker bedeutet, ist an der *Geschichte des Dreyßig-jährigen Kriegs* mühelos zu erkennen: er muß die geschichts-mächtigen Ideen herausstellen und muß sie moralischen Bewertungen, die sich an Personen knüpfen, unterziehen, wobei sich im vorliegenden Fall ergibt: Gustav Adolf ist gut, Wallenstein ist böse. Später wird Schiller erkennen, daß ein solcherart schematisierter Idealismus als idealistischer Sche-matismus allenfalls heuristische Bedeutung für den haben kann, der die bestehende Welt zu deuten unternimmt, aber nicht viel taugt für den, der selbst Welt hervorbringt, indem er – dichtet, die Tragödie *Wallenstein* zum Beispiel. (Am Ende seines Lebens ist Schiller ganz ›realistisch‹ geworden, wenn er – in seinem letzten Brief an Humboldt vom 2. April 1805 – sagt: »am Ende sind wir ja beide Idealisten und würden uns schämen, uns nachsagen zu lassen, daß die Dinge uns formten und nicht wir die Dinge.«)

Die Beschäftigung mit der Geschichte hatte Schiller von der Notwendigkeit überzeugt, sich mit der Philosophie auseinanderzusetzen. Als er nach seiner schweren Krankheit Anfang 1791 wieder tätig sein konnte, begann er mit einem intensiven Studium der Werke Kants, der *Kritik der Urteils-kraft* zunächst. Noch im selben Jahr entstand die erste jener ästhetischen Abhandlungen, die von dem Königsberger Phi-losophen angeregt wurden: *Über den Grund des Vergnügens an tragischen Gegenständen*; wenig später folgte *Über die tragische Kunst*.

Die philosophischen Untersuchungen Schillers in den Jah-ren 1792 und 1793, also vor allem die an Körner gerichteten *Kallias*-Briefe über die Eigenheit der Schönheit, die an den Herzog von Augustenburg gerichteten Briefe über die mög-liche Wirkung der Schönheit sowie *Über Anmut und Würde* (als Versuch, den Zusammenhang zwischen Freiheit und Anmut aufzudecken: diese liege »in der F r e y h e i t d e r willkührlichen Bewegungen«; NA XX,297), beziehen sich alle auf die Philosophie Kants und sind um deren Weiterentwicklung bemüht, wobei sich mehr und mehr als Hauptproblem die ›Zwei-Welten-Lehre‹, die es zu überwinden gelte, aufdrängt: die Scheidelinie zwischen den Erscheinungen und den Dingen an sich ist ja beiden gemeinsam, also ist sie auch das beide Verbindende, also wäre zu erforschen, wie sie von beiden bestimmt werde und diese selbst bestimme; daß die Verbindung von Sinnlichkeit und Sittlichkeit in einer ›schönen Seele‹ anschaulich gemacht werden kann, läßt sich nicht beweisen, aber es kann definiert werden, daß die Anmut (als natürliches Amalgam von Sinnlichkeit und Sittlichkeit) »Ausdruck einer schönen Seele« (NA XX,289) sei. Nicht mehr ist einstweilen gewonnen als eine neue Doppelheit (NA XX,302):

> In der Würde [. . .] wird uns ein Beyspiel der Unterordnung des Sinnlichen unter das Sittliche vorgehalten [. . .]. In der Anmuth hingegen [. . .] sieht die Vernunft ihre Foderung in der Sinnlichkeit erfüllt, und überraschend tritt ihr eine ihrer Ideen in der Erscheinung entgegen.

Der Kunstphilosophie der kommenden Jahre hat Schiller immerhin eine Basis geschaffen.

Aus zwanzigjährigem Abstand hat Goethe über sein erstes längeres Gespräch, das er mit Schiller im Juli 1794 geführt hat, berichtet: Ein Disput über die Metamorphose der Pflanzen habe schnell die prinzipielle Verschiedenheit der Anschauungsweisen offenbar gemacht; denn was für ihn, Goethe, als Erfahrung gegolten habe, sei für Schiller nichts anderes als eine Idee gewesen. Am Ende dann: »keiner von beiden konnte sich für den Sieger halten«.[20] Das fast schon freundschaftliche Gespräch, durch das Goethe endgültig für die Mitarbeit an den *Horen* gewonnen wurde, ermutigte Schiller, wenige Wochen später in Briefen an Goethe dessen

›Wesen‹ zu beschreiben (»Ihr griechischer Geist in diese
nordische Schöpfung geworfen«, »die schöne Uebereinstim-
mung Ihres philosophischen Instinktes mit den reinsten
Resultaten der speculirenden Vernunft«, »Ihr Geist wirkt in
einem außerordentlichen Grade intuitiv«) und dagegen sein
eigenes abzugrenzen: »Mein Verstand wirkt eigentlich
mehr symbolisierend, und so schwebe ich als eine Zwitter-
Art, zwischen dem Begriff und der Anschauung, zwischen
der Regel und der Empfindung, zwischen dem technischen
Kopf und dem Genie« (Briefe vom 23. und 31. August
1794). Die Beschreibungen berühren sich eng mit dem, was
Schiller ein Jahr später über den naiven und den sentimentalischen Dichter ausführt. Mit dem Eintritt Goethes in sein
Leben hat sich für Schiller vieles verändert; vor allem wurde
er (nicht anders als Goethe durch ihn) wieder zur poetischen
Produktion angeregt, die fortan ohne die Mithilfe des anderen nicht mehr zu denken war, und zwar auch ohne dessen
ausdrückliches Votum, ja auch ohne dessen körperliche
Anwesenheit. Schiller schrieb für ein großes Publikum, aber
ihm war an dessen Lob und Tadel kaum etwas gelegen;
Goethes Urteile hingegen waren ihm stets Auszeichnungen
– auch in der Form kritischer Einwände. Daß die Zusammenarbeit der beiden auch in gemeinsamen Arbeiten (wie
den *Xenien*) ihren Niederschlag gefunden hat, ist eine ihrer
vielen Beglaubigungen.

Eine zweite Freundschaft mit bedeutsamen Folgen schloß
Schiller 1794: die mit Wilhelm von Humboldt. Dieser hatte
sich in Jena eingerichtet, als Schiller im Mai 1794 aus Württemberg zurückkehrte, und schon bald bildete sich eine
förderliche Beziehung, die sich bis zur Rückkehr Humboldts nach Berlin (im Juli 1795) zu einem herzlichen Verhältnis steigerte. Schiller schätzte Humboldts ausgezeichnete Bildung, seine Reflektiertheit und seinen sicheren
Geschmack. Er profitierte von seinen praktischen Ratschlä-
gen sowohl bei seinen poetologischen wie bei seinen poeti-

schen Unternehmungen besonders in dem einen Jahr des
vertraulichen Umgangs.

Weniger die persönlichen Verhältnisse, die für Schiller so
überaus wichtig wurden, als die Organisation und Durchführung des *Horen*-Plans sowie die Vorbereitung der Herausgabe eines *Musen-Almanachs* (für das Jahr 1796) hinderten ihn im ersten Jahr nach der Schwaben-Reise an eigenen
schriftstellerischen Arbeiten. Immerhin gelang in dieser Zeit
die Umarbeitung der Briefe an den Augustenburger zu der
für die *Horen* bestimmten Abhandlung *Ueber die ästhetische
Erziehung des Menschen in einer Reihe von Briefen*.

Mitte 1795 stieß sich Schiller, wie er selbst sagte (im Brief
an Körner vom 3. August 1795), vom »Ufer der Philosophie« ab und begab sich aufs »weite Meer der Poesie«;
zunächst entstanden in rascher Folge Gedichte für die *Horen*
und den Musenalmanach, darunter *Die Macht des Gesanges,
Würde der Frauen, Das Reich der Schatten* (das später *Das
Reich der Formen*, schließlich *Das Ideal und das Leben*
genannt wurde), *Natur und Schule* (später *Der Genius* genannt), *Das verschleierte Bild zu Sais* und *Elegie* (später
Der Spaziergang genannt). Aber noch war die Philosophie
nicht endgültig verabschiedet: In den Monaten September
bis November 1795 entstand *Ueber naive und sentimentalische Dichtung*, die zweifellos anspruchsvollste und gleichzeitig deutlichste aller theoretischen Abhandlungen Schillers, die ihm für kurze Zeit selbst beim Dichten hilfreich sein
sollte.

Drei *Horen*-Jahrgänge und fünf Musenalmanache forderten auch in den nächsten Jahren eigene Beiträge Schillers,
von denen die *Xenien* des Jahres 1796 und die Balladen des
folgenden Jahres das größte Gewicht hatten – schon deshalb,
weil sie in der Öffentlichkeit außerordentliche Wirkungen
hervorriefen. Doch seit dem Frühjahr 1796 hatte sich Schiller, nach neunjähriger Abstinenz, wieder auf dem Felde
einzurichten versucht, auf dem er sich am sichersten fühlte
und auf dem er auch seine bedeutendsten Werke hervor-

brachte: auf dem dramatischen. In fast dreijähriger quälender Arbeit, die oft genug gegen seinen kranken Körper gerichtet war, entstand die *Wallenstein*-Trilogie, des Dichters größtes Werk.

Es zog ihn dann nach Weimar, in Goethes unmittelbare Nähe, in die Nähe des Theaters auch, für das er nun schrieb, rastlos, besessen und immer souveräner. Ende 1799 erfolgte der Umzug, wenig mehr als fünf Jahre blieben noch. Der Dichter war sich jederzeit im klaren, daß er den Wettlauf mit der Zeit so wenig gewinnen könne wie irgendeiner; aber, für diese Jahre noch, bot er ihr Paroli, indem er sie nutzte wie kaum einer je. Das Ergebnis: *Maria Stuart* (1800), *Die Jungfrau von Orleans* (1801), *Die Braut von Messina* (1803) und *Wilhelm Tell* (1804) entstehen – 13706 Verse; daneben Übersetzungen und Bearbeitungen von etwa zehn Dramen anderer Dichter.

Im November 1802 wurde Schiller nobilitiert. So werde seine Frau, schrieb der Ausgezeichnete am 27. November an Cotta, »welche bisher nicht nach Hof gehen konnte, auf einen gleichern Fuß« mit ihrer Schwester gesetzt. »Sie können übrigens leicht denken, daß mir, für meine eigene Person, die Sache ziemlich gleichgültig ist.«

Am 9. Mai 1805, einem Donnerstag, starb Schiller. In der Nacht vom 11. zum 12. Mai wurde er im »Landschaftskassengewölbe« auf dem alten Friedhof der St.-Jakobs-Kirche beigesetzt. Handwerker hatten ihn dorthin gebracht.

Der Sektionsbefund umfaßt 11 Punkte; danach ergibt sich, daß Lunge, Herz, Leber, Galle, Milz und Nieren des Verstorbenen irreparabel geschädigt, teilweise sogar »aufgelöst« waren. Der letzte Punkt lautet: »11. Urinblase und Magen waren allein natürlich.« Der Leibmedikus Huschke, der den Befund an den Herzog von Weimar schickte, fügte einen kurzen Kommentar hinzu: »Bei diesen Umständen muß man sich wundern, wie der arme Mann so lange hat leben können«.[21]

Die *Briefe über die ästhetische Erziehung*, die Schiller 1794
auf der Grundlage der Briefe an den Herzog von Augustenburg zusammenstellte und für die ersten Hefte seiner *Horen*
(1795) bestimmte, gehen von der Überzeugung aus, durch
die Französische Revolution sei der Beweis erbracht, daß
Verstand und Wille nicht ausreichten, um das Ideal der
(politischen) Freiheit zu verwirklichen; es sei unerläßlich,
den Menschen kulturell (ästhetisch) zu bilden (zu erziehen),
bevor er durch eine menschenwürdige Gesetzgebung einer
Gesellschaft von Freien angehören könne. Die Briefe, mit
denen Schiller ursprünglich eine Analytik des Schönen liefern wollte, kamen nicht an ihr Ziel, sondern blieben Fragment – eine Art Prolegomena zu einer Schönheitslehre: die
Darlegung eines ethisch motivierten kulturpolitischen Pro-
gramms.

Um die Funktion des Schönen festlegen zu können,
bedarf es der – wenigstens ungefähren – Bestimmung dessen,
was das Schöne ist: es ist das Pendant zum »reinen Begriff
der Menschheit« (NA XX,340), die Verbindung des Möglichen mit dem Notwendigen zum Ideal; dieses wird nur
wirklich, wenn der dem Menschen eigentümliche Stofftrieb
(seine Sinnlichkeit) unter die Herrschaft des sittlich begründeten Formtriebs fällt, und zwar – um die Schönheit als
Freiheit in der Erscheinung hervortreten zu lassen – mittels
des eigentlich ästhetischen Triebs im Menschen, des Spiel-
triebs, der ihn allein aus den Fesseln der ihn umgebenden
Wirklichkeit(en) befreien kann: »der Mensch spielt nur, wo
er in voller Bedeutung des Worts Mensch ist, und er ist
nur da ganz Mensch, wo er spielt« (NA XX,359).
Dabei ist der Spieltrieb keineswegs als Synthese von Stoff-
und Formtrieb zu denken (so wenig wie das Schöne eine
Synthese von Sinnlichem und Sittlichem ist), sondern als das
Medium der Verbindung des einen mit dem anderen.
Bemerkenswert ist Schillers ästhetisches Credo, daß erst
durch das Kunstschöne der Mensch zu sich selbst zu kommen vermag, also auch der Kunst bedarf, um sittlich frei zu

sein und sich seiner Vernunft ungehindert bedienen zu können. Das sich daraus ergebende Problem ist leicht zu erkennen: Wie soll der sittliche Mensch vor der ›Erhebung‹ in (auf) den Stand der Schönheit auf sittliches Handeln verzichten, da er doch sein Vermögen demonstrieren muß – auch in der Opposition gegen seine Sinnlichkeit? Wenn die Ästhetisierung des Staats nicht als Selbstzweck angestrebt wird – wie kann er den einzelnen (seinen Bürgern) dann als sein Eigenes vermitteln, was über ihn hinausgeht? Das Dilemma löst sich durch die genaue Unterscheidung zwischen vollkommener (absoluter, im Ideal erreichter) Schönheit und der Annäherung an ›das Schöne‹, durch die politisches Handeln, das ästhetische Erziehung bezweckt, nicht nur als sinnvoll, sondern sogar als notwendig erscheint; der (unvollkommene) ›ästhetische Staat‹ ist eigentlich derjenige, der ethisch begründete Politik treiben kann, und nur so kann er seine vornehmste Aufgabe erfüllen: den ästhetischen Zustand zu befördern, in dem der Mensch erfährt, »daß ihm die Freyheit, zu seyn, was er seyn soll, vollkommen zurückgegeben ist« (NA XX,378).

Die Abhandlung *Über naive und sentimentalische Dichtung* gehört zu den originellsten und fruchtbarsten Werken der Ästhetik in der deutschen Literatur. Sie beschreibt im wesentlichen Typen von Dichtern und Grundmuster von Dichtungen und hält sich dabei bewußt von jeder Gattungspoetik traditioneller Art frei. Schillers (durch Kant bestimmte) Anschauung von der Welt als einer – in Erscheinungen und ›Dinge an sich‹, in ›mundus sensibilis‹ und ›mundus intelligibilis‹ – geteilten und seine Überzeugung, auch durch die Geschichte gehe ein – durch das Christentum hervorgerufener – Riß, legten es nahe, auch im Reich der Kunst eine prinzipielle Zweiteilung der Werke und ihrer Schöpfer anzunehmen; das Bedürfnis nach präziser Bestimmung dessen, was ihn ›eigentlich‹ von Goethe trennte, knüpfte die Arbeit an ein besonderes, nämlich privates Motiv.

Der naive Dichter gehört, wie selbstverständlich, einer
fremden Zeit an, in der die menschlichen Vermögen noch
nicht voneinander separiert waren, in der Kunst, Religion
und Wissenschaft – wie Anschauen, Denken und Handeln –
eine natürliche, also unreflektierte Einheit bildeten. Das
muß im einzelnen nicht so gewesen sein, versichert Schiller,
aber es läßt sich so »für die Alten« denken: Arkadien als
Raum in der Zeit der Antike. Der Bruch, der in die Weltgeschichte kam, als es mit den Göttern Griechenlands aus war,
veränderte auch die Bedingungen der Dichter: Sie konnten
nicht länger »Natur« sein und diese so »bewahren«, sondern sie mußten sie außerhalb ihrer selbst »suchen« (vgl.
NA XX,432); sie wurden sentimentalisch, was heißt: sie
reflektierten den Eindruck der verschiedenen Erscheinungen
und machten die Auseinandersetzung über die Kluft zwischen Wirklichkeit und Idee zu ihrem Hauptgeschäft. Das
Ziel dieser Auseinandersetzung war für Schiller die Aufhebung der Kluft am Ende der Geschichte; den Ort der
Geschichtslosigkeit nennt er »Elysium«. (Für Goethe bleibt:
er kann das naive Dichtertum zwar nicht ›rein‹ vertreten, ist
aber als derjenige anzusehen, »der in den Zeitaltern künstli-
cher Kultur ihm am nächsten kommt«; NA XX,432.)

Die Produkte der sentimentalischen Dichter sind entweder satirisch: indem sie »den Widerspruch der Wirklichkeit
mit dem Ideale« – strafend oder scherzhaft – behandeln (vgl.
NA XX,442); oder sie sind elegisch: indem sie den Widerspruch beklagen, der sich zeigt, wenn »ein innerer ideali-
scher Gegenstand« als wirklichkeitsfern dargestellt wird
(vgl. NA XX,450); oder sie sind, im äußersten Fall, nämlich
als vollkommene Dichtungen, idyllisch: »Ihr Charakter
besteht [...] darinn, daß aller Gegensatz der Wirklichkeit mit dem Ideale, der den Stoff zu der satyri-
schen und elegischen Dichtung hergegeben hatte, vollkommen aufgehoben sey« (NA XX,472).

Schiller hoffte, es werde ihm vergönnt sein, eine solche
Idylle, mit der jede ›von Natur aus‹ naive Dichtung über-

troffen werden müßte, zu dichten. Wie aber hätte er sich aus der Wirklichkeit ins Ideal, in ein realisiertes Ideen-Reich, flüchten können?

Als Schiller nach ungefähr sechsjähriger Pause wieder begann, Gedichte zu schreiben, setzte er fort, womit er aufgehört hatte: In der zweiten Hälfte des Jahres 1795 entstand ein großer Teil jener tiefsinnigen Lyrik (›Gedankenlyrik‹), die philosophische Probleme in Versen vortrug, um ihre Lösung durch Poesie wenigstens anzudeuten. *Die Künstler* hatten von der Einwirkung des Schönen auf den Geschichtsablauf, von der Verwandlung der Wahrheit in die Schönheit gehandelt; im nächsten großen Gedicht *Das Reich der Schatten* (1795) wird das Reich der Schönheit (als Ideal) wie eine biblische Verheißung behandelt; es sei wirklich und nicht mehr fern; die Menschen werden ermuntert:

> Fliehet aus dem engen dumpfen Leben
> In der Schönheit Schattenreich!

Am Ende wird die Vergöttlichung des Menschen thematisiert: Herkules gelangt in den Olymp, wo er von seiner Braut Hebe, der Göttin der Jugend, empfangen wird. Wenig später glaubte Schiller, die Hochzeit des Paares in Verse bringen zu können – als Wirklichkeit gewordenes Ideal, als Idylle. Sein hochfliegender Plan blieb eine flüchtige Illusion.

Wie *Das Reich der Schatten* als Fortsetzung der *Künstler* gelesen werden kann, so das ebenfalls 1795 entstandene Gedicht *Elegie* als Fortsetzung der *Götter Griechenlandes*: Es ist ein Geschichtsgedicht, in das die Erfahrungen mit der Französischen Revolution eingegangen sind; d. h., die Zweifel an einem kontinuierlichen Fortschritt der Menschheit (der menschlichen Kultur) werden fast schrill vernehmbar: »Bleibend ist nichts mehr, es irrt selbst in dem Busen der Gott. / [...] / Lüsterne Willkühr vermischt, was die Nothwendigkeit schied«. Doch der Widerstand gegen die Annahme endgültigen Verderbens ist groß: der Mensch kann zurück zur Natur, die »züchtig das alte Gesetz«

bewahrt; der Dichter öffnet (sich) die Ewigkeit. »Mit der
Elegie verglichen ist das Reich der Schatten bloß ein Lehrgedicht«, schrieb Schiller am 30. November 1795 an Humboldt. »Wäre der Innhalt des letztern so poetisch ausgeführt,
wie der Inhalt der Elegie, so wäre es in gewissem Sinn ein
Maximum gewesen.« Das heißt nichts anderes, als daß Schiller als Inhalt der Idylle allein die Schönheit selbst gelten läßt,
die aber ganz ›stofflos‹ sein muß; ist sie das nicht, fällt sie
unter die pathetischen Satiren – wenn sie nicht als miß-
lungene Idylle verworfen werden soll.

Schiller begann 1796 mit der Fortsetzung des *Wallenstein*-
Dramas, an dem er Jahre zuvor schon einmal kurz gearbeitet
hatte. Im selben Jahr wurde diese Arbeit durch den Zwang
zur Produktion für den Musenalmanach für 1797 behindert:
Die *Xenien*, ein Gemeinschaftswerk Goethes und Schillers,
entstanden, meist witzige, zuweilen auch taktlose Angriffe –
in Distichen – auf (fast) alles, was in der literarischen und
politischen Welt jener Zeit bekannt war. »Etwas wünscht'
ich zu sehn, ich wünschte einmal von den Freunden / Die das
Schwache so schnell finden, das Gute zu sehn!« (*Neugier*).
Die das wünschten, erfüllten sich den Wunsch selbst: Als
der *Musen-Almanach für das Jahr 1798* nach Inhalten verlangte, steuerten Goethe und Schiller, die sich wechselseitig
begutachteten und ermunterten, einige ihrer schönsten Balladen bei; Schiller z. B. *Der Ring des Polykrates, Der Hand-
schuh, Der Taucher, Die Kraniche des Ibycus* und *Der Gang
nach dem Eisenhammer* – lauter »Ur-Eier« der Poesie, in
denen, nach Goethes Bestimmung, »E p o s, L y r i k und
D r a m a« als »echte Naturformen der Poesie« vereinigt
sind.[22] Bei Schiller dominiert zweifellos das dramatische
Element, durch das die Aufmerksamkeit auf den Ausgang
einer Handlung gerichtet wird, die, auch wenn sie historisch
verbürgt ist, in erster Linie als ›Träger‹ einer Idee funktio-
nieren soll, die sich gegen die (sogenannte) Wirklichkeit
stellt. Am Ende dann Maximen in Sentenzenform: daß
durch das Übermaß des Glücks das Unglück angezogen

werde, daß der Mensch nicht den selbstlos Liebenden versuchen solle, daß der Mensch die Götter nicht herausfordern dürfe, daß alle Schuld sich auf Erden räche, daß Gott den frommen Schwachen gegen die bösen Mächtigen seinen Schutz gewähre – lauter Moral und Metaphysik.

Als Schiller immer mehr im dramatischen Fach heimisch wurde und er nur noch gelegentlich Gedichte schrieb (weil ihm die eigene Produktion für seinen Musenalmanach nicht mehr so wichtig erschien), da gelangen ihm zuweilen fast vollkommene Verse; bemerkenswerterweise sind sie um so gelungener, je strenger sich der Dichter an überlieferte klassische (antike) Formen hielt, die er mit modernem Stoff ›ausstattete‹ – die Elegien *Das Glück* (1798) und *Nänie* (1799?) etwa, die als Muster sentimentalischen Dichtens verstanden werden können: Die Kluft zwischen einem (als ›Gegenstand‹ gewählten) Ideal und der ihm (noch) sehr fernen Wirklichkeit (die nicht als ›Geschichte‹ behandelt wird, eher als konstante menschliche Seinsweise oder ›Struktur‹ wird so betrauert, daß sie durch die Poesie enger zu werden scheint: »Freue dich, daß die Gabe des Lieds vom Himmel herabkommt, / Daß der Sänger dir singt, was ihn die Muse gelehrt« (*Das Glück*). Oder: »Auch ein Klaglied zu seyn im Mund der Geliebten ist herrlich, / Denn das Gemeine geht klanglos zum Orkus hinab« (*Nänie*).

Fast scheint es, als könne es für eine Elegie kein geeigneteres Metrum geben als das der Distichen; diese sind, was jene thematisiert: die ›spannende‹ Verschiedenheit des Zusammengefügten. Die Form, als das Charakteristische der Kunst, dauert. Geht der Inhalt in ihr auf, und zwar so, daß er nicht nur mit ihr harmoniert, sondern auch durch sie als – für den verständigen Leser – wahrhaft ›bedeutend‹ hervorgehoben wird, dann ist für eine solche Dichtung die Bezeichnung ›klassisch‹ wohl angemessen.

Im März 1796 entschloß sich Schiller endgültig, den ihm aus seinen Arbeiten über den Dreißigjährigen Krieg vertrauten Wallenstein-Stoff dramatisch zu behandeln. Die Schwierigkeiten, die sich der Ausführung entgegenstellten, sind vor allem aus seinem Briefwechsel mit Goethe ablesbar; darin wird über die Notwendigkeit der Aufteilung in drei Dramen gesprochen, darin wird auch gesagt, warum Schiller die Prosa- zugunsten der Versform aufgab (weil sich in dieser alles »über das gemeine erheben muß«; an Goethe, 24. November 1797); und es kommt auch, während der Arbeit an dem Drama, die Einsicht auf: »Ich werde es mir gesagt seyn laßen, keine andre als historische Stoffe zu wählen, frey erfundene würden meine Klippe seyn« (an Goethe, 5. Januar 1798). Die drei Teile der Tragödie wurden im Oktober 1798, im Januar 1799 und im April desselben Jahres einzeln in Weimar uraufgeführt; der Erfolg war groß, aber nicht außerordentlich.

Zu den gewichtigsten Kritikern der Tragödie gehörte Hegel, der in einer (von ihm nicht veröffentlichten) Rezension dagegen protestierte, daß der Dichter »ins Reich des Nichts« führe: »es steht nur Tod gegen Leben auf, und unglaublich! abscheulich! der Tod siegt über das Leben! Das ist nicht tragisch, sondern entsetzlich!«[23] Diese Deutung ist keineswegs abwegig (und berührt sich gewiß mit Schillers – geheimen – Interessen), aber sie übersieht, daß Schiller eifrig bemüht war zu zeigen, daß die Geschichte nicht blind zerstört, sondern gerecht straft: Mag auch Wallensteins Größe an sein Verbrechen geknüpft sein, so fordert dieses doch den Untergang des Helden. Daß die Ordnung durch einen gedungenen Mörder, der das blutige Geschäft auch aus privaten Gründen besorgt, wiederhergestellt wird, kann freilich Zweifel an einer ›höheren‹ Welt- und Bühnen-Gerichtsbarkeit erwecken, auch wenn mit der Nemesis über die Wahl ihrer Mittel nicht zu rechten ist. Die Tragödie selbst entwickelt sich aus Zweifeln, die förmlich zur Signatur des Helden werden: aus Zweifeln Wallensteins an sich selbst, an seinem (Sternen-)Glauben, an seinem Fatum; die Zweifel gebären entscheidende Irrtümer, die es dem Gegenspieler leicht machen, gerecht zu erscheinen; doch Octavio

Piccolomini gerät ins Zwielicht, weil er sich nur behaupten kann durch ›gemeine‹ Mittel, die ihm die Gunst der Stunde zuträgt.

Auch Goethes Deutung des Dramas (»die Darstellung einer phantastischen Existenz«, die »mit der gemeinen Wirklichkeit des Lebens und mit der Rechtlichkeit der menschlichen Natur« in Konflikt gerät; dazu die Erweiterung, ja ›Vollendung‹ des »Kreis[es] der Menschheit« durch das Liebespaar[24]) ist gewiß dem Text angemessen. Der Dichter aber wollte anderes, auf jeden Fall mehr. *Wallenstein* ist eine Geschichtstragödie im doppelten Sinn: eine Tragödie des großen einzelnen, dessen »pathetische Gewalt« (vgl. Schiller an Goethe vom 12. Dezember 1797) die Zuschauer wünschen läßt, er möge an s e i n Ziel gelangen, obwohl ihm das im (geordneten) Gang der Geschichte nicht gestattet werden darf; außerdem eine Tragödie des Geschichtsverlaufs, der keinen moralischen Fortschritt erkennen läßt: in den Strudel des Untergangs werden Gerechte gerissen wie der Ungerechte; für Max und Thekla gibt es keine Aussicht, daß sich ihre Liebe erfüllen könne. Die am Horizont kurz aufscheinende Idylle erweist sich als Fata Morgana, die der sentimentalische Dichter durch die ›wirkliche Wirklichkeit‹ denunzieren läßt. Mit großem Aufwand hat Schiller Wallenstein mit Spiegeln verschiedener Art umstellt, die nicht sein ›Wesen‹ reflektieren, aber doch den ›wahren‹ Schein seines Seins erkennbar machen können. Die Soldateska ist ein solcher Spiegel oder der astrologische Apparat des Feldherrn, an dem ebenso alles hängt wie – nichts (»Sein u n d Nichtsein«), oder die Gräfin Terzky, Wallensteins dämonische Schwägerin, die ihn bis in den Tod verfolgt. Auch in solchem Arrangement erweist sich das Drama als so gekonnt, daß es – unabhängig von der in ihm sich bekundenden Welt- und Geschichtsauffassung – dem Publikum Vergnügen bereitet als Kunstprodukt, das – gegen das ernste Leben gestellt – heiter sein soll, wie es der *Wallenstein*-Prolog fordert. Das Vergnügen an der Wallen-

stein-Tragödie kann aber auch – und das entspräche sicher
der Intention des Dichters – auf der Begegnung mit einem
erhabenen Objekt beruhen, »bey dessen Vorstellung unsre
sinnliche Natur ihre Schranken, unsre vernünftige Natur
aber ihre Ueberlegenheit, ihre Freyheit von Schranken
fühlt« (NA XX,171). Daher erklärt es sich, daß die doppelte
Tragödie nur selten die schreckliche Wirkung hervorruft,
die für Hegel so dominant war.

Die Arbeit am *Wallenstein* hatte, davon war Schiller überzeugt, gezeigt, daß er recht eigentlich für das dramatische
Fach bestimmt sei; und er war sich gewiß, die Erfordernisse
der Bühne in ›technischer‹ Hinsicht erfüllen zu können; und
mehr: der klassischen Tragödienauffassung, wie sie in Aristoteles' *Poetik* ihren Niederschlag gefunden hat, ganz und
gar Genüge tun zu können. Das bedeutet zugleich: Schiller
hat sich – ganz im Sinne Goethes – mit der Bestimmung
einverstanden erklärt, die Tragödie sei die »Nachahmung
einer ernsthaften und in sich geschlossenen Handlung«, die
freilich nicht zeigen müsse, »was wirklich geschehen ist,
sondern das, was geschehen könnte«.[25] – Je souveräner Schiller das dramatisch-dramaturgische Handwerk be-
herrschte, um so intensiver war er bemüht, Welt und Geschichte, wie er sie ansah und deutete, in den von ihm ge-
und erfundenen Handlungen zu spiegeln. Dabei entspricht
ein wachsender Sinn für ›realistische‹ Konstellationen, Situationen und historische Entwicklungen der Verfinsterung
seines Weltbildes, die schließlich in eine ›Aufhebung‹ des
Tragischen mündete: Denn das nur Entsetzliche ist nicht
tragisch. Um weiter ›Tragödien‹ schreiben zu können,
mußte Schiller also bestrebt sein zu zeigen, daß nicht alles
entsetzlich sei. Er rekrutierte zu diesem Zweck zunächst die
Kantsche Zwei-Welten-Lehre, die er fast ein Jahrzehnt
zuvor durch seine Kunsttheorie zu überwinden getrachtet
hatte.

Nach Beendigung des *Wallenstein* schrieb Schiller in
wenig mehr als einem Jahr *Maria Stuart*, ein Stück über reale

Machtverhältnisse, wie sie überliefert sind: Das Diktat der Geschichte verlangt, daß von zwei Königinnen gleicher Legitimität eine verschwindet. Zur Realität der Titelfigur gehört nun (gleichsam als poetischer Rettungsanker) ihr christlicher Glaube, ihre Freude über die Aussicht aufs Paradies; sie stirbt leicht. Sie ist so wenig tragisch wie ihre Kontrahentin, die allein zurückbleibt, eine gute Regierungszeit vor sich. Da es über das Paradies nichts zu sagen gibt, könnte die Tragik Marias darin gesehen werden, daß sie sich einer Chimäre hingibt. Doch eine andere Tragik-Konstruktion liegt näher: Daß Maria getötet wird ohne (>gehörige‹) persönliche Schuld, daß die Geschichte für sie keinen Platz hat und sie zwingt, aus dem Kreis der Menschheit auszuscheiden – das lasse zumindest das Geschehen (die Geschichte) tragisch erscheinen; kein Widerstand helfe dagegen, nur die Hoffnung auf eine Welt, die außerhalb jeder geschichtlichen Erfahrung liegt. – Schiller macht den Versuch, mit der Metaphysik zu spielen – bevor er sie aufgibt.

In seinem nächsten Drama *Die Jungfrau von Orleans*, für das er wieder nur ein Jahr benötigt, schließt Schiller noch einmal mit einer Himmelfahrts-Vorstellung: Als Johanna stirbt, ist der Himmel »von einem rosigten Schein beleuchtet« – sichtbares Zeichen ihrer unmittelbaren Erlösung aus den Verstrickungen dieser Welt, in der sie schuldig wurde, als sie, das grausame Gebot Gottes vergessend, menschlich wurde. Ihr wird, als der Auserwählten, Heil zuteil, aber nur deshalb, weil sie erfahren hatte, was es bedeutet, von Gott verlassen zu sein: die naive Schäferin, Gefäß himmlischer Gnade, hatte, da sie liebte, vom Baum der Erkenntnis genossen und war der Strafe anheimgefallen; sie büßt willig, und ihr wird verziehen. – Soll das heißen: Die Geschichte der (nicht-naiven) Menschheit ist tragisch, weil sie gottfern ist? Oder: Die Menschen ohne Gott sind einem (blinden?) Geschick ausgeliefert und daher tragisch? In der *Jungfrau von Orleans* gibt es diese Art der Tragik nicht; sie wird gar nicht erwogen. Statt dessen wird die Utopie einer nicht-christlichen ›schönen Welt‹ umrißhaft entworfen, für deren ›Konkretheit‹ sich der Dichter aber offenbar nicht verbürgen wollte: eine Welt der Liebe und des Friedens, wie sie sich der naive (Naivität vortäuschende?) König Karl VII. aus-malt, wenn er seinen Platz neben dem des Sängers sucht. Seine Kriegsuntüchtigkeit beschert ihm immerhin die Krone; doch er bezahlt dafür mit seiner Utopie.

Es sei dahingestellt, wie ernsthaft Schiller mit Jenseitsvor-stellungen – in seinem Leben und in seiner Kunst – umge-gangen ist; nicht fraglich ist wohl, daß er ihnen keinen adäquaten Ausdruck in seinen Werken geben konnte; es vermutlich auch nicht wollte. Er führte seine Paradies-Experimente nicht weiter, als er – in der Zeit von August 1802 bis Februar 1803! – eine neue Tragödie verfertigte, *Die Braut von Messina*. Die Fabel enthält keine ›wahre Geschichte‹, nicht einmal eine wahrscheinliche; sie ist moderne Erfindung einer antikisch anmutenden, ins Mittel-alter gelegten dramatischen Begebenheit: Die Brüder Don Manuel und Don Cesar lieben ihre Schwester Beatrice, deren Identität ihnen unbekannt ist, und geraten in heftigste Auseinandersetzung, die mit der Ermordung Don Manuels durch Don Cesar und dessen Selbsttötung endet. Die Trivia-lität des Drameninhalts läßt es als nahezu ausgeschlossen erscheinen, daß Schiller in den Zufällen, die hier über Leben und Tod entscheiden, Momente des Tragischen gesehen haben wollte; vielmehr ist anzunehmen, daß es ihm in erster Linie darum gegangen ist, die Leistungsfähigkeit poetischer Form (hier: der dramatischen) zu erproben, die durch szeni-sches Arrangement, durch Mimik und Gestik, aber auch durch die Art des Sprechens (durch Deklamation, die Beto-nung der Stilisierungen bis hin zur Skandierung der Verse in ihrer Vielfalt) zur Vorstellung ›reiner Kunst‹ leiten soll, für die der Stoff zum Caput mortuum zusammengefallen ist – klingendes Kunsttheater, wie es Clemens Brentano erfahren hat. Schiller wollte, wie er in der Vorrede zu seinem Stück sagte, »die moderne gemeine Welt in die alte poetische« verwandeln (vgl. NA X,11), und dazu bediente er sich eines Chores, dem er auftrug, durch Worte (Erklärungen, Beschwörungen, Räsonnements – auch über tragische Schicksale) Verlorenes ›einzuholen‹: »Der Dichter muß die Palläste wieder aufthun, er muß die Gerichte unter freien Himmel herausführen, er muß die Götter wieder aufstellen« (NA X,12). Mag sein, daß es so ist: daß der Dichter seiner und vieler Generationen Geschichte ausweichen muß, um Kunst möglich zu machen; aber er kann es nicht. Das antikisierende Experiment Schillers mißlang, weil der Dichter seine Voraussetzungen ignorierte.

Noch ein einziges Drama konnte Schiller vollenden, ein Geschichtsdrama, und wieder war es eines ganz neuer Art: *Wilhelm Tell* (entst. 1803/04). Die Frage, ob die Geschichte ›an sich‹ tragisch sei, stellte sich der Dichter, da keine der handelnden Personen tragisch endete, nicht mehr; genug, daß über das Problem eines Tyrannenmords so diskutiert wurde, als wäre dieser das letzte Mittel, um Katastrophen, an die sich tragische Geschehnisse knüpfen könnten, zu verhindern: Tell, der Geßler umbringt, setzt das zur Rebellion bereite Volk vor die vollendete Tatsache seiner wiedergewonnenen Freiheit, der Restitution des immer wieder beschworenen ›guten Alten‹; der Fortschritt liegt in der Rückwendung zur Vergangenheit, in der dem später unterdrückten Volk der Friede seiner Hütten gewährt gewesen war. – Schiller, ganz auf die Geschichte, wie sie war, konzentriert, entwirft das Bild einer Schein-Idylle, die als Vor-Schein zu verteidigen sei, bis sie in einer endgültig gesicherten Idylle – elysisch und geschichtslos – aufgehen könne.

Gefährdet bleibt das neuerdings Erreichte, solange der »Mensch dem Menschen gegenüber steht« (V. 1283), und nichts spricht dafür, daß in wiederkehrenden Zeiten der Not Hilfe von dem kampfbereiten ›Volk‹ kommen wird; dem großen einzelnen bleiben da wohl bessere Chancen. Schiller hat es an Hinweisen auf die Aktualität seines Geschichtsdramas nicht fehlen lassen: ruchlos sei, so hat er für Carl Theodor von Dalberg bei der Übersendung des *Tell*-Dramas gedichtet (vgl. NA II,1,179), was das Volk in Frankreich angerichtet habe, da es roh und schamlos und frech nur seine Laster befreit habe – nichts für eine poetische Behandlung; diese aber komme einem Volke wohl zu, »das fromm die Heerden weidet«. Was Schiller nicht sagt, ist gleichwohl naheliegend: im *Tell* bildet das ›Volk‹ die Basis für den Helden, ohne die er nichts wäre. Am Ende seines Lebens ist Schiller wenigstens in einer Hinsicht noch einmal zu seinen Anfängen zurückgekehrt: als einer, der sich in die (Real-) Politik einmischt und politisch wirken möchte – Aufklärung durch Poesie.

Was wäre aus den zahlreichen Fragmenten geworden, die Schiller hinterlassen hat? Nur über *Demetrius* haben die Annahmen ziemlich sicheren Grund. Wahrscheinlich hätte der Dichter das Drama, an dem er bis wenige Tage vor seinem Tod arbeitete, nicht unvollendet gelassen; und es hätte sich – vielleicht – ergeben: ein historisches Drama von bis dahin nicht gekannten Dimensionen, in dem – vermutlich – der Geschichte ein Sinn zurückgegeben worden wäre auf Kosten derer, die sie machen; deren ›Freiheit‹ zählt nichts gegenüber dem Fortschritt; der aber muß nicht länger eine Folge von Vernichtungen sein.

Eine Szene im Olymp dichten zu wollen wäre Schiller vermutlich nie mehr in den Sinn gekommen. Aber er hätte sich wohl auch nicht dazu verstanden, ein vaterländisches Drama gegen Napoleon zu dichten. Wie er in den Freiheitskriegen half, gehört zur Geschichte seiner Nachwirkungen.

Schillers Formulierungskünste und sein Sinn für Effekte ließen ihn mühelos schön gesagte Weltweisheiten produzieren; seine Ungeduld hinderte ihn daran, die Gefahren, denen er sich damit aussetzte, zu bedenken; und wenn er sie bedacht hätte, wären sie ihm wohl gering erschienen. (Und welcher Kunstkenner und Theaterliebhaber wollte denn

auch auf die neun Dramenschlüsse verzichten, die alle von
derselben Qualität sind wie: »Dem Mann kann geholfen
werden«, »Kurz ist der Schmerz und ewig ist die Freude!«,
»Und frei erklär' ich alle meine Knechte«?) Die Gefahren,
denen Schiller sich auslieferte, zeigen sich in vielerlei Wirkungen: in der Fülle der ihm folgenden Dramenliteratur der
ersten Hälfte des 19. Jahrhunderts, in theatralischen Darbie-
tungen, bei denen die grellen Effekte zum Hauptspaß ausge-
spielt wurden, im Reden vom »keuschen«, »sanften« und
»heiligen« Dichter, dem unübertrefflich »edlen« (über den
Alfred Kerr reimend scherzte: »Nichts an dir war scheel und
niedrig / Teurer Schiller, edler Friedrich«[26]), in der (nahelie-
genden) Verwendung seines Werks zu politischen Zwecken:
»In den glorreichen Kriegen [gegen Napoleon], durch die
das deutsche Volk den Druck fremder Gewaltherrschaft
abschüttelte, waren es Schillersche Gedanken, an denen sich
die Begeisterung entzündet hatte«, behauptete ein Festred-
ner im Schiller-Jahr 1905.[27] Er übertrieb zwar, aber sagte
auch Richtiges: Im Taumel nationaler Begeisterung fehlte
Schiller nicht; *Wallensteins Lager*, *Die Jungfrau von Orleans*
und *Wilhelm Tell* hatten Hochkonjunktur auf den Bühnen,
mit dem Reiterlied ermunterten sich die Freiheitskämpfer.
Doch 1859 war die nationale Schiller-Begeisterung viel lebhafter: Tausendfach erklang im Namen Schillers der Ruf
nach politischem Fortschritt, der in der Einheit Deutschlands gesehen wurde. »Die gesamte deutsche Nation«, so
zog Ende des Festjahres Berthold Auerbach Bilanz, habe
»Zeugnis abgelegt, wie sie sich zum deutschen Geiste
bekennt, und Schiller ist und bleibt der Fahnenruf zur
schönen Menschlichkeit, zur deutschen Brüderlichkeit und
nationalen Kraft.«[28] – Der politische Mißbrauch, der mit
Schiller getrieben wurde, gehört zu den bedenklichsten Wirkungen, zu denen er verführt hat; sie kommen nicht von
ungefähr, war er doch in Wort und Gesinnung so politisch,
wie kaum ein anderer großer deutscher Dichter (Brecht
vielleicht ausgenommen, Kleist und Heine aber eingeschlos-

sen) je war. Schon vor 1933 erschien das Buch *Schiller als Kampfgenosse Hitlers*.[29] Daß im Dritten Reich die Machthaber auch mit dem Applaus konfrontiert wurden, den Schillersche Freiheitsparolen im Theater hervorriefen, soll als eine der erfreulichsten Wirkungen, die in diesem Jahrhundert von dem Dichter ausgingen, nicht unerwähnt bleiben.

Die wissenschaftliche Beschäftigung mit Schillers Leben und Werk setzte etwa ein Vierteljahrhundert nach seinem Tod intensiv ein; sie war und blieb so lebhaft, wie es einem Dichter seines Ranges gebührt. Ein riesengroßes Monument mit gar seltsamen Verformungen läßt sich aus der Literatur bilden, die über den Dichter erschienen ist. An Glättungen und neuen Verformungen wird es auch in Zukunft nicht fehlen.

Wirkung der Wirkung: Im März 1826 wurde das Kassengewölbe auf dem St.-Jakobs-Friedhof in Weimar nach Schillers Gebeinen durchsucht; was als Schillers Schädel erkannt wurde, kam am 17. September desselben Jahres auf die Großherzogliche Bibliothek und wenig später für einige Zeit in Goethes Wohnung. Indem der greise Dichter auf seine Weise mit dem toten Freund umging, machte er ihn wieder lebendig: »Wie mich geheimnißvoll die Form entzückte! / Die gottgedachte Spur die sich erhalten! / Ein Blick der mich an jenes Meer entrückte / Das fluthend strömt gesteigerte Gestalten. / Geheim Gefäß! Orakelsprüche spendend, / Wie bin ich werth dich in der Hand zu halten«.[30] Sollte auch der Schädel nicht der Schillers gewesen sein – dieser war zugegen, keine Idee, sondern eine Erfahrung: Goethe schaute ihn ja an.

Anmerkungen

1 Vgl. dazu im einzelnen Oellers, S. 44–55. – Die wichtigsten Urteile Goethes über Schiller in: *Schiller im Urteil Goethes. Die Zeugnisse Goethes in Wort und Schrift*, ges. [...] von P. Uhle, Leipzig/Berlin 1910. **2** J. W. Goethe, *Gedenkausgabe der Werke, Briefe und Gespräche*, 24 Bde., 2 Erg.-Bde., hrsg. von E. Beutler, Zürich 1948–64, Bd. 24, S. 144. **3** Ebd., Bd. 9, S. 529. **4** Ebd., Bd. 24, S. 549. **5** Zit. nach: *Schiller – Zeitgenosse aller Epochen*, Tl. 2, S. 470. **6** *Gedenkausgabe* (s. Anm. 2) Bd. 9, S. 529. **7** So in seinem 1817 erschienenen Aufsatz *Glückliches Ereignis*. Vgl. *Gedenkausgabe* (s. Anm. 2) Bd. 12, S. 620. **8** Rezension der Wiener *Braut von Messina*-Aufführung vom 12. Januar 1814, zit. nach: C. Brentano, *Werke*, 4 Bde., hrsg. von F. Kemp, München ²1973, Bd. 2, S. 1080. **9** *Die Schaubühne* 5 (1909) Nr. 46. **10** Petersens Notizen sind – unvollständig – gedruckt in J. Hartmanns Buch *Schillers Jugendfreunde* (Stuttgart/Berlin 1904, vgl. bes. S. 205–210), werden hier aber nach der Handschrift im Deutschen Literaturarchiv in Marbach zitiert. **11** Zit. nach der Handschrift im Deutschen Literaturarchiv in Marbach. **12** Siehe Anm. 10. **13** Siehe Anm. 10. **14** Zit. nach: Fambach, S. 1. **15** Siehe Anm. 10. **16** Siehe Anm. 10. **17** Zit. nach: Braun I, S. 31. **18** Brief vom 19. Februar 1784. **19** Goethe hat diese Begegnung in seinem Aufsatz *Glückliches Ereignis* beschrieben; vgl. Anm. 7. **20** *Gedenkausgabe* (s. Anm. 2) Bd. 12, S. 623. **21** Zit. nach: M. Hecker, *Schillers Tod und Bestattung*, Leipzig 1935, S. 33 f. **22** Aus den *Noten und Abhandlungen zum besseren Verständnis des west-östlichen Divans*; *Gedenkausgabe* (s. Anm. 2) Bd. 3, S. 480; zur Bezeichnung »Ur-Ei« für die Ballade vgl. *Goethes Werke. Weimarer Ausgabe*, Bd. 41,1, Weimar 1902, S. 224. **23** Zit. nach: *Schiller – Zeitgenosse aller Epochen*, Tl. 1, S. 87 f. **24** *Gedenkausgabe* (s. Anm. 2) Bd. 14, S. 56 f. **25** Vgl. vor allem Kap. 6 von Aristoteles' *Poetik*. **26** Zit. nach: *Schiller – Zeitgenosse aller Epochen*, Tl. 2, S. 242. **27** P. Cauer, *Schiller ein Befreier*; zit. nach: Oellers, S. 295. **28** Zit. nach: *Schiller – Zeitgenosse aller Epochen*, Tl. 1, S. 51 f. **29** Zu diesem Buch von Hans Fabricius vgl. *Schiller – Zeitgenosse aller Epochen*, Tl. 2, S. 588. **30** *Goethes Werke. Weimarer Ausgabe*, Bd. 3, Weimar 1890, S. 93. – Goethes Gedicht *Im ernsten Beinhaus war's* entstand wahrscheinlich am 25. September 1826; erst die Nachlaßverwalter (Eckermann und Riemer) gaben den Terzinen eine Überschrift: *Bei der Betrachtung von Schillers Schädel*.

Bibliographische Hinweise

Sämmtliche Werke. 12 Bde. Hrsg. von Ch. G. Körner. Stuttgart/
Tübingen 1812–15. [Erste Gesamtausgabe.]

Sämmtliche Schriften. 15 Bde. in 17 Tln. Hist.-krit. Ausg. Hrsg.
von K. Goedeke. Stuttgart 1867–76.

Sämtliche Werke. Säkular-Ausgabe. 16 Bde. Hrsg. von E. v. d.
Hellen. Stuttgart [1904–05].

Werke. Nationalausgabe. Bd. 1 ff. Begr. von J. Petersen, fortgef.
von L. Blumenthal und B. v. Wiese, hrsg. von N. Oellers und
S. Seidel. Weimar 1943 ff. [Zit. als: NA.]

Sämtliche Werke. 5 Bde. Hrsg. von G. Fricke und H. G. Göpfert.
München 1958–59.

Sämtliche Werke. 10 Bde. Hrsg. von H.-G. Thalheim [u. a.]. Berlin
[Ost] 1980 ff.

Werke und Briefe. 12 Bde. Hrsg. von K. H. Hilzinger [u. a.]
Frankfurt a. M. 1988 ff.

Briefe. Krit. Gesamtausg. 7 Bde. Hrsg. von F. Jonas. Stuttgart/
Leipzig/Berlin/Wien [1892–96].

Friedrich Schiller über seine Dichtungen. 2 Bde. Hrsg. von B.
Lecke. München 1969–70.

Jahrbuch der Deutschen Schillergesellschaft. Jg. 1 ff. 1957 ff. [Mit
Bibliographien; s. auch Vulpius und Wersig.]

Schiller und Goethe im Urtheile ihrer Zeitgenossen. Ges. und hrsg.
von J. W. Braun. Abt. 1: Schiller. 3 Bde. Leipzig 1882. [Zit. als:
Braun.]

Schillers Persönlichkeit. Urtheile der Zeitgenossen und Documente.
3 Tle. Ges. von M. Hecker und J. Petersen. Weimar 1904–09.

Schiller. Reden im Gedenkjahr 1955. Hrsg. von B. Zeller. Stuttgart
1955.

Schiller und sein Kreis in der Kritik ihrer Zeit. [Hrsg.] von O.
Fambach. Berlin [Ost] 1957. [Zit. als: Fambach.]

Schiller. Reden im Gedenkjahr 1959. Hrsg. von B. Zeller. Stuttgart
1961.

Schiller – Zeitgenosse aller Epochen. Dokumente zur Wirkungsgeschichte Schillers in Deutschland. 2 Tle. Hrsg. von N. Oellers.
Frankfurt a. M. / München 1970–76.

Schiller. Zur Theorie und Praxis der Dramen. Hrsg. von K. L.
Berghahn und R. Grimm. Darmstadt 1972.

Schillers Dramen. Neue Interpretationen. Hrsg. von W. Hinderer. Stuttgart 1979.

Friedrich Schiller. Kunst. Humanität und Politik in der späten Aufklärung. Hrsg. von W. Wittkowski. Tübingen 1982.

Schiller. Das dramatische Werk in Einzelinterpretationen. Hrsg. von H.-D. Dahnke und B. Leistner. Leipzig 1982.

Schau-Bühne. Schillers Dramen 1945–1984. Ausstellungskatalog. Bearb. von H.-D. Mück und H. Grosse. Marbach 1984.

Unser Commercium. Goethes und Schillers Literaturpolitik. Hrsg. von W. Barner, E. Lämmert und N. Oellers. Stuttgart 1984.

Friedrich Schiller. Angebot und Diskurs. Zugänge, Dichtung, Zeitgenossenschaft. Hrsg. von H. Brandt. Berlin/Weimar 1987.

Berger, K.: Schiller. Sein Leben und seine Werke. 2 Bde. München 1905.

Bolten, J.: Friedrich Schiller. Poesie, Reflexion und gesellschaftliche Selbstdeutung. München 1985.

Buchwald, R.: Schiller. 2 Bde. Leipzig 1937.

Cysarz, H.: Schiller. Halle a. d. S. 1934.

Dyck, M.: Die Gedichte Schillers. Figuren der Dynamik des Bildes. Bern/München 1967.

Fricke, G.: Der religiöse Sinn der Klassik Schillers. Zum Verhältnis von Idealismus und Christentum. München 1927.

Friedl, G.: Verhüllte Wahrheit und entfesselte Phantasie. Die Mythologie in der vorklassischen und klassischen Lyrik Schillers. Würzburg 1987.

Gerhard, M.: Schiller. Bern 1950.

Graham, I.: Schiller, ein Meister der tragischen Form. Darmstadt 1974.

Hoffmeister, K.: Schiller's Leben, Geistesentwickelung und Werke im Zusammenhang. 5 Tle. Stuttgart 1838–42.

Jolles, M.: Dichtkunst und Lebenskunst. Studien zum Problem der Sprache bei Friedrich Schiller. Hrsg. von A. Groos. Mit einem Nachw. von E. M. Wilkinson. Bonn 1980.

Kaiser, G.: Vergötterung und Tod. Die thematische Einheit von Schillers Werk. Stuttgart 1967.

Keller, W.: Das Pathos in Schillers Jugendlyrik. Berlin 1964.

Koopmann, H.: Friedrich Schiller. 2 Bde. Stuttgart 1966. (Sammlung Metzler. 50. 51.)

Kraft, H.: Um Schiller betrogen. Pfullingen 1978.

Leibfried, E.: Schiller. Notizen zum heutigen Verständnis seiner Dramen. Frankfurt a. M. / Bern / New York 1985.

May, K.: Friedrich Schiller. Idee und Wirklichkeit im Drama. Göttingen 1948.

Middell, E.: Friedrich Schiller. Leben und Werk. Leipzig 1980.

Minor, J.: Schiller. Sein Leben und seine Werke. 2 Bde. Berlin 1889–90. [Unvollständig.]

Oellers, N.: Schiller. Geschichte seiner Wirkung bis zu Goethes Tod 1805–1832. Bonn 1967.

Rudloff-Hille, G.: Schiller auf der deutschen Bühne seiner Zeit. Berlin/Weimar 1969.

Sautermeister, G.: Idyllik und Dramatik im Werk Friedrich Schillers. Zum geschichtlichen Ort seiner klassischen Dramen. Stuttgart/Berlin/Köln/Mainz 1971.

Staiger, E.: Friedrich Schiller. Zürich 1967.

Storz, G.: Der Dichter Friedrich Schiller. Stuttgart 1959.

Vulpius, W.: Schiller-Bibliographie 1893–1958. Weimar 1959.

– Schiller-Bibliographie 1959–1963. Berlin/Weimar 1967.

Weltrich, R.: Friedrich Schiller. Geschichte seines Lebens und Charakteristik seiner Werke. Bd. 1. Stuttgart 1899. [Mehr nicht erschienen.]

Wersig, P.: Schiller-Bibliographie 1964–1974. Berlin/Weimar 1977.

Wiese, B. v.: Friedrich Schiller. Stuttgart 1955 [u. ö.].

Wilpert, G. v.: Schiller-Chronik. Sein Leben und Schaffen. Stuttgart 1958.

Wychgram, J.: Schiller. Bielefeld 1895.

Johann Peter Hebel

Von Winfried Theiß

Das Leben des Dichters Johann Peter Hebel verlief einfach und nur mit wenigen herausragenden Höhepunkten, denn offizielles Amtsgehabe und äußerlicher Autoritätsanspruch waren ihm fremd. In der ›Gesellschaft‹ war er zurückhaltend, im Freundeskreis aber öffnete er sich rückhaltlos.

Hebel wurde als Kind kleiner Leute am 10. Mai 1760 in Basel geboren. Den Vater Johann Jakob Hebel – er stammte aus dem Hunsrück und war von Beruf Weber – trieb es in die Ferne: er wurde Soldat und danach »Herrendiener« beim Basler Patrizier und Major Johann Jakob Iselin-Ryhiner. Die Reise- und Wanderlust hat der Sohn geerbt, den schon als Schüler Ferienfahrten nach Worms, Mainz, Bingen, Kreuznach und Simmern, dem Geburtsort des Vaters, führten. In Iselins Basler Stadthaus hatte Hebels Vater die dort ebenfalls bedienstete Ursula Oertlein, gebürtig aus Hausen im Wiesental, kennengelernt und 1759 geheiratet. Das Vermögen der Eltern bestand in einem Stockwerk eines kleinen Hauses, das heute als Hebel-Museum eingerichtet ist, und einigen Grundstücken und ersparten Kapitalien. Den Winter über wohnte die Familie in Hausen, im Sommer mußte sie dem Dienstherren in Basel zur Verfügung sein.

Schon ein Jahr nach Hebels Geburt starb der Vater, vermutlich an einer Typhusepidemie, die die ganze Familie aufs Krankenlager zwang. Die Erziehung des Kindes lag zunächst in der Hand der Mutter. Die Schülerzeit in Hausen, Schopfheim und Basel (1766–74) wurde jäh gestört durch den plötzlichen Tod der Mutter im Oktober 1773.

Hebel begleitete die Kranke auf ihrem Weg von Basel nach
Hausen. Nahe der Burgruine Rötteln starb Ursula Hebel,
für den Jungen ein erschütterndes Erlebnis, dessen er später
in dem großen Gedicht *Vergänglichkeit* gedenkt. Gönner
und Vormund ermöglichten dem Verwaisten den Besuch des
Gymnasiums illustre in Karlsruhe (1774–78) und das Theologiestudium in Erlangen (1778–80). Ende 1780 legte Hebel
zwar das theologische Staatsexamen in Karlsruhe ab, blieb
dann aber längere Zeit ohne Anstellung, was die Biographen
zu manchen Spekulationen veranlaßt hat. Dies um so mehr,
als Hebel später – er war inzwischen Prälat geworden – die
Prüfungsunterlagen aus seinen Personalakten entfernt hat.
Es folgten drei Jahre als Hauslehrer und Vikar in Hertingen,
die Hebel zu intensiven theologischen und poetischen Studien nutzte, wie die erhaltenen Exzerpthefte beweisen. Zwischen 1783 und 1791 lehrte Hebel am Pädagogium in Lörrach, einer kleinen Lehranstalt mit anfangs 60 Schülern, die
1789 bis auf 34 zurückgingen.

In Lörrach schloß Hebel eine Reihe lebenslang bestehen-
der Freundschaften: mit dem Prorektor Tobias Günttert, an
den Hebels erster Versuch alemannischer Mundartdichtung
gerichtet ist (1792); mit dem Pfarrer Friedrich Wilhelm
Hitzig, Hebels bevorzugtem Briefpartner von Karlsruhe
aus. Hitzig hat sich bleibende Verdienste um die Verbreitung und das Verständnis von Hebels Werk erworben.
Zusammen mit Hitzig gründete Hebel den Proteuserbund,
einen Freundeskreis, der in gemeinsamer Naturbegeisterung
sein Ziel fand. Organisiert war der Kreis nach dem Vorbild
einer Geheimen Gesellschaft, die sich Amtsbezeichnungen
gab, wie »Vogt« (Günttert) und »Vögtin« (Güntterts Frau),
»Stabhalter« (Hebel) und sich Übernamen zulegte: »Parme-
nideus« (Hebel), »Zenoides« (Hitzig) u. ä. Der Belchen
wurde zum Thron und Altar des Naturgottes Proteus
erklärt, die Hauptstadt des Bundes hieß »Proteopolis« (Lörrach). In teils witziger, teils ironischer, teils dunkel anspie-
lungsreicher Form wurden ein *Almanach des Proteus*, ein

Johann Peter Hebel
1760–1826

Proteisches Lehrsystem und ein *Wörterbuch des Belchismus* verfaßt (alle 1790). Ein wichtiges Ereignis war die Besteigung des Belchen, die Hebel zusammen mit Hitzig 1791 unternahm. Dieses Naturerlebnis hat Hebel 1792/93 in dem hymnischen Gedicht *Ekstase* verarbeitet. Überhaupt hat Hebel das ›Proteusertum‹ erst in seinen Karlsruher Briefen an Hitzig voll entfaltet: im Gedenken an die Lörracher Jahre und zur Linderung des Heimwehs nach der Oberländer Landschaft.

Eine lebenslange Freundin wurde ihm Gustave Fecht, die Schwägerin Güntterts. Hebels Briefe an sie, die eine sensible und leicht verletzliche Frau gewesen sein muß, gehören zu den schönsten Zeugnissen Hebelscher Einfühlungs- und Formulierungskunst.

Ende 1791 wurde Hebel ans Karlsruher Gymnasium berufen. Langsam stieg Hebel nun auf der Karriereleiter höher: 1798 wurde er an seiner Schule zum Professor extraordinarius befördert; 1808 erfolgte die Ernennung zum Direktor, 1814 die Berufung in die evangelische Ministerialsektion. Damals gab Hebel die Direktion des Gymnasiums auf, erteilte aber weiterhin Unterricht. 1819 wurde er zum Prälaten ernannt, was nicht nur das höchste Amt in der evangelischen Landeskirche war, sondern auch Mitgliedschaft in der ersten Kammer des badischen Landtages und der kirchlichen Generalsynode bedeutete.

Auch in Karlsruhe gelang es Hebel, einen Bekannten- und Freundeskreis um sich zu sammeln. Erwähnt seien: Nikolaus Sander, ein angesehener Schulmann mit musikalischen Neigungen und später unmittelbarer Mitarbeiter Hebels bei der Einigung der badischen Landeskirchen; Karl Christian Gmelin, Botaniker, Arzt, Direktor des markgräflichen Naturalienkabinetts und der botanischen Gärten, Verfasser der *Flora Badensis* (1805–08). Mit Gmelin hat Hebel gemeinsame botanische Exkursionen unternommen. Im *Rheinländischen Hausfreund* ist dieser kenntnisreiche Freund als der »kräuterkundige Mann« und »Steindoktor« verewigt.

Einen neuen Gönner fand Hebel in dem Geheimrat Friedrich Brauer, der als Direktor des Kirchenratskollegiums an der Spitze des geistlichen Konsistoriums stand. Eine etwas heftigere, verhalten erotische Freundschaft verband Hebel mit der Schauspielerin Henriette Hendel (1772 bis 1849), die er im November 1808 anläßlich eines Gastspiels in Karlsruhe kennenlernte. Sie, die im Jahr darauf zu einem mehrwöchigen Aufenthalt zurückkam und Hebel mit großer Aufmerksamkeit ehrte, beeindruckte ihn derart, daß Hebel bei einem privaten Empfang beinahe versehentlich aus einem Fenster gestürzt wäre. 1810 plante Hebel sogar, die Hendel auf einer Reise nach Italien zu begleiten. Ende dieses Jahres heiratete sie wieder, und Hebel mußte seine Begeisterung um einiges zurückschrauben. Er traf die Künstlerin noch einmal 1817, der letzte Brief an sie datiert von 1822. Im *Rheinländischen Hausfreund* tritt sie als »die Schwiegermutter« auf.

Umgang mit berühmten und einflußreichen Männern ergab sich: so mit Johann Heinrich Voß, der 1804 seinen in Karlsruhe studierenden Sohn besuchte, und in Baden-Baden mit dem Verleger Cotta. Ludwig Tieck hat Hebel mehrfach aufgesucht. Die Bekanntschaft mit Uhland wurde 1810 von Justinus Kerner vermittelt. Jacob Grimm, der damals in politischer Mission über Karlsruhe an den Oberrhein fuhr, traf Hebel 1814. Ein Jahr später war Goethe in Karlsruhe: Hebel wurde gebeten, einige seiner *Allemannischen Gedichte* vorzutragen, war Goethes Tischgenosse und wurde daraufhin in einem Brief an Knebel sehr gerühmt. Seinem Lieblingsdichter Jean Paul aber, den er über alles verehrte, ist Hebel nie persönlich begegnet.

1824 klagte Hebel in verschiedenen Briefen über Unverträglichkeiten beim Essen, auch über Arbeitsunlust. Gesund ist er nicht mehr geworden. Am 6. September 1826 fuhr er zu den Schlußprüfungen am Mannheimer Gymnasium, wo ihn die Schüler mit einer festlichen Bootsfahrt auf dem Rhein ehrten. Seine Inspektionsreise führte ihn darauf nach

Schwetzingen. Im Hause eines Freundes aus Basler Zeiten
ist er am 22. September 1826 gestorben.

Hebels poetische Produktion setzte erst spät ein, fast zehn
Jahre nach der Trennung von der geliebten Wiesentaler und
Basler Heimat. Die *Allemannischen Gedichte* (1803), die ihn
als Dichter berühmt machten, hat Hebel in einem einzigen
Ansturm poetischer Inspiration niedergeschrieben. Freilich,
die geistige Beschäftigung mit der alemannischen Mundart
reichte weiter zurück. Hebel gibt im Brief an Friedrich
Heinrich Jacobi vom 28. Januar 1811 selbst einen knappen
Hinweis:

> Im 28st. Jahr, als ich Minnesänger las, versuchte ich
> den allemanischen Dialekt. Aber es wollte gar nicht
> gehn. Fast unwillkührlich, doch nicht ganz ohne
> Veranlassung fieng ich im 41ten Jahr wieder an. Nun
> gings ein Jahr lang freilich von statten.

Zu den frühen Zeugnissen seiner Beschäftigung mit der
heimatlichen Mundart ist der in Alemannisch geschriebene
Brief an Tobias Günttert von 1792 zu rechnen. In das
allgemeinere Umfeld der Anregungen gehört die zeitgenössische Idyllen- und Landdichtung, von denen die plattdeut-
schen Idyllen des Homer-Übersetzers Voß hier stellvertre-
tend genannt seien. Hebel hat den von Voß herausgegebenen
Musenalmanach gekannt und plante, seine Gedichte in
ähnlicher Form zu veröffentlichen. Wichtige Anregungen
erhielt er dann durch eine Zeitschrift, die sich mit den
»vaterländischen Altertümern der Sprache, Kunst und Sitten« beschäftigte. Hebel hat diese seit 1791 erscheinende
Bragur (ab 1796 hieß sie *Braga oder Hermode*) eifrig gelesen
und exzerpiert. Ihrem Herausgeber Gräter hat er mit Brief
vom 8. Februar 1802 nicht nur das Erscheinen der *Allemannischen Gedichte* angekündigt und ein Gedicht als Probe
zugeschickt, sondern auch die Absicht seiner Sammlung
erläutert:

Ein Bändchen solcher Gedichte von mancherley Metrum, Innhalt und Ton gedenke ich bald, vielleicht unter dem Titel eines Alemannischen Musenalmanachs herauszugeben. Ich habe in denselben mit den Schwierigkeiten gekämpft, in dieser rohen und scheinbar regellosen Mundart, wenn die Ausdrücke erlaubt sind, rein und klassisch und doch nicht gemein zu seyn, genau im Charakter und Gesichtskreis des Völkleins zu bleiben, aber eine edle Dichtung, so weit sie sonst in meiner Gewalt ist, in denselben hinüberzuziehen und mit ihm zu befreunden. Meine erste Absicht ist die, auf meine Landsleute zu wirken, ihre moralischen Gefühle anzuregen, und ihren Sinn für die schöne Natur um sie her theils zu nähren und zu veredeln, theils auch zu wecken.

Indessen sind dies nur nachträgliche Rationalisierungsversuche. Letzten Endes war Hebel von dem poetischen Ausbruch überrascht, der ebenso rasch abbrach, wie er gekommen war. Zur gleichen Zeit, als er an Gräter schrieb, bekannte er gegenüber dem Freund Hitzig: »Der allemannische Pegasus will nimmer fliegen« (11. Februar 1802). Der Hauptschub poetischer Inspiration war bereits vorüber, was danach noch entstand, war Nachklang und Abgesang. Hebel hat dies in aller Klarheit erkannt (an Treitschke, 22. März 1804):

Ich bin kein geübter und fruchtbarer Dichter, der kann, wenn er will. Die Muse wohnt nicht bey mir, sie besucht mich nur, und ich besorge, an ein par Gedichten, die ich schon in die Iris gegeben habe, bereits meinen Beytrag zu den Beweisen gelifert zu haben, daß kein Segen dabei ist, wenn mans in böser Stunde erzwingen will.

Die 1. Auflage des Anfang 1803 anonym erschienenen Bändchens enthielt 32 Gedichte, einige wenige sind bis zur

5. Auflage (1820) jeweils hinzugekommen. Hebels Mundart-Gedichte fanden breite und teilweise begeisterte Zustimmung. Johann Georg Jacobi (Rezension im *Freiburger Intelligenz- und Wochenblatt*) und Jean Paul (Besprechung in *Zeitung für die Elegante Welt*) gehören zu den ersten der bedeutenden Zeitgenossen, die Hebels poetische Leistung anerkannten. Schon 1804 konnte die 2. Auflage herauskommen und fand ebenfalls ein starkes Echo. Jetzt äußerte sich auch Goethe mit einer Besprechung in der *Jenaer Allgemeinen Literaturzeitung* (13. Februar 1805).

Die Wiesentaler Landschaft ist Ausgangspunkt aller Poesie Hebels und durchzieht den Kosmos der *Allemannischen Gedichte*. Folgerichtig eröffnet das Gedicht *Die Wiese* die Sammlung. Zwei Bildkomplexe tragen das Gedicht: die topographische Vorstellung vom Lauf des Flusses durch das Wiesental und die biographische vom Lebenslauf eines Mädchens von der Wiege bis zum Brautstand. Personifikation (die Wiese – das Mädchen) und Allegorie verklammern die beiden Bildreihen. Das Gedicht endet damit, daß das junge Mädchen dem Bräutigam um den Hals fällt, was – allegorisch – zu verstehen ist als das Einmünden der Wiese in den Rhein. Nicht zufällig wird, als der junge Mann um das Mädchen wirbt, die Stadt Weil erwähnt; dort wohnte Gustave Fecht:

> 's het scho menge Briggem si gattig Brütli go Wil
> > geführt,
> usem Züri-Biet, vo Liestel aben und Basel,
> und isch iez si Ma, [. . .].

Erinnerte Landschaftsabschnitte und Städte werden so sinnlich vergegenwärtigt und erlauben es dem Dichter, Land und Leute seiner Heimat dem Leser vor Augen zu führen. Es ist der Vorstellungshorizont der einfachen Leute, der Bauern und kleinen Handwerker, der da poetisiert wird: Volksglauben an Naturgeister und an den Teufel, Spinnstuben-Erzählungen und Legenden finden sich ebenso (vgl. *Die Irrlichter,*

Das Habermus, Das Gespenst an der Kanderer Straße, Der Geisterbesuch auf dem Feldberg, Der Carfunkel, Der Mann im Mond) wie Idyllen und Genrebilder (*Der Sommerabend, Die Mutter am Christ-Abend, Agatha an der Bahre des Pathen, Die Überraschung im Garten, Hans und Verene, Das Gewitter, Die Marktweiber in der Stadt, Das Hexlein*). Charakteristisch und auch schon den Zeitgenossen nicht entgangen ist Hebels Verfahren, Naturerscheinungen zu anthropomorphisieren und eng mit den Alltagsvorstellungen und -erfahrungen des Landmannes zu verknüpfen. Dies hat auch Goethe in seiner Rezension betont: »Wenn antike, oder andere durch plastischen Kunstgeschmack gebildete Dichter das sogenannte Leblose durch idealische Figuren beleben, und höhere, göttergleiche Naturen, als Nymphen, Dryaden, und Hamadryaden, an die Stelle der Felsen, Quellen, Bäume setzen, so verwandelt der Verfasser diese Naturgegenstände zu Landleuten, und verbauert, auf die naivste, anmuthigste Weise, durchaus das Universum; so daß die Landschaft, in der man denn doch den Landmann immer erblickt, mit ihm in unserer erhöhten und erheiterten Phantasie nur eins auszumachen scheint.«

Mit der »Verbauerung« hat Goethe ein Stichwort geliefert, das bis zu Ernst Blochs Essay *Hebel, Gotthelf und bäuerisches Tao* (1926) und noch darüber hinaus die Einschätzung Hebels entscheidend geprägt hat: »Volksdichter Hebel« (Cotta 1810) und »Hebel, der Heimatdichter« (Robert Minder 1957, 1963). Sieht man indessen genauer hin, dann läßt sich Goethes Beobachtung in zweifacher Weise ergänzen: Zum einen besteht das »Verbauern« in weiten Teilen aus einer Familiarisierung von schwer vorstellbaren Phänomenen in Kosmos und Natur. So ist im Gedicht *Der Morgen-Stern* das Auftauchen des Planeten am östlichen Himmel vor Aufgang der Sonne beziehungsreich (Morgenstern – Planet Venus) damit erklärt, daß er ein heimlicher Liebhaber eines Sternleins sei, dem er – sehr gegen den Willen seiner Mutter (der Sonne) – nachgehe; vor der Mutter und ihrem Schelten aber laufe er davon. Weitere Beispiele für die Familiarisierung kosmischer Phänomene sind *Der Abendstern* (als kleiner Bub läuft er hinter seiner Mutter, der Sonne, her, die ihn schließlich an die Hand nimmt und ihm die oberländische Landschaft zeigt) und *Der Sommerabend* (die untergehende Sonne wird als arbeitsame Frau geschildert, die sich müde geschafft hat und nun zu Bett geht). *Das Spinnlein* sei als Beispiel für die Anwendung dieses poetischen Verfahrens auf die irdische Natur genannt. Wie es sein Netz baut, liest sich bei Hebel so:

> Es zieht e lange Faden us,
> es spinnt e Bruck ans Nochbers Hus,
> es baut e Land-Stroß in der Luft,
> morn hangt sie scho voll Morgeduft,
> es baut e Fußweg nebe dra,
> 's isch, aß es ehne dure cha.

Zum anderen wird die Familiarisierung von Natur und Kosmos in einer unauffälligen, aber stets präsenten Verchristlichung verankert: Die Erde ist mit Engeln bevölkert, denen die Naturgeister dienen (*Die Irrlichter*); mit Engeln, die die Käfer bewirten (*Der Käfer*) oder die Saaten pflegen und wachsen lassen (*Das Habermus*). Gottvertrauen spiegeln die Rufe des Nachtwächters (*Wächterruf*) und die Sorge über ein Unwetter (*Das Gewitter*); das christliche Gebot der Barmherzigkeit steht hinter der Gabe für einen Bettler (*Der Bettler*). Und gerade in den groß ausgreifenden Gedichten, wie *Die Vergänglichkeit* und *Der Wächter in der Mitternacht*, sind die christlichen Vorstellungen von Tod und Auferstehung, die Verheißung vom Jüngsten Tag und von der himmlischen Heimat dominierend.

Ländliche Natur und ländliche Sitten sind in heiteren, volksliedhaften Gedichten gestaltet (*Hans und Verene, Der Storch, Des neuen Jahres Morgengruß, Die Überraschung im Garten* u. a.) oder ahmen humorvoll das Hexameter-Epyllion nach (*Der Statthalter von Schopfheim*). Einfache, sofort

verständliche Bilder und eine verhaltene Moralisierung dienen der volkserzieherischen Absicht, d. i. – ganz im Sinne
der Aufklärung – der Veredelung des ›kleinen Mannes‹, auf
die Hebel so großen Wert legte. Dies ist das zeitgebundene
Element der *Allemannischen Gedichte*, über das wir heute,
wie auch schon die gebildeten Leser Hebels, um des ästhetischen Gewinns willen hinwegsehen.

Wie bei den *Allemannischen Gedichten* bedurfte es auch
bei den Kalendergeschichten eines längeren Anlaufs und
eines theoretisierenden Vorgeplänkels. Das Karlsruher
Gymnasium gab seit 1750 einen Landkalender heraus, um
mit den Einnahmen seine finanzielle Situation etwas aufzu-
bessern. Die Beiträge waren auf verschiedene Mitarbeiter –
Professoren des Gymnasiums – verteilt; verantwortlich für
den Inhalt war ein Konsistorium, dem der Kirchenrat
Brauer vorstand. Hebel wurde 1802 zum ersten Mal um
Beiträge gebeten, brachte aber nur ein paar Stücklein für den
Jahrgang 1803 zustande. Erst Anfang 1806 meldete er sich
mit einem *Unabgeforderten Gutachten über eine vorteilhaf-
tere Einrichtung des Calenders* wieder zu Wort. In ihm
setzte sich Hebel ein für einen griffigeren und zeitgemäßeren
Titel nach dem Vorbild des *Basler Hinkenden Boten* und
anderer Volkskalender, für bessere Ausstattung in Druck
und Papier, für eine zeitigere Auslieferung, für ausgiebigere
Bebilderung und »wo möglich ein par Bogen Textes mehr«.
Die Texte sollten vom Inhalt her gemischt sein: »politische
Begebenheiten des vorigen Jahres, Mord- und Diebsge-
schichten, verunglückten Schatzgräber- und Gespenster-
spuk, Feuersbrünste, Naturerscheinungen, edle Handlungen und witzige Einfälle«. Das alles nach dem Prinzip der
abwechslungsvollen Mannigfaltigkeit angeordnet, denn »ein
wohlgezogener Kalender soll sein ein Spiegel der Welt« (*Der
preußische Krieg vom Jahre 1806/07*, 1808). Schließlich
schlug Hebel vor, die Bearbeitung in e i n e Hand zu geben,
am besten in die eines Landgeistlichen, »der beobachtend
mit und unter dem Volke lebt«. Die Sache entwickelte sich

nun, wie auch heute noch üblich: es gab ein Gegengutachten; Hebel schob ein zweites Gutachten nach, in dem er seine Position nochmals bekräftigte; das Konsistorium tagte und schließlich, Anfang 1807, wurde Hebel die Redaktion des Kalenders übertragen.

Der Karlsruher Kalender, ab dem Jahrgang 1808 mit seinem neuen Namen *Der Rheinländische Hausfreund*, nahm dank der Erzählkunst seines Redakteurs einen wundersamen Aufschwung: die Auflage stieg von 20000 Exemplaren (1807) auf 40000 (1810) und konnte sich in den folgenden Jahren fast auf dieser Höhe halten (vgl. Rohner II, S. 39).

Auch die Gebildeten wurden aufmerksam. Goethe las den Jahrgang 1811 und bat Cotta, ihm »sämmtliche Jahrgänge des Rheinländischen Hausfreunds« zu beschaffen. Der Verleger hatte schon vorher ein gutes Geschäft gewittert (leider vergeblich, wie die Verkaufszahlen nachher zeigten) und Hebel vorgeschlagen, eine Sammlung der besten »Lese-Stücke« herauszugeben: das *Schatzkästlein des rheinischen Hausfreundes* (1811), von dem Hebel ein Exemplar dem verehrten Jean Paul zuschickte (vgl. Brief vom 2. Juni 1811).

Für seine »Lese-Stücke« hat Hebel weitverbreitete Volkserzählstoffe aufgegriffen: bei der Erzählung *Die zwei Postillione* finden sich Grundstruktur der Erzählhandlung und Hauptmotive schon bei Jörg Wickram; in der Erzählforschung sind sie bekannt unter dem Titel *Die schreckliche Drohung*. Der Stoff zu *Eile mit Weile* stammt aus der mittelalterlichen Exempelliteratur, und die scheinbar zeitgenössische Mordgeschichte *Wie eine greuliche Geschichte durch einen gemeinen Metzgerhund ist an das Tageslicht gebracht worden* läßt sich schon bei Plutarch nachlesen (*Moralia* 969c–970a). Diese wenigen Hinweise mögen genügen, um Hebels Erzählungen vom Stoff her als ›volkstümlich‹ im Brechtschen Sinn, d. h. allgemein verbreitet und jedermann verständlich, zu charakterisieren. Aber auch in der Erzählstrategie ist Hebel den Weg volkstümlichen Erzählens konsequent weitergegangen, ohne dabei an künstlerischer Qualität zu verlieren. Ja, volkstümliches und höchst kunstvolles Erzählen sind bei den Kalendergeschichten zu einer unübertroffenen Synthese gelangt. Hebel ist sich des Wirkungshorizontes immer bewußt gewesen (an Kerner, 20. Juli 1817):

> wie unerläßlich an einen Nationalschriftsteller die Forderung ist, daß er während er quasi aliud agendo seine Leser belehrt, so viel als möglich zwischen ihren bekannten und ansprechenden Gegenständen sie herumführe, sie öfters an Bekanntes erinnere und sich ihnen gleiche.

Hebel wollte »populär-ästhetisch und moralisch fruchtbar« sein (an Friedrich Wilhelm Hitzig, 11./14. April 1802). Das bedeutet, »daß die ächte Popularität nicht darin bestehe, den gelehrten Vortrag bis zur Allgemein-Verständlichkeit hinab auseinander zu ziehen, sondern die genuine Art der Vorstellung u. Darstellung des Volkes unmittelbar und lebendig aufzufassen, und nur veredelt auszudrücken« (an Johann Friedrich Köster, 11. April 1801). Hebel möchte dabei den Geschmack seines Lesepublikums »für die Erreichung edler Zwecke« nutzen und verlangt deshalb, der Kalender müsse verständlich, lehrreich, unterhaltend sein. Der Lesergeschmack ist für den Kalenderbearbeiter verbindlich bei der Wahl der Gegenstände, der Sprache und der Tonlage. Exemplarische Lebensläufe, mit denen die Resignation vor schwierigen Lebensaufgaben bekämpft werden soll, stehen neben Gespenstergeschichten, die mit ihren rationalen Auflösungen die Ängste vor scheinbar Unbegreiflichem abbauen wollen; überschaubare Abhandlungen über Naturphänomene, die zu vernünftiger Wirklichkeitsauffassung hinführen, folgen auf unterhaltsame Schwankerzählungen und treffende Anekdoten, die charakterliche Größe und Grenzen der Mitmenschen aufzeigen, Berichte über Glück und Unglück in Kriegswirren und kritische Betrachtungen zu unkritischer Traditionalität – mit all dem will Hebel die Neugierde, das Unterhaltungs- und Wissensbedürfnis seines Kalenderpublikums reizen und befriedigen.

Hebel läßt es dabei aber nicht sein Bewenden haben. Die weiterreichenden Ziele lauten: Veredelung des Geschmacks, Versittlichung des Menschen und – versteckt hinter dem Lesevergnügen, dem ›studio placendi‹ – Erweiterung des geistigen Horizontes der Kalenderleser. Um diese Ziele zu erreichen, hat Hebel erzählstrategisch vor allem das enge Zwiegespräch mit dem Leser etabliert: der »Hausfreund« (das ist – erzähltechnisch – der kommentierende Erzähler; das ist gleichzeitig – produktionstechnisch – der ›Kalendermann‹; das ist außerdem – biographisch – Hebel selber) nimmt gegenüber seinen Lesern (fiktiven wie realen) die Funktion eines ›Dolmetschers‹ ein. Dieser will nicht nur Wissen vermitteln, sondern vor allem die verborgene (theologische) Bedeutung des Erzählgeschehens offenbaren. Das Gespräch mit dem Leser evoziert Vertraulichkeit zwischen ihm und dem Autor und stiftet schließlich eine alle Leser, den Erzähler und seine Figuren umfassende Hausfreundschaft. Die Teilnahme des Lesers am Gespräch dieser Hausfreundschaft aktiviert Verstand und Phantasie, bewirkt Einverständnis, integriert. Reduktion von Unwissen und Angst, Abbau von Vorurteilen und eingeschliffenen Denkweisen, behutsame Erweiterung des geistigen Horizontes und Hinführung zu einem aufgeklärt-christlichen Humanismus können leichter erreicht werden.

Da Moralisierung als ein Hauptingrediens zum Kalender gehörte, mochte Hebel nicht völlig auf sie verzichten. Er hat aber der Moral ihre strenge Verbindlichkeit genommen, sei es, daß er sie verdoppelt, so daß die Sentenzen sich gegenseitig neutralisieren bzw. die jeweilige Moral der Erzählung widerspricht, sei es, daß er sentenziöse Schlüsse ins Persönliche oder ins Ungefähre wendet. Der Eindruck, daß Hebel mit der Moral spielt, sie ironisiert, läßt sich nicht abweisen. Hebel möchte vor allem belehren, nicht moralisieren. In denjenigen Geschichten, in denen keine Lehre unmittelbar auszumachen ist, die ganz in sich zu ruhen scheinen, fehlt dennoch nicht die Leitvorstellung von der kritischen Humanität. Wenn der im Sozialprestige seiner Zeit wenig Geachtete auftritt: sei es Diener, Gauner, Schelm, Knecht oder Soldat, dann offenbaren seine Charakterqualitäten List, Verstand, Schlagfertigkeit, Herzlichkeit auch ihn als ein anzuerkennendes Mitglied der Gesellschaft. Im Sieg des sozial Schwächeren liegt ein nicht zu unterschätzendes humanitäres Identifikationsangebot des Autors an seine Leser. Während die zeitgenössischen Kalender blinden Gehorsam gegenüber der Moral fordern, möchte Hebel seine Leser zum Mitdenken verführen, zum Überprüfen überlieferter Normen veranlassen. Die Aktivierung der Vernunft ist ihm wichtiger als traditionelle Moral.

Hebels Kalendertätigkeit endete mit dem Jahrgang 1815. Den Jahrgang für 1819 hat er mehr zufällig bearbeitet, weil ein Kalenderprojekt, das mit Justinus Kerner für Württemberg geplant war, nicht zustande kam.

Hebels letztes literarisches Vermächtnis sind die *Biblischen Geschichten*, die er zwischen 1818 und 1824 verfaßte, ein bis heute nicht recht gewürdigtes Werk. Es ist ein Geschenk an die Jugend, der er bis ans Lebensende gedient hat. Auch hier hat die Erinnerung an die eigene Kinderzeit wieder einen starken inspirierenden Anteil (an Sophie Haufe, 7. Februar 1824):

> Denn immer wenn ich schrieb habe ich mir meinen alten Schulmeister Andreas Grether in Hausen und mich und meine Mitschüler unter dem Schatten seines Stabes [. . .] gedacht.

Bei der Auswahl des Stoffes hat Hebel auf das kindliche Gemüt und die Vorstellungskraft des Kindes Rücksicht genommen: es fehlen deshalb beispielsweise der Turmbau von Babel, die Geschichte vom brennenden Dornbusch, Jakobs Traum, Simson, Jonas, die Hochzeit von Kana.

Auch gegenüber den Wundergeschichten hält sich Hebel sehr zurück. Aber wie in den Kalendergeschichten ist auch hier der Erzähler gegenwärtig und kommentiert und kritisiert nötigenfalls ihm allzu fanatisch erscheinende Propheten und Märtyrer. Und: die biblischen Geschichten spielen in der Oberländer Landschaft, um sie den jungen Lesern ja recht nahe zu bringen. Mit den *Biblischen Geschichten* kehrt Hebel zurück zur Theologie, die in den *Allemannischen Gedichten* und den Kalendergeschichten des *Rheinländischen Hausfreunds* mehr in den Hintergrund gerückt waren; aber er trägt die Bibel vor als begnadeter Erzähler und stellt sie souverän in den Dienst seines Erziehungszieles: einer christlich-kritischen Humanität.

Bibliographische Hinweise

Sämmtliche Werke. 8 Bde. Karlsruhe 1832–34.

Werke. 2 Bde. Hrsg. von O. Behaghel. Berlin/Stuttgart 1883–84.

Poetische Werke. Nach den Ausg. letzter Hand und der Gesamtausg. von 1834 unter Hinzuziehung der früheren Fass., mit einem Nachw. von Th. Salfinger. München 1961.

Werke. 2 Bde. Hrsg. von E. Meckel. Eingel. von R. Minder. Frankfurt a. M. 1968.

Briefe. Hrsg. und erl. von W. Zentner. 2., erw. und verb. Aufl. Karlsruhe 1957. – 1. Aufl. 1939.

Briefe. Ausgew. und eingel. von W. Zentner. Mit Anm. und Abb. Karlsruhe/München 1976.

Briefe von Johann Peter Hebel an einen Freund. Hrsg. von F. A. Nüsslin. Mannheim 1860.

Der Rheinländische Hausfreund. Faks.-Dr. der Jahrgänge 1808–1815 und 1819. 2 Bde. Hrsg. von L. Rohner. Wiesbaden 1981. [Zit. als: Rohner.]

Schatzkästlein des rheinischen Hausfreundes. Krit. Gesamtausg. mit den Kalender-Holzschnitten. Hrsg. von W. Theiß. Stuttgart 1981.

Altwegg, W.: Johann Peter Hebel. Frauenfeld/Leipzig 1935.
– Johann Peter Hebel. Bilder aus seinem Leben. Stuttgart 1954.
Däster, U.: Johann Peter Hebel in Selbstzeugnissen und Bilddokumenten. Reinbek bei Hamburg 1973.
Funck, H.: Über den Rheinländischen Hausfreund und Johann Peter Hebel. In: Festschrift zur 300jährigen Jubelfeier des Großherzoglichen Gymnasiums in Karlsruhe. Karlsruhe 1886. S. 39–88.
Katz, P.: Ein Gutachten Hebels. In: Theologische Zeitschrift 15 (1959) S. 267–287.
Knopf, J.: Geschichten zur Geschichte. Kritische Tradition des »Volkstümlichen« in den Kalendergeschichten Hebels und Brechts. Stuttgart 1973.
Kully, R. M.: Johann Peter Hebel. Stuttgart 1969. (Sammlung Metzler. 80.)
– Johann Peter Hebel als Theoretiker. In: Das Markgräflerland. N. F. 10. (1979) H. 1/2. S. 116–136.
Lypp, M.: »Der geneigte Leser verstehts.« Zu J. P. Hebels Kalendergeschichten. In: Euphorion 64 (1970) S. 385–398.
Oettinger, K.: »Ein Beispiel, bei dem man Gedanken haben kann.« Über die Zeitgeschichtenschreibung Johann Peter Hebels. In: Deutschunterricht 26 (1973) H. 6. S. 37–53.
Röhrich, L.: Hebels Kalendergeschichten zwischen Volksdichtung und Literatur. Lörrach 1972.
Rohner, L.: Kalendergeschichte und Kalender. Wiesbaden 1978.
Staffhorst, G.: Johann Peter Hebels »Stilbuch«. In: Festschrift des Bismarck-Gymnasiums Karlsruhe. 400 Jahre Gymnasium illustre 1586–1986. Karlsruhe 1986. S. 256–321. [Mit Edition.]
Trümpy, H.: Volkstümliches und Literarisches bei J. P. Hebel. In: Wirkendes Wort 20 (1970) S. 1–19.
Wittmann, L.: Johann Peter Hebels Spiegel der Welt. Interpretationen zu 53 Kalendergeschichten. Frankfurt a. M. 1969.
Zentner, W.: Johann Peter Hebel. Eine Biographie. Karlsruhe 1965.

August von Kotzebue

Von Sylvelie Adamzik

Auf spektakuläre Weise stirbt am 23. März 1819 in Mannheim der erfolgreichste Autor deutscher Bühnen, August von Kotzebue: durch das Attentat des Jenaer Theologiestudenten und Burschenschaftlers Karl Ludwig Sand. Als Schlag gegen das System Metternich wird diese Tat von Demokraten gefeiert; der Reaktion dient sie zu den Restriktionen der Karlsbader Beschlüsse mit der Kontrolle über Presse und Universitäten, mit dem Verbot der Burschenschaften, nicht zuletzt mit der Verfolgung der sogenannten Demagogen.

Historische Explosivität konzentriert sich hier also gerade in der Person eines Schriftstellers, der seine Überzeugungen, politische wie literarische, gewinnbringend zu Markte trägt. Sein Ruf ist zwielichtig. In Angelegenheiten von Kultur und Politik Berichterstatter des Zaren seit 1817 in Weimar, gilt er, unberechtigterweise, als Spion im Dienste Rußlands. Tatsache aber ist, daß das von ihm 1818/19 herausgegebene *Literarische Wochenblatt* die restaurative Politik des herrschenden Systems propagiert und sich zum Ankläger nationaler und liberalistischer Stimmen macht. Demzufolge verbrennen freiheitlich gesinnte Oppositionelle auf dem Wartburgfest 1817 den 1. Band seiner vierbändigen *Geschichte des Deutschen Reichs* (1814–32).

Aber nicht nur auf der politischen Szene, auch in der literarischen Zunft legt es Kotzebue auf Konfrontation an, wobei ihm hier wie dort die bedeutendsten Exponenten als Adressaten eben recht sind. So richten sich seine Angriffe in

August von Kotzebue
1761–1819

der 1803–07 herausgegebenen Zeitschrift *Der Freimütige*
zum einen gegen Napoleon, der im Sinne der preußisch-
österreichisch-russischen Allianz auch das vorrangige Objekt der Kritik in den späteren Organen *Die Biene* (1808
bis 1809), *Die Grille* (1811–12) und *Das russisch-deutsche
Volksblatt* (1813) abgibt, zum anderen gegen den Dichter-
heros Goethe. Mit den Frühromantikern überwirft er sich
bereits 1799 durch seine gegen Friedrich Schlegel gerichtete
dramatische Satire *Der hyperboreische Esel oder die heutige
Bildung*, auf die August Wilhelm Schlegel in einer bissigen
Parodie reagiert. Aber auch Arnim, Brentano und Tieck,
Arndt, Kleist und vor allem Schiller vermag Kotzebue zu
höhnischen bis verachtenden Äußerungen zu provozieren.

Und doch wird ihm prominente Anerkennung zuteil.
Etwa durch Goethe, der bei allen Bedenken gegen den
zwanghaften Geltungswillen des Autors in ihm den Theater-
praktiker schätzt. Dem Urteil des großen Zeitgenossen entspricht, daß zu Lebzeiten Kotzebues dessen Stücke – von
ihrem Verfasser selbst auf 211 beziffert – bis zu einem
Viertel aller Aufführungen die deutschsprachige Bühne
dominieren und weit über die Jahrhundertmitte hinaus für
deren Repertoire bestimmend bleiben, während sie im Ausland durch zahlreiche Übersetzungen verbreitet sind. Doch
beschränkt sich Kotzebues literarische Tätigkeit keineswegs
nur auf Theaterstücke. Er ist überdies Verfasser vieler
Romane, Erzählungen und Gedichte, historischer Werke,
Reisebeschreibungen, autobiographischer Schriften und
Übersetzungen, etwa von Komödien Molières.

Dabei geht der am 3. Mai 1761 in Weimar geborene
Kotzebue seiner Passion für Poesie und Theater vorerst nur
aus Liebhaberei nach. Zunächst entscheidet er sich für das
Studium der Jurisprudenz, das ihm die Möglichkeit einer
Beamtenlaufbahn eröffnet. Diese führt ihn, seit 1780 in
verschiedenen herausragenden Positionen, von denen ihm
eine das Adelsprädikat einträgt, bis nach Petersburg, einem
der zentralen Schauplätze seines Lebens. Ein Jahrzehnt spä-

ter bereits als erfolgreicher Autor etabliert, kann er sich zu schriftstellerischer Arbeit auf sein Gut bei Reval zurückziehen. 1797 wechselt er professionell zur Bühne über, nämlich als Theaterdirektor nach Wien, später nach Weimar.

Wie sich in Kotzebues schillernder Persönlichkeit die beiden Karrieren des deutschsprachigen Dramatikers und des russischen Staatsangehörigen und Amtsträgers verschränken, zeigt sich, als er 1800 bei der Einreise nach Rußland ohne ersichtlichen Grund infolge Denunziation verhaftet und nach Sibirien verbannt wird. Bereits nach vier Monaten angeblich aufgrund des eben in russischer Übersetzung erschienenen Stücks *Der alte Leibkutscher Peters III.* (dt. 1799), einer indirekten Laudatio auf den regierenden Zaren Paul I., begnadigt, hält Kotzebue diese Ereignisse in den Aufzeichnungen *Das merkwürdigste Jahr meines Lebens* (1801) fest.

Nach dem Tod des Zaren gibt Kotzebue seine Funktion als Petersburger Theaterdirektor auf, um nach Jena und Weimar zurückzukehren und sich schließlich, von 1804 bis 1806, als Herausgeber und Journalist verschiedener Zeitschriften in Berlin niederzulassen. Hier wird er zum Mitglied der Preußischen Akademie ernannt. Seine publizistische Tätigkeit setzt er in Petersburg fort, von wo aus er über den Editionsort Königsberg gefahrlos gegen Frankreich Partei nehmen kann. Dafür mit dem Amt des Staatsrats und Generalkonsuls ausgezeichnet, agiert er ab 1813 zunächst in Königsberg, dann in Berlin; 1816 nimmt er, abermals in Petersburg, die Aufgaben eines Staatsrats für auswärtige Angelegenheiten wahr. Wieder in Deutschland, werden ihm seine Aktivitäten für den Zaren schließlich zum tödlichen Verhängnis.

Kotzebues Theater – Lustspiele, historische Trauerspiele und Ritterstücke – ist in Stoff und Technik genauestens auf sein Publikum hin kalkuliert. Es sollte unterhalten und rühren. In dieser Absicht arbeitet es mit effektgeladenen

Versatzstücken; polar angelegte Konflikte werden sorgfältig austariert: thematisch zentriert um den Widerstreit von Natur und Gesellschaft, Tugend und Laster, finden sie in einem breiten Spektrum von Varianten stets ihre Auflösung. Die dem Dramatiker angelastete Oberflächlichkeit, Standpunktlosigkeit und Immoralität seiner Stücke leugnet er nicht, verdankt er jenen Eigenschaften als integrativen Charakteristika doch gerade die Affekte steuernde Wirkung. Der Fähigkeit, Bewußtsein und Gefühl in Regie zu nehmen, schuldet er seinen Ruhm.

Der hebt an mit dem 1789 entstandenen Schauspiel *Menschenhaß und Reue*, das Gegensätze wie Adel und Bürgertum, Stadt und Land exponiert, um sie wieder einzuziehen; das Publikum findet sich beruhigt über gesellschaftliche Dissonanzen. Als das gelungenste Stück, 1803 erschienen und auch heute noch aufgeführt, gelten *Die deutschen Kleinstädter*, eine Persiflage auf provinzielle Mentalität. Die durch berechnetes Wechselspiel von Identifikation und Distanz entbundene Spannung des Zuschauers wird entsprechend dem Sujet des Verwirrspiels mit Happy-End im Konzept der heilen Welt gelöst: auch dies eine Katharsis Kotzebuescher Provenienz.

Wenn Friedrich Nietzsche 1886 konstatiert, Kotzebue sei das »eigentliche Theatertalent der Deutschen«, dann zielt dieses Urteil weniger auf Wertschätzung als auf Entlarvung eines mediokren »Deutschtums«, dem der Schauspieldichter auf dem Theater seine adäquate Repräsentation liefere. Und Nietzsche benennt denn wohl das Geheimnis des Autors und seiner lang anhaltenden Konjunktur: Menschliches, Allzumenschliches führt er vor Augen, in welchem »seine Deutschen, die der höheren sowohl als die der mittleren Gesellschaft«, sich wiedererkennen.

Bibliographische Hinweise

Neue Schauspiele. 23 Bde. Leipzig 1798–1819.

Almanach dramatischer Spiele zur geselligen Unterhaltung auf dem Lande. 18 Bde. Leipzig/Riga 1803–20.

Kleine Romane, Erzählungen, Anekdoten und Miszellen. 6 Bde. Leipzig 1805–09.

Sämtliche dramatische Werke. 44 Tle. Leipzig 1827–29.

Theater. 40 Bde. Leipzig/Wien 1840–41.

Ausgewählte prosaische Schriften. 45 Bde. Wien 1842–43.

Schauspiele. Mit einer Einf. von B. v. Wiese. Hrsg. und komm. von J. Mathes. Frankfurt a. M. 1962.

Albertsen, L. L.: Internationaler Zeitfaktor Kotzebue. Trivialisierung oder sinnvolle Entliterarisierung und Entmoralisierung des strebenden Bürgers im Frühliberalismus? In: Sprachkunst 9 (1978) Halbbd. 1. S. 221–240.

Denis, A.: La fortune littéraire et théatrale de Kotzebue en France pendant la révolution, le Consulat et l'Empire. Paris 1976.

Geisemann, G.: Kotzebue in Rußland. Materialien zur Wirkungsgeschichte. Frankfurt a. M. 1971.

Hembl, R.: Zur Trivialität Kotzebues. Psychohistorische Anmerkungen. In: Sprachkunst 13 (1982) H. 1. S. 50–62.

Kaeding, P.: August von Kotzebue. Auch ein deutsches Dichterleben. Berlin 1988.

Maurer, D.: August von Kotzebue. Ursachen seines Erfolges. Konstante Elemente der unterhaltenden Dramatik. Bonn 1979.

Stock, F.: August von Kotzebue. In: Deutsche Dichter des 18. Jahrhunderts. Ihr Leben und Werk. Hrsg. von B. v. Wiese. Berlin 1977. S. 958–971.

CHRISTIAN AUGUST VULPIUS

Von Günter Dammann

»Er hat von Jugend auf Disposition zu den Wissenschaften gezeigt, und hat früh aus Neigung und Not geschrieben und drucken lassen. Er heißt V u l p i u s.« So Goethe am 9. September 1788 in einem Brief an Friedrich Heinrich Jacobi, der einen Sekretär und Hauslehrer suchte. Christian August Vulpius, am 22. oder 23. Januar 1762 als erstes Kind eines kleinen fürstlich-sächsischen Kopisten und Archivars in Weimar geboren, Jurastudent in Jena und Erlangen (ohne Abschluß), Privatsekretär verschiedener Adliger und gegenwärtig wieder ohne Anstellung, bekam den Posten bei Jacobi nicht. Statt dessen erhielt er – durch die distanzierte Unterstützung Goethes, der seit 1788 ein eheähnliches Verhältnis mit Vulpius' Schwester Christiane eingegangen war (1806 durch kirchliche Trauung besiegelt) – verschiedene weitere kurzfristige Beschäftigungen, darunter eine relativ kontinuierliche am Weimarer Theater. Erst fünfunddreißigjährig, 1797 nämlich, gelangte er in ein festes Amt, als er, zunächst in der Funktion eines Registrators, in Weimar (dann auch Jena) die Bibliothekslaufbahn antreten konnte. 1803 zum Dr. phil. und 1805 zum Bibliothekar ernannt, brachte er es bis zum Rat und Ritter des weißen Falkenordens. Wenige Jahre vor seinem Tod am 25. Juni 1827 mußte er aus Gesundheitsgründen in den Ruhestand treten.

Aus »Neigung und Not« (wohl wirklich in dieser Goetheschen Reihenfolge) zum Schriftsteller geworden, hat Vulpius ein äußerst umfangreiches Werk hinterlassen und ist doch

Christian August Vulpius
1762–1827

der Mann e i n e s Buches geblieben. Wie so oft in derglei-
chen Fällen ist es, nämlich *Rinaldo Rinaldini, Der Räuber
Hauptmann*, nicht das interessanteste. Für seine Zeitgenossen wird Vulpius vielmehr einerseits bedeutsam durch seine
zahllosen Trauer-, Lust- und Singspiele sowie Opern und
Operetten, meist Bearbeitungen für das Weimarer Theater
im Auftrage Goethes, aber auch an anderen Orten aufgeführt. In noch größerem Ausmaß wirkt er jedoch als Vermittler der spätmittelalterlichen bis frühneuzeitlichen Literaturen. Bereits ab 1782 ist er als Mitarbeiter an Heinrich
August Ottokar Reichards *Bibliothek der Romane* (21 Bde.,
1778–94) in Erscheinung getreten und hat Volksbücher
sowie Romane aus dem *Palmerin*-Zyklus und barocke Schä-
fereien vorgestellt. Aus diesem Stoff- und Gattungsbereich
sind dann auch mehrere von Vulpius' frühen eigenen Romanen ganz direkt abgeleitet, darunter eine Bearbeitung
von Giovanni Ambrogio Marinis *Calloandro sconosciuto*
(1640–41). Eine extensive Lektüre- und Bibliotheksarbeit
ermöglicht es Vulpius bald, die Stoffe seiner ganz offen auf
Unterhaltung abgestellten Erzählungen aus dem Bereich
einer phantastischen Ritterwelt herauszunehmen und in
konkretere geschichtliche Räume zu verlagern. In *Skizzen
aus dem Leben galanter Damen* (1789–93) werden Affären
vor allem französischer, italienischer und spanischer Höfe
der frühen Neuzeit erzählt. Mit der stattlichen zehn-
bändigen Sammlung *Romantische Geschichten der Vorzeit*
(1791–98) wendet Vulpius sich neben italienischen Stoffen
jetzt auch ausführlich und mit sichtbarer Begeisterung dem
deutschen Mittelalter zu. »Spanier und Franzosen haben
schon längst gethan«, heißt es in der Vorrede zu diesem
Unternehmen, »was die Teutschen nun auch thun, das
heißt, sie benutzten Volkssagen, einzelne Züge aus Kroni-
ken, Traditionen etc. und bildeten romantische Erzählungen
daraus«. Vulpius entfaltet in Fußnoten seine beeindruckende
Quellenkenntnis, die sich großenteils auf Druckwerke des
16. und 17. Jahrhunderts (mit Vorliebe von Cyriacus Span-

genberg und Friedrich Lucae) stützt. Daß er im letzten Band
eine umformulierte Version des anonymen (von Grimmelshausen verfaßten) Büchleins *Der erste Beernhäuter* liefert,
belegt sein Interesse für die deutsche Barockliteratur, die er
schon von seinen frühesten Büchern an durch viele Zitate
von Opitz und (bemerkenswerterweise) auch von Lohen-
stein und Hoffmannswaldau dem Publikum vermitteln will.
Von Paul Fleming, dem »jetzt so wenig gelesenen Dichter
des vorigen Jahrhunderts«, würde er gern eine Auswahlaus-
gabe veranstalten (vgl. *Romantische Geschichten*, Bd. 9).

Das Profil, das sich auf diese Weise abzeichnet, ist das eines Schriftstellers mit – um Goethes Urteil zu spezifizieren –
»Disposition zu den literarhistorischen und historischen
Wissenschaften«, der jener bald darauf durch Tieck, Brentano und die Grimms erfolgenden Wiederentdeckung der
mittelalterlichen und barocken Literatur vorarbeitet und der
seine Kenntnisse der erzählenden Literatur des 16. und
17. Jahrhunderts zugleich und vor allem geschickt zur Formel des ›romantischen Romans der Vorzeit‹ ausmünzen
kann.

Vornehmlich durch das epochale Ereignis der Französischen Revolution inspiriert, kommt Vulpius auf den Gedanken, auch aktuelle geschichtliche Vorgänge zum Stoff seiner
Produktion zu wählen. Es entstehen die halbdokumentari-
schen Romanserien *Szenen in Paris* (1790–91) und *Neue
Szenen in Paris und Versailles* (1792–93), denen 1800 in
ähnlicher Machart Bücher über die russischen und englischen Truppen in Italien zur Zeit der Napoleonischen
Kriege folgen. Die sich an diesen Stoffen herausbildende
politische Botschaft (gegen die Französische Revolution,
gegen Napoleon) geht mit der Formel des ›romantischen
Romans der Vorzeit‹ seit 1794/95 eine Verbindung zu einem
immer erfolgreicher werdenden Typ von Romanen ein.
Meist in Italien und meist im 18. Jahrhundert spielend, führt
die Erzählform männliche Protagonisten vom Profil der
spanischen und italienischen Epen- und Romanhelden des

16. Jahrhunderts vor – wie denn auch Rinaldinis Vorname ganz absichtsvoll nach Tassos Figur Rinaldo gebildet sein dürfte. Die Maiolinos, Orlandos, Leontinos, Armidoros und eben Rinaldos rätselhafter Herkunft, deren Eltern erst am Schluß überraschend enthüllt werden, bewegen zwischen ihren (seltenen) Phasen militärischer und paramilitärischer Aktivitäten sich (vornehmlich) in einer Art phlegmatischen Traumtanzes durch mediterrane Landschaften und Städte. In lockeren Episoden amouröse Beziehungen eingehend, auflösend und wiederfindend, von geheimnisvollen Verschwörungen und Umsturz- wie Freiheitskampfprojekten ›guter‹ und ›schlechter‹ Provenienz umgarnt und von nächtlichen Schrecken sowie Verfolgungen terrorisiert, dabei zutiefst auf der Suche nach Erlösung in den Armen der Familie und der Religion, scheitern sie am Ende meist bittersüß oder tragisch umflort. Der absolute Bestseller aus diesem Programm, das mit der *Aurora* (1794–95) beginnt (deren Held bereits Rinaldo heißt) und etwa fünfzehn Jahre später mit *Lucindora, die Zauberin* (1810) endet, ist nun eben *Rinaldo Rinaldini, Der Räuber Hauptmann.* Daß Vulpius von der Beliebtheit dieses Buches überrascht wurde, zeigt die komplizierte Textgeschichte im Anschluß an die ersten beiden Auflagen von 1798/99 und 1799: die »Fortsetzung der Geschichte« wird, da Rinaldini am Ende der Originalfassung erdolcht worden ist, 1800/01 unter dem Titel *Ferrandino* veröffentlicht, ehe von der 4. Auflage (1802) ab ursprüngliche Version und Fortsetzung in neuer Gesamtredaktion vorgelegt werden. Vulpius' Verwunderung über den Erfolg des nachlässig komponierten Räuberromans mit seinen konfusen Spannungsbögen spiegelt sich auch noch im Vorwort zum *Sicilianer* (1803), der ebenfalls nach dem Programm gearbeitet ist: »Wie so manchmal schon«, heißt es da, »zog der Verfasser eines Romans eine Niete, und glaubte des Treffers ganz gewiß zu seyn! Ein andermal rechnete er selbst auf eine Niete, und siehe da! das Publikum schrie: Ein Treffer! Ein Treffer!«

Das Versprechen, das er schon 1785 im 2. Teil seines *Eduard Rosenthal* gegeben hat: »Ich wenigstens bin noch willens viele Romane zu schreiben«, hat Vulpius mit Sicherheit eingehalten. In den letzten anderthalb Jahrzehnten seines Lebens wendet er sich gleichwohl, vermutlich auch durch seine Tätigkeit als Bibliothekar dazu motiviert, stärker populärwissenschaftlicher Publizistik zu. Vor allem in den beiden Zeitschriftreihen *Curiositäten* (1811–23) und *Die Vorzeit* (1817–21) liefert er – in abwechslungsreicher Mischung, meist seriös, aber auch mit Hang zu abstrusskurrilen Nebensächlichkeiten – Materialien zur Literatur- und Kunstgeschichte, zur Geschichte des Mittelalters und der frühen Neuzeit und zur historischen Volkskunde.

Rinaldo Rinaldini indessen, in Neuauflagen und Bearbeitungen dem deutschen Lesepublikum bis weit ins 20. Jahrhundert hinein präsent und in mindestens acht Sprachen (nicht ins Italienische) übersetzt, verdunkelt für die Nachwelt nicht nur das übrige erzählerische Œuvre des Romanciers, sondern auch das Licht des Editors und Historikers Vulpius. Schon unmittelbar nach Erscheinen von Karl Friedrich Hensler und dann vom Autor selbst dramatisiert und auf dem Theater ausgewertet, wird die Geschichte des melancholischen Räubers auch ins Medium des Bilderbogens umgesetzt (so bei der Firma Gustav Kühn, Neu-Ruppin, unter Nr. 2575, 4185 und 7642). Um 1900 schließlich gehört der »Räuberhauptmann Rinaldini, in [. . .] zweihundertunddreizehn Heftchen à zehn Pfennige«, zum eisernen Buchbestand der verschworenen Würzburger Lehrlinge aus Leonhard Franks Roman *Die Räuberbande* (1914).

Bibliographische Hinweise

Rinaldo Rinaldini, Der Räuber Hauptmann. Eine romantische
  Geschichte unseres Jahrhunderts. 18 Tle. In 3 Bdn. Mit einem
  Vorw. von H.-F. Foltin. Hildesheim 1974. (Nachdr. der Ausg.
  Leipzig 1799–1801.)
Rinaldo Rinaldini. Räuberroman. Hrsg. von K. Riha. Frankfurt
  a. M. 1979.
Lucindora, die Zauberin. Erzählung aus den letzten Zeiten der
  Mediceer. Mit einem Vorw. von H.-F. Foltin. Hildesheim 1973.
  (Nachdr. der Ausg. Leipzig 1810.)
Handwörterbuch der Mythologie. Wiesbaden 1987.

Dammann, G.: Antirevolutionärer Roman und romantische Erzäh-
  lung. Vorläufige konservative Motive bei Chr. A. Vulpius und
  E. T. A. Hoffmann. Kronberg i. T. 1975.
Elwenspoek, C.: Rinaldo Rinaldini der romantische Räuberfürst
  [...] durch erstmalige Quellenforschungen enthüllt. Stuttgart
  1929.
Vulpius, W.: »Rinaldo Rinaldini« als ein Lieblingsbuch seiner Zeit
  literarhistorisch untersucht. Diss. München 1922. [Masch.]
– Bibliographie der selbständig erschienenen Werke von Christian
  August Vulpius. In: Jahrbuch der Sammlung Kippenberg 6 (1926)
  S. 65–127.
Widmann, H.: Die Beschimpfung der Reutlinger Nachdrucker
  durch Christian August Vulpius. In: Archiv für Geschichte des
  Buchwesens 14 (1974) Sp. 1535–88.

JOHANN GOTTFRIED SEUME

Von Jörg Drews

»Es ist am 28sten oder 30. Juni d. J. ein Student aus Leipzig
unter dem Vorgeben, seine Anverwandten zu besuchen,
verreist, und zur Zeit weder zu seinen Verwandten, noch
nach Leipzig zurückgekommen. Er war 18 bis 19 Jahre alt,
mittler Statur, trug sein schwarzbraun Haar, welches ein
wenig tief in die Stirn gewachsen war, in einem steifen
Zopfe, und hat sehr starke schwarze Augenbrauen [...]
Man befürchtet, daß diesem jungen Menschen ein Unglück
begegnet sein möchte« – diese Vermißtenanzeige stand am
19. Juli 1781 im 141. Stück der *Leipziger Zeitung*; sie
bezeichnet eine entscheidende Wegmarke in Johann Gottfried Seumes Leben. Denn der da mit achtzehneinhalb Jahren – Seume wurde am 29. Januar 1763 in Poserna als Sohn
eines Landwirts geboren – dem Theologiestudium entlief, da
er unter dem Einfluß aufklärerischer Schriften den rechten
Glauben verloren hatte, aber auch nicht um der Aussicht auf
eine Pfarrstelle willen heucheln wollte, fiel wenige Tage
später hessischen Soldatenfängern in die Hände: »in Vach
übernahm trotz allem Protest der Landgraf von Kassel, der
damalige große Menschenmäkler, durch seine Werber die
Besorgung meiner ferneren Nachtquartiere nach Ziegen-
hain, Kassel und weiter nach der neuen Welt.« So schildert
es Seume mit untertreibendem Witz in seiner Autobiographie *Mein Leben* (S. 58); er wurde zwangsweise also, was er
doch freiwillig – allerdings in Frankreich, auf der Artillerie-
schule in Metz – hatte werden wollen: Soldat. Zwar schrieb
er auch schon 1789 in seiner ersten Publikation, dem *Schrei-*

ben aus Amerika nach Deutschland, mit einer Art stoischer Nonchalance von seiner Zwangsverfrachtung über den Ozean nach Halifax im Sommer und Herbst 1782; er scheint aber doch, bei aller grundsätzlichen und auch später immer wieder aufbrechenden Neigung zum Soldatenstand, in Amerika wie dann auch als preußischer Soldat in Emden von 1783 bis 1787 unter der Ödnis des Militäralltags und dem Verlust von Zeit für ernsthafte Studien sehr gelitten zu haben. Er hat sich lange schuldig gefühlt und hat teuer dafür bezahlt, daß er seine Gewissenskonflikte in Leipzig so schroff, durch Weglaufen, zu lösen versucht hatte.

Erst sechs Jahre später kann er vom Militär loskommen und sein Studium in Leipzig wiederaufnehmen; sein einstiger und – nach der militärischen Unterbrechung seines Studiums – erneuter Gönner, der Graf Hohenthal-Knauthain, ist nun sogar mit einem Wechsel der Studienfächer einverstanden. Seume studiert Jura, Philosophie, Altphilologie und Geschichte, verdient sich zum Stipendium noch Geld mit Übersetzungen aus dem Englischen und Privatunterricht hinzu, um dem Emdener Bürger, dessen Kaution ihm den Abschied vom Militär ermöglichte, nichts schuldig zu bleiben, wird im Herbst 1791 Magister Artium und habilitiert sich am 28. März 1792 mit der Schrift *Arma veterum cum nostris breviter comparata* (*Kurzer Vergleich zwischen den Waffen der Alten und den unseren*). Es scheint nicht sicher, ob sich wirklich gar keine Möglichkeit für Seume ergeben hätte, an der Universität Leipzig zu bleiben; jedenfalls wird er wieder Soldat. Er nimmt die Stelle eines Adjutanten und Sekretärs bei dem russisch-baltischen General Igelström an, reist im August nach Rußland und tut 1793 bei den russischen Besatzungstruppen in Warschau Dienst, ist 1794 lange Monate in polnischer Kriegsgefangenschaft und kehrt 1795 nach Leipzig zurück, wo er sein 1796 erscheinendes zweites Buch vorbereitet: *Einige Nachrichten über die Vorfälle in Polen im Jahre 1794*, das Seumes Aufenthalt in Warschau hauptsächlich in der Zeit des polnischen

...es unter Kościuszko gegen die russische Besatzung
... 1797 wird Seume aus dem russischen Heer entlas-
...egen eines Terminversäumnisses zunächst unehren-
...päter ehrenvoll) und arbeitet ab Oktober als Lektor
...orrektor bei dem Verleger Göschen in Grimma, wo er
... die Drucklegung von Klopstocks *Sämtlichen Werken*
...erwacht; auch lektoriert er seines väterlichen Freundes
...hristoph Martin Wieland Roman *Aristipp und einige sei-
...er Zeitgenossen*. Am 6. Dezember 1801 schließlich bricht
Seume zu seinem schon länger geplanten Fußmarsch nach
Süditalien auf, den er unter dem kauzig-poetischen Titel
Spaziergang nach Syrakus im Jahre 1802 dann beschreibt.
Das Buch erscheint zu Ostern 1803 und macht Seume sofort
berühmt; bereits 1805 erscheint die 2. Auflage.

Zum Zeitpunkt seines Aufbruchs zu seinem Gewaltmarsch durch Italien ist Seume zwar bereits durch seine
literarische Tätigkeit mit zahlreichen Autoren bekannt, und
besonders mit Gleim in Halberstadt, dem alten Dichter und
Domkanonikus, verbindet ihn eine verehrungsvolle Freundschaft; als Autor aber hat er sich noch nicht wirklich einen
Namen gemacht, hat auch noch nichts wirklich Unverwechselbares geschrieben. Die zeitgeschichtlich-historischen Arbeiten über Polen und Rußland, die beiden Aufsatzsammlungen *Obolen* (1796 und 1798) sowie der erste Band mit
Gedichten (1801), weder politisch sehr entschieden (wiewohl sehr informiert) noch poetisch herausragend (Seume
steht als Lyriker ganz in der Tradition des vorgoethischen 18. Jahrhunderts: Gellert, Hagedorn, Gleim, Hölty),
würden heute wohl nicht mehr die geringste Aufmerksamkeit finden, wären ihnen nicht die nächsten vier Bücher
bzw. Buchprojekte und Fragmente gefolgt und hätte Seume
nicht gerade in den letzten Jahren seines Lebens eine große
Zahl politisch-staatsphilosophisch und stilistisch bemerkenswerter, bisher leider noch nie vollständig edierter Briefe
geschrieben.

In den Werken Seumes ab dem *Spaziergang* verschränken

Johann Gottfried Seume
1763–1810

sich auf eine einmalige Weise politisch fortschrittliche und poetisch seltsam altmodische Tendenzen. Erst unter dem Einfluß seiner Erfahrungen auf der Italien-Reise (für ihn ebenso entscheidend wie, in einem ganz andern Sinn, für Goethe) und bei seinem Aufenthalt in Paris im Sommer 1802 (auf dem Rückweg von Italien nach Deutschland) beginnt Seume politisch entschieden zu denken: Er erkennt, daß Napoleon Bonaparte die Französische Revolution verraten hat, in Italien sich zum Nachteil eines Großteils der Bevölkerung mit der Kirche und den alten Feudalmächten arrangierte und in Frankreich unverhüllt dabei ist, die Alleinherrschaft anzustreben. Seume bedient sich im *Spaziergang nach Syrakus im Jahre 1802* und in *Mein Sommer 1805*, dem Bericht von seiner Reise ins Baltikum, nach Rußland, Finnland, Schweden und Dänemark, der Form des Reiseberichts, der aus angeblichen Tagebucheintragungen zusammengesetzt ist, subvertiert dieses Genre aber ganz entscheidend, indem er unauffällig – weil gekoppelt mit bzw. versteckt hinter bis zur Schrulligkeit persönlichen Bemerkungen – so viele und zum Teil so heftig vorgetragene und kommentierte politische, vor allem Feudalismus-kritische Beobachtungen einschiebt, daß schon ein gehöriges Maß an Verdrängungskunst dazugehört (welches die deutsche Leserschaft des 19. Jahrhunderts natürlich durchaus aufbrachte), den *Spaziergang nach Syrakus* nur als das sonderlingshaft-liebenswürdige Reisejournal eines echten deutschen ›Charakters‹ zu verstehen und nicht zu sehen, daß etwa Seumes Begriff der ›Humanität« keineswegs vage idealistisch war, sondern deutlich politische Implikate hatte. Der *Spaziergang nach Syrakus* ist weder faktographischer Reisebericht alten Stils noch auch romantisches Reisetagebuch: Seume hat in seinem Journal – und hierfür mag es sowohl charakterlich-psychologische Gründe geben wie auch Ursachen, die in den sechs Jahren von 1781 bis 1787 liegen, in denen er eventuell den Kontakt mit den entscheidenden literarischen Entwicklungen der Zeit zu verlieren begann – ganz individuell gefärbte und formulierte Beobachtungen gemischt mit politisch-analytischen, ganz von seiner Person entfernten, streng räsonierenden Kommentaren zu den Verhältnissen, die er antraf; in dieser Mischung liegt Seumes Innovation der etwas angestaubten Gattung. Sein Blick – keineswegs auf Kunstwerke der Antike fixiert, auch nicht unbedingt auf Bildungserlebnisse aus, noch auch auf Berückung durch südliche Landschaft und Lebensart – ›mustert‹ die Verhältnisse. Sein Blick auf Italien wie der auf das Baltikum und Rußland im »Sommer 1805« bleibt der eines Außenstehenden, der bisweilen sogar damit kokettiert, daß er nur selten sich gehenlassen, nur selten Empathie aufbringen könne und »mursinnig« und »bärenmäßig« sowohl vor landschaftlichen Schönheiten wie auch vor den Landessitten stehe – und dann verschärft sich Seumes Ton doch wieder zu gerechtem, intensiv mitfühlendem Ingrimm angesichts des menschlichen und politischen Elends, in dem sizilianische Landbevölkerung wie auch lettische Leibeigene hausen und dessen politische Ursachen er erkennt, ausspricht und geißelt. Wo es um Humanität geht, die sich sowohl im alltäglichen Umgang der Menschen wie auch in den politischen Prinzipien des Gemeinwesens erweisen kann und muß, ist Seume viel beredter als bei den landschaftlichen Schönheiten. Für deren Wirkung aufs Gemüt hatten ja die Autoren des späten 18. Jahrhunderts vom jungen Goethe bis zu den Romantikern eine Sprache entwickelt; Seume aber steht auch in Momenten der Überwältigung der italienischen Landschaft geradezu wortkarg, fast könnte man sagen: ausdrucksgehemmt gegenüber. Wenn er große innere Bewegung und Hingerissensein durch Naturschönheit benennen will, taucht bei ihm stereotyp das Adjektiv »magisch« auf: ein Anblick ist »magisch«, eine Landschaft ist »magisch« – zu mehr langt es nicht.

Zu einem Zeitpunkt, da insbesondere auch die literarische Intelligenz schon achselzuckend und weltklug sich mit dem Scheitern der Aufklärung und ihrer politischen Folge, der Französischen Revolution, auch mit Napoleon als Faktum und Fatum arrangiert hatte, hielt Seume so starr wie prinzipientreu an den Maximen der Aufklärung und an den Citoyen-Idealen fest: ein Unzeitgemäßer. Als Absicht des *Spaziergangs nach Syrakus* verkündet er, er habe »meinen Zeitgenossen ein kleines Denkmal meines Seins und Wirkens« geben wollen, aber das unterspielt die Absichten des Projekts eher – oder doch jedenfalls den Ton, in dem er dann von diesem Eilmarsch berichtete, bei dem er sich ursprünglich vielleicht wirklich nur »das Zwerchfell auswandeln« wollte, das er sich bei der Korrektorentätigkeit zusammengesessen hatte. Und noch schärfer wird seine Stimme, wenn er auf den ersten Seiten von *Mein Sommer 1805* seine politischen Ansichten und seinen Degout über die fortdauernden Feudalverhältnisse, das Privilegiensystem zugunsten des Adels und die fehlende »Gerechtigkeit für alle gleichmäßig« ausspricht und bei Schilderung seines Besuches in Petersburg anläßlich der Predigt eines Jesuitenpaters die jeden denkenden Kopf abstoßenden, verblasen-prärationalen Begründungen für den christlichen Glauben und die christliche Ethik rücksichtslos brandmarkt; und selbst ein politisch so unverdächtiger, scheinbar nur menschenfreundlicher Satz wie: »Wer geht, sieht im Durchschnitt anthropologisch und kosmisch mehr, als wer fährt« (aus *Mein Sommer 1805*), spricht doch nicht nur von einer größeren physischen Nähe zu den Menschen, sondern indirekt auch von der konkreten Solidarität mit ihnen.

Die mit kalter Wut geschriebenen Analysen der sozialen und politischen Misere Italiens, des Sumpfes der Heiligen Stadt Rom wie der verrottenden Landwirtschaft Siziliens ließ man Seume offenbar noch durchgehen. *Mein Sommer 1805* aber, weder von Hartknoch noch von Göschen verlegt, sondern 1806 bei Steinacker in Leipzig erschienen, erhielt keine einzige Besprechung; in Süddeutschland, Österreich und Rußland wurde das Buch gleich nach seinem Erscheinen verboten. »Das ist nun so meine Meinung, und die will ich sagen«, schrieb Seume lapidar und hartnäckig im Januar

1808 an Böttiger, als er ihm die lateinische Vorrede zu einem
politisch-philologischen Buch schickte, dessen Manuskript
verloren ist; vorher, 1806/07, hat er schon ein Konvolut von
Notizen zusammengestellt, in denen er seine Meinung sagen
wollte und von denen er doch wußte oder wissen konnte,
daß er sie würde verbergen müssen – und prompt fand er
hierfür auch keinen Verleger. »Apokryphen nenne ich
Dinge, von denen man eigentlich nicht recht weiß, was man
zu machen hat. Es ist also Alles in uns und um uns sehr
apokryphisch, und man dürfte vielleicht sagen: die ganze
Welt ist eine große Apokryphe«, heißt es im 2. Abschnitt
dieser Sammlung von kurzen Texten, die zwischen dem
Aphorismus, dem kaustischen politischen Kommentar und
der gedrängten staatsphilosophischen und zeitgeschichtlichen Abhandlung liegen. Was verborgen – und das heißt
sowohl: politisch noch latent, und auch: aus Zensurgründen nicht aussprechbar – ist, schreibt Seume hier auf, darunter so lapidare wie ›unmögliche‹, weil zum ›falschen‹ Zeitpunkt an die Ideale der Französischen Revolution erin-
nernde Sätze wie: »Gleichheit ist immer der Probierstein der
Gerechtigkeit; und beide machen das Wesen der Freiheit«;
oder: »Einem Menschen, der seinen Bruder unbesonnen um
Hilfe zum Himmel weist, sollte man die Erde zur Hölle
machen, und zwar ohne Aussicht auf den Himmel«; oder:
»Die geheime Geschichte der sogenannten Großen ist leider
meistens ein Gewebe von Niederträchtigkeiten und Schand-
taten.« Kein Wunder, daß das Manuskript erst 1811 in
verstümmelter Form gedruckt wurde. Kein Wunder auch,
daß Seume 1806/07 zu einer noch seltsameren Gattung
Zuflucht nehmen bzw. diese erfinden wollte, um der Zensur
zu entgehen: *Fasciculum observationum et conjecturarum
in locos Plutarchii difficiliores* hieß sein Versuch, in einem
Bündel von Erläuterungen und Auslegungen angeblich
dunkler Stellen in den Schriften Plutarchs Beobachtungen
und Winke zur politischen Lage Deutschlands bzw. des von
Napoleon besiegten Preußen unterzubringen und in die

Öffentlichkeit zu schmuggeln. Der Versuch mißlang, und erst 1819 erhielt Hartknoch die Erlaubnis, die (oben bereits erwähnte) noch erhaltene Vorrede zu diesem Projekt eines politisierten Plutarch-Kommentars zu drucken, was nun allerdings, da nach 1815 die Restauration vollends gesiegt hatte, ein Acte gratuit war. Der Patriot Seume, der seiner Scham über das besetzte Vaterland, dessen Fürsten sich liebedienerisch Napoleon unterwarfen, 1808 in dem Drama *Miltiades* – einer eher schwachen Arbeit – ein letztes Mal öffentlichen und künstlerischen Ausdruck verlieh, konnte jetzt nur noch in umfangreichen Briefen an die Freunde seinen außerordentlichen politischen Scharfblick demonstrieren: Geprügelte Soldaten, abhängige Bauern, Bürger ohne Rechte und ohne Selbstbewußtsein, an der Spitze ein Adel, der schamlos auf seinen rechtlichen und vor allem steuerlichen Privilegien beharrt – dies sind nach Seume die Ursachen der Niederlagen gegen den französischen Eroberer, gegen den nur eine Gesellschaft hätte bestehen können, in der »Freiheit, Tapferkeit, Gerechtigkeit, allgemeine Gleichheit« herrschten.

Im Winter 1809/10, als er seine Kräfte schwinden spürte, begann er mit der Niederschrift seiner Autobiographie *Mein Leben*, für die es, wie er sagt, eigentlich im Alter von achtzig Jahren Zeit gewesen wäre. Seume versenkt sich nicht psychologisch in seine Existenz, sondern entwirft eine Art Charakterbild seiner selbst, ein Porträt ohne Selbstbespiegelung, in dem er sein Wesen hauptsächlich davon ableitet, daß er in früher Jugend Zeuge der ungerechtfertigten Anfeindungen und bösartigen Demütigungen seines Vaters werden mußte, der wie er selbst die Eigenschaft gehabt habe, zu Ungerechtigkeiten in der Welt nicht schweigen zu können. In einer gedrungenen Sprache, die mit trockenen Sarkasmen durchsetzt ist, entwirft Seume ein Bild seines von Mißgeschicken geplagten Lebens und seiner eigenen daraus resultierenden melancholischen Art. Der Ton ist an keiner Stelle larmoyant, vielmehr kurz angebunden, Enttäuschungen

meist eher überspielend und überdies so voller Stolz auf die
eigene Ehrlichkeit und Redlichkeit, daß man, wie häufig bei
Seume, den Eindruck bekommt, hier verstecke einer vieles
und gerade Emotionales hinter einem starren Charakterpan-
zer; in der Tat ist es ein Ausdrucksgestus Seumes von
Anfang an, Gefühle hinter Lakonismen und Prinzipienbe-
kundungen zu verbergen. Mit den Worten »Und nun –«
bricht die erstmals 1813 erschienene, bis heute nur in einer
unvollständigen Fassung vorliegende Autobiographie zu
dem Zeitpunkt ab, da Seume sich im Herbst 1783 in Bremen
dem Militär durch die Flucht zu entziehen versucht.

Johann Gottfried Seume, den Goethe herablassend den
»berühmten Wanderer« nannte, den Walter Benjamin 1936
als Briefschreiber in seine Sammlung *Deutsche Menschen*
aufnahm, den man nach heutiger Terminologie vielleicht als
›Linkspatrioten‹ bezeichnen könnte, starb am 13. Juni 1810
in dem böhmischen Badeort Teplitz. Er war keiner der
großen Autoren der klassisch-romantischen deutschen Literatur, von denen er sich auch (mit Ausnahme Wielands)
persönlich fernhielt – man hat den Eindruck: mit einer
Mischung aus Ressentiment und Stolz –, aber ein Mann der
Spätaufklärung ganz eigenen Rechts, sehr skeptisch gegenüber der politischen Verfassung Deutschlands zu Napoleo-
nischer Zeit und auf seine Unzeitgemäßheit geradezu stolz:
»Alles was man in dieser Zeit für seinen Charakter tun kann,
ist, zu dokumentieren, daß man nicht zur Zeit gehört«,
heißt es in seinen *Apokryphen* (W VI, 189). Am besten kennzeichnet und am meisten ehrt ihn ein Zitat aus seinem bis
heute populärsten Buch, dem *Spaziergang nach Syrakus im
Jahre 1802*; dort heißt es über die Bettler im Landesinnern
Siziliens (S. 125):

> Nie habe ich solche Armut gesehen, und nie habe ich
> sie mir nur so entsetzlich denken können. Die Insel
> sieht im Innern furchtbar aus. Hier und da sind
> einige Stellen bebaut; aber das ganze ist eine Wüste,
> die ich in Amerika kaum so schrecklich gesehen

habe. Zu Mittage war im Wirtshause durchaus kein Stückchen Brot zu haben. Die Bettler kamen in den jämmerlichsten Erscheinungen, gegen welche die römischen auf der Treppe des spanischen Platzes noch Wohlhabenheit sind; sie bettelten nicht, sondern standen mit der ganzen Schau ihres Elends nur mit Blicken flehend in stummer Erwartung an der Türe. Erst küßte man das Brot, das ich gab, und dann meine Hand. Ich blickte fluchend rund um mich her über den reichen Boden, und hätte in diesem Augenblick alle sizilische Barone und Äbte mit den Ministern an ihrer Spitze ohne Barmherzigkeit vor die Kartätsche stellen können. Es ist heillos.

Bibliographische Hinweise

Prosaische und poetische Werke. 10 Tle. Berlin 1879. [Zit. als: W.]

Werke. 2 Bde. Hrsg. von A. und K.-H. Klingenberg. Weimar/Berlin 1962. ⁴1983.

Prosaschriften. Mit einer Einl. von W. Kraft. Köln 1962.

Spaziergang nach Syrakus im Jahre 1802. Hrsg. und komm. von A. Meier. München 1985.

Apokryphen. Mit einem Essay von H. Schweppenhäuser. Frankfurt a. M. 1966.

Mein Sommer 1805. Nördlingen 1987.

Mein Sommer 1805. Hrsg. von C. Fricke. Michelstadt 1987.

Mein Leben. Nebst der Fortsetzung von C. A. H. Clodius. Nördlingen 1986.

Ingenmey, M.: L'illuminismo pessimistico di J. G. Seume. Venezia 1979. [Mit umfassender Bibliographie.]

Planer, O. / Reißmann, C.: Johann Gottfried Seume. Geschichte seines Lebens und seiner Schriften. Leipzig 1898. – Neuaufl. 1904.

Stephan, I.: Johann Gottfried Seume. Ein politischer Schriftsteller der deutschen Spätaufklärung. Stuttgart 1973.

JEAN PAUL

Von Kurt Wölfel

Elternhaus, Geburtsort und heimatlicher Raum, frühe Lebensumstände und anfängliche Bestimmung seiner sozialen Existenz: alles entspricht dem, was in den Biographien deutscher Schriftsteller im 18. Jahrhundert zu den statistischen Mittelwerten gehört. Geboren ist Johann Paul Friedrich Richter am 21. März 1763 in Wunsiedel im Fichtelgebirge, Kindheit und Knabenjahre verbringt er in Joditz, einem kleinen Dorf nicht weit von Hof im Voigtland, und in dem größeren Schwarzenbach an der Saale: Es ist, von den politischen und kulturellen Zentren aus gesehen, tiefste Provinz. Sein Elternhaus ist das protestantische Landpfarrhaus. Der Vater, dessen erstes Kind er ist, dient zur Zeit seiner Geburt noch als dritter Lehrer (»Tertius«) und Organist in Wunsiedel, auf eine künftige Pfarrstelle hoffend. Die erhält er 1765 und kann sie 1776, im Wechsel von Joditz nach Schwarzenbach, gegen eine bedeutendere, besser dotierte tauschen. Beide sind »Patronatspfarren«; was es mit ihnen auf sich haben kann, läßt sich im *Quintus Fixlein* nachlesen.

So sind Kindheit und Jugend Richters geprägt von der dörflich-bäuerlichen Umwelt. Er ist Teil dieser kleinen, armen Welt und wird doch auch aus ihr herausgehoben durch das Bildungsprivileg des Pfarrerssohnes, auch in materieller Hinsicht; die Familie lebt zwischen Dürftigkeit und Bescheidenheit, aber ohne Not, die Mutter kommt aus einer wohlhabenden Tuchmacherfamilie in Hof. Was die soziale Bestimmung des ältesten Sohnes betrifft, so gehören künftiges Theologiestudium und Pfarrberuf in die Regelmäßigkeit

Jean Paul
1763–1825

dieses Lebens – wohl auch das, daß der Vater von der elterlichen Lizenz, die Kinder mittels der erzieherischen Praxis zu pathologisieren, nachdrücklich Gebrauch macht. Die Liebe des Vaters kleidet sich oft genug in Strenge, die bis zur unbedachten Härte gegen das sensible, verletzliche Kind geht. Von dem Privatunterricht, den der Vater seinen Kindern erteilt, schreibt Jean Paul in seiner *Selberlebensbeschreibung*, er habe sieben Stunden am Tag darin bestanden, »daß er uns bloß auswendig lernen ließ, Sprüche, Katechismus, lateinische Wörter und Langens Grammatik«. Der Mühelosigkeit seines Lernens kommt erst in Schwarzenbach ein Lehrstoff zu, mit dem sein Zeitalter, das der Aufklärung, ihn berührt. Er kann nun die Schule besuchen und findet in ihr in dem jungen Kaplan Völkel einen neologischen Theologen (der eigene Vater ist noch ganz der protestantischen Orthodoxie verhaftet), der ihn in Philosophie unterrichtet. Noch wichtiger wird für ihn der Pfarrer Erhard Friedrich Vogel im benachbarten Rehau, ihn aufgeklärter Theologe, den er später als seinen »ältesten literarischen Wohltäter« rühmt. Seine umfangreiche Bibliothek versorgt den unersättlichen Leser in den nächsten Jahren mit der begehrten Lektüre, deren Früchte er in Exzerptsammlungen zu speichern beginnt.

Vom Anfang des Jahres 1779 an besucht Richter das Gymnasium in Hof. Er findet dort die Freunde seiner Jugend, die früh verstorbenen Adam Lorenz von Oerthel (gest. 1786) und Johann Bernhard Hermann (gest. 1790). Er lernt auch bereits Christian Georg Otto kennen, der sein lebenslänglich nächster Freund werden wird. Mit dem Tod des Vaters im April 1779, dem im Oktober 1780 der des Großvaters Kuhn folgt, kündigen sich die Not- und Hungerjahre an, die ihm bevorstehen. Auf die Universität in Leipzig geht er im Mai 1781 bereits mit dem Testimonium paupertatis versehen. Das Studium der Theologie wird ihm bald schal, die akademische Lehre enttäuscht, nur die philosophischen und ästhetischen Vorlesungen Ernst Platners machen Eindruck auf ihn. Noch im Jahresverlauf gibt er das bisherige Studienziel preis und richtet sich auf den neuen Lebensplan, die freie Schriftstellerexistenz, ein. Obwohl über ein ganzes Jahrzehnt hinweg seine Autorschaft fast nur von Mißerfolgen gezeichnet sein wird, verfolgt er diesen Plan von nun an unbeirrbar und kompromißlos. Zunächst wird ihm ein früher Erfolg zuteil: der Verleger Voß in Berlin druckt 1783 die *Grönländischen Prozesse* und nährt damit die Hoffnung, der immer schlimmer, ja aussichtslos werdenden materiellen Not – der eigenen und der der Mutter, die in Hof vier weitere Söhne durchbringen muß – begegnen zu können. Dann aber bleiben weitere Erfolge dieser Art aus. Im November 1784 verläßt er, vor seinen Gläubigern fliehend, heimlich Leipzig. Er kehrt nach Hof zurück, wo man den »Kandidaten Richter« als eine Art von gescheiterter Existenz anzusehen lernt. Die nun folgenden Hungerjahre, das Zusammenleben mit der Mutter, die unermüdliche Schriftstellerei sind das Erfahrungsmaterial für den *Siebenkäs* (1796–97) geworden. Die Übernahme einer Hauslehrerstelle in Töpen bei Hof – er wird Erzieher des Bruders seines gerade gestorbenen Freundes von Oerthel – bietet vom Jahresbeginn 1787 an einen Ausweg (bis April 1789), ebenso vom Frühjahr 1790 an die Privatlehrerschaft für Kinder einiger Freunde und Bekannten in Schwarzenbach (bis 1794).

Es sind die Jahre, in denen Richter ganz zu sich und zu seiner Weise, Lebenswirklichkeit zu erfahren und zu deuten, gelangt. Die Erziehertätigkeit vermittelt die Thematik, mit der er, vor allem in der Nachfolge Rousseaus, sich als Angehöriger seines ›pädagogischen Jahrhunderts‹ erweist. Eine visionäre Todes-Erfahrung – im Tagebuch vom 15. November 1790 festgehalten – geht als nie verstummendes Thema ins poetische Werk ein, formt und färbt dessen Ethos und Weltbild. Der empfindsam grundierte Verkehr mit einer Reihe von Freundinnen und Freunden, seiner sogenannten »erotischen Akademie«, leitete jene »Simultan-

und Tutti-Liebe« ein, mit welcher er zum Vergnügen seiner
Leserinnen ebenso beitragen wird wie zum Mißvergnügen
d e r Frauen, die nicht nur den Dichter Jean Paul, sondern
auch den Menschen Richter lieben wollen. Es sind zugleich
die Jahre, in denen der Autor »Jean Paul« geboren wird. Es
ist kein Zufall, daß dieser Name, den Richter in Analogie
zum »Jean Jacques« Rousseaus bildet und wählt, den bürgerlichen Namen des Autors gewissermaßen aufsaugt und
seinen pseudonymen Charakter nahezu verliert; es ist Zeichen der rastlosen Verwandlung des biographischen in das
literarische Ich, die er bis an sein Lebensende fortsetzen
wird. Kein deutscher Autor vor ihm hat die Aufhebung der
realen Person in der Schrift gewordenen, imaginativen so
rückhaltlos betrieben, die Schein-Kongruenz beider ›Personen‹ so illudiert wie er. Freilich gilt auch der Satz, daß er
sich nicht nur die Verwischung der Differenz zwischen
beiden hat angelegen sein lassen, sondern auch wie kein
anderer die damit verknüpfte ethische und existentielle Problematik bedacht und in seinen Büchern dargestellt hat – im
Fortgang seines literarischen Schaffens mit zunehmendem
Verdacht, wachsender Selbstbezweifelung, kälterem Blick.

Der Entdecker Jean Pauls wird Karl Philipp Moritz, dem
er im Juni 1792 das Manuskript der *Unsichtbaren Loge* mit
der Bitte um Lektüre und buchhändlerische Vermittlung
schickt. Moritz antwortet sofort, begeistert und hilfsbereit:
Sein Schwager Matzdorff in Berlin nimmt das Buch in seinen
Verlag. Das empfangene Honorar beendet die vielen Jahre
materieller Sorge und Not. Aber noch ist dieser Erfolg nicht
auch schon der beim Lesepublikum; ihn bringt erst der
zweite Roman, der *Hesperus*, dessen Konzeption mit der
Fertigstellung des ersten zusammenfällt. Es ist das große
Jahrzehnt von Jean Pauls literarischem Schaffen. Wie in der
vorausgegangenen Dekade sein Leben im Zeichen einer –
angesichts der Lebensumstände schlechthin bewunderungs-
würdigen – Selbstbehauptungskraft stand, so beweist er
nun, da das Ziel erreicht oder doch der Durchbruch gelun-

gen ist, eine produktive Energie, die unerschöpflich scheint. In rascher Folge erscheint Werk auf Werk, er arbeitet an mehreren zugleich, aus dem einen wächst das Konzept des nächsten heraus – kaum, daß diese Fruchtbarkeit einmal in Leerlauf oder bloße Repetition führte.

Der Erfolg des *Hesperus*, 1795 erschienen, führt den Ruhm an der Hand: »ich wünschte, daß der arme Teufel in Hof bei diesen traurigen Wintertagen etwas Angenehmes davon empfände«, schreibt Goethe, wohlwollend, aber mit ironischer Distanz (an Schiller, 15. Dezember 1795). Auf die Zusendung der beiden Romane hatte er Richter nicht geantwortet. Es ist das ›andere Weimar‹, das sich diesem rückhaltlos zuwendet: Herder, Wieland. Durch Briefe, die ihm Charlotte von Kalb schreibt, wird die Verbindung mit Weimar hergestellt, das literarische Mekka des Zeitalters lädt ihn zum Besuch ein.

Er hatte bisher den engen Kreis der Freunde in und um Hof nur bei einigen Besuchen Bayreuths verlassen und dort nicht nur die – in Hof durchaus fehlende – Aufmerksamkeit eines literarisch interessierten Publikums gefunden, sondern in dem jüdischen Kaufmann Emanuel (später: Emanuel Osmund) auch einen Freund, der ihm bis zum Lebensende so nahe stehen wird wie sonst nur noch Christian Otto. Aber wenngleich ihm Bayreuth als freundliches Gegenbild zu Hof erscheint und in diesen Besuchen der Grund gelegt wird für seine spätere Entscheidung, es zum Wohnort zu wählen, so ist doch der Besuch Weimars im Juni 1796 von größerer und gewissermaßen symbolischer Bedeutsamkeit. Mit ihm geschieht die Beglaubigung und öffentliche Anerkennung, daß er einer der Großen der nationalen Literatur ist. Auch Goethe und Schiller begegnen ihm achtungsvoll, freilich mit Vorbehalten, die sich bald verstärken und in den *Xenien* niederschlagen. Nach Hof zurückgekehrt, bekundet sich ihm der Ruhm, zu dem er gelangt ist, im Stil der Zeit: Verehrer und literarische Kollegen schreiben und erbitten Briefe, Freundschaftsangebote kommen zu ihm und werden erwidert, Besucher stellen sich ein, darunter die ersten jener adeligen Frauen, zu denen er in den nächsten Jahren in nähere, auch erotisch tingierte (so mag man es nennen können) Beziehung treten wird – Julie von Krüdener, Emilie von Berlepsch.

Der Tod seiner Mutter (Juli 1797) setzt auch Richters Verbindung mit der Stadt Hof ein Ende. Wenn er im Oktober nach Leipzig übersiedelt, so ist das ein Abschied auf Dauer; nur noch besuchsweise – und immer seltener – kehrt er zurück. In seinem ehemaligen Studienort lebt er nun das gesellschaftlich und literarisch rege Leben eines in der Gunst des Publikums stehenden Autors. Zunächst beschäftigt ihn ausgiebig der fortgesetzte Umgang mit Emilie von Berlepsch, der sich bis zur – bald widerrufenen – Heiratsabsicht verstärkt. Dann schließen sich Reisen nach Orten im engeren und weiteren Umkreis an, die ihn unter anderem nach Dresden und Halle führen. Ein erneuter Aufenthalt in Weimar zeitigt den Entschluß, dorthin zu ziehen, und so wird er vom Oktober 1798 an für zwei Jahre zum »Weimaraner«, wenn auch als eine Art von Antipode der »Weimarer Klassiker«. Bald wird ihm Charlotte von Kalb – unter den »genialischen Weibern«, die seine Nähe, seine Liebe gesucht haben, die eindrucksvollste Gestalt – zur neuen Klippe, an welcher er seine Ehe-Umsteuerungskünste zu praktizieren Gelegenheit hat. (Die Bedeutung und die Problematik dieser Beziehung reflektiert sich in ihrer poetischen ›Verarbeitung‹ im *Titan*, wo männliche Schwäche als Stärke – Albano –, weibliche Stärke als Schwäche – Linda – figurieren.) Seine eigentümliche Verfassung als einer, der sich beständig auf ehescheuen Freiersfüßen befindet, führt bei einem Besuch in Hildburghausen (Mai 1799) zur Einleitung einer neuen Verbindung – mit Karoline von Feuchtersleben, Hofdame der dortigen Herzogin Charlotte, die zu den Verehrerinnen seiner Romane gehört (er wird ihr und ihren drei »Schwestern auf dem Thron« den *Titan* widmen). Der Herzog verleiht ihm (August 1799) den Titel eines

Legationsrates. Mit Karoline kommt es zur Verlobung – es ist nach zwei vorausgegangenen in Hof (1783 mit Sophie Ellrodt, 1793 mit Karoline Herold) die dritte –, die zunächst durch Standes- und Versorgungsbedenken der Familie Karolines noch behindert wird. Nachdem alles im reinen zu sein scheint, entdeckt Richter an seiner Braut wieder einmal das Nicht-Übereinstimmende, und die Verlobung löst sich um die Mitte des Jahres 1800 auf. In diese Zeit (Mai/Juni) fällt sein erster Besuch Berlins, mit dem er wohl den höchsten Punkt seiner gesellschaftlichen Karriere als Schriftsteller erreicht: »Noch in keiner [Stadt] wurd' ich mit so vielem und algemeinen Enthusiasmus aufgenommen« (an Gleim, 14. Juni 1800); und: »Ich besuchte keinen Gelehrtenklub, so oft ich auch dazu geladen worden, aber Weiber die Menge. Ich wurde angebetet von den Mädgen, die ich früher angebetet hätte« (an Christian Otto, 29. Juni 1800). »Weiber die Menge« begegnen ihm am preußischen Hof, wo sich die Königin Luise als Verehrerin bekennt, in den Berliner Salons der gebildeten Jüdinnen (Rahel Levin, Henriette Herz), aber auch als einzelne, so Josephine von Sydow und Esther Bernard, schriftstellernde Frauen, mit denen er durch Briefwechsel bzw. persönliche Begegnung von früher her bekannt ist, und Karoline Meyer (geb. 1777), Tochter eines juristischen Beamten, mit der er sich ein Jahr später vermählen wird.

Der Besuch Weimars hatte den Wechsel von Leipzig dorthin veranlaßt, der Berlins führt nun zur Auflösung der Weimarer Wohnung. Im Oktober 1800 zieht er in die preußische Hauptstadt, wo er sich bald in freundschaftlichem Verkehr mit der »Schlegelschen Partei« befindet (mit Tieck, Bernhardi, Schleiermacher; auch mit Fichte). Im übrigen stehen die Monate in Berlin im Zeichen seiner Brautwahl und -gewinnung: am 27. Mai 1801 wird die Trauung mit Karoline vollzogen, von der er sich, nach den langen Jahren des Umgangs mit »genialischen Weibern«, die er zuletzt immer wieder für untaugliche ›Objekte‹ seines ehe-

lichen Ideals hielt, das häusliche Glück verspricht. Wenige
Tage nach der Vermählung verläßt das Paar Berlin. Jean Paul
gründet seinen ersten Hausstand in Meiningen, einer Einladung des dortigen Herzogs folgend, übersiedelt dann mit
der nun dreiköpfigen Familie im Juni 1803 nach Coburg und
im August 1804 – inzwischen ist nach der Tochter Emma
auch der Sohn Max geboren – nach Bayreuth, wo kurz
danach mit der Geburt der zweiten Tochter Odilie die
Familie sich noch einmal vergrößert. Damit ist Jean Paul auf
Lebensdauer in den heimatlichen Raum zurückgekehrt. Daß
er nicht Hof wählt, sondern Bayreuth, ist verständlich angesichts der alten Abneigung gegen jene und Vorliebe für diese
Stadt. Hinzu kommt, daß er hier nicht nur den Freund
Emanuel findet, sondern auch Christian Otto, der seit 1800
Bayreuther Bürger ist. Und schließlich ist es auch nicht nur
ein On-dit, daß für ihn, dem stimulierende Getränke bei der
Arbeit unentbehrlich sind, die Qualität und Verträglichkeit
des hier gebrauten Bieres ein unverächtliches Argument
gewesen sei.

»Als ob die Wahrheit aus dem Leben eines solchen Menschen etwas anderes sein könnte, als daß der Autor ein
Philister gewesen!« Goethes ärgerliche Bemerkung (zu
Eckermann, 30. März 1831 – sie bezieht sich auf die von
Otto unter dem Titel *Wahrheit aus Jean Paul's Leben* –
Goethe erkannte darin eine Replik auf *Dichtung und Wahrheit* – postum herausgegebene Autobiographie) ist mehr als
bloße Invektive, wenn wir sie auf die beiden letzten Lebens-
jahrzehnte Richters in Bayreuth beziehen. Er lebt das Leben
eines etablierten Autors, dessen Hauptwerke, auch dem
eigenen Meinen nach, zwar schon geschrieben sind, der aber
durch eine vielfältige literarische Produktion immer noch für
das Publikum gegenwärtig ist. Jedoch weder die Stadt noch
sein Haus bescheren ihm, was sich seine idyllisierend-ver-
heißende Phantasie versprochen hat. Die Stadt entdeckt
ihm, im vergleichenden Rückblick auf die Weimarer und
Berliner Zeit, ihren Mangel an intellektuellem Verkehr: »Ich

lebe in einem kunst-öden Lande; und bedarf wie ein Schein-Ertrunkner zuweilen des fremden Athems, um den eignen zu holen« (an Tieck, 5. Oktober 1805). Das Familienleben empfindet er bald als Eindämmung seines Künstlertums, und er gibt mehr und mehr der Neigung nach, sich aus ihm zurückzuziehen in die Einsamkeit seines »Museums«, in welcher er junggesellen- und sonderlingshafte Eigenheiten entwickelt. Von 1809 an findet er in der »Rollwenzelei«, einer vor der Stadt auf dem Weg zur Eremitage gelegenen Wirtschaft, einen Ort, den er bei gutem Wetter fast täglich besucht, um dort seiner literarischen Arbeit nachzugehen. Auch die materielle Existenz ist nicht sorgenfrei. Zwar gehört er zu den literarischen Zelebritäten seiner Zeit, aber der Erfolg der Bücher der neunziger Jahre hat sich bei den nach 1800 veröffentlichten – Titan und Flegeljahre, die heute meist als seine größten angesehen werden – nicht wiederholt; überdies muß er nun nicht mehr nur für sich selbst, sondern für eine vielköpfige Familie sorgen. Das führt zu einem Publikationszwang, der sich bis an sein Lebensende in einer Vielzahl von Almanach- und Journal-Beiträgen niederschlägt (vor allem in Cottas Morgenblatt, ab 1807). Wiederholte Versuche, vom preußischen König eine Pension zu erhalten, sind erfolglos geblieben. Erst 1809 hat er das Glück, von dem Fürstprimas des Rheinbundes, Karl Theodor von Dalberg, eine Pension (jährlich 1000 Gulden) angeboten zu bekommen. Nach Dalbergs bzw. Napoleons Sturz wird sie ihm vom bayerischen König Maximilian I. weiter bewilligt, dessen Untertan er seit 1810 ist.

Die im Widerspiel von bürgerlichen Freiheits- und Verfassungsbestrebungen, patriotischen Vereinigungshoffnungen und restaurativen Zwangsmaßnahmen der absolutistisch regierten Staaten intellektuell aufgeregten nachnapoleonischen Jahre bringen dem alt gewordenen Autor noch einmal die Erfahrung allgemeiner Hochschätzung und Huldigung, die ihm ehemals in Berlin zuteil geworden war. Das Verlangen, aus der Bayreuther »Enge« auszubrechen, läßt ihn nach

1810 mehrfach Reisen unternehmen – u. a. nach Bamberg,
wo er E. T. A. Hoffmann kennenlernt, nach Erlangen und
Nürnberg, wo die langgewünschte Begegnung mit Friedrich
Heinrich Jacobi, dem er in langer Brieffreundschaft verbunden ist, zustande kommt und zu tiefer Enttäuschung führt.
Während eines mehrwöchigen Aufenthalts in Heidelberg
(Juli/August 1817) wird er von den Studenten der Universität, insbesondere von den Burschenschaften, zu deren ideologischen Leitbildern er gehört, als der »Lieblingsdichter der
Deutschen« ebenso gefeiert wie von der Professorenschaft,
die ihn, auf Vorschlag Hegels, zum philosophischen Ehren-
doktor macht. »Ich habe hier Stunden erlebt, wie ich sie nie
unter dem schönsten Himmel meines Lebens gefunden«,
schreibt er am 18. Juli nach Hause an Karoline, die bald
darauf Anlaß hat, den eigenen (Ehe-)Himmel schwarzver-
hangen zu wähnen. Denn die wunderbaren Wochen in
Heidelberg bescheren Jean Paul auch eine tiefgehende
Altersliebe – zu der sechsundzwanzigjährigen Sophie Paulus, der Tochter des bedeutenden Theologen, in der ihm
noch einmal eine Leserin entgegentritt, der sich ihr Lieb-
lingsautor in den Geliebten umwandelt. (Ein erneuter
Besuch Heidelbergs im folgenden Jahr, von Anfang an im
Zeichen der Eifersucht Karolines und der Befangenheit Jean
Pauls stehend, löst dann alles in gegenseitige Enttäuschung
auf.) Im Juni/Juli 1819 besucht er Stuttgart – »Bekannt und
geliebt bin ich hier hinlänglich und in jeder Gassen-Ecke
seh' ich den Rücken eines Verehrers stehen« (an Karoline,
16. Juni) –, das folgende Jahr führt ihn nach München (Ende
Mai bis Anfang Juli 1820), wo sein Sohn Max die Universität
besucht, und zwei Jahre später unternimmt er – es ist die
letzte größere dieser Art – eine Reise nach Dresden, die ihn
vor allem auch mit Tieck zusammenführt.

Jean Pauls letzte Lebensjahre stehen im Zeichen der Ein-
trübung, metaphorisch und buchstäblich. Im September
1821 trifft ihn der Tod des Sohnes Max. Tiefgebeugt, ver-
windet er diesen Schlag bis zu seinem eigenen Ende nicht

mehr. Im Oktober 1822 verliert er auch Heinrich Voß in Heidelberg, mit dem er sich so eng verbunden hatte, daß er ihn als den Verwalter seines literarischen Nachlasses bestimmte. Und dann beginnen kurz nach seinem 60. Geburtstag seine Augen zu erkranken und verschlechtern sich fortschreitend. Ärzte, die er in Erlangen und Nürnberg aufsucht, diagnostizieren Grauen Star. Weil er das Diktieren nicht gewohnt ist und sich daran ebensowenig wie an fremdes Vorlesen gewöhnen kann, ist er von der Krankheit im Innersten seiner Existenz betroffen. Sein letztes literarisches Unternehmen ist die Vorbereitung der Gesamtausgabe seiner Werke. Um ihm dabei zur Hand zu gehen, kommt sein Neffe Richard Spazier im Oktober 1825 nach Bayreuth. Aber da ist er bereits von der Krankheit (Brustwassersucht), die ihn töten wird, schwer gezeichnet. Anfang November erblindet er gänzlich. Am 14. November 1825, abends gegen acht Uhr, stellt der anwesende Arzt seinen Tod fest.

»Die alte Dichtwelt ist mir untergesunken; ich gehöre nicht zu ihr, denn ich war ihr Schüler, aber ich gehöre auch nicht zur neuen, sondern ich stehe und bleibe allein.«[1] Ein Sechsundfünfzigjähriger, dem die toten Freunde sein eigenes Altern bewußt machen, spricht in dieser Notiz aus dem Jahr 1819; die Klage um den Verlust der »Großen der Zeit«, die »zugleich meine Geliebten« waren – »Herder, Jakobi, Dalberg etc.« –, geht dem zitierten Satz voraus. Jean Paul sieht sich historisch, l i t e r a r historisch. Aber nicht Werden, Wachsen und Wandel, sondern was im Gewesenen, Gegenwärtigen und Künftigen gleich war, ist und bleiben wird, stellt sich ihm vor Augen, gefaßt in jenes weiteste Verhältnis, von dem auch die Gestalten seiner poetischen Werke sprechen, wenn sie sich selbst auf den Grund zu kommen versuchen: in das Verhältnis von »Welt« und »Ich«. »Welt«, als Bezeichnung des säkularen Ganzen, »Ich«, als das besondere einzelne, treten sich gegenüber; »Welt« ist in das Zeichen des allgemeinsten Zeitwechsels von »alt« und »neu«

gerückt, dem »Ich« wird seine Identität zugewiesen durch
die Erklärung seiner Verschiedenheit: keiner »Welt« zuge-
hörig, »allein«. Jean Paul schreibt nicht: ›ich bin allein‹, er
schreibt: »ich stehe und bleibe allein«. Nicht seine Vereinsamung will er ausdrücken, obwohl das mitschwingt; stärker
macht die gewählte Formulierung das Selbstbewußtsein des
Autors geltend, der sich als Einziger weiß, dessen in vier
Jahrzehnten geschriebenes Werk Einzigartigkeit beanspruchen darf – als ein, über alle Vergleichbarkeit mit den
Werken anderer hinaus, bis ins Sonderliche und Sonder-
bare reichendes, schlechthin Besonderes. Die Literaturgeschichtsschreibung ist Jean Pauls Selbsteinschätzung gefolgt.
Sie hat ihn zu einem einzelnen in der »Dichtwelt« gemacht,
der, neben zwei anderen einzelnen in dieser Zeit, keiner
Schule zugehört. Eine von alters herkömmliche Vorlesungs-
ankündigung hieß: »Jean Paul, Hölderlin, Kleist«. Daß es
neuerdings üblich geworden ist, jedem dieser drei eine
eigene Vorlesung zu widmen, ist ein Datum, in dem sich ein
Stellenwechsel in der hierarchischen Ordnung des literarhistorischen Kanons zu erkennen gibt: die ehemals (um in
Jeanpaulschen Bildern zu sprechen) als Wandelsterne, wenn
nicht gar als Meteore erachteten Autoren stehen jetzt als
Fixsterne am literarischen Firmament.

Wie übersetzt man Jean Pauls »alte« und »neue« Dichtwelt in epochaltypisierende Begriffe? Es liegt nahe, die
»neue« ›romantisch‹ zu nennen; dann stellt sich von selbst
die »alte« als die ›klassische‹ vor. Aber das weckt Skrupel:
Jean Paul als ›Schüler‹ der Klassik? Der enge, auf kaum mehr
als die ›Weimarer Klassik‹ Goethes und Schillers einge-
schränkte Sinn dieses Namens läßt es bedenklich erscheinen,
die »alte Dichtwelt« so zu identifizieren. Um deren Topographie zu erkunden, scheint der Name Herders eher als
eine erste Markierung zu taugen. Zeitlebens hat Jean Paul
sich als Lehrling dieses Meisters bekannt, als Bewohner von
dessen geistiger Welt, die er als einen Kosmos zu apostro-
phieren liebte. Und mit Herders Vielseitigkeit, mit der

Komplexität seiner literarhistorischen Erscheinung kommen sofort Strömungen und Positionen ins Bild, die auf Jean Paul und sein Werk mächtig eingewirkt haben: die europäische Aufklärung mit ihren vielfältigen Manifestationen, Hamann, Goethe und der Sturm und Drang, die Humanitätsphilosophie; aber auch der Anti-Kantianismus und die Gegnerschaft zur klassizistischen Weimarer Kunstdoktrin. Mitbestimmend tritt Herder in Jean Pauls Verhältnis zu den anderen Großen des Zeitalters ein. Dennoch bleibt auch hier ein Skrupel: genügt Herders Name, um Aufschluß über den Werdegang zu geben, den der Autor Jean Paul genommen hat, um zu sich und zu seinem Werk zu kommen? Es ist die Frage, wie weit der Geltungsbereich des »Ich«, das sich in der zitierten Notiz vorstellt, in die Biographie Jean Pauls zurückreicht. Es scheint eher so, als umfasse dieses »Ich« nur jene Autorschaft, mit der er als einer der Großen in die literarische Welt eintrat und begrüßt wurde. Aber das war in der letzten Dekade des 18. Jahrhunderts, und es ging ihm bereits über ein Jahrzehnt ununterbrochener schriftstellerischer Produktivität vorauf, die schlechthin nicht im Zeichen der Schülerschaft zu Herder steht.

»Richter in London – was wär’ er geworden!« (Goethe im Distichon *Richter*). In dem rhetorischen Bedauern der Weimarer Klassiker, das sie dem Verdikt über den wirklichen »Richter in Hof« vorangehen lassen, steckt das Korn Wahrheit, wenn wir es nicht auf die Romane, auf den *Hesperus*, der gemeint ist, beziehen, sondern auf die schriftstellerische Biographie Jean Pauls; denn gewiß sind seine Eingebundenheit in provinzielle Abseitigkeit und materielle Misere mitbestimmend für die Länge des Weges zum literarischen Erfolg. Jean Pauls nächster Altersgenosse unter den großen Autoren der Zeit ist Schiller: nur wenig über drei Jahre älter, hat er sich zu Beginn der achtziger Jahre bereits einen Namen erworben. Wenn Jean Paul endlich so weit gelangt ist, zählt er bereits über dreißig Jahre. Das ist nicht nur im Vergleich mit Schiller, sondern in den Proportionen des

18. Jahrhunderts überhaupt gesehen, ein sehr spätes Datum für einen, der so früh zu schreiben beginnt wie Jean Paul, so rastlos fort und fort schreibt und so bald eine, wenn auch extrem eigenwillige, hohe Sprachmeisterschaft erreicht.

Jean Pauls schriftstellerische Laufbahn ist ohne Parallele im Bereich der großen Literatur deutscher Sprache: bis zu dem Tag seiner endlichen ›Entdeckung‹ hat er bereits mehrere tausend Seiten geschrieben und für einen Großteil derselben nicht einmal einen Verleger, geschweige denn eine Leserschaft gefunden. Und darüber hinaus: sein gesamtes Frühwerk, im Verlauf von zehn Jahren entstanden, ist von seiner Mitwelt auch zu der Zeit, wo sie ihn bereits in einem Atemzug mit Goethe nannte, ebensowenig beachtet und geschätzt worden wie von der Nachwelt. Bis zum heutigen Tage blieb es eine Studien-Lektüre für Philologen, abgerückt vom übrigen Werk, den Spezialisten überlassen.

Die Rede von Jean Pauls Autodidaktik – »Es scheint leider, daß er selbst die beste Gesellschaft ist, mit der er umgeht«, schreibt Goethe noch 1795 an Schiller – gilt, wie fast alle Urteile dieser Art, nicht absolut. Seine geistige Entwicklung von dem Zeitpunkt an, wo intellektuelle Neugierde und Eigenwilligkeit sich in ihm regen, geschieht nicht ohne Führung, oder wenigstens Orientierung, durch andere: durch jene neologischen Pfarrer Völkel und Vogel, die ihm die Philosophie und Theologie der Aufklärung erstmals vermitteln. Es sind diese Wissensbereiche, nicht die ›schönen Wissenschaften‹, deren Studium sich der junge Jean Paul vornehmlich widmet und mit deren Themen und Argumenten er von 1778 an die ersten seiner Exzerptenbände füllt. Sein theologisches Interesse bewegt sich bereits in den frühesten schriftstellerischen Versuchen auf der Ebene der aktuellen Kontroversen zwischen Orthodoxie und Neologie, mit zunehmender Radikalität und Skepsis. Philosophisch hält er sich zunächst in den Bahnen des von Leibniz geprägten deutschen Rationalismus, ergeht sich in den Themenbereichen der Popularphilosophie, erschließt sich in den achtziger Jahren alle wesentlichen Positionen des europäischen Aufklärungsdenkens, studiert Kant und wird endlich zu Jacobi geführt. Davon, daß dieses philosophische Interesse – wie das an der Theologie – zeit seines Lebens fortdauert, zeugt unmittelbar eine nicht geringe Zahl seiner Schriften; und daß die im Verlauf des 18. Jahrhunderts sich immer stärker durchsetzende Scheidung von ›schöner Literatur‹ und Wissenschaft (bzw. auch von Rhetorik und Gelehrsamkeit) bei ihm, dem einzigen ›reinen‹ Prosaisten unter den großen Dichtern der Goethezeit, nie volle Gültigkeit gewonnen hat, bekundet seine literarische Praxis samt und sonders. (Tatsächlich hat er ja auch als Theoretiker der Dichtkunst den Zielpunkt dieser Scheidung, die klassische Doktrin von der Autonomie der Dichtung, nicht anerkannt.)

Philosophisch-theologisch ist denn auch Jean Pauls erster schriftstellerischer Versuch ausgerichtet, die 1780/81 geschriebenen *Übungen im Denken*. Die Versicherung, sie seien bloß für ihn selbst und nicht gemacht, andere etwas Neues zu lehren, setzt er ihnen voran: »Sie sollen mich blos üben, um's einmal zu können.« Seiner künftigen Schriftstellerei scheint der Siebzehnjährige bereits gewiß zu sein. In der gleichen Zeit schreibt er sein erstes poetisches Werk: *Abelard und Heloise*. Es ist ein empfindsamer Briefroman, Zeuge der wehrlosen Ausgeliefertheit des Verfassers an die vorgegebenen Muster des *Werther* und des *Siegwart*; bei dem Versuch, für den Ausdruck eigenen Fühlens und Erfahrens sich aus diesen Quellen zu nähren, ist er kopfüber in sie hineingefallen. Bald danach ist ihm der begossene Pudel von Verfasser bereits ›historisch‹ – »daß es einen meinern [!] besondern Zustände meines Herzens zu einer gewissen Zeit darstelt, den ich iezt für Torheit halte, weil ich das Glük nicht habe, noch derselbe Tor zu sein« (SW II,1,155). Der Satz, im August 1781 in Leipzig geschrieben, signalisiert die Heraufkunft der literarischen Form, der satirischen Prosa, in welcher er von nun an, als gäbe es zu ihr gar keine

Alternative, fast ein Jahrzehnt hindurch arbeiten wird, zum erstenmal in einer Nachahmung des erasmischen *Laus stultitiae* (*Das Lob der Dummheit*, 1781/82). Mag auch Jean Pauls Verwandlung in den Satiriker als Konsequenz eines geistigen Umbruchs verstanden werden können – sein leibnizianischer Optimismus schlägt um in radikale Skepsis (vgl. Weigl) –, die Besonderheit der Satirenform, die er aufgreift und festhält, wird daraus nicht erklärbar. Es ist aber gerade diese Form, die seinen langjährigen Mißerfolg als Autor (zumindest mit) verantwortet. Der Publizist Archenholz, den Jean Paul, wie viele andere zuvor, um Vermittlung eines Verlegers gebeten hatte, schreibt ihm (am 13. Februar 1790): »Buchhändler haben es gelesen, es als ein Product des Witzes gelobt, als Waare aber von sich gewiesen, da, wie sie sagen, uneingekleidete Satyren gantz und gar nicht zu verkaufen sind.«

Jean Paul schreibt »uneingekleidete«, d. h. nicht in Handlung ›gekleidete‹ Satiren. Von Pope, Young, Swift und Liscow, also vor allem von englischen Autoren der ersten Jahrhunderthälfte, läßt er sich zu dieser Form führen und schreibt sich mit ihr aus dem aktuellen Publikumsgeschmack heraus. »Im Wissen auf der Höhe seiner Zeit, in der Organisation und Wertung dieses Wissens unrettbar antiquiert, formal, als Satiriker, zwei Generationen hinter der europäischen Entwicklung, deren gleichzeitigen philosophischen und theologischen Part er hervorragend spielte, ein Tragelaph von Ungleichzeitigkeit« (Schmidt-Biggemann, in: W II,4,264). Die »Organisation des Wissens«, das sich in diesen Satiren mitteilt, war ein Resultat von Jean Pauls autodidaktischer Bildung: Eine in alle Bereiche der Gelehrsamkeit expandierende Wissensakkumulation bereitete ihm den Boden für einen literarischen Diskurs, in welchem Schmidt-Biggemann den alten ›poeta doctus«, einen »zu spät gekommenen Rhetor« wiedererkannte, der »die Trennung von Gelehrsamkeit und Kunst [...] noch nicht vollzogen« hat. Es ist der historisch überholte Diskurs der »gelehrten

Rhetorik und Poesie, die für ihre polyhistorische Kuriosität gelehrten Witz und enzyklopädische Erudition voraussetzte« (ebd., S. 275).

Zum Grundstock für die Ausarbeitung eines solchen Diskurses werden zum einen Jean Pauls Exzerptsammlungen, die von Jahr zu Jahr mehr anschwellen und mit den Anfängen seiner satirischen Autorschaft ihren Charakter auf die Weise verändern, daß anstelle der ursprünglichen Selbstbelehrungsabsicht des Lesers Jean Paul nun das literarische Verwertungsinteresse des Autors das Exzerpieren reguliert; zum anderen aber ein aus Bemerkungen, Einfällen, Aphorismen, Notizen, Skizzen zusammengesetzter, wohlgeordneter Bestand von Materialien unterschiedlicher Art für den künftigen Gebrauch des Autors, den Jean Paul zeit seines schriftstellerischen Schaffens vermehren und verzehren wird. Von diesem – in Jean Pauls Nachlaß weitgehend bewahrten – Materialbestand aus gesehen, nimmt das veröffentlichte Gesamtwerk den Charakter eines Archipels an: als Inseln steigen die einzelnen Werke aus einem unterseeischen Landmassiv empor.

Die räsonierende Satire erscheint als eine höchst geeignete Form zur umstandslosen literarischen Verwertung solchen Baumaterials: sie fordert keine aufwendigen kompositorischen Überlegungen, ihr genügt die bloße Ansammlung prinzipiell gleichgesinnter Sätze, und sie verlangt nicht deren abwägende funktionale Fügung innerhalb eines komplexen Ganzen. In ihr dürfen alle Sätze unmittelbar ›bei der Sache selbst‹ sein, in jedem einzelnen Satz kann sich die ganze Bewegung vollziehen und der Zweck erreicht werden, von denen diese Form bestimmt wird: die »Negation«, die »Vernichtung« der satirischen Objekte. Damit, daß seine Gegenstände gemäß dem Form-Apriori der Satire »nichtige« sind, kommen sie einem jungen Autor, der noch seine ersten literarischen Schritte unternimmt, entgegen: ihr (widerständiger) Eigen-Sinn bedarf keiner Würdigung, keiner Rücksichtnahme, die Verwandlung aller Sachen in Textelemente kann durch den einen, gleichbleibenden Umsetzungsprozeß, die satirische Negation, erfolgen.

War der junge Jean Paul mit dieser literarischen Form-
Wahl unzeitgemäß im Sinne von überholt, so geriet er mit
seiner Sprachform zwar gleichfalls in die Abseitigkeit des
Unzeitgemäßen, in diesem Fall jedoch eher dadurch, daß er
die geltenden Normen überholte. Mochte er sich mit der
Stoßrichtung und Gesinnung seiner Satiren auch als – wenngleich problematischer – Parteigänger aufklärerischer Vernunft bekunden, als Stilist verhielt er sich antipodisch zu
deren Stilideal. In diesem galten Reinheit, Natürlichkeit,
Harmonie als die sprachlichen Kardinaltugenden, von denen
unbemühte Verständlichkeit gewährleistet wird. Kein Wunder, daß Jean Pauls satirische Sprache bei seinen (spät-)-
aufklärerischen Kritikern notorisch wurde – und weit über
seine Anfänge hinaus notorisch blieb. Die forcierte Manieriertheit und das rastlos Gestikulierende seiner mimischen
Sprache provozierten bei vielen seiner Rezensenten einen
Widerwillen, der sich Luft machte in Prädikaten, die von
»gesucht«, »gezwungen«, »unnatürlich«, »Grimasse« bis
»Ekel erregend« reichten. Für sie waren die beunruhigende
Bilderkombinatorik, das akrobatische Metaphernspiel, die
witzige Kopulation des Heterogenen und die sich hochschraubenden, schwindelerregenden Vergleichsspiralen drohende Vorzeichen eben jenes »Jüngsten Tages« des Verstandes und des guten Geschmacks, den Jean Paul selbst in der
Vorschule der Ästhetik (§ 54) als »Dithyrambus des Witzes«
feiert.

Jean Pauls neunjähriges Arbeiten in der »Satirischen
Essigfabrik«, wie er es im Altersrückblick nennt, verläuft
nicht entwicklungslos. Sein Formverstand nimmt mit gleichzeitig wachsender Sprachmeisterschaft zu, sein Kunstwille
wird selbständiger. Ein Vergleich von *Das Lob der Dummheit*, für das er noch vergeblich einen Verleger sucht, mit
dem 1. und dann dem 2. Band der *Grönländischen Prozesse*,
mit denen er (1783) als Autor debütierte, macht das Tempo

seines Lernens sichtbar. An die Stelle ständesatirischer Abhandlungen treten kompliziertere Gebilde, deren Komposition nicht mehr vom »einfachen Additions- und Mosaikverfahren« (Miller, in: W II,4,180) bestimmt wird. Mit der zweiten Satirensammlung, der *Auswahl aus des Teufels Papieren*, für die er (1789) nach langem Suchen wieder einen, diesmal freilich obskuren Verleger findet, dem er für ein elendes Honorar und einen ebenso miserablen Druck dankbar sein muß, und schließlich mit der dritten, *Abrakadabra oder die baierische Kreuzerkomödie*, befindet er sich dann auf der Höhe seiner nun virtuos beherrschten satirischen Kunst, zu der er sich auch noch später bekennen wird. Zeichen dafür ist, daß er die *Teufelspapiere* in den *Palingenesien* (1798) neu bearbeitet und aus der *Kreuzerkomödie* eine Reihe von Stücken in spätere Werke einrückt.

»Wäre dieser Aufwand von Witz und Laune in Romanform gebracht«, schrieb Archenholz in dem früher zitierten Brief, der Jean Paul mitteilt, daß für die *Kreuzerkomödie* kein Verleger zu finden sei, »so bin ich gewiß, die Buchhändler würden sich darnach reißen. Warum in aller Welt thun Sie das nicht mit ihren Producten?« Archenholz nennt das ›Sesam öffne dich‹, mit dem Jean Paul in die Verleger- und Publikumsgunst Eingang finden wird: die »Romanform«. Eine alte kritische Überlieferung hat Jean Pauls literarisches Schaffen unter das Verdikt der ›Formlosigkeit‹ gestellt: Nachhall des Vor-Urteils der Weimarer Klassiker. Dessen Blindheit ist evident, macht man sich das hohe Formbewußtsein klar, das sich in Jean Pauls *Vorschule der Ästhetik* wie in seiner poetischen Praxis bekundet. Unzweifelhaft hält er sich zwar kaum mehr an die Direktiven einer objektiven Gattungspoetik, an deren Vorschriften über die äußere und innere (mimetische) Einrichtung der poetischen Werke. Aber die Auflösung vorgeschriebener Gattungsgrenzen und unbekümmerte Gattungsmischung gehören ja insgesamt in einen Prozeß, der in der zweiten Hälfte des 18. Jahrhunderts den Anbruch der ›Moderne‹ in der Litera-

tur kennzeichnet. Um Jean Pauls Formbewußtsein zu studieren, taugen jene Formen kleineren Umfangs, die er neben
seinen großen Romanen schreibt oder in sie einbaut: die
Vorreden und die Träume. Es gibt keine perfekter ausgearbeiteten Selbstinszenierungen eines Autors und seines
Schreibvorhabens als die in Jean Pauls Vorreden veranstalteten, keine Traumdichtungen, in denen die poetische Rede
rest- und makelloser zum Medium der Vision, ätherischer
Lebens- oder höllischer Todesvisionen, geworden wäre. Bau
der Form und ›Reinheit‹ der Konturen erscheinen da
unübertrefflich. Mit dem Roman hat es eine andere Be-
wandtnis. Er hatte als Form schon lange eine Art Narrenfreiheit: sie war das Privileg, das seine Nichtzugehörigkeit
zu den privilegierten poetischen Gattungen kompensierte.
Goethes Definition in den *Maximen und Reflexionen*
(Nr. 133) hat diese Freiheit zum Bestimmungsmerkmal
gemacht: »Der Roman ist eine subjektive Epopee, in welcher der Verfasser sich die Erlaubnis ausbittet, die Welt nach
seiner Weise zu behandeln. Es fragt sich also nur, ob er eine
Weise habe; das andere wird sich schon finden.« Das ist ein
liberales Urteil; der »Weimaraner« der neunziger Jahre
wollte es gegenüber Jean Pauls *Hesperus* noch nicht gelten
lassen. Dabei scheint es für die letzten Jahrzehnte des
18. Jahrhunderts noch passender als für die Zeit nach 1815.
Was in der erzählenden Prosa seit Laurence Sterne an subjektiven Weltbehandlungsweisen möglich war und wie
schriftstellerische Willkür – war nur empfindsames Gebaren
damit verbunden – ins nahezu Beliebige agieren durfte, ohne
die Grenzen der Zumutbarkeit bei der Leserschaft zu überschreiten, läßt die Extravaganzen des Romanautors Jean
Paul – ebenso wie seinen Publikumserfolg – nicht mehr
befremdlich erscheinen.

Jean Paul verwandelt sich im Jahr 1790 nicht unvermittelt
in den epischen Dichter, der mit dem zuvor Geschaffenen
nichts mehr zu tun hat. Nimmt man zusammen, in welchen
literarischen Formen der Achtzehnjährige innerhalb des

einen Jahres 1781 sich versuchte: die philosophisch-theologischen und anthropologischen *Übungen im Denken* und die *Rhapsodien*, das gefühlsselig empfindsame Erzählen reinsten Wassers (freilich noch im Doppelsinn der Metapher) in *Abelard und Heloise*, die satirisch räsonierende Vorstellung menschlicher Charaktermasken und Verhaltensweisen im *Lob der Dummheit* –, dann hat man ja bereits die wesentlichen Textsorten beisammen, mit denen der Romanautor arbeiten wird. Die entscheidende Differenz ist: dort standen sie in strikter Sonderung nebeneinander, und das schreibende Ich präsentierte sich – soweit es sich überhaupt präsentierte – nach Maßgabe des von der jeweiligen Textsorte eingemahnten Tones, Gestus, Gebarens. Jetzt, im Roman, bindet Jean Paul sie ein in die auktorial dirigierte Gesamtveranstaltung der e i n e n fiktionalen Autor-Person, die sich zur souveränen Integrations-Instanz für alle Textsorten und Redeweisen macht. Es ist die innere »Unendlichkeit« sich mitteilender Subjektivität, aus der in den Romanen, die Jean Paul nun zu schreiben beginnt, epische Totalität sich herstellt, nicht eine objektiv in einer Handlung, einer Geschichtserzählung, sich entfaltende Welt. Der Gestus seines Erzählens gibt sich als Äußerung des schreibenden Ich zu erkennen, nicht als dessen Entäußerung an eine epische Welt, deren Schein selbständiger Vorgegebenheit mit der Selbstverleugnung ihres Schöpfers zu erkaufen wäre. Im Rückblick auf die satirischen Arbeiten der späteren achtziger Jahre entdeckt sich dieses Grundprinzip Jeanpaulscher Epik als die konsequente Weiterentwicklung einer dort bereits sichtbaren Tendenz: wo in den Satiren – wenn auch nur erst rudimentär – der räsonierende Vortrag in den erzählenden übergeht, geschieht das dadurch, daß sich das satirisierende Ich aus einer bloß formalen Instanz in eine fiktive Autor-Figur verwandelt, die als Person eine Lebensgeschichte mit sich bringt und damit erzählbar wird. Es geschieht nicht von der satirischen Welt, den satirischen Objekten aus. Sie werden nicht Personen, sondern bleiben »satirische Person-

nage«, deren ›Wesen‹ sich darin erschöpft, daß sie als Träger
närrischer Eigenschaften fungieren und im übrigen von der
personalen Abstraktheit einer Vogelscheuche sind. Friedrich
Schlegel hat die Spuren solcher Dinghaftigkeit auch noch
in der Charakterbildergalerie des erzählerischen Werkes
erkannt, wenn er Jean Pauls »passive Humoristen« als
»eigentlich nur humoristische S a c h e n« bezeichnet. Komplementär dazu entdeckt er auch das Weiterleben der »zu
Figuren gewordenen Perspektive des Satirikers« (Schlaffer,
S. 397) in den »selbständiger« erscheinenden Charakteren
der »aktiven Humoristen« (von der Art Leibgebers und
Siebenkäs’), an denen ihm die »starke Familienähnlichkeit
unter sich und mit dem Autor« auffällt (*Athenäumsfragment*
421). Es ist in der Tat unübersehbar, daß in ihnen das Autor-
Ich noch einmal da ist; im *Siebenkäs* wird der Held denn
auch als satirischer Autor vorgestellt, der gerade die *Teufelspapiere* schreibt. Das geht über jene Selbstporträtierung des
Erzählers in einzelnen seiner erzählten Personen hinaus, die
wir auch bei anderen Romanautoren finden; dadurch nämlich, daß innerhalb der Werke selbst eine Doppelgänger-
schaft von erzählender und erzählter Person entsteht: letztere wiederholt im erzählerischen Binnenraum identisch die
satirisch-humoristische Gebärdung der ersteren, wodurch
im Grunde die Differenz von Erzählebene und Ebene des
Erzählten aufgehoben ist. Am weitesten hat Jean Paul solche
Verdoppelung im *Hesperus* getrieben: In Viktor, dem Romanhelden, kehren kongruent sämtliche Rollen-Identitä-
ten wieder, die das Autor-Ich Jean Pauls in sich vereinigt -
der Satiriker und Humorist, der philosophierende Räso-
neur, der Problematiker, den Reflexion über sich selbst
beugt und in den ›Abgrund des Ich‹ blicken läßt, der idyllen-
selige Landpfarrerssohn und der empfindsame Enthusiast.
Im übrigen aber wird diese Vervielfältigung des erzählenden
Autor-Ichs in den erzählten Charakteren vom Prinzip der
Spaltung und Vereinseitigung geleitet. Das läßt die Reihe der
dominierenden Charaktertypen in Jean Pauls Romanen

zustande kommen: die empfindsamen Jünglinge, die Humoristen, die erst mit Leibgeber im *Siebenkäs* ganz reingestaltet erscheinen, die problematischen Naturen, die skeptisch-melancholischen Weltleute, die Idyllenbewohner, die priesterhaften Erzieher- und Lehrergestalten, deren angelische Reinheit nahezu ihre Geschlechtszugehörigkeit auflöst und sie den jungfräulichen Geliebten annähert, die als Empfindungs- und Denkbilder mehr auf dem Altar der Jünglingsherzen stehen als auf der Erde, die ihrem Innern fremd ist. Der *Titan* bekundet sich auch dadurch als Summe und Abschluß des ersten großen Jahrzehnts seines erzählerischen Schaffens, daß Jean Paul in diesem Roman nicht nur alle zuvor geschaffenen Figurentypen noch einmal versammelt, sondern auch eine Art von Abrechnung mit ihnen hält. In einem Gerichtstag über sich selbst, den er als einen über Zeit und Zeitgeist vorstellt, macht er das bei seiner Personenerfindung und -gestaltung praktizierte poetische Verfahren der Aufspaltung und Vereinseitigung zum moralischen Argument gegen die Produkte dieses Verfahrens, die Charaktere. Ihre Einseitigkeit wird von Jean Paul nun als »Einkräftigkeit« (von Gefühl, Phantasie, Verstand, Reflexion, Willensunabhängigkeit: Liane, Roquairol, Gaspard, Schoppe, Linda) disqualifiziert. Vor dem steil aufgerichteten Bild des »vielkräftigen« Idealhelden Albano – von dem man, wie Jean Paul von Schillers Marquis Posa, sagen könnte, er wachse dem Dichter im Fortgang des Romans so »hoch und glänzend und leer wie ein Leuchtturm« (*Vorschule*, § 58) – müssen sie ihren Schuldspruch entgegennehmen und werden zum Scheitern, ja zum Tod verurteilt.

Daß die polyphone Rede des Erzählers in den Einzelstimmen der Romanfiguren sich auseinanderfaltet und wiederholt, deutet nicht nur auf deren – bis zur partiellen Identität reichende – Nähe zum Autor-Ich Jean Paul hin. Wenn dieser die zentralen Charaktere zu seinen ›Agenten‹ innerhalb der erzählerischen Welt macht, befestigt er damit zugleich auch die Priorität der Charaktere vor der Romanfabel: die *Vorschule der Ästhetik* (§ 71) macht das zum Bestimmungsmerkmal der »romantisch-dramatischen Form« des Romans – zu der er auch die eigenen Romane rechnet –, die nicht als »Spielraum der Geschichte«, sondern als »Rennbahn der Charaktere« komponiert sei: »Diese Form gibt Szenen des leidenschaftlichen Klimax, Worte der Gegenwart, heftige Erwartung, Schärfe der Charaktere und Motive, Stärke der Knoten u.s.w.« Das ist eine für die Erzählstruktur seiner Werke sehr aufschließende Reihe, vor allem mit den beiden ersten Gliedern; denn darauf drängt der Erzähler Jean Paul vor allem anderen: auf dramatische »Worte der Gegenwart« statt auf epische Beschwörung der Vergangenheit, auf szenische Vergegenwärtigung von Höhepunkten der Gefühlserregung statt auf das Fortspinnen des Fadens der Geschichte. Eine idealtypische Kennzeichnung seiner Erzählwerke könnte versucht sein, die Bezeichnung des Romans als »Rennbahn der Charaktere« buchstäblich zu nehmen und den erzählerischen Progreß als das gemeinsame Rennen von Erzähler und Charakteren von einem szenisch vergegenwärtigten Erlebnisaugenblick pathetischer und enthusiastischer Erregtheit zum nächsten vorzustellen.

Nur in Anführungsstriche gesetzt passen die Namen ›Erzähler‹ und gar ›Epiker‹ auf den Romanautor Jean Paul, der sich zwar gerne, aber doch ironisch, »Historiograph« nennt. Eine Geschichte zu erzählen, hat er als die unbequeme, wenn auch unumgängliche Verbindlichkeit empfunden, die ihm die Form auferlegt: »Was andern die Sache erleichtert, der vorliegende Erzählstoff, beschränkt mich, meine Dicht-Freiheit geht verloren. Ich kann durchaus keine Freude an reinem Erzählen finden.« Oder: »Die zwei Brennpunkte meiner närrischen Ellipse, Hesperus-Rührung und Schoppens-Wildheit, sind meine ewig ziehenden Punkte; und nur gequält geh’ ich zwischen beiden, entweder blos erzählend oder blos philosophierend, erkältet auf und ab« (an Knebel, 16. Januar 1807).

Da werden die »Szenen des leidenschaftlichen Klimax« aufgeteilt in solche der Empfindsamkeit und der pathetisch-empörten Satirik; aber diese »ziehenden Punkte« erscheinen gewissermaßen ortlos: nicht funktional einbezogen in den linearen Verlauf einer Romanhandlung, sondern umgekehrt als Inseln der Bewohnbarkeit für den Autor, für den die zu erzählende Geschichte als das Fahrzeug dienen muß, mit dem er den weglosen Zwischenraum zwischen beiden überbrückt. So stellt sich Jean Pauls ›Fabulieren‹ dar: seine Unlust dazu, seine Mißachtung des »Erzählstoffs« bekunden sich drastisch in der Mühe, mit welcher er die Elemente der Romanhandlung eher sammelt als erfindet, in der Unsicherheit, mit der er nach Motiven greift, in der gelegentlichen Krudheit der Stoffe, mit denen er sich begnügt. Er verarbeitet nicht nur das typische Material der Romanarten, die das 18. Jahrhundert bevorzugt hat, des komischen, empfindsamen, Erziehungs- und Entwicklungsromans; ihm sind auch die trivialliterarischen Requisitenkammern des Schauerromans ergiebige Fundstätten, und die Staats- und Liebesromane höfisch-heroischer Herkunft versorgen ihn mit Intrigen aus dem Leben und Treiben duodezfürstlicher Hofhaltung und Politik. Gerade in jenen Romanen, die man seine »heroischen« genannt hat – er selbst nennt sie »hohe« oder »italienische« Romane –, ist das Beieinander von höchster Textkomplexität und konventionell-trivialer Fabelerfindung evident. Das Bedauern darüber, daß von seinen sechs großen Romanen die Hälfte Fragment blieb (Unsichtbare Loge, Flegeljahre, Komet), gründet in einem ästhetischen Vor- und Fehlurteil; denn der kompositorischen Stimmigkeit dieser Werke kommt ihre Endlosigkeit eher zugute. (Im Schlußkapitel der Flegeljahre wird das ›Un-Endliche‹ auf eine so vollkommene Weise Ereignis, daß in der gesamten deutschen Romanliteratur seinesgleichen nicht zu finden sein mag.) Den Lösungen, die Jean Paul für die Handlungsausgänge der drei abgeschlossenen Romane erfand, steht hingegen der Konstruktionszwang auf die Stirn geschrieben. Im

Hesperus kann er seine eigene Belustigung über die glatte
Auflösung aller Verwicklungen nicht unterdrücken und
macht sich selbst, den »Biographen Jean Paul«, neben vier
anderen Romanfiguren zum fünften Prinzen des flachsenfin-
gischen Fürstentums. Im *Siebenkäs* provoziert ihn der
erfundene Ausgang sofort zum Plan einer Fortsetzung, in
welcher der vom Romanende behauptete Lebensneubeginn
zum Startzeichen einer ›Wiederkehr des Gleichen‹ werden
sollte. Im *Titan* endlich umgibt den Gipfel, zu dem er seinen
Helden Albano führt, eine so dünne Luft, daß man unlustig
solcher Inthronisierung des Ideals beiwohnt und in die
Abgründe jener gebrochenen und zerbrechenden anderen
Leben zurückverlangt, die der Autor seinem Helden um
dessen luftiger Erhöhung willen zum Opfer brachte.

»Eine Biographie oder ein Roman ist bloß eine psychologische Geschichte, die am lackierten Blumenstab einer
äußern emporwächset«, definiert Jean Paul (im *Prodromus
Galeatus des Jubelsenior*). Das deklassiert die Romanfabel,
in welcher als »mythisches Analogon« (Lugowski) das für
den Erzähler und seine Zuhörerschaft gemeinsame Weltwis-
sen und -deuten der alten Epik fortdauert, als ein totes Stück
Holz, dem eine aufgetragene Farbschicht einen Anschein
von Zugehörigkeit zu dem Lebendigen verleiht, von dem
der Roman in Wahrheit handelt: der inneren Welt der
Individuen. Das ist die Gesinnung des »Romanciers«, wie
ihn Walter Benjamin vom »Erzähler« unterschied (im Essay
Der Erzähler): fernab von allem mündlich Überlieferten und
Überlieferbaren, ist der Romancier zu dem geworden, der in
der Abgeschiedenheit mit sich und seinem Schreiben allein
ist. »Die Geburtskammer des Romans ist das Individuum in
seiner Einsamkeit, das sich über seine wichtigsten Anliegen
nicht mehr exemplarisch auszusprechen vermag, selbst
unberaten ist und keinen Rat geben kann. Einen Roman
schreiben, heißt, in der Darstellung des menschlichen
Lebens das Inkommensurable auf die Spitze treiben. [. . .]
Wenn im Laufe der Jahrhunderte hin und wieder [. . .]

versucht wurde, dem Roman Unterweisungen einzusenken, so laufen diese Versuche immer auf eine Abwandlung der Romanform selber hinaus.« In Jean Pauls Erzählwerken begegnet sich beides: das bis zur Spitze getriebene Inkommensurable menschlichen Daseins und der unermüdliche Drang, diesem in »Unterweisungen« zu begegnen und dem, was sich in die Unaussprechlichkeit des Lebensrätsels zu verlieren droht, ein doch noch Lehrbares abzuzwingen. So weiß der Humor, der doch selber der Einsicht in die ›Unberatenheit‹ sich verdankt, noch Rat anzubieten, nämlich sich selber; und so spricht das Herz seinen unversicherten Wünschen und Fragen trostbietende Antwort zu, indem es sich die Wirklichkeit dessen, was es wünscht, mit der Wirklichkeit seines eigenen Wünschens beglaubigt. Jean Pauls ›Experimentalnihilismus‹ (etwa in der *Rede des toten Christus vom Weltgebäude herab, daß kein Gott sei* im *Siebenkäs*) wird als Glaubensversicherung betrieben.

Das Verlangen, über die Erfahrung der Einsamkeit des Individuums hinweg – für die er den äußersten, radikalsten Ausdruck in der Gestalt Schoppes findet, besonders in der *Clavis Fichtiana* (1801), zu deren fiktivem Verfasser er Schoppe macht – doch zu einer ›exemplarischen Aussprache‹ zu kommen und »dem Roman Unterweisungen einzusenken«, führt Jean Paul in der Tat zu einer »Abwandlung der Romanform«: die Rede des Erzählers wird dabei zur »geistlichen Rede«, das Erzählte zum Text, dessen Exegese samt Applikation der Erzähler mit vorträgt, das Erzählwerk zur »predigenden Poesie« (Naumann) und komplementär dazu die Leserschaft zur fiktiv anwesenden Gemeinde. Die humoristischen Romanautoren des 18. Jahrhunderts hatten bereits damit begonnen, die Ebene des Erzählten zu transzendieren: sowohl in den Reflexionen, die der Erzähler über sich selbst und sein Erzählgeschäft anstellt, als auch in dem ausgiebig betriebenen Kommerz zwischen Autor und fiktiver Leserschaft. Jean Paul treibt beides zu einer fast unbeschränkten Spielfreiheit weiter, so daß die erzählerisch

vermittelten Inhalte der Geschichte überlagert, an den Rand
gedrängt werden vom thematisierten Prozeß ihrer Vermittlung. (In seinen »Vorreden« findet er eine Form, in welcher
das humoristische Autor- und Fiktionsbewußtsein und die
daraus entwickelte Autor-Leser-Kommunikation bis zu
dem Punkt gelangen können, an welchem ihr Austrag sich
verselbständigen und aller Erzählstoff sich verflüchtigen
darf.) Darüber hinaus aber war das Autor-Leser-Kommuni-
kationsspiel vom empfindsamen Roman auch bereits in jene
»publikumsbezogene Intimität« (Habermas) hinübergeleitet
worden, in welcher sich das Individualitätsbewußtsein des
›vereinzelten Einzelnen‹ übereinbringt mit der Gemeinschaft
aller fühlenden Herzen. Jean Pauls Romane bezeichnen den
Kulminationspunkt dieses Erzählens: als vereinzeltes, aber
mitmenschliches Ich vereinigt sich der Autor mit dem
gleichbeschaffenen und -gearteten Leser, indem er angesichts der poetischen Bilder menschlicher Lebenserfahrung –
der Liebe und Freundschaft, der Hoffnung, des Schmerzes,
des Todes und der Natur, die in kosmisch ausgeweiteten
Landschaften Offenbarungs- und Versöhnungsinstanz wird
– von der Gemeinsamkeit des In-der-Welt-Seins aller und
von der Unterschiedlichkeit des Welt-Habens der einzelnen
spricht. So kommt im Autor-Leser-Kommerz noch einmal
zu Wort, was auf der Ebene des Erzählten sich dargestellt
hat: das einsame Ich und sein Suchen und Finden des Du;
und aus der so im Schreiben, im Geschriebenen und im
Lesen gewonnenen Gemeinsamkeit, aus der ästhetisch
aktualisierten Erfahrung der »zweiten Welt in der hiesigen«,
gehen die »Unterweisungen« hervor, mit denen der Autor
die Welt des Buches mit der Lebenspraxis seiner Leser – und
auch der eigenen – verknüpft.

Im Gefolge der humoristischen und empfindsamen
Erzählkunst des 18. Jahrhunderts (und im Unterschied etwa
zu Wieland) konstituiert sich die erzählte Welt in Jean Pauls
Romanen in engster Bezogenheit auf die Zeitgegenwart und
auf den nächsten, heimatlich-deutschen Raum: Dörfer,

Klein- und Residenzstädte unter duodezfürstlicher Herrschaft, die meist, aber nicht ausschließlich (Bayreuth im
Siebenkäs!) erfundene Namen tragen. So gehört aktuelle
Realitätserfahrung zum Leben des Romanpersonals, vor
allem aber auch zu den Themen des kommentierenden und
räsonierenden Erzählers selbst. In Zeit-, Stände-, Sozial-
und Herrschaftskritik, gelegentlich aggressivster Art, setzt
sich fort, was bereits zum Satirenwerk der achtziger Jahre
gehörte, wobei das große Zeitereignis der Französischen
Revolution, das in den Romanen seine wiederholte Reflexion findet, die aktuelle politische Brisanz solcher Kritik
beträchtlich verschärft (schon mit achtzehn Jahren sei er
»Republikaner« gewesen, erklärt Jean Paul einmal). Doch
liegt in der These, *Loge, Hesperus* und *Titan* seien »Revolutionsdichtungen«, d. h., ihre zentrale Thematik sei in
der Vorbereitung einer ›deutschen Revolution‹ zu finden
(Harich), eine Lectio inepta vor. Es gibt in Jean Pauls
Romanen keine auf die historische Zeit bezogenen oder
verweisenden Inhalte, deren Stellenwert im Entwurf der
erzählerischen Welt nicht von relativer Art wäre; denn die
Fluchtlinie allen Geschehens verläuft nicht auf eine zeit-
immanente Totalität, sondern via Innerlichkeit auf das
»Unendliche«. »Dichtkunst, wie alles Göttliche im Menschen, ist an Zeit und Ort gekettet und muß immer ein
Zimmermanns-Sohn und ein Jude werden«, heißt es in der
Vorschule (§ 22). In einer so verfaßten poetischen Welt kann
zwar der Christus nur als jüdischer Zimmermanns-Sohn
erscheinen; aber nicht dessen Kettung an Ort und Zeit ist
das Darstellungsziel des Dichters, sondern die Verweisung
auf das, was er jenseits von Ort und Zeit ›wirklich‹ ist. So
heißen die Koordinaten, mit denen Jean Paul seine erzählerische Welt vermißt, Zeitlichkeit und Meta-Zeit, und die
›Innerlichkeit‹, die er seinen Romanfiguren leiht, ist wesentlich ihre Subjektivität, insofern sie alles in der Zeit und im
Raum Erfahrene sich nach Maßgabe dieses Vermessungssy-
stems zum Erlebnis macht. Entsprechend gestalten sich auch

die Räume der Romanwelt: von ›Empfindungsweisen‹ perspektiviert und ausgestattet, szenisch arrangiert und drapiert als (allegorische) Orte der Reflexion und (symbolische) des Herzens, haftet ihnen leicht etwas Theatralisches an: Weltkulissen satirischer oder idyllischer Färbung; und selbst dort, wo Jean Paul die ganze Erscheinungswelt zum Fest- und Feierraum der enthusiastischen Seelen »hoher Menschen« macht, gestaltet er den Naturraum nicht selten gewissermaßen in Konkurrenz zu den sakralen und weltlichen Prunkräumen barocker Herrschaftlichkeit – mit einem Aufwand sprachlicher Instrumentierung, deren Reichtum und Massivität auf das zeitgenössische Publikum ähnlich rauschhaft-betäubend wirken mochte wie ein halbes Jahrhundert später die musikalische Dramatik Richard Wagners.

Das Dutzend Bücher – zählt man die Bände, verdoppelt sich die Zahl –, das Jean Paul in dem Jahrzehnt von der *Unsichtbaren Loge* (1793) bis zum *Titan* (1800–03) veröffentlicht, ist durch ein eigentümlich unterscheidendes Merkmal ausgezeichnet: es ist eine Art ›Hausmarke‹ Jeanpaulscher Publikationen, daß sie dazu tendieren, Textsammlungen zu werden. Einem umfangstärksten ›Haupttext‹ – so bei den Romanen – fügen sich ›Nebentexte‹ ein bzw. an, oder mehrere, etwa gleichgewichtige Texte von selbständigem, unterschiedlichem Charakter sind in einem Druck vereinigt. Sowohl generell wie im einzelnen Fall ist es eine strittige Frage, ob Jean Paul sich bei diesen Zusammenfügungen bzw. -stellungen von kompositorischen Überlegungen leiten ließ – und wenn ja, auf welche Weise die Einzeltexte sich damit in eine höhere Gesamtstruktur integrieren. Geht man davon aus, daß das Schreiber-Ich Jean Paul als die umfassende Integrationsfigur aller Texte sich als identisch behauptet, dann stellt sich die Textsorten-Differenz als ein Faktor von sekundärem Belang dar, und eine kompositorische Verknüpfung und Vereinigung der Texte untereinander erscheint nicht mehr vonnöten; in und durch das identische Ich Jean Paul sind sie als dessen Veranstaltungen und Inszenierungen von vornherein integriert und vermittelt. Ein zweites Merkmal kommt korrespondierend hinzu: Auf ihre Zugehörigkeit zu bestimmten Textsorten hin betrachtet, lassen sich die meisten Schriften Jean Pauls mit den herkömmlichen Gattungsbezeichnungen nur noch relativ bestimmen. Als ›reine‹ Formen stellen sich nur die beiden dar, die auf der Skala Jeanpaulscher Textrealisationen als die konträren Endpunkte stehen: die Satirik und die Traumdichtung. In jener betreibt die Sprache das Geschäft der ›Vernichtung‹, in dieser das einer Neuschöpfung von Welt, dergestalt aber, daß die Sprache selbst in beiden Fällen sich als ein ästhetisches Absolutum ablöst von der Aufgabe, für ein vorgegebenes Ensemble von Signifikaten zu stehen, und nur mehr als ein Signifikantenspiel und -gewebe sich realisiert. Die Verwandtschaft der Bildformeln, die Jean Paul in der *Vorschule der Ästhetik* für die romantische Poesie und für den »Dithyrambus des Witzes« findet, weist auf dieses Sich-Berühren der Extreme hin: »so blühte in der Poesie das Reich des Unendlichen über der Brandstätte der Endlichkeit auf« (§ 23); und: »wenn zwar ein Chaos da ist, aber darüber ein heiliger Geist« (§ 54).

Zwischen diesen ›reinen‹ Formen bewegen sich die anderen Textsorten in dem weiten Spielraum von erzählerisch-mimetischer und reflektierender Prosa, und sie empfangen ihre freie Beweglichkeit aus Jean Pauls unbekümmerter Bereitschaft zur Auflösung der Gattungsgrenzen und zur Gattungsmischung: der dem *Wuz* beigegebene Untertitel *Eine Art Idylle* drückt sie aus. Die literarischen Gattungen gehören – auf der Seite der Form Jeanpaulschen Schreibens – mit ihrer alten Objektivität ebenso zum bloß »Positiven« wie, auf der Seite der Inhalte des Geschriebenen, die Setzungen und Satzungen der Welt des gesellschaftlich Bestehenden; und die Freiheit des Humors (des Schreiber-Ichs Jean Paul) geht mit jenen positiven Formen ebenso unbedenklich um wie die Freiheit des Humoristen (Schoppe) mit diesen positiven Inhalten. (So macht z. B. die bis zum Blasphemi-

schen übermütige Ehescheidungsveranstaltung im *Siebenkäs*
die anarchischen Implikationen deutlich, die in den Bildern
von der »Brandstätte der Endlichkeit« und dem »Chaos«
enthalten sind.)

Die Schriften des Jahrzehnts 1793 bis 1803, mit denen
Jean Paul epochemachend in den Kreis der Großen der
Literatur eintritt, schließen sich zu einer Schaffensepoche
des Dichters zusammen, in der alle Prosaformen, in welchen
er innerhalb seines Lebenswerkes überhaupt gearbeitet hat,
aus- oder zumindest vorgebildet sind: der Roman, die Satire
(mit oder ohne erzählerische Einkleidung) und die Traumdichtung; die »Art Idylle« vom *Leben des vergnügten Schulmeisterlein Maria Wuz in Auenthal* (in der *Loge*) und vom
Leben des Quintus Fixlein (1796); das humoristische Charakterporträt in *Des Amts-Vogts Josuah Freudel Klaglibell
gegen seinen verfluchten Dämon* und *Des Rektors Florian
Fälbels und seiner Primaner Reise nach dem Fichtelberg*
(im *Fixlein*); die ›Erzählung‹ geringeren Umfangs, der aus
terminologischer Verlegenheit diese Allerweltsbenennung
zukommen soll, obwohl es sich um Texte von beträchtlicher
Unterschiedenheit handelt (*Biographische Belustigungen*,
1796; *Der Jubelsenior*, 1797; *Briefe und bevorstehender
Lebenslauf*, 1799; *Das heimliche Klaglied der jetzigen Männer*, 1801); die philosophierende Prosa, in der Traktat,
Dialog und Erzählung sich verbinden, in *Das Kampaner
Thal*, 1797; die philosophische Abhandlung über Gegenstände der Religion, Moral, Ästhetik, Geschichtsphilosophie, Politik, Pädagogik und Psychologie. Als eine Art von
Summe dieser Schaffensperiode Jean Pauls, ihrer erzählerischen Tendenzen und Themen, steht der *Titan* an ihrem
Ende; seine Entstehungsgeschichte – sie geht bis 1792
zurück – umfaßt das ganze Jahrzehnt, von dem hier die Rede
ist, und er steht, während die anderen Werke geschrieben
werden, als der zu erarbeitende Hauptroman im Bewußtsein
des Dichters. Aber dann wird er doch mehr und anderes
als eine zusammenfassende Wiederholung vorangegangener

Erzähl- und Gestaltungspraxis von nur größerer Weite: Der *Titan* verarbeitet Jean Pauls Erfahrung Weimars – und zwar als konkurrierender Gegenentwurf. Als Gegenentwurf wird er zum Manifest »antiklassischer Opposition« (Sprengel, 1982), das die Kunstgesinnung der Weimarer Klassik als ein Lebensethos aus ästhetizistischer Glaubensunkraft, als »Lebensfrevel« (Kommerell), thematisiert; im Konkurrieren aber wird Jean Paul zugleich von der Kunstpraxis, auf die er sich richtend bezieht, so attrahiert, daß die Form seiner erzählerischen Darstellung ihre – partielle – Prägung durch den Gegner findet. In wachsendem Maße löst sich der Erzähler im Fortgang des vierbändigen Werkes von der von humoristischer Subjektivität bestimmten ›wilden‹ Vortrags- und Darstellungsweise und erreicht im Schlußband eine relative erzählerische Objektivität, die sich in Jean Pauls gesamtem Lebenswerk kein zweites Mal findet. Hinzu kommt, daß im *Titan* zum erstenmal ein erzählerisches Opus ohne alle An- und Einbauten anderer Opuscula hervortritt. Jean Paul sondert alles übliche Beiwerk ab in einen selbständig gedruckten *Komischen Anhang* (dessen 2. Band sein bedeutendstes satirisches Werk, *Des Luftschiffers Giannozzo Seebuch*, 1801, enthält).

Jean Paul steht in den Jahren nach der Jahrhundertwende im Zenit seiner dichterischen Laufbahn. Wie zur Bekräftigung der künstlerischen Selbstgewißheit, die ihn erfüllt, veröffentlicht er nach dem *Titan* seine *Vorschule der Ästhetik* (1804): als theoretische Fundierung und Exegese des eigenen Kunstwollens und -schaffens ein nahezu beispielloser Text, einzigartig in seiner Humor-Theorie, insgesamt, trotz des Eigenwillens, mit dem Jean Paul die erörterten Gegenstands- und Themenbereiche disproportionierend kürzt oder streckt, eines der großen Dokumente der Ästhetik des deutschen Idealismus. Die *Vorschule* bildet zusammen mit den sie flankierenden Romanen *Titan* und *Flegeljahre* (1804–05) die Klimax seines Schaffens; ebenso unverkennbar aber deutet sich in den *Flegeljahren* eine Veränderung an, deren Konsequenzen Jean Pauls Spätwerk seine eigentümliche Prägung geben werden.

Obwohl er selbst im *Titan* das Non plus ultra seines poetisch-idealisierenden Vermögens erreicht zu haben glaubt, begegnet diesem Roman keine begeisterte Leserschaft, sondern eher kühle, ja enttäuschte Zurückhaltung. So werden die *Flegeljahre* – die sich aus einer zunächst geplanten Beigabe für den *Komischen Anhang zum Titan* in jenem epischen Wachstumsprozeß fortentwickeln und verselbständigen, der vorher bereits einmal den *Siebenkäs* aus einer Satire zum Roman hat werden lassen – für Jean Paul zu einer willkommenen Rückkehr aus der idealen Höhenluft des ›heroischen‹ Romans ins Bürgerlich-Kleinstädtische, in welchem der humoristische Erzähler wieder den Ton angeben darf. Aber solche Rückkehr führt zu keiner bloßen Restituierung der erzählerischen Welt der Romane des vorausgegangenen Jahrzehnts. In den *Flegeljahren* wirkt weiter, was der *Titan* unternahm: die Problematisierung der Geistesverfassung und der Innerlichkeit jener zentralen Charaktere, die Jean Paul in der *Unsichtbaren Loge* als »hohe Menschen« in die Romanwelt eingeführt hat. Zwar treten – in dem Brüderpaar Walt und Vult – die Charaktere des empfindsamen Idealisten und des humoristischen Kritikers erneut auf; aber die innere Nähe und Übereinstimmung, in der sie sich früher zusammenfanden, löst sich nun in Unvereinbarkeit auf, und der Roman wird zur Geschichte ihrer Trennung. Jean Paul verfolgt beim Entwurf der Charaktere wiederum das Verfahren der Selbst-Aufspaltung: »Erzähle, wie Du Dich in den Flegeljahren als Vult und Walt darstellen wolltest«, lautet eine spätere Notiz für die geplante Autobiographie.[2] Aber nicht die partielle Wiederholung des Erzähler-Ichs in den erzählten Charakteren kennzeichnet, wie früher, den Roman, sondern eine deutliche Distanz des sich überlegen wissenden Erzählers zu seinen Figuren. Der Humorist Vult verliert die strenge Integrität seiner Vorgänger, und er nimmt an skeptisch-ironischem Weltverstand im

gleichen Umfang zu, in welchem Jean Paul die Weltfremd-
heit und Selbstversponnenheit des dichterischen Phantasiemenschen Walt zur komischen Defizienz werden läßt. Im
Titan hatte Jean Paul mit der radikalen Problematisierung
des Lebens aus und in der Phantasie begonnen, zugleich aber
die Wesensdifferenz zwischen Roquairol und Albano strikt
behauptet: Der gemeinsame Ausgangspunkt, die dichterische Phantasie, ermöglichte sowohl den Weg in die rein
ästhetische wie in die ethische Existenz. Beider Verhältnis
und Verhalten zur Wirklichkeit stand in der Opposition von
Lüge und Wahrheit, Schauspielertum und Authentizität. In
Walt ist das so scharf Geschiedene aufgehoben. Der phanta-
stisch-dichtende Frevler und der dichterisch-idealistische
Fürst verlieren sich in der Gestalt des kleinstädtischen Träu-
mers, der im naiven Schauspielertum seiner träumenden
Phantasien nichts von dem selbstzerstörerisch reflektierten
Phantasieleben und -lieben des einen weiß, aber ebensowenig vom Wachstum zu allseitiger Bildung des anderen. Walts
›Bildungsgeschichte‹ steht im Zeichen vergeblicher Liebes-
müh aller Beteiligten, und was am Anfang des Romans als
Erziehungsplan und Entwicklungsoffenheit sich anzumel-
den scheint, wird sich selber im weiteren Verlauf unglaub-
würdig und stiehlt sich sozusagen davon. Vult andererseits,
dem zunächst die Aufgabe übertragen scheint, als ein Hebel
zu fungieren, um Walt in die rechte Bahn wirklichkeitsbe-
wußter Lebenstüchtigkeit zu bringen, gerät in die Zweideutigkeit dessen, der zugleich als Mit- und Gegenspieler agiert,
so daß auf seinen halben Betrug der Schatten Roquairols
fällt. Jean Paul gibt den Versuch, das schon im *Titan* ästhetisch kostspielige und gewaltsame Unternehmen eines ›Bildungsromans‹ nun im bürgerlichen Milieu zu wiederholen,
stillschweigend auf zugunsten der dafür um so reiner gelingenden, antinomisch strukturierten Geschichte von zweien,
die sich die Nächsten sind, ohne füreinander da sein zu
können. »Gehabe Dich wohl«, schreibt Vult im Abschieds-
brief an Walt, »Du bist nicht zu ändern, ich nicht zu

bessern; so wollen wir einander denn in wechselseitiger Luftperspektive entlegen erblicken« (W II,1059). In dieser Trennung – im Fortgehen des flötespielenden Vult von dem Bruder, der, seinem Traum vom »rechten Lande« nachträumend, »entzückt die fliehenden Töne reden« hört (W II,1065), aber nicht wahrnimmt, daß sie ein Abschiedslied sind – ereignet sich mehr als ein wunderbar erfundener und rein gestalteter Romanschluß. Es ist auch die Reflexion eines Abschieds, den der Autor von dem Erzähler nimmt, der er bis dahin – und am ehrgeizigsten im *Titan* – zu sein versuchte: die Resignation auf den Anspruch, noch fortan im zusammenfassenden Erzählerbewußtsein alles aufheben und versöhnen zu können, was gegensätzlich und widersprüchlich sich in den erzählten Charakteren ausfaltet, zusammenstößt und Verbindung sucht.

Vom Erscheinungsjahr seines ersten Buches (1783) bis zum Todesjahr 1825 gerechnet, fallen die *Vorschule* und die *Flegeljahre* genau in die Mitte der 42 Jahre Jeanpaulscher Autorschaft. Nimmt man hinzu, daß er sich 1804, einundvierzigjährig, durchaus noch nicht auf der Schwelle zu seinen Altersjahren befindet, so erscheint es wenig plausibel, seine von nun an veröffentlichten Schriften als ›Spätwerk‹ zu bezeichnen. Tatsächlich ordnet sich vor allem die *Levana* (1807) dem Korpus der vorausgegangenen Werke zu, in welcher die Fülle der pädagogischen Motive und Gedanken aus seinen Romanen und Erzählungen sich zu einer »Erziehlehre« in der Nachfolge der Aufklärungspädagogik Rousseaus, Herders und Pestalozzis zusammenschließt. (Es ist eines der erfolgreichsten Werke Jean Pauls geworden, übrigens das einzige, das Goethes uneingeschränkte, freudige Zustimmung gewonnen hat.) Im übrigen aber läßt sich die Rede vom Spätwerk wohl rechtfertigen; die Veränderung von Autor und Werk ist unverkennbar, ja sie entdeckt sich sogar in bloßen Zahlenangaben: bei den 16 Buchveröffentlichungen von der *Loge* bis zu den *Flegeljahren* stehen 14 erzählende 2 philosophischen Werken gegenüber, unter den

15 späteren finden sich 4 erzählende Werke neben 11 Titeln, die entweder ausschließlich oder vornehmlich (als Sammlungen von Zeitschriftenbeiträgen) nichtfiktionale Texte enthalten. Der ›Dichter‹ Jean Paul tritt hinter den ›Schriftsteller‹, ja den ›Publizisten‹ zurück, d. h., nicht mehr die großen Erzählwerke, die das Schaffen zuvor bestimmt haben, sondern Texte geringeren bis minimalen Umfangs, Gelegenheitsarbeiten für Almanache, Zeitschriften etc., sind jetzt dominant. Es ist nicht nur ein Reflex der Veränderungen des literarischen Marktes, wenn von den etwa 120 verstreut gedruckten Arbeiten, die Eduard Berends Jean-Paul-Bibliographie verzeichnet, 90 erst nach 1804 veröffentlicht werden.

Über diese quantifizierend feststellbaren Veränderungen des schriftstellerischen Werkes hinaus ist es vor allem die politische Thematik, deren auffälliges Hervortreten ein neues Moment bezeichnet. Von der *Friedens-Predigt an Deutschland* (1808) bis zu den *Politischen Fastenpredigten* (1817) begleitet Jean Paul als politischer Publizist die Jahre der Napoleonischen Herrschaft und der beginnenden Restauration. Er ist kein Patriot, im nun aktuell werdenden Sinn des Wortes, weder preußisch noch österreichisch gesinnt, deshalb auch ohne antinapoleonische Leidenschaft oder gar Frankophobie: das Bekenntnis zu den Idealen der Französischen Revolution hat er nie widerrufen, und die kosmopolitischen Ideen des Aufklärungsjahrhunderts behaupten sich bei ihm, zusammen mit rückhaltloser Kriegsgegnerschaft, über alle nationalen Ressentiments und Begeisterungen der Zeit. So geraten seine politischen Schriften vornehmlich zu Texten über politische Moral, über die Bewahrung humaner Gesinnung in den machtpolitischen Auseinandersetzungen. ›Partei‹ ist er erst dort, wo an die Stelle der Kriegshandlungen die innenpolitischen Konflikte getreten sind: hier ist er Konstitutionalist, der sich gegen die Illiberalität der restaurativen Politik der Fürsten empört. (Die Vorliebe, die die burschenschaftliche Bewegung

und später die Jungdeutschen für ihn zeigen, gründet u. a.
darin.)

Jean Paul ist Publizist geworden, er beteiligt sich, über die
Politik hinaus, an der Diskussion aktueller literarischer und
öffentlicher Angelegenheiten, schreibt Vorreden zu Werken
anderer Autoren (so für die *Phantasiestücke in Callot's
Manier* von E. T. A. Hoffmann), wird zum Rezensenten –
mit welcher Spezies er in seinem früheren Werk sich in
einem dauernden komischen Krieg befunden hatte – und
gibt seine ersten Romane neu heraus, wobei er vor allem den
Siebenkäs beträchtlich erweitert, im übrigen aber bei den
sprachlichen ›Verbesserungen‹ auch eine Marotte verfolgt,
mit der er sich als Sprachreformer engagiert hat (*Über die
deutschen Doppelwörter*, 1820). Es geht ihm dabei um die
Tilgung des Fugen- oder Binde-s in Komposita, deren
Erfordernis ihm zur fixen Idee geworden ist. Sie hat zur
Folge, daß z. B. im Untertitel des *Hesperus* die »Hundspost-
tage« sich in »Hundposttage« verändern. Das Prinzip, bei
der Edition dichterischer Werke dem definitiven Willen des
Autors, d. h. der ›Ausgabe letzter Hand‹ zu folgen, hat dazu
geführt, daß Jean-Paul-Texte für den heutigen Leser mit
dieser Sprach- bzw. Schreibsonderlichkeit behaftet sind.

Alle diese Momente scheinen auf eine tiefreichende Krise
im Schaffen Jean Pauls hinzudeuten, wenn nicht gar auf eine
Lähmung, ein Versiegen seiner dichterischen Einbildungskraft. Das letztere ist ganz und gar nicht der Fall: *Des
Feldpredigers Schmelzle Reise nach Fläz* (1809) ist als satir-
risch-humoristisches Charakterporträt das Beste geworden,
was Jean Paul in diesem Genre geschrieben hat, und das
Leben Fibels (1812) gehört zu seinen originellsten Erzählwerken, trotz oder gerade wegen der problematischen
Fusion idyllischer, satirischer und selbstparodistischer Elemente, vor allem aber in seiner vielfältig gebrochenen, komplexen Komposition. Die Krisis aber ist evident. Sie wird
besonders darin kenntlich, daß der Erzähler seinen empfindsamen Habitus und die ihm zugehörige Sprache einbüßt.

Was bereits im *Titan*, stärker dann in den *Flegeljahren* spürbar geworden ist – die entstehende Distanz zwischen Erzähler-Ich und Romanpersonal, die damit verbundene Minderung des intim-kommunikativen Autor-Leser-Verkehrs, der ironische Blick auf die dichterische Phantasie und die Problematisierung ihres Verhältnisses zur ›Wirklichkeit‹: die Lebenslüge des Phantasiemenschen, seine lebenserfindenden, Ich-erdichtenden Einbildungen –, das führt nun zum Einsturz von Jean Pauls ehemaliger Erzählwelt. *Dr. Katzenbergers Badereise* (1809) ist ein letzter Versuch, mit dem alten Instrumentarium noch einmal, wenn auch nur partiell, zu arbeiten; aber neben dem ins Groteske getriebenen Charakterporträt des Arztes, dessen materialistischer Direktheit und unverfrorenem Zynismus Jean Paul eine eigentümliche Souveränität zukommen läßt, gerät die ins Empfindsam-Naive gezeichnete, fast schon biedermeierlich anmutende Liebesgeschichte ins Beiläufige. Sie wirkt wie die klischeehafte Verarbeitung eines poetischen Materials, das seine Authentizität verloren hat und ins Triviale abzusinken droht. Im *Leben Fibels* gibt Jean Paul solchen Versuchen und Versuchungen nicht mehr nach. Die erzählerische Welt ist gegenüber den früheren Werken kälter geworden, ohne deren Glanz und leuchtende Farben, ohne den Widerschein der »zweiten Welt in der hiesigen«; nur auf den letzten Seiten darf er sich noch einmal, raffiniert veranstaltet und unter artistisch arrangierten Voraussetzungen, über Fibels kleine Welt breiten.

Zusammen mit der Eliminierung des empfindsam-idealisierenden Darstellens, der enthusiastischen Lebensfestlichkeit, der rauschhaften Naturerlebnisse und Landschaftsentwürfe und der überschwenglich zelebrierten Vereinigungsfeiern seelenhafter, hoher Menschen geht in Jean Pauls erzählerischem Spätwerk die parodistisch-kritische Dekomposition dessen, was früher im Entwurf der erzählerischen Welt und ihrer Bewohner tragender Grund und substantieller Gehalt war. Die Motive und die Ausstattung der Personen mit Eigenschaften, Wünschen, Verhaltensweisen ändern sich kaum; Jean Paul arbeitet mit den alten materialen Beständen, aber er verkehrt deren ehemaliges Bedeuten, präsentiert als Schein, was sich zuvor als Wirklichkeit wahrhaft behauptete. Das letzte Alterswerk, das einzige, das als Plan und auch noch in seiner fragmentarischen Ausführung sich den großen Romanen bis zu den *Flegeljahren* an die Seite stellt, *Der Komet* (1820–22), ist als »opus magnum« konzipiert, als ein satirisch-komisches Weltgemälde in der Konkurrenz mit dem *Don Quijote* – und als ein »Anti-Titan«. Wie zuvor der *Titan* selbst, so begleitet nun auch *Der Komet* als das große ›Hauptwerk‹ über ein Jahrzehnt hin die übrigen Arbeiten Jean Pauls. Daß er eine Weile beabsichtigt, die eigene Autobiographie – die aus dem Nachlaß 1826 veröffentlichte *Selberlebensbeschreibung*, die über die Kinder- und Knabenjahre nicht hinausgelangt – und die Geschichte des Apothekers Nikolaus Marggraf, der des Glaubens ist, Sohn eines Fürsten zu sein, ineinander zu arbeiten, deutet die neue Art von Identifikation zwischen Autor und Romanhelden an. »Als ob es nicht meine eigene Geschichte wäre« (Berend, S. 347), hält Jean Paul dem dänischen Dichter Jens Baggesen entgegen, der seinerseits in Nikolaus Marggraf sich zu erkennen glaubte. Albano im *Titan* konnte noch als unversehrbare Gegen-Bastion im Kreis der zusammenbrechenden titanischen Mit- und Gegenspieler sich behaupten. Im *Komet* holt nun auch den Helden das – wenn auch nur komische – Gericht ein; und was dort im *Titan*, wie mühsam auch immer, der Form des Bildungsromans sich anzupassen versuchte, wird nun zu einer Spielart des »Desillusionsromans«, in welchem die ehemalige Idealität ins Wahnhafte umbiegt, der Roman die Romanhaftigkeit der poetischen Welterfindung bekennt und als ein zwielichtiges Spiel im Zwischenraum von Lüge, Täuschung, Schein und Wahrheit preisgibt.

In der Aufnahme Jean Pauls durch seine Zeitgenossen mischen sich von Anfang an und in einem weit stärkeren Maße, als das auch andere, vergleichbar bedeutende Autoren erfahren haben, enthusiastische Zustimmung und Bewunderung, von Vorbehalten begleitete Anerkennung und heftigste Abwehr. Er ist sofort Inbegriff eines kontroversen Autors: das Interesse, das seine Schriften erregen, scheint distanzierte Neutralität nicht zu erlauben. Er provoziert die Entscheidung für oder wider sich, eine Parteinahme, sei es eine globaler Art oder eine selektive, was angesichts der Heterogenität der Formen und Materialien, mit denen er arbeitet, und der vielfältigen Gebrochenheit seiner poetischen Welt das Näherliegende ist. Es scheint kein schlechter Beginn einer Wirkungsgeschichte und fast eine Garantie für deren fortdauernde, lebendige Bewegtheit. Aber das ist doch eine Rechnung, die nicht rein aufgeht.

Daß einem Autor bereits zu Lebzeiten der Rang eines der großen Dichter der Nation zugesprochen wird, muß nicht bedeuten, daß auch seine Werke in den Kanon der ›klassischen‹ Schriften der Nation eingehen. Jenes zwar wird Jean Paul zuteil, dieses aber nur in einem so eingeschränkten Umfang und auf so bedingte Weise, daß Lessings bekannte Verse über den ›erhobenen‹, aber nicht gelesenen Klopstock auf ihn ebenso passend erscheinen. Die Wirkungsgeschichte Jean Pauls ist, von allem anderen abgesehen, in erster Linie die Geschichte einer selektiven Lektüre. Sie beginnt von dem Augenblick an, wo seine Schriften überhaupt vom Publikum wahrgenommen werden: die Späße, die der Autor mit seinen empfindsamen Leserinnen veranstaltet, die nur das ›Erzählte‹ lesen wollen, aber die Reflexionen und schon gar die Satiren überschlagen, sind nicht aus der Luft gegriffen. Dann fangen auch schon bald die Anthologienhersteller an, in seine Werke einzusteigen und darin wie Bergleute taubes Gestein von Gold-, Silber- oder Erzadern zu scheiden. Die Annahme ist nicht abwegig, daß sie damit eine zahlreichere Leserschaft gefunden haben als die Werke selbst; und sie haben mit ihrem Unternehmen Tradition gestiftet bis in unser Jahrhundert hinein. Selbst Stefan Georges Erhebung Jean Pauls zur »größten dichterischen kraft der Deutschen«[3] erfolgt zusammen mit einer solchen Anthologie und der Erklärung: »Zu einer solchen teilung des werkes aber wird man sich bei ihm immer leichter entschliessen, je deutlicher man wahrnimmt wie sie ihn erst recht erhebe und wie tief sie durch eine Spaltung seines ganzen wesens bedingt sei. «[4] Von selektiver Lektüre ist auch die Wirkungsgeschichte von Jean Pauls einzelnen Werken bzw. des Gesamtwerks bestimmt. Die frühe Satirik verschwindet darin ganz und gar, der *Komet* bleibt völlig unbeachtet, die *Loge* spielt kaum eine Rolle, *Hesperus* verblaßt zu einem historischen Dokument, und von den anderen drei Romanen behalten vorzüglich die *Flegeljahre* eine gewisse Bekanntheit. Im übrigen aber ist Jean Paul der Autor des *Schulmeisterlein Wutz,* eventuell noch des *Dr. Katzenberger,* der *Vorschule* und der *Levana.* Das jedenfalls ist der Zustand, der um die Mitte des 19. Jahrhunderts sich hergestellt hat. Man fragt sich, welche Jean-Paul-Lektüre Nietzsches berühmter Formel vom »Verhängnis im Schlafrock« zugrunde liegt. Am wirkungsreichsten scheint der Dichter in diesem Zeitraum noch in Grimms *Deutschem Wörterbuch* fortzudauern, in dem er eine immense Rolle spielt.

Dazu, daß dieser Zustand sich so herstellen konnte, trägt wohl vornehmlich bei, daß die literarische Gesinnung des gebildeten Bürgertums in erster Linie goetheanisch war, jedenfalls den Weimarer Klassikern zugeschworen, und daß die realistische Wendung der deutschen Literatur des 19. Jahrhunderts im Zeichen des ›poetischen Realismus‹ erfolgte, der sich auf Goethe berief. Das disqualifizierte Jean Paul, rückte ihn in die Position eines fremd gewordenen Außenseiters und Irrläufers. Der Geschmackswandel, der sich vollzogen hat, ist bei Stifter und Gottfried Keller besonders deutlich ablesbar: strikte Abkehr folgt auf ihre jugendliche Jean-Paul-Verehrung, in der sie noch ganz übereinstimmen mit der Hochschätzung, die Vormärz, Biedermeier und Junges Deutschland Jean Paul entgegengebracht haben. Börnes *Denkrede auf Jean Paul* von 1825 ist das bekannteste Dokument dafür: eine Huldigung, die dem gilt, der nicht Repräsentant der »Kunstperiode« war, sondern Vertreter einer Literatur, die, statt ihre Autonomie zu erklären, sich ›engagiert‹ und die Lebenssorge laut zur Sprache bringt.

Jean Pauls antiklassische Kunst im Licht ihrer Modernität zu sehen ist freilich auch bei dieser Anhängerschaft ausgeblieben. Das ereignete sich eher in Frankreich, wo der Dichter in Madame de Staëls Buch *De l'Allemagne* mit der Übersetzung der *Rede des toten Christus* eingeführt wurde und neben E. T. A. Hoffmann, der selbst bei Jean Paul in die Schule ging, und Novalis das Interesse der französischen Romantiker erregte. In Deutschland, wo sein unmittelbarer Einfluß sich im Verlauf des 19. Jahrhunderts fast ausschließlich auf den Umkreis eines sich mehr und mehr trivialisierenden, ›humoristischen‹ Erzählens einschränkte, hat erst George, der ihn als ›vater der ganzen heutigen eindruckskunst« apostrophierte, die Aktualisierbarkeit Jean Pauls für die literarische Moderne entdeckt (Friedrich Schlegel und Görres waren ihm darin vorausgegangen, freilich folgenlos); und seitdem haben im 20. Jahrhundert Autoren der unterschiedlichsten Richtungen und Lager – von Impressionismus und Neuromantik, Expressionismus und Surrealismus bis zur absoluten, phantastischen und engagierten Poesie – in seiner Kunst und ihrer Bilderwelt die Spuren des eigenen künstlerischen Wollens entdeckt und nachgezeichnet. Das Verdikt der ›Fratzenhaftigkeit‹, das die Weimarer Klassiker über ihn verhängt haben und das im 19. Jahrhundert beinahe kanonisch wurde, hat keine besondere Überzeugungskraft mehr für eine künstlerische Praxis, der ein »Tragelaph« – so Goethe über den *Hesperus* – ein ästhetisch bemerkenswerteres Lebewesen ist als ein rassereiner Ziegenbock oder Hirsch.

Anmerkungen

1 *Wahrheit aus Jean Paul's Leben*, 8 Hefte, hrsg. von Ch. Otto
und E. Förster, Breslau 1826–33, H. 2, S. 139.　　**2** Ebd., S. 10.
3 *Deutsche Dichtung*, hrsg. und eingel. von S. George und K.
Wolfskehl, Bd. 1: *Jean Paul*, Berlin ³1923, S. 5.　　**4** Ebd., S. 7.

Bibliographische Hinweise

Sämtliche Werke. Hist.-krit. Ausg. Hrsg. von der Preussischen
    Akademie der Wissenschaften. Abt. 1: Zu Lebzeiten des Dichters
    erschienene Werke. 19 Bde. Abt. 2: Nachlaß. 5 Bde. Abt. 3: Brie-
    fe. 9 Bde. Weimar 1927–64. [Zit. als: SW.]
Werke. Hrsg. von N. Miller. [Abt. 1: Erzählende und theoretische
    Werke.] 6 Bde. München 1959–63 [u. ö.]. Abt. 2: Jugendwerke
    und vermischte Schriften. 4 Bde. Hrsg. von N. Miller und W.
    Schmidt-Biggemann. München 1974–85. [Zit. als W.]

Jahrbuch der Jean-Paul-Gesellschaft. Jg. 1 ff. 1966 ff.
Jean Pauls Persönlichkeit in Berichten der Zeitgenossen. Hrsg. von
    E. Berend. Berlin/Weimar 1956. [Zit. als: Berend.]
Jean Paul. Hrsg. von U. Schweikert. Darmstadt 1974. (Wege der
    Forschung. 336.)
Jean-Paul-Chronik. Daten zum Leben und Werk. Zus.-gest. von
    U. Schweikert, W. Schmidt-Biggemann und G. Schweikert.
    München/Wien 1975.
Jean Paul im Urteil seiner Kritiker. Dokumente zur Wirkungsge-
    schichte Jean Pauls in Deutschland. Hrsg. von P. Sprengel. Mün-
    chen 1980.
Jean Paul. Hrsg. von H.-L. Arnold. München ³1983. (Text +
    Kritik. Sonderband.)

Bach, H.: Jean Pauls Hesperus. Leipzig 1929.
Bade, H.: Jean Pauls politische Schriften. Tübingen 1974.
Berend, E.: Jean Pauls Ästhetik. Berlin 1909.
– Jean-Paul-Bibliographie. Neu bearb. und erg. von L. J. Krogoll.
    Stuttgart 1963.
Bosse, H.: Theorie und Praxis bei Jean Paul. § 74 der »Vorschule der
    Ästhetik« und Jean Pauls erzählerische Technik, besonders im
    »Titan«. Bonn 1970.

Bruyn, G. de: Das Leben des Jean Paul Friedrich Richter. Frankfurt a. M. 1976.

Ehrenzeller, H.: Studien zur Romanvorrede von Grimmelshausen bis Jean Paul. Bern 1955.

Garte, H.: Kunstform Schauerroman. Eine morphologische Begriffsbestimmung des Sensationsromans im 18. Jahrhundert von Walpoles »Castle of Otranto« bis Jean Pauls »Titan«. Leipzig 1935.

Harich, W.: Jean Pauls Revolutionsdichtung. Versuch einer neuen Deutung seiner heroischen Romane. Reinbek bei Hamburg 1974.

Kommerell, M.: Jean Paul. Frankfurt a. M. ⁵1977.

Köpke, W.: Erfolglosigkeit. Zum Frühwerk Jean Pauls. München 1977.

Lindner, B.: Jean Paul. Scheiternde Aufklärung und Autorrolle. Darmstadt 1976.

Michelsen, P.: Laurence Sterne und der deutsche Roman des 18. Jahrhunderts. Göttingen 1962.

Miller, N.: Die Unsterblichkeit der zweiten Welt. Jean Pauls literarische Anfänge und die Entstehung seiner Romanwelt. In: W II,4,9–85.

Müller, G.: Jean Pauls Ästhetik und Naturphilosophie. Tübingen 1983.

– Jean Pauls Exzerpte. Würzburg 1988.

Müller, V. U.: Narrenfreiheit und Selbstbehauptung. Spielräume des Humors im Werk Jean Pauls. Stuttgart 1979.

Naumann, U.: Predigende Poesie. Zur Bedeutung von Predigt, geistlicher Rede und Predigertum für das Werk Jean Pauls. Nürnberg 1976.

Neumann, P. H.: Jean Pauls »Flegeljahre«. Göttingen 1966.

Och, G.: Der Körper als Zeichen. Zur Bedeutung des mimisch-gestischen und physiognomischen Ausdrucks im Werk Jean Pauls. Erlangen 1985.

Oehlenschläger, E.: Närrische Phantasie. Zum metaphorischen Prozeß bei Jean Paul. Tübingen 1980.

Ortheil, H. J.: Jean Paul. Reinbek bei Hamburg 1984.

Rasch, W.: Die Erzählweise Jean Pauls. Metaphernspiele und dissonante Strukturen. München 1961.

Rehm, W.: Jean Pauls vergnügtes Notenleben oder Notenmacher und Notenleser. In: W. R.: Späte Studien. Bern/München 1964. S. 7–96.

Schlaffer, H.: Epos und Roman. Tat und Bewußtsein. Jean Pauls

»Titan«. In: H. Sch.: Der Bürger als Held. Sozialgeschichtliche Auflösungen literarischer Widersprüche. Frankfurt a. M. 1981. S. 15–50.

Schmidt-Biggemann, W.: Maschine und Teufel. Jean Pauls Jugendsatiren nach ihrer Modellgeschichte. Freiburg i. Br. / München 1975.

– Vom enzyklopädischen Satiriker zum empfindsamen Romancier: Jean Pauls frühe Entwicklung. In: W II, 4, 263–292.

Schmitz-Emans, M.: Schnupftuchsknoten oder Sternbild. Jean Pauls Ansätze zu einer Theorie der Sprache. Bonn 1986.

Scholz, R.: Welt und Form des Romans bei Jean Paul. Bern/ München 1973.

Schweikert, U.: Jean Paul. Stuttgart 1970. (Sammlung Metzler. 91.)

– Jean Pauls »Komet«. Selbstparodie der Kunst. Stuttgart 1971.

Sprengel, P.: Innerlichkeit. Jean Paul oder das Leiden an der Gesellschaft. München 1977.

– Antiklassische Opposition. Herder – Jacobi – Jean Paul. In: Neues Handbuch der Literaturwissenschaft. Bd. 14: Europäische Romantik. Hrsg. von E. R. Mandelkow in Verb. mit E. Behler [u. a.]. Frankfurt a. M. 1982. S. 249–272.

Staiger, E.: Jean Paul: »Titan«. Vorstudien zu einer Auslegung. In: E. S.: Meisterwerke deutscher Sprache aus dem 19. Jahrhundert. Zürich 1943. S. 39–81.

Vinçon, H.: Topographie: Innenwelt – Außenwelt bei Jean Paul. München 1970.

Voigt, G.: Die humoristische Figur bei Jean Paul. München [2]1969.

Vollmann, R.: Das Tolle neben dem Schönen. Jean Paul. Ein biographischer Essay. Nördlingen 1988.

Walser, M.: Goethe hat ein Programm, Jean Paul eine Existenz. (Über »Wilhelm Meister« und »Hesperus«.) In: Literaturmagazin 2: Von Goethe lernen? Fragen der Klassikrezeption. Hrsg. von H. Ch. Buch. Reinbek bei Hamburg 1974. S. 101–112.

Weigl, E.: Aufklärung und Skeptizismus. Untersuchungen zu Jean Pauls Frühwerk. Hildesheim 1980.

Wiethölter, W.: Witzige Illuminationen. Studien zur Ästhetik Jean Pauls. Tübingen 1979.

Wölfel, K.: Jean Paul-Studien. Hrsg. von B. Buschendorf. Frankfurt a. M. 1989.

Wuthenow, R.-R.: Der Erzähler Jean Paul. Zwei Essays. Tokyo 1965.

Friedrich Hölderlin

Von Gerhard Kurz

Hölderlin war in seiner bürgerlichen Existenz ein Gescheiterter. Der nach dem Studium im Tübinger Stift vorbestimmte und von der Mutter gewünschte Beruf des Pfarrers kam für ihn nicht in Frage. Sein intellektueller und literarischer »Ehrgeiz«, schrieb der junge Hölderlin an seine Mutter, werde ihn in einer »friedlichen Pfarre« und »im ruhigen Ehestande« nie glücklich sein lassen. Um angebotene Pfarrstellen bewarb Hölderlin sich nicht, auch weil sein Glaubensbekenntnis nicht mehr das der »Theologen von Profession« war.

Absolventen des Tübinger Stifts, die keine kirchliche Stelle antreten wollten, mußten die kirchliche Behörde um Urlaub bitten und eine andere Arbeit nachweisen. Für einen Intellektuellen blieben Ende des 18. Jahrhunderts als Möglichkeiten nur die Existenz als freier Schriftsteller, der von seinen Werken, vielleicht noch mäzenatisch gefördert, lebt, als Universitätsdozent und als Hofmeister, der nur zu oft wie ein Domestik des Hauses behandelt wurde. Die Stelle eines Hofmeisters war eine bevorzugte Übergangs- und Ausweichmöglichkeit für Stiftsabsolventen. Hölderlin war viermal Hofmeister in adligen oder begüterten Häusern. Die erste Anstellung in Waltershausen bei der Familie von Kalb (1793–95) endete in einer pädagogischen Krise und wurde aufgelöst; die zweite, pädagogisch erfolgreicher, bei der Frankfurter Kaufmanns- und Bankiersfamilie Gontard (1796–98), endete in einem Bruch wegen des musischen und erotischen Verhältnisses zwischen Hölderlin und der Mutter seines Zöglings, Susette Gontard. Die Anstellungen bei patrizischen Familien in Hauptwil (1801) in der Schweiz und in Bordeaux (1802) sind kurz. Ihr Ende hängt offenbar mit seiner psychischen Krankheit zusammen.

Hölderlins Versuche in der ersten Homburger Zeit (1798–1800), sich als freier Schriftsteller zu etablieren, zerschlugen sich. Die mit dem Verleger Steinkopf 1799 projektierte literarische Zeitschrift »Iduna« kam nicht zustande. Nicht nur Goethe und Schiller, auch Freunde (»auch solche, die nicht ohne wahrhaften Undank mir eine Teilnahme versagen konnten«; an Susette Gontard, 12.[?] September 1799) reagierten nicht auf Hölderlins Einladung zur Mitarbeit. Seine Hoffnungen, im Wechsel von Hofmeister- und freier Schriftsteller-Existenz leben zu können, ließen sich nicht verwirklichen, ebensowenig der 1801 erwogene Plan, an der Universität Jena über griechische Literatur zu lesen. Hölderlins späte Reflexionen über den »Kalkül« antiker und moderner Kunstwerke in den *Anmerkungen zum Ödipus* reflektieren auch seine unsichere soziale Rolle und dienen dazu, »den Dichtern, auch bei uns, eine bürgerliche Existenz zu sichern«. Mäzenatische Förderung erhielt Hölderlin erst während seines zweiten Homburger Aufenthalts (1804–06). Auf Betreiben seines Freundes Isaak von Sinclair wurde er vom Landgrafen von Homburg als Bibliothekar angestellt.

Neben seinem Gehalt als Hofmeister und wenigen Honorarzahlungen lebte Hölderlin von den sparsamen Zuwendungen aus den Zinsen seines stattlichen Erbes, das die Mutter verwaltete.

1806 wurde Hölderlin als Geisteskranker in das Tübinger Clinicum eingeliefert. Diese Erkrankung verhinderte eine Verhaftung im Zusammenhang mit einer jakobinischen Verschwörung in Württemberg, in die vor allem sein Freund Sinclair verwickelt war. 1807 wurde er als unheilbarer und pflegebedürftiger Fall entlassen. Der Tübinger Schreinermeister Ernst Zimmer nahm ihn in seinen Haushalt auf. Die

Friedrich Hölderlin
1770–1843

Pflegekosten wurden ebenfalls aus den Zinsen seines Erbes und aus einem Gratial bestritten, das seine Mutter zu seiner Pflege von der Landesregierung erhalten hatte. Es wurde auch nach ihrem Tode (1828) weiter gewährt. Bei Zimmer lebte Hölderlin in einem turmartigen Anbau, zum Neckar hin, bis zu seinem Tode am 7. Juni 1843.

Johann Christian Friedrich Hölderlin wurde am 20. März 1770 in Lauffen am Neckar geboren. Seine Eltern, Heinrich Friedrich Hölderlin und Johanna Christiana, geb. Heyn, gehörten der begüterten, politisch einflußreichen bürgerlichen ›Ehrbarkeit‹ Alt-Württembergs an, die die Vertreter der Magistrate und der politisch mächtigen Ständevertretung stellte. Der Vater war Jurist und herzoglicher Beamter und verwaltete als Klosterhofmeister die Ländereien eines ehemaligen Klosters. Die Mutter entstammte einer Pfarrersfamilie. Nach dem frühen Tod des Vaters und nach dem Tod ihres zweiten Mannes, Johann Christoph Gok, der 1776 in Lauffen Bürgermeister wurde, erzog ihn die Mutter allein. Vom Tod des Vaters und zumal des Stiefvaters und von der starken Abhängigkeit von der Mutter mag seine psychische Labilität herrühren.

Von 1784 bis 1788 besuchte Hölderlin die Klosterschulen in Denkendorf und Maulbronn. Sie waren dem württembergischen Pietismus verbunden, dessen Frömmigkeit Gesellschaftskritik und aufklärerisches Denken keineswegs ausschloß. Hölderlin erfuhr die Klosterschulen als bedrückkend. 1788 bis 1793 studierte er Philosophie und Theologie im Tübinger Stift. Mit Hegel und Schelling lebte er zeitweise in einer Stube. 1793 legte er das Konsistorialexamen ab.

Das Tübinger Stift war die Eliteschule der württembergischen Landeskirche. Deren Ausbildungssystem war ohnehin auf hohe Leistungen angelegt. Ende des 18. Jahrhunderts war das Stift vom »Geist des Zeitalters« erfaßt, wie es in einem Gutachten heißt. Bei den Stipendiaten verbanden sich Begeisterung für die Französische Revolution und für die

Kantische Philosophie, verstanden als theoretisches Pendant der Französischen Revolution. In einem Geflecht von Freundschaften, von gemeinsam erfahrenen, in dieser Zeit vom Herzog von Württemberg verschärften Reglementierungen und von gemeinsamen Überzeugungen, die sich gleichermaßen gegen Politik und orthodoxe Theologie richteten, entstand ein einzigartiges intellektuelles und kreatives Klima. 1790 schloß Hölderlin mit Christian Ludwig Neuffer und Rudolf Magenau einen Dichterbund, nach dem Vorbild des Göttinger Hainbundes. Der Bund war mehr als eine Vereinigung von Freunden. Für seine Mitglieder enthielt und verwirklichte er eine gesellschaftliche Utopie. In Schillers Lied *An die Freude* (1785) fanden sie den enthusiastischen Ausdruck ihres Ideals.

Schon in der Maulbronner Zeit begann Hölderlin zu dichten, Gedichte mit moralischen und religiösen Themen. Seine frühen literarischen Vorbilder waren neben *Ossian*, Hölty, Friedrich Leopold von Stolberg und Bürger vor allem Klopstock, der »große Messiassänger«. Die frühen Gedichte und Briefe reden schon von labilen Zuständen, die sein psychisches Grundproblem ausmachen: das Schwanken zwischen Menschenscheu, Einsamkeit und Begeisterung und Liebe, zwischen Stolz, Ehrgeiz und Depressionen. Später wird Hölderlin auf der Verbindung und wechselseitigen Begrenzung von »Begeisterung« und »Nüchternheit« im Leben und in der dichterischen Arbeit geradezu programmatisch insistieren, auf dem Ertragen des »augenblicklich Unvollständigen«, um das Leben zu »verstehen«. Die für Hölderlins Poetik so zentrale Kategorie des »Wechsels« poetischer Stimmungen verdankt sich sowohl ästhetischer als auch lebensgeschichtlicher Reflexion auf den Sinn solcher Wechsel.

In Tübingen schreibt Hölderlin Oden, Lieder und Hymnen. Hymnen mit politischen, landschaftlichen und historischen Themen sind in der schwäbischen Lyrik Ende des 18. Jahrhunderts beliebt. Hölderlins Vorbild ist neben

Klopstock und Stolberg nun Schiller. Die pathetische Energie, die Einsetzung mythologischer Motive, die rhetorische Struktur, die philosophische Reflexivität und die Form der Reimstrophe in Schillers Hymnen waren für Hölderlin musterbildend. Schillers Bedeutung für die Ausbildung von Hölderlins ästhetischer Theorie und dichterischer Praxis ist nicht zu überschätzen. Er war für ihn eine Vaterfigur, die er mit »Anhänglichkeit« verehrte, deren Nähe er suchte, die er als potentiellen Förderer umwarb und unter der er litt, mit der er sich offen und verdeckt auseinandersetzte und wetteiferte. Gotthold Friedrich Stäudlin, der in seinem *Musenalmanach fürs Jahr 1792* (1791) die ersten Gedichte Hölderlins publizierte, hatte die Verbindung zwischen Hölderlin und Schiller hergestellt. Schiller förderte Hölderlin; er vermittelte die Hofmeisterstelle bei der Familie von Kalb, er veröffentlichte das *Hyperion*-Fragment in seiner Zeitschrift *Thalia*, und er gewann für den Roman den berühmten Johann Friedrich Cotta als Verleger.

Die Tübinger Hymnen Hölderlins sind formal gekennzeichnet durch die hymnische Reimstrophe mit meist 8 jambischen oder trochäischen Versen. Sie sind »Preisgesänge«, vorgetragen in der Rolle eines auserwählten Dichters oder Sängers, der sich an Freunde und Eingeweihte wendet. Die Verkündigung des Dichters verbindet neuzeitliche Kosmologie, Eschatologie und politische Utopie. Getragen wird sie von einer Bilderwelt des Großen und Erhabenen. Gepriesen werden Freundschaft, Freiheit, Liebe, Schönheit, die Muse, die Menschheit, die Harmonie, die Unendlichkeit, die Jugend. In der Verkündigung dieser Ideen legitimiert sich, wie in der *Hymne an die Göttin der Harmonie* (1790/91), die Rolle des Dichters:

> Herrlicher mein Bild in dir zu finden,
> Haucht ich Kräfte dir und Kühnheit ein,
> Meines Reichs Gesetze zu ergründen,
> Schöpfer meiner Schöpfungen zu sein.

Die Tübinger Hymnen setzen die Aufklärung und die Französische Revolution als Erfahrung voraus. Die Berufung auf das Naturrecht, Zukunftsoptimismus, Kritik despotischer Herrschaft und Kosmopolitismus sind ihnen eigentümlich. Entsprechend aufklärerischer Metaphorik kämpft das Licht gegen das Dunkle. Hölderlin wird sich von nun an verstehen als Dichter in einer revolutionären Zeit; er erhoffte sich von der Französischen Revolution auch eine Revolutionierung Deutschlands (vgl. den Brief vom Februar 1792 an die Schwester, vom November 1792 an die Mutter, vom September 1793 und vom November 1798 an den Bruder), eine »künftige Revolution der Gesinnung und Vorstellungsarten«, zu der Deutschland mit seiner stillen Entwicklung und »Bildung« mehr als andere Staaten beitragen könne (vgl. den Brief an Johann Gottfried Ebel vom Januar 1797). In diesem ›Sonderweg‹ werde Deutschland die Französische Revolution übertreffen. Das Thema der Revolution steht im *Hyperion*-Roman und im *Empedokles*-Dramenprojekt zentral. In der Widmung des *Hyperion* an die Prinzessin Auguste von Homburg, in den Homburger poetologischen Fragmenten und in den *Anmerkungen* zu den Sophokleischen Tragödien wird der geschichtsphilosophische Ort des Dichters bestimmt als der eines geschichtlichen Übergangs von einer Epoche zu einer anderen. Dichtung gibt »Halt« in der Krise solcher Übergänge, sie schafft und wahrt Kontinuität als Erinnerung und Deutung des Geschichtsverlaufs.

Die Tübinger Hymnen dokumentieren die Bedeutung der Aufklärung für Hölderlin. Auch später hat er trotz aller Kritik an einer »stockfinstern Aufklärung« (an den Bruder, 21. August 1794) und an den »eisernen Begriffen« des Verstandes, der die deswegen »Barbaren« genannten Deutschen charakterisiert (Scheltrede in *Hyperion* II,2), am Impuls der Aufklärung festgehalten. Er fordert jedoch, in der Tradition der Aufklärung selbst, eine »höhere«, d. h. über sich selbst und ihre Grenzen aufgeklärte »Aufklärung«, die sich nicht als bloße Beherrschung der Natur, sondern als Behauptung des Verstandes und als Achtung der Natur zugleich versteht, als »Wissenschaft« und »Zärtlichkeit« (*Griechenland*, 3. Fass.). An den Bruder schreibt er am 4. Juni 1799:

> daß sich der Mensch, dem die Natur zum Stoffe seiner Tätigkeit sich hingibt, den sie, als ein mächtig Triebrad, in ihrer unendlichen Organisation enthält, daß er sich nicht als Meister und Herr derselben dünke und sich in aller seiner Kunst und Tätigkeit bescheiden und fromm vor dem Geiste der Natur beuge, den er in sich trägt, den er um sich hat, und der ihm Stoff und Kräfte gibt [. . .].

Im Spätwerk nach 1800 betont Hölderlin stärker die Bewußtseins- und identitätsschützende Macht des Verstandes gegenüber der Natur, gegenüber dem »ewig menschenfeindlichen Naturgang«, wie es nun in den *Anmerkungen zu Antigone* heißt. Gleichwohl muß sich dieser Verstand im Ausgleich mit der Natur begreifen.

Mit der *Hymne an den Genius Griechenlands* und der Magisterarbeit *Geschichte der schönen Künste unter den Griechen* (beide 1790) setzt in der Tübinger Zeit Hölderlins Beschäftigung mit der griechischen Antike ein. Wie in seiner Hauptquelle, Winckelmanns *Geschichte der Kunst des Altertums* (1764), erscheinen in der Magisterarbeit griechische Kunst und Humanität als zeitloses Muster. Dieses Bild der Antike war Teil des europäischen Klassizismus, den in Deutschland Goethe (*Iphigenie auf Tauris*, 1779), Herder (*Ideen zur Philosophie der Geschichte der Menschheit*, Buch 13, 1787), Schiller (*Die Götter Griechenlands*, 1788/1800) vertraten. In Württemberg hatte Karl Philipp Conz, ein Lehrer Hölderlins am Stift, die Antikenrezeption vorbereitet. Wie Winckelmann hatte Hölderlin Griechenland selbst nicht gesehen. Für ihn, der, wie Christoph Theodor Schwab berichtet, »das Altertum, das lebendig vor seiner Seele stand, gerne bei jeder Gelegenheit mit der Gegenwart« (SW II,280) verknüpfte, waren die Geschichtstendenzen der griechischen Antike und seiner revolutionären Gegenwart nur in wechselseitiger Perspektivierung zu verstehen. Griechische Antike, Deutschland und die Französische Revolution bilden nun das »geschichtliche Spannungsfeld« (Mieth, S. 24 bis 33) seiner dichterischen Existenz.

Hölderlins Beschäftigung mit griechischer Antike führte über die Gedichte *Hymne an den Genius Griechenlands* (1790), *Griechenland* (1793). *An Herkules* (1795/96) über den Roman *Hyperion oder der Eremit in Griechenland* (1797–99), das Drama *Empedokles* (1797–1800), das Aufsatzfragment *Der Gesichtspunkt, aus dem wir das Altertum anzusehen haben* (1799) zu den Oden. Elegien und Hymnen nach 1800 (z. B. *Tränen, Brot und Wein, Der Archipelagus, Die Wanderung, Der Einzige, Mnemosyne*), den Pindar-Fragmenten (1803?) und zu den 1803 abgeschlossenen Übersetzungen und Kommentierungen der Sophokleischen Trauerspiele *Ödipus der Tyrann* und *Antigone* (1804). In seinem Brief an Boehlendorff vom 4. Dezember 1801 reflektiert er über das Verhältnis der antiken Epoche zur modernen. Seine Reflexionen stehen in der Tradition der »Querelle des anciens et du modernes« des europäischen Klassizismus, die in Deutschland nach Winckelmann von Wilhelm von Humboldt (*Über das Studium des Altertums und des Griechischen insbesondere*, 1793) über Friedrich Schiller (*Über naive und sentimentalische Dichtung*, 1795) bis zu Friedrich Schlegel (*Über das Studium der griechischen Poesie*, 1795–97) reicht. Hölderlin gibt dem Streit um die Modernität und Legitimität der Gegenwart eine neue geschichtsphilosophische und ästhetische Perspektive. Die Epoche der Gegenwart und die der Antike sind, diesem Brief zufolge, jeweils unterschiedliche Synthesen orientalischer und abendländischer Geschichtstendenzen. In ihrer Struktur sind sich die griechische und die moderne Epoche gleich im Ausgleich zwischen »schöner Leidenschaft« und nüchterner »Geistesgegenwart«. Orientalische Leidenschaft ist die natürliche Anlage der Griechen, daher brauchen sie »Geistesgegenwart« und

»Darstellungsgabe«, um sie auszugleichen und zu bemeistern. In den Augen Hölderlins kommt Homer das Verdienst zu, »die abendländische Junonische Nüchternheit für sein Apollonsreich« erbeutet zu haben. Umgekehrt verhält es sich bei den Modernen: nüchterne Geistesgegenwart macht ihre Naturanlage aus. Daher brauchen sie »schöne Leidenschaft« und Pathos als Ausgleich und Antwort:

> Aber das Eigene muß so gut gelernt sein wie das Fremde. Deswegen sind uns die Griechen unentbehrlich. Nur werden wir ihnen gerade in unserm Eigenen, Nationellen nicht nachkommen, weil, wie gesagt, der freie Gebrauch des Eigenen das Schwerste ist.

Das strukturell andere Weltverhältnis der Moderne verändert auch ihre poetischen Ausdrucksformen, wie Hölderlin hier am Beispiel der Tragödie expliziert. Der griechischen Tragödie liegt ein pathetischer Tod zugrunde, ein Untergang im ursprünglichen »Feuer«, wie es die Tragödie *Ödipus* darstellt. Der »echten modernen« Tragödie liegt dagegen ein stiller, in einem Behälter eingepackter »Tod« zugrunde. Der griechische tragische Untergang ist imposant, der moderne dagegen tief. Daher muß das moderne vaterländische Drama – Darstellung durch Gegensatz – »epischer« behandelt werden.

Im Tübinger Stift, in Waltershausen und in Jena (1795) erarbeitete sich Hölderlin seine theoretischen und ästhetischen Grundlagen. Jena war in diesen Jahren ein intellektuelles Zentrum Deutschlands. Hier hörte Hölderlin Fichte, verkehrte er mit Schiller, traf er Novalis und Goethe, der ihn distanziert und kritisch wahrnahm. Seine Grundlage gewinnt er in produktiver Auseinandersetzung mit den philosophischen und ästhetischen Lehren Platos (*Symposion*, *Phaidros*), Spinozas, Herders, Kants (*Kritik der Urteilskraft*, 1790), Fichtes (*Grundlage der gesamten Wissenschaftslehre*, 1794) und Schillers (*Die Künstler*, 1789; *Über Anmut und Würde*, 1793; *Über die ästhetische Erziehung in einer Reihe von Briefen*, 1795). Hölderlin verbindet dabei zwei Denkfiguren: die platonische, im 18. Jahrhundert vor allem von Herder vorgetragene Vereinigungsphilosophie und eine vor allem von Fichte vorgetragene Entgegensetzungsphilosophie. Menschliches Bewußtsein ist für Hölderlin ohne Schranken, ohne Trennungen, ohne eine Entgegensetzung eines Objektes nicht möglich, aber auch nicht ohne die unvordenklich zugrunde liegende Einheit eines »Seins«. Dieses Sein ist in der Schönheit, in der Liebe oder in der Natur erfahrbar. Die Legitimierung der Kunst als Darstellung dieser unvordenklichen Einheit des Seins führt über Schillers Position einer ästhetischen Vermittlung in den *Ästhetischen Briefen* hinaus und setzt mit der Einsicht in den Sinn von Entgegensetzungen auch die Einsicht in den Sinn geschichtlicher Veränderungen und Verläufe frei. Die Trennungen und Entzweiungen des Lebens sind die Bedingungen, unter denen und an denen die Erfahrung des Seins allein möglich ist. Sie sind auch die Bedingungen der Erfahrung der Schönheit. Die Entwicklung dieser philosophischen und ästhetischen Theorie liegt im Fragment *Urteil und Sein* (1795), im Brief an den Bruder vom 13. April 1795, im Gedicht *An die Unerkannte* (1795) und in den Vorfassungen des *Hyperion*-Romans (*Fragment von Hyperion*, 1794; metrische Fass., 1794/95; *Hyperions Jugend*, 1795; vorletzte Fass., 1795) vor. Hegels philosophisches Denken erhält von dieser Theorie seinen wesentlichen Anstoß.

In der Prosaversion der metrischen Fassung des *Hyperion* wird diese Trennungs-Vereinigungs-Konzeption entwickelt unter Berufung auf Platos Liebesphilosophie:

> – laß mich menschlich sprechen. Als unser ursprünglich unendliches Wesen zum ersten Male leidend ward und die freie volle Kraft der ersten Schranken empfand, als die Armut mit dem Überflusse sich paarte, da ward die Liebe. Fragst du, wann das war? Plato sagt: am Tage, da Aphrodite geboren ward. Also da, als die schöne Welt für uns anfing, da wir zum Bewußtsein kamen, da wurden wir endlich.

In dieser Passage wird auch der Mythos als Form des
»menschlich« Sprechens verstanden und in Anspruch
genommen. Vor allem Herder hatte dieses Mythos-Ver-
ständnis vorbereitet. Im *Ältesten Systemprogramm des deutschen Idealismus* (1795; es stammt wohl von Hegel, dürfte
aber im Austausch mit Hölderlin entstanden sein) wird eine
»neue Mythologie« in politischer und kultureller Absicht
gefordert, um die Trennungen von Intellektuellen und Volk
zu überwinden. Die Aufsätze Hölderlins in seiner ersten
Homburger Zeit, die im Zusammenhang mit seinem Zeitschriftenprojekt und den Vorlesungsplänen entstanden sind,
entfalten diese Grundlegung sowohl poetologisch als auch
lebenspraktisch und geschichtsphilosophisch. Sie artikulieren unmittelbare Lebenserfahrung: das Verständnis der gegenwärtigen Geschichtskrise, die Trennung von Susette
Gontard.

Trennungen und Entzweiungen sind keine Negation der
Einheit, sondern als ihre Darstellungs- und Entfaltungsform
zu verstehen. Denn in der Entfaltung solcher Trennungen
und Entzweiungen wird eine höhere, bewußte Existenz
erreicht und die zugrunde liegende Einheit darstellbar. Das
Kunstwerk wird als sublimierte Wiederholung und Voraus-
deutung der Verläufe der Geschichte und des Lebens begriffen, als »Welt im verringerten Maßstab«, wie es später in den
Anmerkungen zur Antigone (1804) heißt. Wie diese Darstellung durch das Kunstwerk möglich ist, wie in den Trennungen, Entzweiungen und Wechseln des Lebens die Einheit
dieses Lebens zu artikulieren ist, sucht das Fragment *Über
die Verfahrungsweise des poetischen Geistes* (1798/99) zu
beantworten. So wie Bewußtsein Entgegensetzung voraussetzt, setzt poetisches Bewußtsein, das des Dichters und das
des Gedichts, die Entgegensetzung von Geist und Stoff
voraus. Das Grundschema besteht in der Darstellung durch
Gegensatz. Die Einheit des Geistes wird indirekt, an seinem
Gegensatz, am Wechsel der sinnlichen Teile des Gedichtes
dargestellt. Die »Bedeutung« des Gedichts liegt in der Vermittlung zwischen dem »Geist« des Gedichts und dem

sinnlichen »Ausdruck« oder »Kunstcharakter«. Hölderlin unterscheidet nun drei Töne in dieser indirekten (»negativ-positiven«) Darstellungsleistung des Gedichts. Diese drei Töne des Naiven, Heroischen und Idealischen hat er, wie das Fragment *Ein Wort über die Iliade* belegt, aus Charaktertypen entwickelt. Im polyphonen Wechsel dieser Töne soll sich der Wechsel und die Einheit des Lebens wiederholen und darstellen. Der naive Grundton drückt sich im Gedicht im idealischen Kunstcharakter aus, der idealische Grundton im Heroischen, der heroische Grundton im Naiven. Diese poetologische »Regel« des Gegensatzes hat zugleich eine lebenspraktische Bedeutung:

> Setze dich mit freier Wahl in harmonische Entgegensetzung mit einer äußeren Sphäre, so wie du in dir selber in harmonischer Entgegensetzung bist, von Natur, aber unerkennbarer Weise, solange du in dir selbst bleibst.

In der Lehre vom Wechsel der Töne zeigt Hölderlin, wie Einheit mit Trennung und Wechsel zusammengedacht werden muß. *Das Werden im Vergehen* erklärt die Trennungen und Widersprüche der Geschichte als eine »Darstellung« der Einheit der Geschichte in der Zeit. Ebenso argumentiert er im Fragment *Über den Unterschied der Dichtarten*. Die Widersprüchlichkeit und Zeitlichkeit der Welt ist nur »ein Zustand des ursprünglichen Einen«, in den es sich entäußern muß, damit »alles allem begegne«, wie Hölderlin theologisch formuliert. Innerhalb seiner gattungstheoretischen Überlegungen ist es gerade die Tragödie, in der das Absolute, wie es in dem Fragment *Über die Bedeutung der Tragödien* (1798/1800/1803?) heißt, »gerade heraus ist«. In der Katastrophe, im Untergang eines Helden oder einer Epoche, zeigt sich das »Ganze« der Welt in seiner unmittelbaren, daher vernichtenden Macht; ein »furchtbarer, aber göttlicher Traum« (*Das Werden im Vergehen*). Ein Distichon, *Sophokles* (1799) überschrieben, lautet:

Viele versuchten umsonst das Freudigste freudig zu sagen,
hier spricht endlich es mir, hier in der Trauer sich aus.

Gattungstheoretischen Überlegungen sind auch die Fragmente *Über die verschiedenen Arten zu dichten* (1798/99),
Über den Unterschied der Dichtarten (1798/99), *Das Werden
im Vergehen* (1798/99), und der *Grund zum Empedokles*
(1799) gewidmet, ebenso die Rezension *Über Siegfried
Schmids Schauspiel Die Heroine* (1801) und der Brief an
Neuffer vom 3. Juli 1799. Diese poeto-logische Theorie soll
für die Moderne einen »durch und durch bestimmten und
überdachten Gang« der Kunstwerke gewinnen, der in seinem Rang den »alten Kunstwerken« gleichkommen würde.
Im programmatischen Brief an den Bruder vom 1. Januar
1799 wird aus der Einheitsstruktur des Kunstwerks eine
Vereinigungswirkung abgeleitet. Die Poesie vereinigt die
Menschen »mit all dem mannigfachen Leid und Glück und
Streben und Hoffen und Fürchten, mit all ihren Meinungen
und Fehlern, all ihren Tugenden und Ideen [. . .] immer
mehr zu einem lebendigen, tausendfach gegliederten, inni-
gen Ganzen, denn eben dies soll die Poesie selber sein, und
wie die Ursache, so die Wirkung«. Die Poesie soll den
»höheren Zusammenhang« (*Über Religion*, 1798/99) zwischen den Menschen untereinander und zwischen den Menschen und der Welt darstellen, nicht als Ersatz, sondern als
Vergegenwärtigung dessen, was in »wirklicher Welt« geleistet werden soll und kann. Die dem Kunstwerk eigentümliche »Vollkommenheit und Unvollkommenheit« treibt wieder ins wirkliche Leben. Dichtung geht aus von Wirklichkeit
und soll in Wirklichkeit wieder übergehen. In diesem Fragment kann Hölderlin wegen der Einheitsstruktur und Vereinigungswirkung der Poesie die Religion in ihrem »Wesen«
als »poetisch« definieren.
Der Roman *Hyperion oder Der Eremit in Griechenland*
hat Hölderlins Reflexionen über den Zusammenhang von
Entzweiungen und Vereinigung, von Sein und Zeit, über die

Bedeutung von Schönheit und Liebe, die Bedeutung der Natur, über das Verhältnis von Antike und Moderne und über die Aufgabe der Kunst in sich aufgenommen, bis in seine lehrhafte, reflexive Form. Die Arbeit am Roman von 1792 bis 1796/97 begleitet und umfaßt die Ausbildung seiner philosophischen und ästhetischen Theorie.

Hyperion ist ein experimenteller Roman, der vielfältige Traditionen integriert: die Tradition des europäischen Briefromans, zumal Goethes *Die Leiden des jungen Werthers*, die Tradition des europäischen antiquarischen Romans, z. B. Wielands *Geschichte des Agathon* und Fénelons *Les Aventures de Télémaque*, die Tradition des philosophischen Romans und des modernen Bildungs- und Künstlerromans. Er ist auch intendiert als politischer und nationaler Roman: die Vorrede wendet sich nicht an die Leser, sondern an die »Liebe der Deutschen«. Der Untertitel *Eremit in Griechenland* heißt auch ›Deutscher in griechischem Kostüm‹. Der Adressat der Briefe Hyperions trägt den sprechenden Namen Bellarmin; er enthält die semantischen Elemente: das Schöne, das Heroische und das Deutsche. Die Briefe sind an den Deutschen gerichtet, darüber hinaus an die Deutschen, in aufklärerischer Wirkungsabsicht, wie aus der Vorrede hervorgeht. Der Roman zielt auf »Nachdenken« und »Lust«.

Die Anlage der Handlung, der Aufstand der Griechen gegen türkische Unterdrückung im Russisch-Türkischen Krieg, soll Analogien zur deutschen Situation während der ersten Koalitionskriege suggerieren. Mit der Kritik am Bund der »Nemesis« und an Alabanda enthält der Roman auch eine Verurteilung des jakobinischen Terrors. Die Geschichte Athens wird als bewußte Antithese zur Französischen Revolution vergegenwärtigt, an deren politischen Zielen Freiheit, Gleichheit und Brüderlichkeit festgehalten wird. Gegen die Revolution werden ungestörte Entwicklungen und aufgeklärte Reformen gesetzt. Hölderlins Hoffnungen auf die Entwicklung der deutschen Nation (vgl. Brief an Ebel, 10. Januar 1797) sind damit vergleichbar.

Die Sprache des Briefe schreibenden Hyperion ist eine lyrische, empfindsame Sprache mit epischen und lehrhaften Elementen, die an *Die Leiden des jungen Werthers* erinnert. Wie aus der Vorrede zum *Thalia*-Fragment hervorgeht, ist der Gang der Handlung als Bildungsgang des Helden konzipiert, sein Lebensweg als Integration exzentrischer Strebungen, als Vermittlung von Gegensätzen. Vergleichbar Goethes *Wilhelm Meisters Lehrjahren* (1795–96), führt der Bildungsgang den Helden mit Figuren zusammen, die verschiedene Lebensaspekte verkörpern: Adamas, der Weise; Diotima, die Schönheit; Alabanda, der Heroische. Hyperions Bildungsgang verläuft jedoch nicht in kontinuierlicher Entwicklung, sondern in Aufschwüngen und Verzweiflungen. Von Diotima inspiriert, beschließt Hyperion, sich zum Dichter und Erzieher seines Volkes zu bilden. Dieser Entschluß entsteht aus einem Gespräch in den Ruinen von Athen über die Staatsform und Kultur Athens. In dieser sogenannten Athener-Rede Hyperions werden Aufklärungsmotive und Motive der nachkantischen Bewußtseinsphilosophie verbunden. Die athenischen Bewußtseins- und Lebensformen Philosophie, Religion und Kunst werden in ein wechselseitiges Verhältnis gebracht. Philosophie, Religion und Kunst haben zum Gegenstand das »Wesen« der Schönheit. Es wird in der Athener-Rede bestimmt mit der heraklitischen Formel: »Das Eine in sich selber unterschiedne«. Die Religion wird gedacht als »Liebe der Schönheit. Der Weise liebt sie selbst, die unendliche, die allumfassende; das Volk liebt ihre Kinder, die Götter, die in mannigfaltigen Gestalten ihm erscheinen« (I,2). Auch die Philosophie verdankt sich der Erfahrung der Schönheit, der Dichtung des Seins selbst. Ohne diese Erfahrung wäre das analytische Verfahren der Vernunft ziellos und blind. Diese Verhältnisbestimmungen mit ihrer Privilegierung der ästhetischen Erfahrung über alle anderen Bewußtseinsformen haben nicht nur theoretische, sondern auch politische Implikationen. Getragen von der Schönheitserfahrung, sagt Hyperion, konnte sich die Staatsform der Athener zur Humanität

ausbilden. Der 1. Band des Romans endet mit der Verheißung einer neuen Welt nach dem Vorbild des antiken Athens.

Im 2. Band wird versucht, dieses Vorbild zu verwirklichen. Hyperion nimmt wieder am revolutionären Kampf
teil. Wieder muß er das Scheitern seiner Ideale erfahren.
Jedoch gehört das letzte Wort des Romans nicht der Resignation und der Verzweiflung, sondern dem Aushalten und
dem Anerkennen des leidvollen Geschichtsganges. Hyperion, der wie Werther als narzißtischer Charakter gezeichnet
ist – deswegen hat Mörike vom »peinlichst-glücklichst-kom-
pliziertesten« Eindruck gesprochen –, muß erfahren, »daß,
wie Nachtigallgesang im Dunkeln, göttlich erst in tiefem
Leid das Lebenslied der Welt uns tönt«. Die Durchführung
und der offene Schluß des Romans: »So dacht ich. Näch-
stens mehr« (II,2), relativieren die Vorrede, wonach der
Roman von der, musikalisch gesprochen, »Auflösung der
Dissonanzen in einem gewissen [d. h. bestimmten] Charakter« handelt.

In die erste Homburger Zeit fällt Hölderlins Arbeit an
seinem *Empedokles*-Projekt. 1797 konzipiert er den sogenannten Frankfurter Plan der Tragödie. In Homburg entstehen die drei fragmentarisch gebliebenen Fassungen und die
theoretische Studie *Grund zum Empedokles*. Die 1. und 3.
Fassung sind in Blankversen, die 2. in freien Rhythmen
gehalten. Aus ihr wie aus den übrigen poetologischen Reflexionen geht hervor, daß für Hölderlin die Tragödie die höchste der Gattungen ist, weil sie die unmittelbare, d. h. am we-
nigsten mittelbare Manifestation des Absoluten darstellt.

Im Mittelpunkt des Dramas steht der Untergang des
Helden Empedokles. Hölderlin knüpft an die antike Überlieferung an, wonach Empedokles (5. Jahrhundert v. Chr.)
ein Naturphilosoph, Dichter, Arzt, Priester und Zauberer
war. Er habe sich in den Ätna gestürzt, um sich mit der
Natur zu vereinen. In diese Figur integriert Hölderlin
Anspielungen auf den Opfertod Christi und auf den kultur-
kritischen Rousseau, also antike und moderne Elemente.

Der Untergang des Empedokles wird in den ersten beiden
Fassungen noch durch die Hybris des Helden motiviert, der
sich zum Herrscher über die Natur erklärt. Die Tragödie ist
als eine Tragödie des Wissens konzipiert. Mit dieser Kritik
am Herrschaftsanspruch der Vernunft setzt Hölderlin seine
Auseinandersetzung mit der Aufklärung fort. Im Opfertod
will Empedokles die Natur und die Götter wieder versöhnen. Zugleich soll dieser Tod das Volk politisch zur Mün-
digkeit und Selbstbestimmung entlassen: »Dies ist die Zeit
der Könige nicht mehr« (1. Fass.). Ganz im Sinne spätauf-
klärerischer politischer Ideen wird Freiheit nicht so sehr
erkämpft als gegeben.

Im *Grund zum Empedokles* werden die Figur und der
Untergang des Empedokles geschichtsphilosophisch begründet, im Blick auf die historischen, ›großen‹ Personen
der Zeitgeschichte. Die Figur des Empedokles wird gedacht
als vorläufige Vereinigung der Widersprüche und Extreme
der Zeit. Er muß deshalb geopfert werden, um eine allgemeine Versöhnung freizusetzen. Sein individueller Tod soll
eine dauerhafte »allgemeine Innigkeit« hervorbringen. Die
geschichtsphilosophische Analyse dieser Studie steht dem 5.
der *Ästhetischen Briefe* Schillers und dem Scheltbrief im
Hyperion nahe. Sie inspirierte auch Hegels Schrift über den
Geist des Christentums (1797–1800). In der 3. Fassung hat
Hölderlin Natur mit Geschichte vermittelt und die Figur
eines Antagonisten eingeführt, um einen dramatischen Konflikt zu exponieren. Jedoch verhindert die Anlage von
Empedokles als Verkörperungs- und Übergangsfigur geschichtlicher Entwicklungen einen genuinen dramatischen
Konflikt. Darin mag der Grund für das Scheitern des Pro-
jektes liegen.

Für das lyrische Schaffen Hölderlins bis 1796 ist die
Reimstrophe charakteristisch. Die Jahre 1796/97 bilden eine
Wende. Es ist die Zeit der Liebe zu Susette Gontard, der
Deutung der zeitgeschichtlichen Ereignisse in weltge-
schichtlicher Perspektive, der Reflexion auf das dichterische

Subjekt und die Dichtung. Hölderlin verwendet nun distanzierende antike Versmaße, seine Bildsprache löst sich von der früheren allegorisierenden Bildsprache. Naturbilder gewinnen eine neue, konkrete und symbolische Qualität. Im poetischen Bild wird die Identität von Geschichte und Natur gesucht. An den 1797 entstandenen Gedichten *Die Eichbäume*, *Der Wanderer* und *An den Äther* ist dieser Wandel schon ablesbar. Die Gedichte *Die Völker schwiegen, schlummerten* und *Die Muße* deuten die Bewegung der Geschichte als konfliktreichen, dynamischen Prozeß von Ruhe und Unruhe. In ihm wird die Revolution als Moment des Geschichtsprozesses gerechtfertigt. In den Kurzoden der Jahre 1797/98 (z. B. *An Diotima*, *Diotima*, *Empedokles*, *An die Parzen*, *Lebenslauf*, *An die Deutschen*) findet Hölderlin seine eigene poetische Form. Charakteristisch dafür ist die Exposition der dichterischen Subjektivität, die durch antike Formsprache und Reflexionen distanzierte Expressivität, der rhetorische, epideiktische Gestus (z. B. im Gedicht *Die Liebenden*, 1798):

> Trennen wollten wir uns, wähnten es gut und klug:
>   Da wir's taten, warum schröckt' uns, wie Mord, die Tat?
>   Ach! Wir kennen uns wenig,
>   Denn es waltet ein Gott in uns.

Charakteristisch für das poetische Lexikon dieser Gedichte sind Schlüsselwörter wie »heilig, Natur, fromm, hold, schön, golden, heiter, herrlich«; Komposita wie »ewigbang, allausgleichend, alliebend, allbelebend«.

Die Bedeutung und die Aufgabe der Dichtung wird in diesen Gedichten immer wieder reflektiert, zentrales Thema wird sie in den Oden *An die jungen Dichter*, *Die scheinheiligen Dichter*, *An unsre großen Dichter* (alle 1798), *Dichtermut* (1. Fass. 1799/1800, 2. Fass. 1801), *Dichterberuf* (1800/1801). In diesem wird dem Dichter ein geschichtlicher und öffentlicher »Beruf« zuerkannt. Er wird evoziert als vom Gott Dionysos begeistert, als »des Tages Engel«, der die

»Gesetze« und »Leben« gibt. Jedem ist er »offen«. Die Situation und die Forderung des Aufbruchs ins Offene ist diesen Gedichten wesentlich. In seiner öffentlichen und geschichtlichen Rolle wird der Dichter als »Sänger des Volks« (*Dichtermut*) begriffen. Die Rolle des Sängers ist von Klopstocks Dichterverständnis inspiriert. Die Vergangenheit und die Zukunft der Geschichte ist dem Dichter »heilig« (*Stuttgart*, 1800). In der Ode *An Eduard* (1801) wird nach dem Verhältnis zum Freund Isaak von Sinclair gefragt und die Möglichkeit bedacht, in der revolutionären Auseinandersetzung »singend« zu fallen. Der Handelnde und der Sänger werden wie Dioskuren aufeinander bezogen (*Die Dioskuren*, 1802).

Im produktiven Jahr 1800 entstehen viele Oden als Umarbeitungen und Erweiterungen von Oden der Frankfurter und Homburger Zeit, z. B. *Lebenslauf*, *Der Abschied*. Erweiterung, Umarbeitung, Überarbeitung gehören zur Eigentümlichkeit von Hölderlins poetischem Werk, zumal des Spätwerks. Sie werfen die Frage nach der Abgeschlossenheit des einzelnen Gedichtes auf. (Methodisch geht davon die Edition der Werke Hölderlins in der *Frankfurter Ausgabe* aus.)

Die Oden *Der Main* (1798), *Heidelberg*, *Der Neckar*, die Elegie *Stuttgart* (alle 1800) vergegenwärtigen heimatliche Schönheit als Bilder versöhnter Geschichte. In Orten, Städten und an Strömen werden das Eine des Ursprungs und die Formen des bewußten Lebens vergegenwärtigt. Schon früh hat Hölderlin der Umfangenheit im Kleinen und dem Ausgriff ins Große gleiche Bedeutung zugesprochen.

Die 1800/01 entstandenen Elegien *Menons Klagen um Diotima*, *Der Wanderer*, *Der Gang aufs Land*, *Stuttgart*, *Brot und Wein*, *Heimkunft* bilden in ihrer Formensprache einen Übergang zu den Hymnen des Spätwerks. Hymnische, elegische und lehrhafte Elemente, Zukunftsvisionen und Vergangenheitsdeutung durchdringen sich, wie schon im langen hexametrischen Gedicht *Der Archipelagus* (1800), das die großen Elegien und Hymnen des Spätwerks eröffnet. Immer mehr stellt sich der Dichter in der Rolle des Deuters und Künders weltgeschichtlichen Gangs dar. In diesen Elegien und in den späten Hymnen werden Geschichtsräume und Geschichtszeiten vom Orient bis zum Abendland, bis zur unmittelbaren Heimat entworfen und gedeutet, nicht so sehr in geschichtsphilosophischer als in geschichtstheologischer Perspektive. Als Erkenntnis- und Vermittlungsmedium der Geschichte löst Dichtung jedoch Theologie und Philosophie ab: der »Geist« der Götter »wehet« im »Liede« (*Wie wenn am Feiertage*, 1799). Der Verlauf der Geschichte wird als »Zeichen« und Zu-sich-selbst-Kommen des unvordenklichen Einheitsgrundes der Geschichte, des »Gottes« oder des »Vaters«, imaginiert, die Geschichtsepochen als Epochen seiner Zuwendung und Abwendung. In der Figur typologischer Erfüllung und Überbietung wird das Abendland auf die griechische Antike bezogen. In der revolutionären-nachrevolutionären Gegenwart des Abendlandes, deren geschichtlicher Stand die allgemeine Verwirklichung der bürgerlichen Freiheit und die wechselseitige Ausbildung von Individualität und Allgemeinheit verspricht, soll sich die Verheißung antiker Humanität erfüllen. Die Erfüllungshoffnung knüpfte sich an Friedensaussichten um 1800.

Die Elegie *Brot und Wein* deutet in den Symbolen Brot und Wein den Zusammenhang von Dionysos und Christus, von Antike und christlicher Neuzeit. In »dürftiger Zeit« stellen Brot und Wein »Zeichen« der Erinnerung und der zukünftigen Erfüllung der Geschichte in »Hesperien« dar. Die Dichter haben die Aufgabe, als »Priester« in der »Nacht« der verwirrten Zwischenzeit zu wirken, die deswegen »heilig« genannt wird, weil sie auch die Vorbereitungszeit der Erfüllung ist. Aus dieser Nacht-Metapher leitet sich der Titel *Nachtgesänge* ab, mit dem Hölderlin neun Gedichte bezeichnete, die 1802, nach der Rückkehr aus Frankreich, entstanden sind (*Chiron, An die Hoffnung, Blödigkeit, Ganymed, Tränen, Vulkan, Hälfte des Lebens,*

Lebensalter, Der Winkel von Hardt). Es sind die letzten von ihm publizierten Gedichte. Vier von ihnen sind Umarbeitungen früherer Gedichte.

1801 und 1802 entstehen die Hymnen *Die Wanderung, Der Rhein, Germanien* und *Friedensfeier*. Unvollendet blieben die Hymnen *Der Mutter Erde, Deutscher Gesang* und *Am Quell der Donau*. Ihnen folgen die Hymnen *Patmos* (1. Fass. 1802, späte Fass. 1803), *Andenken* (1803), die 2. und 3. Fassung von *Der Einzige* (1. Fass. 1801), *Der Ister* (1803), *Mnemosyne* (1803), die Entwürfe *An die Madonna, Die Titanen* (die vermutlich zusammengehören), *Wenn aber die Himmlischen*. Die textlichen Zusammenhänge der späten Bruchstücke und Entwürfe werden in letzter Zeit intensiv erforscht. Diese Gedichte sind von unerhörter thematischer und poetischer Bedeutung, sie begründeten Hölderlins Ruhm im 20. Jahrhundert.

Vorbereitet werden sie durch die Übersetzung der Epinikien Pindars (1800). In der Magisterarbeit *Geschichte der schönen Künste unter den Griechen* wird Pindar als das »Summum der Dichtkunst« gefeiert. Pindars Chorlyrik abgewonnen ist der triadische Strophenbau, die syntaktisch harten Fügungen, die unregelmäßigen, prosanahen, synkopierten Rhythmen, die Mischung von hohen und niedrigen Sprachregistern, die Verbindung von pathetischer Hymnik, sentenziösen, narrativen und alltagssprachlichen Elementen. Kontextbrechungen erzeugen eine Verselbständigung des einzelnen Wortes. Hölderlin war sich bewußt, daß die Poetik dieser Hymnen unerhört war und Anstoß erregen mußte. Der *Friedensfeier*, die einzeln publiziert werden sollte, setzte er die Bemerkung voran: »Ich bitte, dieses Blatt nur gutmütig zu lesen. So wird es sicher nicht unfaßlich, noch weniger anstößig sein. Sollten aber dennoch einige eine solche Sprache zu wenig konventionell finden, so muß ich ihnen gestehen: ich kann nicht anders.«

Die neue Poetik dieser Hymnen ist jedoch nicht nur dem Vorbild Pindars verpflichtet, sondern auch der »vaterländischen« Welt. Mit Vaterland ist sowohl die vaterländische deutsche Geschichte als auch die gegenwärtige Epoche und darüber hinaus die Neuzeit gemeint, die »hesperische« Heimat. Daher nennt Hölderlin diese Hymnen »Vaterländische Gesänge« (an den Verleger Wilmans, Weihnachten 1803). »Vaterländisch« meint die Sprache dieser Gedichte, in der der deutsche und der griechische Sprachgestus sich als ebenbürtig treffen sollen, und den »Inhalt«, der »unmittelbar das Vaterland angehen soll oder die Zeit« (an Wilmans, 18. Dezember 1803). Die »vaterländischen Formen«, heißt es in den *Anmerkungen zur Antigone*, sind dazu da, den »Geist der Zeit verstehen zu lernen«, ihn »festzuhalten« und zu »fühlen«, wenn er einmal begriffen und gelernt ist«.

Im Brief an Boehlendorff (November 1802) nennt Hölderlin diese neue Sangart »vaterländisch und natürlich, eigentlich originell«. Diese Dichtung soll sich auf die Natur (»natürlich«), das Eigene (»eigentlich«) und den Ursprung (»originell«) des Vaterlandes besinnen. *Der Rhein* ist ein solches vaterländisches Gedicht. Der Lauf des »freigeborenen« Rheins symbolisiert den vaterländischen Geschichtsgang im Gegensatz zum griechischen. Von seiner Geburt an treibt es ihn sehnsüchtig nach Asien, kämpft er gegen die Fesseln des Gebirges, bis der »Vater« ihn in den Westen lenkt, damit er ruhig und nützlich werde. Wie in der Donau (*Der Ister*), die jedoch nach Osten geht, muß der vaterländische Geschichtsgang die Momente des Aufbruchs und der festen Mäßigung integrieren. Das Gedicht apostrophiert Rousseau als Deuter der Geschichte und Isaak von Sinclair, dem das Gedicht gewidmet ist, als Freund und geschichtlich Handelnden. Die Erfüllung der ›vaterländischen‹ Geschichte wird imaginiert als »Brautfest« der Menschen und Götter. Doch dieser Ausgleich der Geschichte dauert nur »eine Weile« lang. Er wird sich wieder auflösen und in »uralte Verwirrung« übergehen. Dieses Geschichtsmodell umfaßt evolutionäre und revolutionäre, fortschrittliche und zyklische Momente.

Die Hymne *Friedensfeier* (erst 1954 publiziert), entstanden unter den überschwenglichen Hoffnungen nach dem Friedensschluß von Lunéville (1801), entwirft am »Abend« der Zeit eine Friedensfeier, in der die Geschichte zu sich selbst kommt. »Verklärt« tritt der als Künstler vorgestellte »Meister« der Geschichte aus ihrer »Werkstatt«. Jetzt gilt nicht mehr »Herrschaft«, sondern nur »Der Liebe Gesetz, / Das schönausgleichende«.

Die Enttäuschungen nach 1801, die Erfahrung des nachrevolutionären Frankreich, die Erfahrung einer elementaren Bedrohung durch die betäubende »Naturmacht«, der Bedrohung der Geschichtsversöhnung, von Bewußtseinsverlust, die neuen Reflexionen über die Gleichheit und die Unterschiede der modernen und der griechischen Epoche bilden den Horizont der Hymnen *Der Einzige, Patmos, Andenken, Mnemosyne*. Diese Gedichte sind hermeneutische Gedichte, als Deutung des Lebens und der Weltgeschichte konzipiert. Gegen die Schwermut, gegen die Sehnsucht ins »Ungebundene«, in die Auflösung des Bewußtseins beschwören sie die sinnstiftende und existenzwahrende Bedeutung des »Bleibens«, der »Treue«, des »Andenkens«, der Erinnerung und des Gedächtnisses. Dichtung vermag als Wissen vom Ganzen dies zu leisten. Mit der programmatischen Aufforderung, daß »Bestehendes gut / Gedeutet« werde, endet *Patmos*. In der Geschichtsdeutung dieser Hymnen kommt Christus und seinem Zusammenhang mit den antiken Göttern eine besondere Rolle zu. Er wird, schon in *Brot und Wein*, dem Ende der griechischen Welt zugeordnet. Mit Herkules und Dionysos bildet er ein »Kleeblatt« (*Der Einzige*). Während Herkules die antike Welt eröffnet, Dionysos den »Gemeingeist« vertritt, bildet Christus das »Ende«. In ihm endet die antike Welt und beginnt die individualisierte Welt der Neuzeit. Darin ist er Antigone in Hölderlins Deutung vergleichbar, und daher wird er der »Einzige« genannt.

Nach der Rückkehr aus Frankreich arbeitet Hölderlin

1802/03 an den Übersetzungen der Trauerspiele des Sophokles *Ödipus der Tyrann* und *Antigone*. In diesen – lange verkannten – Übersetzungen sucht Hölderlin den orientalischen Ursprung der griechischen Kultur herauszuarbeiten. Sie sind zugleich Spracheinübungen in seine vaterländische »Sangart«. 1803 überträgt und kommentiert Hölderlin neun Fragmente von Pindar.

Die *Anmerkungen* zu den Sophokleischen Trauerspielen analysieren die immanente »poetische Logik« der Dramen und interpretieren sie als politische und religiöse Tragödien eines geschichtlichen Übergangs. Ergebnis dieser »vaterländischen Umkehr« (*Antigone*) oder des Ketzergerichts (*Ödipus*) ist eine neue »Vernunftform«, eine »humane« Zeit. Antigone – als Antitheos aufgefaßt – und Ödipus stellen tragische Figuren im Übergang von den »Vorstellungsarten« der antiken in die moderne, individualisierte, christlich-bürgerliche Welt dar. Wie in den Homburger poetologischen Entwürfen wird Dichtung als sublimierende Wiederholung der Geschichte begriffen, das Kunstwerk monadologisch als »Welt im verringerten Maßstab«. Gegen den vernichtenden Gang der Handlung, der den Menschen aus seiner »Lebenssphäre« in die »exzentrische« Sphäre des Bewußtseinsverlustes reißt, stellt das Kunstwerk die feste Struktur seiner »poetischen Logik«.

Die Übertragung und Kommentierung der Pindar-Fragmente konzentrieren sich auf die Frage nach Verhältnis von Mensch und Gott und nach den »Verhältnissen der Menschen« in der Gesellschaft und der Geschichte. Im Kommentar zum Fragment *Das Höchste* wird als das »Gesetz« des Lebens die »strenge Mittelbarkeit« bezeichnet, der alles, der Gott und der Mensch, unterworfen ist. Denn das »Unmittelbare« ist für die »Sterblichen unmöglich wie für die Unsterblichen«. Diese Konzeption der Mittelbarkeit ist für Hölderlin insgesamt charakteristisch, sie wird aber jetzt entschieden verstärkt.

Die sogenannten spätesten Gedichte, mit »Hölderlin«

oder mit »Scardanelli« unterschrieben, wurden bis weit in
dieses Jahrhundert als Werke eines Geisteskranken abgetan.
Die Schönheit ihrer formelhaften, fernen Einfachheit wird
erst in letzter Zeit erkannt und gewürdigt. Ihre strophische
und syntaktische Form, ihre formelhaften Bilder brechen
mit den poetischen Formen des früheren Werks, wahren
aber doch seine Grundmotive und Grundmetaphern. Die
meisten dieser Gedichte sind Jahreszeiten-Gedichte. Die
Natur, das Offene, das Verhältnis zu ihr, der Geist, die
Freude, der Frieden, der »heilige Gesang«, die Beziehung
des Menschen zu Gott, die Begrenzung des Menschen stellen ihre Themen dar, so in dem Gedicht *An Zimmern*
(1812):

> Die Linien des Lebens sind verschieden
> Wie Wege sind, und wie der Berge Gränzen.
> Was hier wir sind, kann dort ein Gott ergänzen
> Mit Harmonien und ewigem Lohn und Frieden.

Bibliographische Hinweise

Sämmtliche Werke. 2 Bde. Hrsg. von Ch. Th. Schwab. Tübingen 1846. [Zit. als: SW.]

Sämtliche Werke. Hist.-krit. Ausg. 6 Bde. Unter Mitarb. von F. Seebaß bes. durch N. v. Hellingrath. München/Berlin 1913–23.

Sämtliche Werke und Briefe. 5 Bde. Krit.-hist. Ausg. von F. Zinkernagel. Leipzig 1914–26.

Sämtliche Werke. Stuttgarter Hölderlin-Ausgabe. (Große Stuttgarter Ausgabe.) 8 Bde. Hrsg. von F. Beißner [Bd. 1–5] und A. Beck [Bd. 6–7, Bd. 8 zus. mit U. Oelmann]. Stuttgart 1943–85.

Sämtliche Werke. Stuttgarter Hölderlin-Ausgabe. (Kleine Stuttgarter Ausgabe.) 6 Bde. Hrsg. von F. Beißner [Bd. 1–5] und A. Beck [Bd. 6]. Stuttgart 1946–62.

Werke, Briefe, Dokumente. Nach dem Text der [...] kleinen Stuttgarter-Hölderlin-Ausg. Ausgew. sowie mit einem Nachw. und Erl. vers. von P. Bertaux. München 1963.

Sämtliche Werke und Briefe. 2 Bde. Hrsg. von G. Mieth. Berlin/Weimar/Darmstadt 1970.

Sämtliche Werke. Frankfurter Ausgabe. Hist.-krit. Ausg. Bd. 1 ff. Hrsg. von D. E. Sattler. Frankfurt a. M. 1975 ff.

Hölderlin-Jahrbuch. Jg. 1 ff. 1947 ff.

Hölderlin. Beiträge zu seinem Verständnis in unserem Jahrhundert. Hrsg. von A. Kelletat. Tübingen 1961.

Über Hölderlin. Hrsg. von J. Schmidt. Frankfurt a. M. 1970.

Friedrich Hölderlin. Hrsg. von E. E. George. Ann Arbor (Mich.) 1972.

Internationale Hölderlin-Bibliographie. Hrsg. vom Hölderlin-Archiv der Württembergischen Landesbibliothek Stuttgart. Bearb. von M. Kohler. Stuttgart 1985.

Jenseits des Idealismus. Hölderlins letzte Homburger Jahre (1804–1806). Hrsg. von Ch. Jamme und O. Pöggeler. Bonn 1988.

Allemann, B.: Hölderlin und Heidegger. Zürich / Freiburg i. B. ²1956.

Anderle, M.: Die Landschaft in den Gedichten Hölderlins. Bonn 1986.

Bachmaier, H. / Horst, Th. / Reisinger, P.: Hölderlin. Stuttgart 1979.

Beck, A.: Hölderlins Weg zu Deutschland. Stuttgart 1982.

Beck, A. / Raabe, P.: Hölderlin. Eine Chronik in Text und Bild. Frankfurt a. M. 1970.

Beißner, F.: Hölderlins Übersetzungen aus dem Griechischen. Stuttgart 1933. ²1961.

– Hölderlin. Reden und Aufsätze. Weimar 1961.

Benn, M. E.: Hölderlin and Pindar. Den Haag 1962.

Bertaux, P.: Hölderlin und die französische Revolution. Frankfurt a. M. 1968.

– Friedrich Hölderlin. Frankfurt a. M. 1978.

Binder, W.: Hölderlin-Aufsätze. Frankfurt a. M. 1970.

– Friedrich Hölderlin. Hrsg. von K. Weimar. Frankfurt a. M. 1987.

Böschenstein, B.: Hölderlins Rheinhymne. Zürich / Freiburg i. B. ²1968.

Buhr, G.: Hölderlins Mythenbegriff. Frankfurt a. M. 1971.

Fink, M.: Pindarfragmente. Neun Hölderlin-Deutungen. Tübingen 1982.

Gaier, U.: Der gesetzliche Kalkül. Hölderlins Dichtungslehre. Tübingen 1962.

Harrison, R. B.: Hölderlin and Greek Literature. Oxford 1975.

Heidegger, M.: Erläuterungen zu Hölderlins Dichtung. Hrsg. von F. W. v. Hermann. In: M. H.: Gesamtausgabe. Abt. 1. Bd. 4. Frankfurt a. M. 1981.

Hellingrath, N. v.: Pindarübertragungen von Hölderlin. Jena 1911.

Henrich, D.: Hegel im Kontext. Frankfurt a. M. 1971.

– Der Gang des Andenkens. Beobachtungen und Gedanken zu Hölderlins Gedicht. Stuttgart 1986.

Hölscher, U.: Empedokles und Hölderlin. Frankfurt a. M. 1965.

Homburg v. d. Höhe in der deutschen Geistesgeschichte. Hrsg. von Ch. Jamme und O. Pöggeler. Stuttgart 1981.

Jamme, Ch.: »Ein ungelehrtes Buch«. Die philosophische Gemeinschaft zwischen Hölderlin und Hegel in Frankfurt 1797–1800. Bonn ²1985.

Kempter, L.: Hölderlin und die Mythologie. Zürich/Leipzig 1924.

Kirchner, W.: Hölderlin. Aufsätze zu seiner Homburger Zeit. Göttingen 1967.

– Der Hochverratsprozeß gegen Sinclair. Ein Beitrag zum Leben Hölderlins. Frankfurt a. M. 1969.

Kurz, G.: Mittelbarkeit und Vereinigung. Zum Verhältnis von Poesie, Reflexion und Revolution bei Hölderlin. Stuttgart 1975.

Mieth, G.: Friedrich Hölderlin. Berlin [Ost] 1978.

Müller, E.: Hölderlin. Stuttgart/Berlin 1944.

Nägele, R.: Text, Geschichte und Subjektivität in Hölderlins Dichtung – »Uneßbarer Schrift gleich«. Stuttgart 1985.

Petzold, E.: Hölderlins »Brot und Wein«. Darmstadt 1967. (Nachdr. der Ausg. Sambor 1896.)

Prignitz, Ch.: Hölderlins »Empedokles«. Hamburg 1985.

Ryan, L.: Hölderlins Lehre vom Wechsel der Töne. Stuttgart 1960.

– Hölderlins »Hyperion«. Stuttgart 1965.

Sattler, D. E.: Friedrich Hölderlin. 144 Fliegende Briefe. Darmstadt/ Neuwied 1981.

Schmidt, J.: Hölderlins letzte Hymnen. »Andenken« und »Mnemosyne«. Tübingen 1970.

– Hölderlins später Widerruf in den Oden »Chiron«, »Blödigkeit« und »Ganymed«. Tübingen 1978.

Seifert, A.: Untersuchungen zu Hölderlins Pindar-Rezeption. München 1982.

Söring, J.: Die Dialektik der Rechtfertigung. Überlegungen zu Hölderlins Empedokles-Projekt. Frankfurt a. M. 1973.

Strack, F.: Ästhetik und Freiheit. Hölderlins Idee von Schönheit, Sittlichkeit und Geschichte in der Frühzeit. Tübingen 1976.

Szondi, P.: Hölderlin-Studien. Frankfurt a. M. 1970.

Thürmer, W.: Zur poetischen Verfahrensweise der spätesten Lyrik Hölderlins. Marburg 1970.

Unger, R.: Hölderlins Major Poetry. Bloomington/London 1975.

Wackwitz, St.: Friedrich Hölderlin. Stuttgart 1985. (Sammlung Metzler. 215.)

Zuberbühler, R.: Die Sprache des Herzens. Hölderlins Widmungsdichtung. Göttingen 1982.

Abbildungsnachweis

Verzeichnis der Mitarbeiter

Dr. Sylvelie Adamzik, Frankfurt a. M.
Prof. Dr. Max L. Baeumer, Verona, Wisconsin
Prof. Dr. Oswald Bayer, Tübingen
Dr. Jürgen Behrens, Frankfurt a. M.
Dr. Henning Boetius, Pfungstadt
Prof. Dr. Martin Bollacher, Bochum
Prof. Dr. Elmar Buck, Köln
Prof. Dr. Günter Dammann, Hamburg
Prof. Dr. Jörg Drews, Bielefeld
Prof. Dr. Günter Häntzschel, München
Dr. Gerhard Hay, München
Prof. Dr. Ulrich Karthaus, Gießen
Prof. Dr. Alfred Kelletat, Breese
Prof. Dr. Gerhard Kurz, Gießen
Prof. Dr. Victor Lange, Princeton, New Jersey
Ulrike Leuschner M. A., München
Dr. Lothar Müller, Berlin
Prof. Dr. Norbert Oellers, Bonn
Prof. Dr. Helmut Scheuer, Siegen
Prof. Dr. Winfried Theiss, Gießen
Prof. Dr. Gert Ueding, Tübingen
Prof. Dr. Kurt Wölfel, Bonn
Prof. Dr. Ralph-Rainer Wuthenow, Frankfurt a. M.

Verzeichnis der Dichter

RECLAM
LESE-KLASSIKER

stehen als berühmte Einzeltitel aus der Weltliteratur zur individuellen Wahl

bieten im gefälligen Format von 11,5 × 18,7 cm, als Leinenband im Schmuckschuber, mit Fadenheftung und Lesebändchen eine wertvolle Ausstattung

---

Philipp Reclam jun. Stuttgart

Johann Gottfried Seume
1763–1810

Aufstandes unter Kościuszko gegen die russische Besatzung schildert. 1797 wird Seume aus dem russischen Heer entlassen (wegen eines Terminversäumnisses zunächst unehrenhaft, später ehrenvoll) und arbeitet ab Oktober als Lektor und Korrektor bei dem Verleger Göschen in Grimma, wo er u. a. die Drucklegung von Klopstocks *Sämtlichen Werken* überwacht; auch lektoriert er seines väterlichen Freundes Christoph Martin Wieland Roman *Aristipp und einige seiner Zeitgenossen*. Am 6. Dezember 1801 schließlich bricht Seume zu seinem schon länger geplanten Fußmarsch nach Süditalien auf, den er unter dem kauzig-poetischen Titel *Spaziergang nach Syrakus im Jahre 1802* dann beschreibt. Das Buch erscheint zu Ostern 1803 und macht Seume sofort berühmt; bereits 1805 erscheint die 2. Auflage.

Zum Zeitpunkt seines Aufbruchs zu seinem Gewaltmarsch durch Italien ist Seume zwar bereits durch seine literarische Tätigkeit mit zahlreichen Autoren bekannt, und besonders mit Gleim in Halberstadt, dem alten Dichter und Domkanonikus, verbindet ihn eine verehrungsvolle Freundschaft; als Autor aber hat er sich noch nicht wirklich einen Namen gemacht, hat auch noch nichts wirklich Unverwechselbares geschrieben. Die zeitgeschichtlich-historischen Arbeiten über Polen und Rußland, die beiden Aufsatzsammlungen *Obolen* (1796 und 1798) sowie der erste Band mit Gedichten (1801), weder politisch sehr entschieden (wiewohl sehr informiert) noch poetisch herausragend (Seume steht als Lyriker ganz in der Tradition des vorgoethischen 18. Jahrhunderts: Gellert, Hagedorn, Gleim, Hölty), würden heute wohl nicht mehr die geringste Aufmerksamkeit finden, wären ihnen nicht die nächsten vier Bücher bzw. Buchprojekte und Fragmente gefolgt und hätte Seume nicht gerade in den letzten Jahren seines Lebens eine große Zahl politisch-staatsphilosophisch und stilistisch bemerkenswerter, bisher leider noch nie vollständig edierter Briefe geschrieben.

In den Werken Seumes ab dem *Spaziergang* verschränken